国家出版基金项目
NATIONAL PUBLICATION FOUNDATION

『十四五』时期国家重点图书出版专项规划

中国考古发掘报告提要

史前卷（下册）

刘庆柱◎总主编

丁晓山◎主编

中国文史出版社

河南省

618.河南省新发现的旧石器和人类化石

作　者：张维华

出　处：《中原文物》1986 年第 2 期

简报配以手绘图等，介绍了考古人员在河南临汝、镇平、确山、南召等县的调查成果。简报分为：一、临汝县张湾旧石器，二、西峡县城郊旧石器、三、镇平县旧石器，四、内乡县马山口旧石器，五、确山打石山遗址，六、南召县小空山上洞的旧石器，七、许昌县灵井遗址的新发现，八、豫西发现的旧石器，共八个部分。

简报称，河南省藏有丰富的旧石器文化遗物，特别是京广铁路线以西广大地区是旧石器的主要出土场所。除本次调查新发现的 16 处外，以往已发现的地点又有 3 处有新发现。统计河南旧石器研究史，至目前共发现 39 处；若将三门峡出土的三门期人类化石和浙川县发现的人类化石（可能出自湖北省郧县梅家铺）计算在内，共计 41 处。简报列表予以介绍。

简报指出，河南省的古人类文化遗物延续时代很长，从旧石器时代早期到晚期，几乎各大阶段都有出土。属于旧石器时代初期的文化遗址大多出自两大文化区，与两大传统文化相对应。从中更新世开始，秦岭—伏牛山—中条山为一文化区；太行山—燕山为另一个文化区。简报认为，在人类的早期发展阶段，山区是人类文化的摇篮。随着生产力的向前发展，由狩猎、采集，经畜牧到农业，才逐渐由山区，经浅山区到平原，沿河而居。这时，大河才是人类文化的摇篮。

同刊同期有张森水先生《河南省旧石器新线索及管窥》一文，可参阅。

今有袁广阔先生《河南新石器时代考古研究》（科学出版社 2020 年版）一书，收录相关考古发掘简报和研究论文，可参阅。

郑州市

619.郑州牛砦龙山文化遗址发掘报告

作　者：河南省文化局文物工作队　安金槐
出　处：《考古学报》1958 年第 4 期

牛砦位于郑州旧城西郊约 5 公里，附近地势较郑州城一带为高。地方志称之为"黄土岗"，又称"猴岗"，现在称为"碧沙岗"。村西北约 3 公里处有贾鲁河，东南约 2 公里有金水河，牛砦正在两河中间的广阔地带上，附近地势较为平坦。自 1953 年以来，在牛砦附近的广阔地区内，曾陆续发现许多处古代文化遗址。牛砦龙山文化遗址是其中发现和发掘最早的 1 处。1953 年 12 月 7 日，考古人员在郑州西郊一带的文物调查中，于牛砦村西南的壕沟断壁上，曾发现有龙山文化的灰层。1954 年 3 月 18 日至 4 月 9 日进行了 23 天的发掘，发掘灰坑 14 个，其中除灰坑属于商代外，其余全属于龙山文化。

简报分为：一、遗址地形及发掘经过，二、灰层堆积及灰坑，三、文化遗物，四、结语，共四个部分。有照片、手绘图。

据介绍，出土遗物以陶器、石器为大宗。年代比邻近的旭旮王村龙山文化遗址更早。

620.河南荥阳河王新石器时代遗址

作　者：河南省文化局文物工作队　贾　峨
出　处：《考古》1961 年第 2 期

遗址位于陇海铁路荥阳车站东北 4 公里的溪河南岸，是一个南北长约 300 米、东西宽 330 余米的半岛形黄土台地。1958 年 4 月 2 日考古人员选定了路东中部较厚的文化层进行试掘，发掘面积共 57 平方米，获得遗物 62 件。

简报分为：一、遗址的地层，二、灰坑，三、文化遗物，四、结语，共四个部分。有照片。

据介绍，遗迹计有灰坑 2 个，遗物有石器、陶器、蚌器等，属龙山文化遗存。

621.郑州大河村仰韶文化的房基遗址

作　　者：郑州市博物馆　陈立信
出　　处：《考古》1973 年第 6 期

1972 年春，考古人员在郑州市北郊约 12 公里的柳林公社大河村西南的漫平土岗上，发现了 1 处面积约 15 万平方米包含仰韶文化和龙山文化的新石器时代遗址。同年 11 月在遗址的西半部进行了发掘，除发现了龙山文化层叠压着仰韶文化层的地层堆积外，还发现了不少残破房基和窖穴等遗迹，同时也出土了大量的石器、骨器、陶器等生产工具、生活用具以及莲子、粮食等遗存。特别值得注意的是，发掘出一排东西横列而又互相接连着的仰韶文化房基。简报将其中的 4 座，配以手绘图、照片予以介绍。

据介绍，这座房基应属于新石器时代仰韶晚期遗存，其年代距今 5040±100 年。像这样保存比较完整的仰韶文化房基，在过去发掘中还是少见的，为我们研究原始社会建筑提供了珍贵的实物资料。

622.河南新郑裴李岗新石器时代遗址

作　　者：开封地区文管会、新郑县文管会
出　　处：《考古》1978 年第 2 期

1977 年 3 月下旬，考古人员在新村公社云湾大队裴李岗发现了石铲和泥质红陶壶各 1 件。3 月 30 日，对该地点作了调查，并收集了农民发现的数十件石铲、斧、磨盘、磨棒和陶器，初步认为裴李岗是 1 处新石器时代遗址。4 月 2 日，裴李岗南队农民平整土地时又发现人骨及石磨棒、磨盘和陶壶等。4 月 3 日，对该遗址作了第二次调查。于 4 月 8 日开始试掘，21 日结束，历时 13 天，共开挖探沟 5 条，清理墓葬 8 座、灰坑 3 个。

简报分为：一、地理环境与地层情况，二、调查试掘经过，三、墓葬和灰坑，四、出土遗物，五、几个问题的讨论，共五个部分。有手绘图。

据介绍，遗址位于新郑县西北约 7.5 公里的裴李岗村西地。经中国社会科学院考古研究所实验室对 TIH1 和 T2H2 出土的木炭标本（ZK434）进行放射性碳素测定年代，为距今 7885±480 年（半衰期值 5730 年）。说明这是 1 处较早的新石器时代遗址，其年代与磁山遗址较接近（2 个标本为距今 7355±100 年和 7330±105 年），比仰韶文化中较早的半坡类型要早得多（半坡的四个标本的年代约为公元前 4770～前 4290 年）。

简报称，裴李岗遗址的发现，以新的资料，证明中原地区是我国民族文化的发祥地之一，同时证明我国农业起源，有着多么悠久的历史。

623.河南密县莪沟北岗新石器时代遗址发掘简报

作　者：河南省博物馆、密县文化馆　杨肇清
出　处：《文物》1979 年第 5 期

莪沟遗址位于密县城南约 8 公里超化公社莪沟村北岗上，在绥水和洧水交会的三角地带，高出洧水北岸约 70 米。遗址外貌现呈长方形。早在 1965 年，这里就发现过石磨盘和陶片。1977 年 10 月，当地农民在遗址区内平整土地时，又发现了石磨盘和陶片。河南省博物馆闻讯后，当即会同密县文化馆对遗址进行了发掘，发掘工作于 1979 年 5 月底结束。简报配以手绘图、照片予以介绍。

据介绍，这次发掘发现房基 6 座、灰坑 44 个、墓葬 68 座，出土遗物有生产工具、生活用具，此外还有兽骨、果核、大小石球。简报推断，莪沟岗遗址应属新石器时代较早的文化遗存。

简报称，从莪沟北岗遗址的某些陶器特征看，它和已发现的仰韶文化有渊源关系。

624.裴李岗遗址一九七八年发掘简报

作　者：开封地区文物管理委员会、新郑县文物管理委员会、郑州大学历史系
　　　　考古专业　李友谋
出　处：《考古》1979 年第 3 期

裴李岗遗址，是 1 处新石器时代早期文化遗址。1977 年发现，同年春作了试掘（见《河南新郑裴李岗新石器时代遗址》，载《考古》1978 年 2 期）。1978 年 4 月下旬，又作了第 2 次发掘。据钻探的情况看来，大致以现在由南向北横贯遗址中部的一条西河李水渠为界，水渠以西的文化层较薄，多发现墓葬；水渠以东灰层较厚、较密。估计水渠以西为墓葬区，水渠以东可能是当时人们居住的地方。简报配以手绘图等，介绍了 1978 年第 2 次发掘的情况。

据介绍，共发掘墓葬 24 座，均为长方形土坑竖穴墓，多为小型墓。但也出现了 M15、M27 等大型墓，随葬品也明显比小型墓多。石器方面，第 1 次发掘时认为裴李岗石器相当进步，磨光制作精致，这次也发现一些制作不太精致的石器。陶器方面，仅 M14 这 1 座墓发现灰陶 2 件，值得注意。大量猪、羊骨头及陶制猪、羊头的出现，表明饲养业的发达。

年代经测定，为距今 10300～8300 年。

625.郑州大河村遗址发掘报告

作　者：郑州市博物馆　李昌韬、王彦民等
出　处：《考古学报》1979年第3期

郑州的东北郊，过去调查工作作得比较少，遗址不多。大河村遗址就是其中之一，它位于郑州市的东北郊，柳林公社大河村西南1公里的漫坡土冈上，当地人称"花冈"。南距市区6公里，北距贾鲁河2.5公里，距黄河7.5公里。遗址是1964年秋季由当地社员发现的，考古人员根据地面上散存的大量红烧土、陶片、石器、骨蚌器等丰富的遗物，初步确定是1处新石器时代遗址。钻探和发掘工作，从1972年10月开始，至1975年底，连续进行了7次发掘。

简报分为：一、遗址位置及发掘情况，二、地层堆积及分期，三、第一期文化遗存，四、第二期文化遗存，五、第三期文化遗存，六、第四期文化遗存，七、第五期文化遗存，八、第六期文化遗存，九、结语，共九个部分。有照片、手绘图。

据介绍，遗址虽经7次发掘，而发掘面积较小，且都未能发掘到底，但是，收获还是相当丰富的。共发现房址22座、窖穴101个、墓葬106座（其中瓮棺62座）、各类遗物1500余件。遗址的文化层堆积较厚，包含有仰韶、龙山和商代3个时期的文化遗存，遗迹、遗物十分丰富。遗址中部是新石器时代的居住区，遗迹很多，房基层层叠压，窖穴密布。仰韶文化层堆积最厚，仰韶向龙山文化过渡期（以下简称过渡期）文化层次之，龙山文化层较薄。在遗址中部未发现商代文化层，仅在T4耕土层下发现窖穴1个（H13）。遗址的边缘地带文化层较薄，而且多为龙山晚期和商代遗存。根据钻探资料和农田水利工程中采集的遗物来看，Ⅴ区主要是商代和龙山晚期文化层的堆积。另外，在Ⅳ区的北半部和Ⅰ区的西北部发现两处原始氏族公共墓地。出土遗物中，石斧的数量增多、白衣彩陶体的用途、彩陶数量之多、花纹图案之多以及怀疑是高粱米的粮食标本，都是值得注意的。

简报指出，大河村遗址的面积比较大，遗迹和遗物很丰富。文化层堆积很厚，包含有仰韶文化中、晚期，仰韶向龙山文化过渡期，龙山文化早、晚期和商代几种不同的文化遗存。这有力地说明，这里的先民们经历了从母系氏族社会到奴隶制社会的漫长的历史时期。大河村遗址以中原地区的仰韶、龙山文化遗存为主，并出土有大汶口文化和屈家岭文化类型的一些遗物。这为研究我国原始社会到奴隶社会的历史提供了重要资料，同时，也为研究我国中原地区和黄河下游、长江流域诸文化的关系提供了地层关系和新的实物资料。

626.河南密县莪沟北岗新石器时代遗址

作　者：河南省博物馆、密县文化馆　杨肇清
出　处：《河南文博通讯》1979 年第 3 期

河南省密县城南约 7.5 公里的超化公社莪沟村的北岗上，发现 1 处新石器时代遗址。考古人员 1977 年 11～12 月第 1 次发掘，发掘面积 546 平方米；1978 年 3～5 月第 2 次发掘，发掘面积 2201 平方米。共清理出房基 6 座、灰坑 44 个、墓葬 63 座，出土石器和陶器 370 余件，还有不少泥质、夹砂陶片以及一些打制石片。在发掘过程中又采集到了一些较完整的陶器和石器。

简报分为：一、地层堆积情况，二、墓葬，三、出土器物，四、结语，共四个部分。有手绘图、照片。

据介绍，从出土的遗物看，遗址为目前中原地区时代较早的 1 种新石器时代文化遗存。莪沟北岗遗址的年代，经中国社会科学考古研究所碳十四实验室对 T79、H27 出土的木炭标本测定的年代为距今 7240±80 年，文物保护科学技术研究所对 T24 出土木炭标本碳十四测定的年代为距今 7265±160 年。不仅比半坡年代要早（半坡的 4 个标本为距今 6065～5585 年，经树轮校正的年代为距今 6720～6240 年），而且比宝鸡北首岭下层还要早（北首岭 2 个标本经树轮校正的年代为距今 7100～6970 年）。简报称，在莪沟北岗遗址中，发现的房基、灰坑、墓葬等遗迹遗物，丰富了这种类型文化的内容，为研究中原地区新石器时代文化，又提供了一些新的资料。

627.发掘裴李岗遗址又有新收获

作　者：新郑县文化馆　薛文灿
出　处：《河南文博通讯》1979 年第 3 期

1977 年和 1978 年，在新郑裴李岗遗址先后进行了两次发掘，发掘面积约 500 万平方米，发现了 32 座墓葬、1 座陶窑和一些灰坑，并且发现了一批石器和陶器。

据介绍，裴李岗遗址的年代，碳十四测定了 3 个数据：1 个是距今 7145±300 年，1 个是距今 7885±480 年，还有 1 个数据是距今 9300±1000 年。从这 3 个数据看，裴李岗遗址的年代，在中原地区新石器时代各类遗址中首屈一指，它延续的时间约 2000 年。1979 年上半年中国社会科学院考古研究所又进行了发掘，挖掘面积 1600 多平方米，取得了重要的收获。在裴李岗氏族的公共墓地，又发现了 82 座墓葬，其葬俗与以前发现的 32 座墓葬基本相同。简报指出，比较值得注意的是这次发掘中，发现了 1 座 2 人合葬墓，虽然男女性别不清，但也是有研究价值的。出土的遗物虽

然大部分与前两次发掘的相同，但也有不少新的器型出现。如有 1 件深腹夹砂陶罐，通体饰篦形压印纹，而这种压印纹又组成宽格菱形纹，这是 1 件比较特殊的器物。简报称，最突出的是发现了 1 件有侧刃的石矛，它不仅是裴李岗遗址第一次发现，而且在所有裴李岗类型的遗址中也属首次发现。

628.河南巩县铁生沟新石器早期遗址试掘简报

作　者：开封地区文管会、巩县文管会、郑州大学历史系考古专业　李友谋
出　处：《文物》1980 年第 5 期

铁生沟遗址位于巩县城东南 12 公里的夹津口公社铁生沟大队第二生产队。遗址的近处建有大队的砖厂。1978 年 10 月间，夹津口公社干部马永生在取土中采集到一些石器，后将情况报告县文物主管部门，考古人员赶赴该地进行调查，又采集到若干石器，并收集到石磨盘、磨棒 1 套。根据石器和磨盘判断，铁生沟遗址是一处裴李岗文化类型遗址。

简报分为：一、地理环境与地层情况，二、遗迹与遗物，三、结语，共三个部分。有照片、手绘图。

据介绍，发现有半地穴式房基、灰坑等遗迹，石器、陶器等遗物，属裴李岗文化类型，时代为新石器时代早期。

629.巩县铁生沟发现裴李岗文化遗址

作　者：傅永魁
出　处：《河南文博通讯》1980 年第 2 期

铁生沟村位于巩县城南 20 公里。前几年生产大队在铁生沟村西地新建砖瓦厂时，发现了裴李岗文化遗址。该遗址位于富岳北麓，是一个群山环抱的红土台地，坞罗河从遗址南侧流过。遗址的面积东西长约 1500 米，南北宽约 1000 米。经过几次的调查，共采集到文物：双耳双口圆底红陶壶 1 件，双耳单口红陶圆底罐 1 件，石磨盘 24 件（残21 件），石磨棒 25 件（残 23 件），石斧 11 件，石铲 48 件，石镰 2 件，骨器 1 件，细石器 4 件，三足器的腿和陶片 640 件，共计 720 多件。另外还发现炭化了的果壳 1包，陶片 10 余包。

简报分为：一、陶器类，二、石器类，三、其他，共三个部分。有照片、手绘图。

简报称，这处遗址的发现，对研究中原地区裴李岗文化提供了新的资料。

630.河南密县马良沟遗址调查和试掘

作　者：开封地区文管会、密县文管会、郑州大学考古专业　李友谋

出　处：《考古》1981 年第 3 期

马良沟遗址，位于密县城东偏南约 15 公里来集公社桧树亭大队马良沟生产队村西约 100 米的岗地上，面积约 1 万平方米。1978 年冬，马良沟生产队在村西岗地平整土地时挖出一套石磨盘和磨棒，考古人员收集了该磨盘及其他出土文化遗物，并进行了试掘。试掘工作于 1979 年 5 月 9 日开始至 14 日结束，历时 6 天。简报配以照片、手绘图予以介绍。

据介绍，该遗址石器有石斧、石铲、石磨盘、磨棒等。出土的陶器主要是夹砂红陶和泥质红陶，少许灰陶，未见彩陶。简报认为这是 1 处新石器时代早期裴李岗文化遗址。

631.1979 年裴李岗遗址发掘简报

作　者：中国社会科学院考古研究所河南一队

出　处：《考古》1982 年第 4 期

裴李岗遗址于 1977 年和 1978 年曾作过 2 次发掘。1979 年又作了第 3 次发掘。春、秋两季共揭露面积 2175 平方米，发现有窖穴、墓葬以及丰富的出土遗物。简报分为：一、地层与遗迹，二、出土遗物，三、结语，共三个部分。有手绘图、照片。

据介绍，发现窖穴 12 个（H16～27）、墓葬 82 座（M35～116），窖穴保存都不好，出土遗物非常少。这里的墓葬一般都是单人葬，仅 M38 为两人合葬。葬式皆仰身直肢，头向南。其中除 3 座墓（M39、M41、M79）没有随葬品外，其余都有，少者 1 件，最多的 14 件。主要是陶器，有的墓里还有石器和装饰品等。装饰品有骨算、穿孔骨饰、绿松石珠和穿孔绿松石饰等。此外，在地层和墓葬中还出土 30 余件烧石片和石英石片，但经过第二步加工或有使用痕迹的很少。动物骨骼出土不多，有猪、狗、牛和鹿等，前两种当已被饲养为家畜。另外还出有少量的炭化果核，能识别的有酸枣核和核桃壳等。

简报称，此次发掘的应为裴李岗文化的一处氏族墓地。裴李岗遗址的年代，简报推断为公元前 5495～前 5195 年。

632.郑州宋庄出土的石磨盘

作　者：赵　清

出　处：《考古》1982 年第 3 期

1977 年冬天，郑州西郊柿园大队宋庄四队在平整土地时，出土 1 件较为完整的

石磨盘。考古人员去现场查看，但由于平整深达 3 米以上，所以未发现其他迹象。石磨盘略残，简报认为是郑州地区裴李岗文化遗存。

633.沙窝李新石器时代遗址调查

作　者：薛文灿
出　处：《中原文物》1982 年第 2 期

沙窝李遗址在新郑县小乔公社沙窝李村西北附近，是 1 处新石器时代早期的裴李岗文化遗址。据当地人说，1949 年前在该遗址西崖边沿上打堪时，就发现有石斧、石铲和陶壶、陶罐等器物，历年来仍不断出土。1972 年春沙窝李大队第一生产队社员在遗址上平整土地又挖出大量石器、陶器。有的陶罐内还装有虽已腐朽但形状完好的谷粒。有的陶罐内装有小碎骨头。挖出的人头骨、肢骨旁边有石器或陶器，可能是墓葬。当时村民随即将少量的陶壶送交到县文化馆。由于当时对这类古文化遗址的新特点不认识，所以也没有引起重视。1980 年 12 月 24 日，考古人员才对该遗址进行了初步调查。简报配以照片予以介绍。

据介绍，调查中采集及村民上交的石器有石铲 3 件、石磨盘 8 件、石磨棒 2 件、陶壶 1 件。简报称，这几件器物都是裴李岗文化中典型的器物，因此这里是 1 处裴李岗文化遗址无疑。

634.荥阳点军台遗址 1980 年发掘报告

作　者：郑州市博物馆　赵　清、张松林
出　处：《中原文物》1982 年第 4 期

点军台遗址位于荥阳县东北 13 公里的广公社南城村东南 1 公里的一个缓坡土岗上，约高出地面 3 米。现存面积东西长约 300 米，南北宽 200 余米，当地人称为"点军台"。1934 年郭宝钧先生、1951 年夏鼐先生都曾到过这里。"文化大革命"期间遭到空前破坏。1980 年 3 ～ 4 月，考古人员对遗址残存部分进行了发掘。简报分为：一、发掘概况与文化堆积，二、第一期文化遗存，三、第二期文化遗存，四、第三期文化遗存，五、第四期文化遗存，六、结语，共六个部分。有手绘图。

据介绍，点军台遗址文化堆积很厚，经历了从仰韶文化中期到龙山文化晚期漫长的发展阶段，遗迹遗物相当丰富。四期文化遗存基本上是互相衔接的，特别是前三期的关系尤为密切。但也不难看出，三、四期之间差别明显，二者缺少中

间环节。一、二期属仰韶文化庙底沟类型，三期属仰韶文化晚期，四期属河南龙山文化中晚期。

635.郑州马庄龙山文化遗址发掘简报

作　者：郑州市博物馆　李昌韬、廖永民
出　处：《中原文物》1982 年第 4 期

马庄遗址位于郑州市西郊约 10 公里处，北靠刘沟水库，东距贾鲁河约 5 公里。1966 年 1 ～ 3 月，考古人员对遗址进行了发掘。简报分为：一、地层堆积，二、遗迹，三、遗物，四、结语，共四个部分。有手绘图。

简报称，共清理灰坑 40 个，其中袋状坑 31 个、筒形坑 5 个、不规整的椭圆坑 4 个，灰沟 1 条，墓葬 8 座，圆形烧土面 1 处。所发掘的 230 平方米的范围内，出土完整或能复原的陶、石、骨、蚌、角器等，多达 570 件。其中陶器最多，石器次之，骨器又次之，蚌、角器较少。生产工具上钻孔较多，孔眼规整，大小均匀。

简报称，马庄遗址的文化内涵主要是河南龙山文化的中期偏晚，但它本身有早、晚之分。马庄遗址的发掘，为研究郑州地区的河南龙山文化提供了较为重要的实物资料。从马庄遗址较晚的一些遗存中，还看到一些二里头文化的因素。简报认为，这批资料对探讨夏文化也应有意义。

636.河南新郑沙窝李新石器时代遗址

作　者：中国社会科学院考古研究所河南一队　王吉怀
出　处：《考古》1983 年第 12 期

沙窝李位于新郑县北约 35 公里，北距郑州市约 15 公里，属小乔公社。遗址在沙窝李村西北、十八里河转弯处的最高台地上。遗址高出河床 20 米左右，估计总面积近 1 万平方米。1972 年，修渠时发现了石磨盘和陶壶。1981 年 5 月考古人员到该遗址调查。先后共采集石磨盘 13 件、石磨棒 4 件、石铲 9 件、石镰 2 件、双耳壶 2 件、磨石 1 件。1981 年 9 月间，对该遗址进行了试掘。1982 年春，进行了正式发掘，共揭露面积约 850 平方米，发现灰坑 20 个、墓葬 32 座。简报分为：一、地理环境与工作经过、二、地层与遗迹、三、遗物、四、小结，共四个部分。有手绘图等。

据介绍，从发掘情况看，大量的磨制石器与细石器共存，出土器物与裴李岗遗址出土的相同，石器以石磨盘、石磨棒、石铲、石斧、石镰为主，陶器仍以壶、罐、

钵为代表。墓葬为南北向竖穴土坑墓，无葬具，随葬品中石器占 64%。该遗址的年代，简报测定为距今 5200 年左右。

637.郑州阎庄龙山文化遗址发掘简报

作　者：郑州市博物馆　张松林
出　处：《中原文物》1983 年第 4 期

遗址位于郑州市南郊阎庄村东西岸的台地之上，总面积 6 万平方米。在中原机械修造厂基建工地发现，1979 年 6 ~ 7 月，考古人员对该遗址进行了发掘，清理白灰面房基 3 座、墓葬 1 座、灰坑等，出土了一批陶、石、骨、蚌等类文化遗物。简报分为：一、地层堆积，二、文化遗迹，三、文化遗物，四、小结，共四个部分。

据介绍，阎庄遗址出土的陶器陶质以泥质灰陶为主，夹砂灰陶、泥质黑陶次之，还有少量泥质棕陶和夹蚌末灰陶。国家文物局文物保护科学技术研究所碳十四试验室对 H43 出土的木炭进行了测定，其结果为距今 3750±95 年，经树轮校正后为距今 4125±95 年，证明该遗址的上限晚于郑州牛寨龙山文化遗存的时代，下限不会晚于偃师二里头类型早期文化，是属于典型河南龙山文化的文化遗存。

638.河南新郑唐户新石器时代遗址试掘简报

作　者：中国社会科学院考古研究所河南一队　马洪路
出　处：《考古》1984 年第 3 期

新郑县城南 13 公里的观音寺公社唐户村，位于溧水河和石洞寺河汇流处。村南的两河夹角台地上，分布着新石器时代的裴李岗文化、仰韶文化、龙山文化和商周文化堆积。1976 年前后，河南省开封地区文管会等单位曾在这里配合平整土地进行过发掘，在仰韶文化和春秋时期墓葬上有一些重要的发现。1978 年，考古队进行过一次调查。1982 年春，又进行了一次调查和试掘。简报分为：一、遗址堆积情况，二、试掘情况，三、结语，共三个部分。配图予以介绍。

据介绍，唐户遗址试掘的目的是找到裴李岗文化和仰韶文化的叠压关系，虽未找到，但发现了间接证据。调查和试掘表明，这里的裴李岗文化灰坑虽经多次破坏，但出土的夹砂红陶罐、三足钵和圈足碗等基本上符合裴李岗文化的特点，但其凹底罐、矮足深腹钵似与裴李岗、莪沟北岗、沙窝李等遗址所习见的器物有很大差异，这些特点值得进一步注意。

简报称，试掘表明在河南省中部的郑州、开封、许昌地区，普遍存在着仰韶文化的大河村类型，主要则分布在黄河以南的贾鲁河、双洎河和颍河流域，西部似可达伊河和北汝河一带。唐户遗址的仰韶文化层中，采集到大量属于大河村类型一至四期的陶片。两个龙山文化早期的灰坑，内涵特点显然与大河村遗址第五期及谷水河遗址第三期相同。简报指出，值得注意的是，在长葛岗河、临汝中山寨和新郑唐户都同时发现了裴李岗文化的遗存，因此，在这一地区诸文化遗址中探讨裴李岗文化和仰韶文化的关系，无疑已成为重要的课题。在唐户及大河村、谷水河等遗址中都存在着某些大汶口文化的因素，这就提示在研究它们之间的相互关系时，也要认真考察这些各具特色的典型器物自身的产生及演变规律，从而比较准确地揭示各种文化类型的内涵特点及新石器时代各地的物质文化交流状况。

639.1979年裴李岗遗址发掘报告

作　者：中国社会科学院考古研究所河南一队
出　处：《考古学报》1984年第1期

裴李岗位于河南新郑县的西北，距城关约7.5公里，遗址在村的西边，与村子紧挨。由于兴修水利和平整土地，原来的文化层已被挖掉很多，甚至有的地方已按近生土。这个遗址前后共发掘过3次，第1和第2次由开封地区文管会、新郑县文管会以及郑州大学历史系考古专业等单位进行，发掘资料已发表简报。第3次于1979年由中国社会科学院考古研究所河南一队发掘，田野工作分春、秋两季进行。发现有窖穴和墓葬以及丰富的出土遗物。简报分为：一、地层堆积，二、遗迹，三、墓葬，四、遗物，五、结语。共五个部分。配以照片、手绘图，介绍了第三次发掘的资料。

据介绍，共发掘墓葬82座，出土有石器、陶器以及动物骨骼、植物果核等。简报认为，该遗址包括住地、墓地，应是1座比较完整的村落。先民已有较发达的农业，制陶业也有一定规模，也仍有一定的狩猎、采集活动。年代简报推测为距今7400～7000年。

640.密县古文化遗址概述

作　者：魏殿臣、谷洛群
出　处：《河南文博通讯》1980年第3期

密县位于高山东麓，境内山峦起伏，岗丘连绵，属于半丘陵地形。早在七八千年以前这里就有人类的频繁活动，发展到西周初年，密县还保存有几个小国，其中最大的是郐、密2国。郐国古城在今县城东面的大樊庄东北，密国古城在今密县县城东南大隗镇附近。郐、密 2 国在春秋时皆被郑国所灭，改密城为新城，又名"新密"。战国时属韩，后属楚，秦统一后属颖川郡。西汉初年开始设密县，县治在古密城，为河南郡所辖，至隋大业十二年（616 年）县署才从古密城移到今县城，直至现在。简报分为：一、裴李岗文化遗址，二、仰韶文化遗址，三、龙山文化遗址，四、二里头文化遗址，五、小结，共五个部分。有手绘图。

目前裴李岗文化遗址在河南省境内发现最多，其中以嵩山附近分布更为密集。在嵩山附近几个县里面又以密县的数量居于首位，最近几年已发现有 7 处，较本县的仰韶文化、龙山文化和二里头文化遗址的数量都多。简报称，以后有可能在此处找到裴李岗文化的渊源。仰韶文化遗址有 5 处，早、晚期都有。龙山文化遗址有 5 处，时代为龙山文化晚期。二里头文化有新寨、程庄、曲梁等处，时代有的比二里头文化一期略早，有的相当于二里头文化一、三期。

641.登封告成北沟遗址发掘简报

作　者：河南省文物研究所　翟继才、司治平
出　处：《中原文物》1984 年第 4 期

1979 年秋，考古人员对登封县北沟遗址进行了发掘。该遗址位于县城东南约 15 公里处。简报分为：一、遗址地形与发掘经过，二、地层堆积与文化遗迹，三、文化遗物，四、结语，共四个部分。有照片、手绘图。

据介绍，共清理了 3 个灰坑，出土文化遗物以陶器居多，石、蚌器次之，还有不少的碎兽骨等。陶器中可以看出器形的有鼎、豆、罸、罐、缸、碗、杯等。生产工具有石斧、石凿、石矛等。从遗址出土的文化遗物分析，简报初步认为登封告成北沟遗址是河南龙山文化的早期遗存。

642.新郑沙窝李遗址发现碳化粟粒

作　者：中国社会科学院考古研究所　王吉怀
出　处：《农业考古》1984 年第 2 期

沙窝李遗址位于郑州市南约 15 公里的小乔公社，属新郑县，是 1 处裴李岗文化遗址，据碳十四测定的年代为公元前 5220±105 年，未经树轮校正。1972 年发现，1981～1982 年进行试掘和发掘，发现了一批墓葬和灰坑，出土了大量的有科研价值的遗物。值得注意的是，在遗址第二层距地表 0.5 米深处，有一片比较密集的粟的炭化颗粒，分布面积约 0.8～1.5 平方米。这是目前在裴李岗文化中发现的确凿的

粟的实物遗存，以事实说明了在裴李岗文化时期，人们以栽培粟为主，从而证实了我国农业的起源之早、历史之悠久。

643.1984 年河南巩县考古调查与试掘

作　者：中国社会科学院考古研究所河南一队　郑乃武
出　处：《考古》1986 年第 3 期

1977 年春，考古人员曾在巩县作过调查。据介绍，在鲁庄乡赵城村南的新石器时代遗址中，除了大量的仰韶文化遗物外，还采集到石磨棒 1 段，可能这里包含有裴李岗文化的遗存。1979 年春，对铁生沟（下西坡）遗址又作了试掘，其文化性质纯属裴李岗遗存。1984 年，又对巩县新石器时代遗址作了一次复查或小规模发掘。简报分为：一、下西坡，二、夹津口砖瓦厂，三、赵城村，四、结语，共四个部分。介绍了这次考查的情况，有手绘图。

据介绍，下西坡为单纯裴李岗文化，遗址在夹津口乡铁生沟小学西约 1500 米，附近建有砖瓦厂。1979 年在此试掘时，曾发现房基 1 座、窖穴 3 个以及石器、陶器等遗物。考古队根据这一线索，希望通过发掘能找到裴李岗文化的村落遗迹。但由于历年取土，遗址的主要部分已被破坏，原先发现的房基现在已无处可寻，此次发掘遗迹仅有窖穴 1 个。另外两处遗址，都属仰韶文化遗址。

644.郑州市西山村新石器时代遗址调查简报

作　者：刘东亚
出　处：《中原文物》1986 年第 2 期

西山村遗址，位于郑州市西北郊 23 公里邙山东南山坡上，北距西山村 500 米，东靠京广铁路线，南距古荥镇约 2.5 公里。东西 200 米、南北约 170 米，总面积约 34000 平方米。简报分为：一、调查概况，二、遗物，共两个部分。有手绘图、照片。

据介绍，该遗址于 1984 年冬在筹建河南省中原石刻艺术馆时发现。遗迹有大小灰坑 14 个。采集的遗物有陶、石、骨、蚌等类。陶器以红陶为主，灰陶次之，彩陶较少。此外，还有少量的棕陶。陶质以泥质为多，其次为砂质。纹饰有弦纹、指甲纹、线纹、附加指捺纹、篮纹、绳纹、方格纹、麻布纹。器型有钵、碗、盆、鼎、罐、瓮、缸、鬲、豆、尖底瓶、壶形器、三足器等。简报称，该遗址与大河村和点军台应属同一类型，即仰韶中、晚期延续至龙山文化。

645.巩县米北遗址调查

作　者：巩县文管所、郑州市文物工作队　王保仁、廖永民
出　处：《中原文物》1986年第4期

米北遗址位于巩县县城东南约25公里的米河乡米北村北城岭的一个台地上，东西宽约110米，南北长约550米，面积近4万平方米。1985年秋，考古人员曾在此调查，发现过大量的仰韶文化和东周遗物。1986年4月初，考古人员再次对这处遗址进行了调查，并采集了部分标本。这处遗址文化内涵相当丰富，包含着仰韶文化、二里头文化、商和周、汉等不同时期的文化遗存。简报分为"仰韶文化遗存""战国陶器""结语"等几个部分，重点介绍仰韶文化遗存，有手绘图。

据介绍，仰韶文化遗存包含遗迹、遗物非常丰富，发现房基1座、成人墓1座、小儿瓮棺葬1座、窖穴3个。从房基、窖穴和灰层中采集到的石器有铲、凿、斧、刀、盘形器等。陶器能看出器形或可以复原的有釜形鼎、罐形鼎、宽沿盆、大口钵以及缸、罐、小口尖底瓶、豆、环等。时代从仰韶文化早期一直到晚期向龙山文化过渡时期，应是仰韶文化1处重要聚集遗址。此处又为1处东周城址，战国时期以石块垒砌的城墙仍断续可见，遗存砖、瓦、陶器碎片甚多。陶器有泥质灰陶和红陶两种，采集釜（尊）、豆、罐、盆数件。

646.青台仰韶文化遗址1981年上半年发掘简报

作　者：郑州市文物工作队　张松林、赵　清
出　处：《中原文物》1987年第1期

青台遗址位于郑州市荥阳县广武乡青台村东的土岗上，现存面积近10万平方米。1980年，当地政府规划农田基本建设时，要求配合发掘，报省文物局批准，1981年4月至1981年6月，原郑州市博物馆对青台遗址进行了发掘。在历时两个月的发掘中，开探方7个、探沟2条，发掘面积730平方米，清理出一批重要的文化遗迹和遗物。简报分为：一、文化层堆积概况，二、文化遗存，三、结语，共三个部分。有手绘图。

据介绍，从器物类比结果看，青台遗址五、六层出土的鼎、盆、尖底瓶、罐、钵、碗、器座分别与大河村一期同类器物相近；四层出土的鼎、碗、钵、罐、盆分别与大河村二期同类器物相类似；三层出土的鼎、罐、钵、盆、器盖及彩陶与大河村三期同类遗物相近；二层出土的鼎、钵、罐、盆、豆、尊、缸等与大河村四期同类器物相近。它们的绝对年代，经国家文物局文物保护科学技术研究所碳十四试验室测定的木炭标本数据是：青台二期（T7④木炭）距今5395±115年以上，青台三期（T1④木炭）

距今 5225±130 年或（T6H85）5160±120 年，四期（T2 ② 本炭）距今 4960±175 年左右。一期无木炭标本，但从器物形制及整个遗存文化特征看，应当距今 5500 年以上。

简报称，此次发掘出土了 10 多件干食器，从而增加了对仰韶文化时期豫中地区人类生活状况的了解。

647.郑州后庄王遗址的发掘

作　者：河南省文物研究所　金　戈、王明瑞、杨唐琛
出　处：《华夏考古》1988 年第 1 期

后庄王仰韶文化遗址位于郑州市西北约 20 公里处的沟赵乡后庄王村东北土岗上。1958 年 2 月，为了配合遗址东北部修建提水站工程，考古人员在工程范围内进行了部分发掘，还在发掘的探方周围清理了一些瓮棺葬和残房基。1976 年 6 月，又进行了小型发掘。前后 2 次的发掘面积共 600 多平方米。发现有仰韶文化的房基、灰坑、成人墓和瓮棺葬等。出土了许多石器、陶器和骨器等遗物，采集了一部分较为完整的陶器。简报分为：一、地层堆积与分期，二、下层文化遗存，三、中层文化遗存，四、上层文化遗存；五、结语，共五个部分。有照片、手绘图。

据介绍，对后庄王遗址前后两次的发掘，虽然发掘面积不大，但从已发掘出来的各种遗迹与遗物和众多的瓮棺葬来看，后庄王遗址还是河南中部地区新石器时代仰韶文化遗址中比较重要的 1 处村落遗址。后庄王遗址中层和上层发现的瓮棺葬，其数量和陶葬具品种之多，为目前河南中部地区已发掘的仰韶文化遗址中所罕见，说明当时婴儿的死亡率是相当高的。关于瓮棺葬的埋置，多数是埋葬在房基附近，但也有的葬在成人墓之间。瓮棺葬的葬具中的鼎、罐、盆、钵等，多数应是属于当时人们的日常生活用具，但有些带有圆孔的大口尖底罐等葬具，也有可能是专为埋葬婴儿所烧制的，其圆孔是在制作陶坯时就做成的。郑州后庄王遗址中众多瓮棺葬的发现，对于研究仰韶文化的葬俗和葬式等，提供了重要的实物资料。

648.河南巩县水地河新石器遗址调查

作　者：廖永民、王保仁
出　处：《考古》1990 年第 11 期

水地河遗址是 1985 年 9 月文物普查中由巩县文管所的同志首先发现的，当时便采集了一部分仰韶文化和河南龙山文化的陶片和石器标本。1986 年 1 月和 1987 年 7

月，郑州市文物工作队与巩县文管所又多次共同对这处遗址进行了复查。先后发现仰韶文化房基 4 座、灰坑 3 个、墓葬 1 座，河南龙山文化灰坑 2 个，并在遗址中部一断崖处发现了直接压在仰韶文化遗存之下的裴李岗文化遗存。采集不同时期各类遗物标本 100 余件，其中完整或可复原者 10 余件，可看出器形者 80 余件。简报分为：一、概况，二、文化遗存，三、结语，共三个部分。有手绘图、照片。

据介绍，水地河遗址位于巩县县城孝义镇约 8 公里处。西距郑洛公路约 150 米，白冶河由东南向西北从遗址和郑洛公路之间穿过。遗址现存面积大约 15 万平方米。台地分五级，第二级水地河遗址的文化内涵相当丰富，包含着裴李岗文化、仰韶文化、河南龙山文化等不同时期的遗存。从采集的陶器和石器形制分析，简报认为，水地河遗址与豫中地区已发掘和发现的新石器时代遗址呈现的文化面貌基本类同。

649.河南新郑发现一颗大象牙齿化石

作　者：寇玉海

出　处：《中原文物》1992 年第 3 期

1978 年春，考古人员在新郑县城西北 7 公里的人和寨水库工程建设中，采集到 1 颗大象臼齿化石。该臼齿化石长 20 厘米，宽 15 厘米，高 25 厘米，重 2.5 公斤。专家们对此初步鉴定，认为属第四纪纳玛象臼齿化石。这是新郑发现猛犸象牙化石之后的又一重大发现。简报配以照片予以介绍。

据介绍，在新郑这块古老的土地上先后发现了多种野生动物化石，如猛犸象化石、犀牛化石、鹿角化石、鸵鸟蛋化石、剑齿象头骨化石等等。证明河南新郑早在第四纪时期曾生存过多种野生动物。象的存在，说明当时新郑处于亚热带，有较大的河流，茂盛的森林；鹿角化石的面世，表明这里曾有广阔的绿色草原；鸵鸟蛋化石的发现，说明这一带曾一度是热风弥漫的大沙漠。由于气候趋于干旱及地理条件的变化，象和犀牛等一些乳哺类野生动物相继绝迹了。

650.巩义市坞罗河流域裴李岗文化遗存调查

作　者：巩义市文管所　赵玉安

出　处：《中原文物》1992 年第 4 期

1991 年 10 月 8 日至 11 月 5 日，考古人员对市境内坞罗河两岸进行了以新石器时代遗存为主的考古调查。简报分为：一、东山原遗址，二、北营遗址，三、坞罗西坡遗址和，四、结语，共四个部分。有手绘图。

据介绍，坞罗河，《水经注》中称"罗水"，起源于巩义市南部的高山北麓。整个坞罗河流域的地势，属于浅山区丘陵地带，这里除裴李岗文化遗存外，还有大量的仰韶文化和龙山文化遗存。裴李岗文化遗存主要分布在坞罗河中游的坞罗水库至涉村一带。调查发现的东山原、北营和坞罗西坡等裴李岗文化遗址，彼此相距不到1公里，都与1979年曾进行试掘的铁生沟裴李岗文化遗址较近。调查之前与调查当中，也在当地百姓中征集到一部分历年来出土的裴李岗文化遗物。前宽后窄的鞋底形石磨盘、长条形圆柱石磨棒、两端有弧刃的椭圆形石铲、锯齿镰以及陶器中筒形深腹罐、大口浅腹钵、三足钵等都是主要分布在河南省境内的裴李岗文化遗存中最富有特征意义的代表性器物。关于裴李岗文化与仰韶文化的关系问题，一般说来，学者都认为后者起源于前者，二者之间的文化面貌既有区别又有联系，同时认为裴李岗文化与仰韶文化之间还存在着较大的缺环。而此次发掘的坞罗西坡的文化遗存，可贵之处恰在于在填补二者之间的缺环方面提供了重要实物资料和新线索。

651.巩义市坞罗河流域仰韶文化遗址调查

作　者：巩义市文管所　王保仁
出　处：《中原文物》1992年第4期

坞罗河，《水经注》中称"罗水"，当地人亦称"长罗川"，起源于巩义市南部的高山北麓，由南向北流经核桃园、涉村、夹津口、西村、芝田5个乡镇，在稍柴村以西注入伊洛河，全长30.9公里，流域面积为239平方公里。坞罗河两岸土地肥沃，资源丰富，自古以来就是人们理想的劳动生息之地。两岸分布着大量的原始文化遗存。1991年10月8日至11月底，考古人员对坞罗河流域，包括其支流圣水河（亦名"车园河"），进行了全面考古调查，历时52天，发现古文化遗址23处，其中仰韶文化遗址11处。调查证明，仰韶文化遗存遍布坞罗河上、中、下游，而中游地带及其支流——圣水河两岸最为密集。

简报分为：一、坞罗遗址，二、喂庄遗址，三、喂庄西遗址，四、龙谷堆遗址，五、沟东遗址。六、东山原遗址。七、结语，共七个部分。有手绘图。

据介绍，遗址面积在3万平方米以上，文化内涵比较丰富的有坞罗、喂庄、喂庄西、龙谷堆、沟东、东山原等遗址，面积较小或破坏较严重的有南店、王嘴、北地沟、大南沟等遗址。遗迹有灰坑、墓葬。从采集的文物标本看，属仰韶文化早期的遗存比较少，而中、晚期遗存以及向河南龙山文化过渡期的遗存相当丰富。

652.巩义市坞罗河流域河南龙山文化遗址调查

作　者：巩义市文管所　赵海星
出　处：《中原文物》1992 年第 4 期

1991 年 10 月 8 日至 12 月 28 日，考古人员对市境内坞罗河流域陆续进行了将近 2 个月的考古调查。在 238.9 平方公里范围内，发现寺院沟、南店、官寨、金钟寺、南石 5 处河南龙山文化遗址。其中寺院沟遗址、南店遗址、官寨遗址面积较大，文化内涵最为丰富。南店遗址与仰韶文化并存，寺院沟遗址与二里头文化并存。简报分为：一、概况，二、文化遗址，三、文化遗物，四、结语，共四个部分。有手绘图。

据介绍，该流域河南龙山文化大致可分为两期：第一期为距今 4400 年左右，应属河南龙山文化晚期偏早阶段，为由仰韶文化向河南龙山文化过渡期的遗存；第二期约距今 2300 ～ 2000 年，为二里头文化的先驱。

653.登封八方、双庙仰韶文化遗址的试掘

作　者：河南省文物研究所　安金槐
出　处：《华夏考古》1992 年第 2 期

登封县位于河南省中西部，1979 ～ 1980 年，考古人员对已遭严重破坏的八方村、双庙沟村仰韶文化遗址进行了试掘。简报分为：一、八方仰韶文化遗址，二、双庙仰韶文化遗址，三、结语，共三个部分。有照片、手绘图。

据介绍，简报认为在登封告成一带，从双庙沟新石器时代早期文化遗存起，历经裴李岗文化，仰韶文化一、二、三期至告成北沟龙山文化早期，直到王城岗龙山文化中晚期，都是一脉相承的发展关系。所以告成附近仰韶文化遗址的发掘与试掘，不仅填补了告成一带新石器时代文化遗存中的缺环，而且对研究河南中部地区新石器文化的发展序列，也增补了一部分新的实物资料。特别是在告成镇周围 4 平方公里的范围内，能够发现从新石器时代早期到晚期各个时代的文化遗存，堪称中原地区新石器时代文化发展序列的缩影。

654.河南新郑又发现一颗古象化石

作　者：贾香峰
出　处：《中原文物》1994 年第 1 期

1993 年 8 月 21 日，考古人员在县城西约有 10 公里处的马安垌村北，距双洎河

床约 15 米高的二层台上采集到 1 颗古象臼齿化石。简报配以照片予以介绍。

据介绍，该臼齿长 36 厘米，宽 9.5 厘米，高 15.5 厘米，重 3.8 公斤。经专家初步鉴定，认为属第四纪纳玛象臼齿化石。这是继 1978 年新郑县辛店人和寨出土古象化石之后的又一大发现。是有史以来新郑发现古象臼齿化石中最大的 1 颗。古象化石的再次出现，为研究中原地区大象栖息繁殖、气候变迁、地质构造、生态环境等方面提供了重要线索和宝贵的实物资料。

655.河南省巩义市里沟遗址调查

作　者：河南省巩义市文物保护管理所　王保仁、刘洪淼
出　处：《考古》1995 年第 4 期

里沟遗址，位于巩义市市区南部。南环路从遗址北部东西向穿过。遗址南部为深沟。遗址坐落在沟北东高西低的台地上。由于雨水冲刷和开辟耕地与建房等，遗址遭到严重破坏。现存部分东西长约 1000 米，南北宽约 200 米，总面积大约 20 万平方米。1993 年 7 月发现。该遗址文化内涵相当丰富，主要是仰韶文化中期、晚期以及仰韶文化向河南龙山文化过渡期的遗存。此外，遗址的东北部还分布着较丰富的河南龙山文化早期遗存，地面上还散见有春秋战国时期的遗物。在遗址内发现仰韶文化灰坑 17 座、成人墓葬 2 座、小儿瓮棺葬 10 余座，河南龙山文化灰坑 6 座，春秋、战国墓葬 4 座；采集陶、石、骨、蚌等不同质料的文物标本 200 余件。简报分为：一、文化层堆积情况，二、遗物，三、结语，共三个部分。有手绘图。

据介绍，该遗址可分为四期：一期为豫中仰韶文化早期遗存，二期为豫中仰韶文化中期遗存，三期与郑州大河村三期、王湾二期、青台三期、石固七期、洛阳孙旗屯、孟津小潘沟等文化面貌一致，四期属于仰韶文化向河南龙山文化过渡时期的遗存。另有龙山文化早期遗存、龙山文化晚期遗存。

656.河南登封县几处新石器时代遗址的调查

作　者：郑州市文物工作队　张松林、刘彦锋、张建华
出　处：《考古》1995 年第 6 期

考古人员先后数次对登封县颍阳、袁村、杨村等遗址进行了调查，获得较详细的调查资料，并采集到一批实物标本。这批资料对了解和研究富岳地区的原始文化具有重要价值。简报分为"颍阳遗址""袁村遗址""杨村遗址""结语"共四个部分，配以手绘图，介绍了历年调查的情况。

据介绍，这些遗址规模均较大，文化层堆积较厚，遗存丰富，延续时代久，保存较好。文化内涵以仰韶文化遗存为主，但有两处发现有裴李岗文化遗存。这些遗址一般都包含有裴李岗文化时期，仰韶文化早期、中期、晚期及河南龙山文化五个时代的遗存，与豫中仰韶文化、鲁西大汶口文化都有密切联系。顿阳遗址乱葬坑的发现，似表明仰韶文化晚期氏族社会内部已出现分化。

657.河南荥阳县楚湾新石器时代遗址调查报告

作　者：郑州市文物工作队、荥阳县文物保护管理所　张松林、高振岭、张建华
出　处：《考古》1995 年第 6 期

楚湾遗址位于郑州市荥阳县城南 15 公里的崔庙镇楚家湾村与七村河村两侧的三个不规则形台地上。这是 20 世纪 70 年代初发现的 1 处新石器时代仰韶文化时期的村落遗址。1978 年以来，考古人员多次对其进行调查，1993 年又进行了详细的复查，并采集了一批实物标本。简报分为四个部分，配以手绘图等介绍了历年调查情况。

据介绍，遗址高出河床 30 多米，高出村庄 10 多米。遗迹有房基、灰坑、土坑墓、瓮棺葬等。陶片等地面即可采集。应是 1 处以仰韶文化为主的典型村落遗址。简报认为时代延续时间相当长，可能从仰韶文化早期一直延续到仰韶文化向河南龙山文化过渡的时期。

658.郑州大河村遗址 1983、1987 年仰韶文化遗存发掘报告

作　者：郑州市文物工作队、郑州市大河村遗址博物馆　李昌韬、廖永民
出　处：《考古》1995 年第 6 期

大河村遗址自 1972 秋开始发掘以来，共连续发掘 21 次，共揭露面积约 5000 平方米。1972 ~ 1975 年的发掘资料已经发表。1976 ~ 1978 年的发掘资料，今后将陆续整理发表。本简报是第 3 次发表大河村遗址的发掘资料。所发表的资料为第 16 次和第 21 次发掘所获的仰韶文化遗存，共分四个部分，有手绘图。

据介绍，这两次发掘共发现仰韶文化房基 5 座、墓葬 5 座及瓮棺葬等遗迹，发现石器、玉器、骨器、蚌器、角器等遗物。简报称，该遗址包含仰韶、龙山、二里头、商代 4 种文化遗存，时间长达 3300 年。但这 2 次发掘的主要遗存是仰韶文化的。在仰韶文化向龙山文化过渡期时的遗物中，发现有四蹄被捆绑掩埋的猪 2 只，当与祭祀有关。

659.河南巩义市里沟遗址发掘简报

作　者：郑州市文物工作队、巩义市文物保管所　王文华、张建华、刘洪淼、
　　　　王保仁

出　处：《考古》1995 年第 6 期

里沟遗址位于巩义市城区南部，其南面为历代流水冲刷形成的一条大沟，当地人称为"和义沟"。从沟壁上可以观察到仰韶文化中晚期至龙山时期的文化堆积，包括灰坑、房基及瓮棺等遗迹。遗址中心区大部分被里沟村民居所压。据初步调查，遗址总面积约为 10 万平方米。1993 年 7 月，考古人员对该遗址进行了调查和抢救性发掘。发掘工作自 1993 年 8 月 14 日开始，至 8 月 28 日结束，历时 15 天。简报分为：一、地层堆积与分期，二、出土遗物，三、结语，共三个部分。有手绘图、照片。

据介绍，发现有石器、陶器、骨器等。证实这是一处以仰韶文化和龙山文化为主的遗址。

660.河南巩义市瓦窑嘴新石器时代遗址试掘简报

作　者：巩义市文物管理所　吴茂林、张保平、刘洪淼

出　处：《考古》1996 年第 7 期

瓦窑嘴遗址位于巩义市杜甫西路西侧，在其西北约 1 公里处。此遗址是在银河建筑工程总公司住宅楼工程施工中发现的，进行了抢救性发掘。发掘工作从 1995 年 6 月 15 日开始，6 月 20 日结束。简报分为：一、文化层堆积，二、遗迹与遗物，三、结语，共三个部分。有手绘图等。

据介绍，遗迹共发现灰坑 7 个，清理了其中 5 个。遗物主要为陶器，陶色以泥质红陶为多，其次是夹砂褐陶，另有泥质黑陶和泥质灰陶。不少陶器特别是泥质红陶有内壁呈黑色或外壁呈下红上黑的现象。另有石器、蚌器、骨器等。时代简报推断为裴李岗文化晚期，带有地方特色。

661.郑州大河村遗址 1983、1987 年发掘报告

作　者：郑州市文物工作队、郑州市大河村遗址博物馆　李昌韬、李建和等

出　处：《考古学报》1996 年第 1 期

郑州大河村遗址，是 1 处内涵丰富的古代遗址。简报分为：一、河南龙山文化遗存，

二、二里头文化遗存，三、商代二里冈期遗存，四、结语，共四个部分。介绍了大河村遗址 1983、1987 年发掘的龙山、二里头和商代文化遗存。有关这 2 个年度发掘的地层堆积、遗迹分布等情况可参看《郑州大河村遗址 1983、1987 年仰韶文化遗存发掘报告》。有照片、手绘图。

据简报介绍，此次发掘有下列两点重要收获：

一是在大河村遗址中首次出土了一批二里头文化遗物。这部分遗物有明确的地层关系，数量也比较多，从而从地层叠压关系和器物的发展演变序列上填补了大河村遗址由龙山到商代之间的一段空白。同时也为研究郑州地区的夏文化提供了实物资料。

二是揭示出了有明确地层关系的河南龙山文化中、晚期遗存，填补了大河村遗址中龙山文化自身的缺环，丰富了大河村遗址的文化内涵。

662.郑州西山发现黄帝时代古城

作　者：许顺湛

出　处：《中原文物》1996 年第 1 期

在郑州西山，考古人员经过连续 3 年的发掘和探索，发现迄今我国年代最早、建筑技术最先进的古城遗址，考古学年代为仰韶文化晚期。西山古城位于郑州市北郊 23 公里处的邙岭余脉，北距今黄河约 4 公里。经发掘和钻探结果推知，古城西墙残存约 60 米；北墙西段自西北角向东北方向延伸，长约 60 米；中段向东圆缓而折，略向外弧凸，长约 120 米；东段再折向东南，与西北角城墙形状略同，残长 50 米。其余地段虽然仍在勘察之中，但城的轮廓基本可以看清：它是 1 座不很规则的圆形古城。西山古城遗址面积约 10 万平方米，目前揭露的面积已达 4700 平方米。共清理房基 120 余座，窖穴、灰坑 1600 余座，灰沟 20 多条，墓葬 200 余座，瓮棺 130 多座，出土大批陶、石、骨器等人工制品及兽骨、种子等动植物遗骸。

简报称，炎黄可作为时代，并且与仰韶文化相对应，它的时间跨度大体是距今 7000～5000 年前。仰韶早期可称为炎帝时代，以半坡类型仰韶文化为代表。仰韶中晚期可以称黄帝时代，以庙底沟类型和大河村类型为代表。需要说明，炎帝时代，黄帝族同时存在，黄帝时代，炎帝族也同样存在，不同时代只是领袖族地位的变更而已。西山古城属于仰韶时代晚期，也属于黄帝时代晚期，两者的时代正相对应。

今有蔡柏顺先生《炎黄三帝研究》（华龄出版社 1992 年版）一书，可参阅。

663.巩义市瓦窑嘴遗址第三次发掘报告

作　　者：巩义市文物保护管理所　张保平、赵海星、王保仁
出　　处：《中原文物》1997年第1期

对位于巩义市区孝义镇西环路西侧的瓦窑嘴遗址，于1995年6月，考古人员为配合银河建筑工程总公司住宅楼工程进行了首次试掘。试掘简报已发表。同年8～10月，为配合市邮电局住宅楼工程，进行了较大面积的发掘。田野发掘工作结束后，因某些原因整理工作中断。1996年5月，为配合市物资局仓库建筑工程，第3次对该遗址进行了抢救性发掘。这次发掘又获得了可喜成果。

简报分为：一、发掘地点与文化遗存的堆积情况，二、遗迹与遗物，三、结语，共三个部分。有照片、拓片、手绘图。

据介绍，第3次发掘共发现和清理了9个灰坑。推土机平整地面时，大部分灰坑遭到了不同程度的破坏。考古人员是在推土机推去耕土层时发现这些灰坑的，遗物多为生活用陶器残片，也有生产用石器及动物骨骸等。

简报认为，瓦窑嘴的文化遗存应是裴李岗文化的一个新的类型。这一类型文化遗存主要分布区域是巩义市境内的坞罗河流域与洛水下游地带。

664.荥阳方靳寨新石器时代遗址发掘简报

作　　者：郑州市文物考古研究所、荥阳市文物保护管理所　张松林、于宏传、
　　　　　王彦民、黄　俊
出　　处：《中原文物》1997年第3期

方靳寨遗址，位于郑州市荥阳县城北3公里处的方靳寨村紧临漤河的台地东半部。东西长500米，南北宽400米，面积20万平方米。1958年在遗址西北角法河转角处筑坝修河王水库时，曾发现过龙山文化遗存。1987年荥阳造纸厂修建过程中，又发现有仰韶文化遗存。1988年7～8月，考古人员进行了发掘。

简报分为：一、遗址概况与文化层堆积，二、文化遗存，三、结束语，共三个部分。有手绘图。

据介绍，此次发掘面积较小，仅清理残红烧土房基3座、窖穴8个、幼儿瓮棺葬8座、秦汉时期砖瓦窑1座，出土了一批遗物，应为1处典型的仰韶文化中期聚落遗址。

665.河南巩义市塌坡仰韶文化遗址调查

作　　者：巩义市文物管理所　刘洪淼
出　　处：《考古》1997 年第 11 期

塌坡遗址是我国早期发现的史前遗址之一。1935 年，河南省古迹研究会郭宝钧、刘曜（尹达）、韩维周先生等曾进行过试掘。抗日战争期间，日军攻陷开封，发掘出土的遗物及当时的文字资料全部丢失。

1995 年 2 月和 3 月，巩义市文管所对该遗址进行了调查，发现房基 3 座、灰坑 3 个，采集文物标本 100 多件。

塌坡遗址位于巩义市西北部的黄河岸边塌坡村东北部，附近为丘陵地带，沟壑纵横，沟侧被开辟为层层梯田。北面紧靠河滩，高出河床仅 3 ～ 5 米。因河水冲刷以及农民平整土地，大面积遗址遭到破坏。又因河水淤积，一部分文化层埋在淤土中。遗址残存东西长约 60 米，南北宽约 40 米，面积 2400 平方米左右。简报分为：一、遗迹，二、遗物，三、结语，共三个部分。有手绘图、照片。

据介绍，塌坡遗址的文化遗存具有鲜明的豫中地区仰韶文化特征，各期的代表性陶器与豫中地区几处经过科学发掘的典型遗址如郑州大河村、长葛石固、荥阳点军台、洛阳王湾等的同类遗存的类型特征、文化面貌是一致的。简报认为这类遗存在巩义市境内的分布也相当广泛。塌坡遗址的三期遗存，有着顺序发展的传承关系。

简报称，出土的双连体陶鼎造型奇特，器形规整，是一件难得的珍品，对豫中地区仰韶文化晚期制陶工艺以及风俗习惯的研究具有较高价值。

666.河南巩义市洪沟旧石器遗址试掘简报

作　　者：巩义市文物保护管理所、河南省社会科学院河洛文化研究所　席彦昭、
　　　　　刘洪淼、廖永民
出　　处：《中原文物》1998 年第 1 期

1994 年 3 月下旬，考古人员在巩义市东北部发现 1 处旧石器文化遗址。具体地点位于神都山西南约 1 公里的洪沟村中部，南距洛水约 0.5 公里，北距黄河约 1 公里。简报分为：一、发现与试掘情况，二、地层叠压与文化遗存堆积，三、文化遗存，四、结语，共四个部分。有照片、手绘图。

据介绍，由于当地农民发现化石层之后争相采挖，化石遭到了严重破坏。1994 年 4 月 1 ～ 8 日，考古人员进行了抢救性发掘。1996 年 11 月 23 ～ 29 日，又进行了第 2 次发掘，发现了数百件石制品及大量哺乳动物化石，并发现有使用痕迹。

简报称，经测定，洪沟遗存的时代为距今 11 万年以上，属旧石器时代。简报认为洪沟当时是先民肢解、分食猎物的场所，动物化石系食后的遗留物。成堆的石制品和散存的石屑，则可能表明用作宰割猎物、砍伐树木的石制品系随时制作和使用，钝者或不适用者随地丢弃。石制品的使用率相当低。洪沟旧石器遗存也反映出远古时代这里的气候湿润稍寒，水源充足，丘陵上下生长着茂密的树木，成群的野兽不时出没其间，显然是原始人群和各种动物栖息繁衍的理想之地。

667.河南省登封矿区铁路登封伊川段古遗址调查发掘报告

作　者：河南省文物考古研究所
出　处：《华夏考古》1998 年第 2 期

登封矿区铁路一期工程西起汝州临汝镇，东至登封马岭山，途经汝州、汝阳、伊川、登封四个市、县。1995 年 10 月至 1996 年 3 月，河南省文物考古研究所为配合铁路建设工程，对登封、伊川境内铁路沿线的古文化遗址进行了调查与发掘。简报分为：一、孙村遗址，二、郭寨遗址，三、半坡遗址，四、结语，共四个部分。有手绘图。

据介绍，此次配合铁路建设工程，主要调查与发掘了孙村、郭寨、半坡 3 个遗址，获得了一批实物资料，对了解该地区的新石器时代的文化面貌有一定帮助。

668.郑州西山仰韶时代城址的发掘

作　者：国家文物局考古领队培训班
出　处：《文物》1999 年第 7 期

西山遗址位于郑州市北郊 23 公里处的古荥镇孙庄村西，北距黄河约 4 公里。它北依邙山余脉——西山，南面有一条季节性河流——枯河。1984 年冬，考古调查时发现了西山遗址。1993 ~ 1996 年，国家文物局第七、八、九期考古领队培训班先后在此举办。除发现了 1 座仰韶时代晚期城址，在城址内外还发掘、清理了大量的窖穴、灰坑、房基和墓葬，出土了大批陶、石、骨、蚌、角器。简报分为：一、文化堆积，二、典型遗物，三、仰韶时代城址，四、西山城址的年代，五、结语，共五个部分。有彩照、手绘图。

西山城址的绝对年代，简报推断为大约距今 5300 ~ 4800 年。房址下有装有婴儿骨骼的陶器。值得注意的是，这些婴儿骨骸大多残缺，有的仅有头骨或部分肢骨，有的缺失骨盆以下整个下肢。简报认为是一种杀婴祭祀的风俗。此外还发现了被扔在废弃窖穴中呈挣扎状的人牲，他们与兽类被同置 1 穴。还有 20 余座废弃窖穴出土了大型兽骨架。其中，H759 内的半身牛骨架系被腰斩后埋入的，H1580 内的 2 具猪骨架有被捆绑的痕迹，应都是祭祀活动中所用的牺牲。

669.荥阳青台遗址出土纺织物的报告

作　者：郑州市文物考古研究所　张松林
出　处：《中原文物》1999 年第 3 期

1981 ～ 1987 年，考古人员对河南青台仰韶文化遗址连续进行了发掘，出土一批重要文物。其中，在 4 座瓮棺葬内出土有炭化纺织物，在窖穴内出土了麻绳等。经上海纺织科学研究院专家鉴定，这批炭化纺织物中，不仅有麻布和麻绳，而且有丝帛和绸罗。这在史前考古中是极为罕见的，具有重要的研究价值。简报分为：一、遗址的发现与发掘，二、遗址概况与文化层堆积，三、纺织物与有关遗物出土概况，四、纺织品的鉴定，五、纺织品相对年代，六、几点认识，共六个部分。有手绘图。

据介绍，早在 1934 年春，原河南古迹研究会的郭宝钧先生就曾对青台遗址进行了首次发掘。1951 年夏，中国科学院考古研究所夏鼐、王仲殊、安志敏、马得志等组成河南调查团，在成皋广武区进行调查时，又对青台遗址进行了重点试掘，取得了重要收获。多次调查和两次发掘表明，青台遗址内原始文化遗存极为丰富，在中国新石器时代考古中占有重要地位。1963 年，被河南省政府公布为第一批省级文物保护单位。从 1981 年 4 月至 1987 年底，考古人员又进行了多次发掘，纺织品也是在这一时期发现的。

简报称，经过鉴定，这批织物不仅有用麻织的而且还有用蚕丝织的帛和罗，这是我国纺织史上的重大发现。时代经测定应为距今 5000 年左右的仰韶文化晚期。简报称，长期以来，人们对史前纺织技术的认识一直处于朦胧状态，甚至有很多误解。青台遗址 4 座瓮棺内发现纤维纺织遗物，将人们对中国新石器时代纺织技术的起源、纺织业的发展以及当时服饰状况的认识等提高到一个新的高度。从青台遗址瓮棺内出土的纺织物来看，当时的纺织技术已进入成熟阶段，纺织物已被氏族成员普遍使用，并且还被埋入瓮棺内。在出土纺织物的同时，青台遗址还出土有数百件的陶纺轮、石纺轮、陶刀、石刀、蚌刀、骨匕、骨锥、骨针、陶坠、石坠等，其中 1 件陶纺轮出土时孔内插有 1 段骨簪。结合民俗学与民族史志资料，这些工具大部分应与纺织有关。当然，在遗址中未能发现当时的纺机，但现有发现已足以说明原始纺织技术在新石器时代中期甚至更早阶段已比较发达，其出现时间应该更早，至少应追溯至新石器时代早期。

同刊同期有张松林、高汉玉先生《荥阳青台遗址出土丝麻织品观察与研究》一文，可参阅。

670.河南省新密市发现龙山时代重要城址

作　者：河南省文物考古研究所　蔡全法、马俊才、郭木森

出　处：《中原文物》2000年第5期

新密古城寨龙山时代城址是中原地区目前发现规模最大、墙体保存最好的龙山时代晚期城址。城中发现了大型宫殿基址和大型廊庑式建筑，在中原地区龙山时代城址中都很罕见。该城的发现，为探索夏文化、研究我国文明起源与国家形成，以及研究我国城垣建筑的起源与发展增添了重要资料。简报配以照片予以介绍。

据介绍，该城址是1997年以来考古调查时发现，经多年工作，已查清了遗址范围，发现了一组龙山时代的大型夯土基址，清理出龙山文化、二里头文化、二里岗文化、殷墟文化及战国时期的各类灰坑153座、灰沟5条、陶窑4座、灶坑3座、水井8眼、房基4座、墓葬5座，还出土一大批石、骨、蚌、陶等生产工具及生活用器。城址尚存3面城墙及南北相对两个城门缺口，城址面积176500平方米。城的南、北、东3面都有护城河，虽多经平整，辟为农田，但痕迹犹存。经钻探，护城河宽34～90米，东护城河深4.5米。城北、城东均有龙山文化遗址。城内房址的发掘表明该城的建造是事先经过统一规划和精心设计的，不仅反映了当时城建规划、夯筑技术和土木建筑技术的进步，也体现了使用者所具有的至高无上的地位和威严，同时为二里头文化中的大型宫殿和廊庑式建筑找到了源头。尤其是现存高大的城墙和先进的版筑技术，为其他同期城址所不及，在我国筑城史上起着承上启下的作用。

671.河南新密市新砦遗址1999年试掘简报

作　者：北京大学考古文博院、郑州市文物考古研究所　赵春青、顾万发、王文华、
　　　　武家璧、李卫东

出　处：《华夏考古》2000年第4期

新砦遗址位于河南省新密市东南约22.5公里的刘寨乡新砦村西北的台地上。1979年，中国社科院考古研究所首次试掘新砦遗址。1999年10～12月，考古人员进行了第2次试掘。简报分为：一、地层堆积，二、遗迹，三、遗物，四、结语，共四个部分。有手绘图。

据介绍，南、北区合计发掘面积150平方米，共发掘各类灰坑100多个、房基6座、墓葬7座，出土可复原的陶器、石器和骨器60余件。简报认为，新砦遗址可划分为二期三段。其中新砦一期，属伊洛郑州地区常见的龙山文化晚期遗存；新砦二期介于龙山文化晚期与二里头文化早期遗存之间。简报称，1999年新砦遗址发掘的

重要收获是新砦二期遗存的确认。

672.河南巩义市里沟遗址 1994 年度发掘简报

作　者：郑州市文物考古研究所、巩义市文物保护管理所
出　处：《华夏考古》2001 年第 4 期

里沟遗址是 1 处以仰韶文化遗存和河南龙山文化遗存为主，兼有春秋战国遗存的遗址。它位于巩义市城区南部里沟村周围，总面积 10 万平方米。1993 年 7 月由巩义市文管所调查发现，1994 年为配合基础建设进行了发掘。简报分为：一、地层堆积，二、遗迹，三、遗物，四、结语，共四个部分。有手绘图。

据介绍，共发现灰坑 13 个（H10～H22）。遗物有陶器等。可分两期：一期大致相当于仰韶文化晚期，二期相当于龙山文化早期。

673.河南新密市古城寨龙山文化城址发掘简报

作　者：河南省文物考古研究所、新密市炎黄历史文化研究会　蔡全法、马俊才
出　处：《华夏考古》2002 年第 2 期

古城寨遗址位于河南省新密市与新郑市交界处，在新密市东南 35 公里的曲梁乡大樊庄村古城寨村民组周围。遗址规模宏大，城墙高大，气势雄伟。城内地面高于溱水河床 10 米，高于周围地面 2～5 米。原据密县地方志认为古城寨城址是西周郐国都城，故定为郐国故城，1988 年被河南省人民政府公布为河南省文物保护单位。通过近年的钻探调查与试掘，被确认为龙山文化城址后，于 2001 年 5 月又被国务院公布为第三批全国重点文物保护单位。1998～2000 年，考古人员曾在此进行过 3 次发掘工作。

简报分为：一、发掘分区与地层堆积，二、龙山文化遗迹，三、龙山文化遗物，四、其他文化遗迹与遗物，五、遗址分期，六、结语，共六个部分。有照片、手绘图。

据介绍，遗迹主要有城墙、夯土建筑基址和廊庑基址、灰坑、瓮棺葬、奠基坑等。城墙平面为长方形，南北长约 500 米，东西宽约 350 米。遗物有石、玉、骨、蚌、陶器等。

简报称，该遗址城址内外包含有仰韶文化、龙山文化、二里头文化、二里岗文化、殷墟、战国和汉代等各时期的文化遗存，以龙山文化早期、晚期遗存为主，龙山文化晚期是其重要发展阶段。古城寨龙山文化城址的发现，不仅为探索夏文化，同时为研究我国文明起源与国家形成提供了重要的且不可多得的资料。简报指出，古城

寨城址是目前中原地区已发现的城址中面积较大的。其高墙深池，南北仅有两个城门，显示了它的封闭性和所具有的军事色彩。再加之城内的大型宫殿与廊庑建筑的方向与城墙十分一致，足见其作为大型古城的修筑，是经过统一规划、精心设计和严格监督施工的。它体现我国古代筑城史上完备的双重防御体系，为二里头文化宫殿基址和廊庑基址找到了源头，也为郑州商代宫殿基址坐落城东北部的布局开了先河，由此揭示了夏商城市文明的重要特征。

简报认为，龙山文化遗址中精美陶器的烧制，釉陶的出现，石、玉、骨、蚌器的加工制作，熔炉残块的发现，说明各种手工业分工精细，金属冶铸业已经存在。大量陶斝、壶等酒器及牛、猪、羊骨骼的发现说明农业已有较快的发展，粮食已有剩余，家畜饲养较为普遍。卜骨、玉环和奠基坑的发现，说明当时已有宗教活动和神职人员，奠基和祭祀活动盛行。陶器上的刻划符号，刻划技艺娴熟，推测当时的人们已有熟练书写文字的能力。高大城墙的修筑、先进的小版筑方法、大型宫殿基址和结构复杂的廊庑基址的发现，说明建筑技术的显著进步。这些情况，大致勾画出了当时社会的生产状况和经济面貌以及上层建筑、意识形态等方面的情况。龙山文化晚期似乎已是阶级社会，此城址更俨然已是奴隶制王城。

674.河南巩义市滩小关遗址发掘报告

作　者：河南省文物考古研究所　赵　清、赵新平、韩朝会
出　处：《华夏考古》2002 年第 4 期

滩小关遗址位于河南省巩义市西北 15 公里的黄河南岸。遗址主要分布在双槐树村南的土岭上，其东部边缘到滩小关村西南岭上，俗称"滩小关遗址"。它西北距伊洛河入黄河口约 3 公里，正处在洛汭之地。1992 年 10～11 月，为配合 310 国道建设，考古人员进行了发掘，发掘面积 250 平方米。发掘出遗迹有房基 1 座、陶窑 1 座、灰坑 21 个、墓葬 2 座、瓮棺葬 11 座。

简报分为：一、概况，二、文化层堆积，三、遗迹，四、遗物，五、分期，六、结语，共六个部分。有手绘图。

据介绍，遗物主要是陶器，石、骨、蚌器出土数量偏少。整个滩小关遗址所包含的文化内容，其上限可能更早（至裴李岗文化遗存），下限或许更晚（至龙山文化晚期）。由于发掘面积和范围小，很多情况尚不明了。简报认为，位于洛汭的滩小关遗址，确实是 1 处重要的新石器时代遗址，今后还需要进一步研究。

675.郑州市岔河遗址 1988 年试掘简报

作　者：北京大学考古系　李维明等
出　处：《考古》2005 年第 6 期

岔河村位于郑州市区西北 10.8 公里处，地属郑州市古荥乡。这里地势较为平坦，平均海拔高 100 米。黄河在其北面 10.5 公里处自西向东流过、溧河自西向东、须水自西南向东北，在村南交汇后称"索须河"，向东北方向流去。在村东北约 200 米处有 1 处窑场，取土时暴露出较厚的二里头文化和商代早期文化堆积。1988 年秋，北京大学考古系派出人员在郑州市西北郊区进行考古调查。工作从 1988 年 10 月 17 始，至 31 日结束，共清理断崖 2 处，分别编号为 D1、D2，试掘面积约 21 平方米，发现了一些残存在断崖上的灰坑。

简报分为：一、地层堆积和遗迹，二、出土遗物，三、结语，共三个部分。先行将所发现的二里头文化和商代早期文化遗存的材料进行介绍，有手绘图等。

简报认为这一遗存一期距今约 3500～3600 年，二期遗存距今约 3700～3800 年，三期遗存相当于二里冈文化上层。简报指出，岔河遗址试掘的面积不大，所获材料也不很丰富。但对相关地层单位的陶器进行的数量统计，为深入研究郑州地区二里头文化和商代早期文化的面貌补充了材料。尤其是在本遗址发现了具有直接地层叠压关系的二里头文化晚期和二里冈下层文化时期的遗存单位，对于比较这两种文化的特征，判断其文化性质提供了新的证据。

676.河南新郑市唐户遗址裴李岗文化遗存发掘简报

作　者：河南省文物管理局南水北调文物保护办公室、郑州市文物考古研究院
　　　　张松林、信应君、胡亚毅、闫付海等
出　处：《考古》2008 年第 5 期

唐户遗址位于河南省新郑市观音寺镇唐户村的西部和南部，地处溱水河与九龙河两河汇流处的夹角台地上，东北距新郑市约 13.5 公里，北距观音寺镇约 1.5 公里。历代相传该地为"黄帝口"。遗址东、西、南 3 面环水，地势北高南低。唐户遗址是第六批全国重点文物保护单位，是 1 处跨时代的聚落群遗址。其文化堆积丰富，包含有裴李岗文化、仰韶文化、龙山文化、二里头文化及商、周时期遗存。其中单纯的裴李岗文化遗存的分布面积在 20 万平方米，如果包括被仰韶文化等叠压的区域，其面积有可能超过 30 万平方米。南水北调中线西南—东北向干渠从遗址西部穿过。2006 年 6 月，郑州市文物考古研究院开始对渠道占压的唐户遗址进行部分发掘。简

报分为：一、遗址概况及发掘经过，二、地层堆积，三、遗迹，四、遗物，五、结语，共五个部分。介绍了 2006 年的发掘情况，有照片、手绘图。

据介绍，2006 年对河南新郑市唐户遗址进行的发掘，共发现裴李岗文化时期的房址 22 座、灰坑 33 个、墓葬 1 座、壕沟 1 条、沟 2 条，出土了一批石器和陶器等重要的文化遗物。

简报进一步指出，此次发现的遗址有以下特点：

其一，聚落规模大。唐户遗址裴李岗文化遗存面积达 30 万平方米，这是我国目前发现的面积最大的裴李岗文化时期的聚落遗址。

其二，文化层堆积较厚，为褐红色埋藏土。一般厚 0.8 ～ 1.8 米，最厚处达 3 米以上。

其三，发现了大面积的居住址。根据地层叠压关系推断，这些房址具有反复建造的特征，说明当时居住环境相对稳定，房屋布局具有明显的规律，这对研究裴李岗文化时期的社会组织结构和家庭形态等具有重要价值。

简报指出，唐户遗址裴李岗文化遗存的独特性，是郑州地区其他裴李岗文化遗存所不具备的。从壕沟的情况及已发掘部分的迹象来看，该遗址居住区范围相当大，还应有更多房基存在。随着考古工作的不断深入，将大大丰富裴李岗文化遗存的内涵，对深入研究裴李岗文化的性质、分期及聚落形态具有重要意义，同时也为深入研究早期房屋建筑方式增添了新资料。

677.河南新密市李家沟遗址发掘简报

作　者：北京大学考古文博学院、郑州市文物考古研究院　王幼平、张松林、
　　　　何嘉宁、汪松枝、赵静芳、曲彤丽、王佳音、高霄旭等

出　处：《考古》2011 年第 4 期

李家沟遗址位于河南省新密市岳村镇李家沟村西，该遗址于 2004 年底进行旧石器考古专项调查时发现。遗址所处位置因煤矿开采形成塌陷，加之降水与河流侵蚀等自然因素的影响，临河一侧已出现严重垮塌。考古人员于 2009 年秋季和 2010 年春季两度进行抢救性发掘。

简报分为：一、地层堆积，二、旧石器文化遗存，三、早期新石器文化遗存，四、裴李岗文化遗存，五、结语，共五个部分。有彩照、手绘图。

简报指出，李家沟遗址新发现的学术意义主要体现在以下几方面：

其一，该遗址包含旧石器时代晚期到新石器时代早期文化叠压关系的地层剖面，即裴李岗、前裴李岗与细石器三叠层，为寻找中原及邻近地区旧、新石器时代过渡

阶段遗存提供了地层学的参照。

其二，黑垆土层出土的压印纹夹砂陶器与板状元支脚的石磨盘等文化遗存或可命名为"李家沟文化"，填补了中原及邻近地区从旧石器晚期文化到裴李岗文化阶段之间的空白。

其三，细石器文化层出土的局部磨制石器、陶片以及数量较多的人工搬运石块等遗存，应视作连接中原及邻近地区旧、新石器时代过渡阶段文化的重要纽带。

其四，李家沟遗址多层文化的叠压关系，从地层堆积、工具组合、栖居形态到生计方式等不同角度提供了中原地区旧、新石器时代过渡的重要信息。

其五，此次发掘发现，反映了中原地区史前居民从流动性较强、主要以狩猎大型食草类动物为生的旧石器时代过渡到具有相对稳定的栖居形态、以植物性食物与狩猎并重的早期新石器时代的演化历史。对了解人类史前历史，尤具学术价值。

678.郑州市站马屯遗址仰韶文化遗存2009～2010年的发掘

作　者：河南省文物考古研究所、河南省文物管理局南水北调文物保护办公室
　　　　武志江、林　杨、张艳玲等
出　处：《考古》2011年第12期

站马屯遗址位于河南省郑州市南郊管城区十八里河镇站马屯村南约0.5公里，南距郑州市南四环0.3～0.8公里，东距中州大道向南延伸的107国道0.25公里，北距大河村遗址19公里，西北距西山遗址29.2公里。南北向的站马屯沟将遗址分为东、西两部分。遗址为市级文物保护单位。

2009年8月至2010年10月，为配合南水北调中线干渠工程，河南省文物考古研究所对站马屯遗址进行了详细的调查和勘探，初步了解了遗址的分布范围及南水北调渠线内的遗址堆积情况。根据地形地貌及以往的工作情况，以站马屯沟为界将遗址分成两个区：沟东为I区，沟西为II区。

简报分为：一、地层堆积，二、遗迹，三、出土遗物，四、结语，共四个部分。有彩照、手绘图。

据介绍，其中II区发现了丰富的仰韶晚期秦王寨文化遗存，遗迹有灰坑、墓葬、瓮棺葬、房基、水井、陶窑、陶灶和围栏等，出土遗物有陶器、石器和骨器。

简报称，站马屯仰韶遗存的发掘，进一步补充了郑州地区仰韶晚期秦王寨文化的内容。

679.新密李家沟遗址发掘的主要收获

作　者：郑州市文物考古研究院、北京大学考古文博学院　张松林、汪松枝、
　　　　王幼平

出　处：《中原文物》2011 年第 1 期

2009 年秋季至 2010 年春季，考古人员发掘河南省新密市李家沟遗址，发现距今 10500 ~ 8600 年连续的史前文化堆积。在堆积下部发现属于旧石器时代末期的典型细石器与局部磨制石锛陶片共存；中部则发现以压印纹粗夹砂陶与石磨盘等为代表的早期新石器文化；最上部是典型裴李岗文化遗存。

简报分为：一、连接两个时代的重要剖面，二、典型绑架石器与新文化因素的共存，三、早期新石器遗存的新发现，四、小结，共四个部分。有照片。

据介绍，此次发掘的主要收获：一是为研究中原地区旧石器、新石器过渡提供了可靠依据；二是填补了中原地区从裴李岗文化到旧石器晚期文化之间的空白；三是为研究中原地区新石器文化的起源提供了重要线索。从人类文明进程的背景看，此次发掘揭示了中原地区史前居民从流动性较强、以狩猎大型食草类动物为主要对象的旧石器时代，逐渐过渡到具有相对稳定的栖居形态的新石器时代的演化历史。

680.郑州市站马屯西遗址新石器时代遗存

作　者：中国社会科学院考古研究所河南新郑队、河南省文物局南水北调文物
　　　　保护办公室　赵青青、邵天伟、金彩霞、江　旭

出　处：《考古》2012 年第 4 期

站马屯西遗址位于郑州市十八里河镇站马屯村西南，北距郑州市区约 5 公里。考古人员于 1984 年、2006 ~ 2007 年曾发掘和抢救性钻探发掘，发掘了大量新石器时代至东周、汉代等时期的遗存。

简报分为：一、地层堆积与文化分期，二、第一期遗存，三、第二期遗存，四、第三期遗存，五、结语，共五个部分。介绍了新石器时代遗存，有彩照、手绘图。

据介绍，郑州大河村遗址是豫中地区保存完整、发掘面积最大、出土文化遗存最丰富的遗址。在相当长的时间内，其分期是豫中仰韶文化至龙山文化时期分期的标杆。站马屯西遗址北距该遗址不足 15 公里，两者不仅位置相近，而且仰韶文化至庙底沟二期的文化面貌亦大体相同。

简报称，站马屯西遗址的发掘，细化了郑州地区仰韶文化的分期，而且为重新审视郑州地区仰韶文化和庙底沟二期的文化谱系提供了丰富的新资料。

681.河南中牟县宋庄遗址发现裴李岗文化遗存

作　者：河南省文物管理局南水北调文物保护办公室、郑州市文物考古研究院
出　处：《考古》2012 年第 7 期

宋庄遗址位于河南中牟县张庄镇宋庄村西约 250 米，宋湛公路以南，东北距中牟县城约 16.5 公里，西北距郑州市约 27 公里。2010 年 8 ~ 11 月，考古人员对渠道占压的宋庄遗址进行钻探、发掘。

简报分为：一、遗址概况及发掘经过，二、地层堆积，三、遗迹，四、遗物，共四个部分。有手绘图。

据介绍，尽管宋庄遗址发掘的裴李岗文化遗存面积不大、出土遗物多为残器，但器类较丰富。既有罐、壶、钵、碗、鼎足等典型裴李岗文化陶器，又有铲、磨盘等具有显著裴李岗文化特色的石制生产工具。简报推断，宋庄遗址裴李岗文化遗存的年代当属裴李岗文化第二期。

简报称，宋庄遗址的发现不仅进一步丰富了郑州地区裴李岗文化的内涵，还为裴李岗文化研究提供了新材料。

682.郑州市西史赵村仰韶文化遗址发掘简报

作　者：郑州市文物考古研究院　信应君、刘青彬
出　处：《考古》2014 年第 4 期

2011 年 4 ~ 7 月，考古人员在郑州市庙李镇西史赵村东北部的普罗旺世住宅小区四期工程范围内发掘了 1 处古文化遗址。该遗址位于郑州市北部的宏达路与普庆路相交处，北距黄河 9 公里，东北距郑州大河村遗址约 6 公里。

简报分为：一、地层堆积，二、遗迹，三、出土遗物，四、结语，共四个部分。介绍了 I 区的仰韶文化遗存，有彩照、手绘图。

据介绍，由于发掘面积有限，房址发现较少，尚不清楚遗址居住区的分布情况。简报认为出土的器物均具有仰韶文化晚期的特征，属秦王寨文化类型。

简报称，本遗址的发掘，既是对黄河流域仰韶文化小型聚落的补充，也为聚落群之间布局与结构关系的研究提供了有益的例证。

开封市

683.河南开封地区新石器时代遗址调查简报

作　者：开封地区文物管理委员会　崔　耕、孙宪周
出　处：《考古》1979 年第 3 期

1977 年 4 月，考古人员试掘了新郑县裴李岗遗址，揭示了中原地区新石器时代 1 种新的文化遗存。它明显地区别于仰韶文化，据考古研究所实验室的碳十四测定为距今 7885±480 年，早于仰韶文化。因此，我们认识到裴李岗遗址是 1 处新石器时代早期文化遗址。1978 年 6～7 月，考古人员在开封地区范围内重点调查了中牟、新郑、密县、登封、巩县 5 个县，共发现有裴李岗文化遗存的遗址 12 处。这些遗址，有的单存裴李岗文化遗物，有的并存仰韶、龙山文化遗物。简报分为：一、新郑县，二、中牟县，三、密县，四、登封县，五、巩县，六、结语，共六个部分。有照片。

据介绍，新郑县调查了新村、观音寺、辛店等几个公社，新发现有裴李岗文化遗存的有唐户遗址和西土桥遗址。中牟县发现裴李岗文化遗址 2 处：1 处在黄店公社业王村，另 1 处是在八岗公社冯庄大队。密县调查了超化、城关、曲梁、刘砦 4 个公社，发现裴沟、东关、城东北角、青石河、张湾、王咀遗址共 6 处，其中以超化公社裴沟遗址最典型。登封县只调查了唐庄公社向阳大队东岗岭 1 处。巩县只调查了鲁庄公社赵城大队村南 1 处遗址。

简报称，从采集的遗物标本看来，在 5 个县中，有裴李岗文化遗物的遗址共 12 处，其中单纯出土裴李岗遗物的遗址 8 处，和仰韶文化及龙山文化遗物共存的遗址 4 处。裴李岗文化遗址的特点是地势较高，地面上很难找到陶器。但是，裴李岗文化最富特征的器物——石磨盘、磨棒、石铲，会引导考古人员找到相关遗址。

684.河南尉氏县椅圈马遗址发掘简报

作　者：郑州大学考古系、开封市文物工作队、尉氏县文物保管所　李　锋、
　　　　陈朝云、匡　瑜、张国硕、邱　刚、许俊平、王小秋
出　处：《华夏考古》1997 年第 3 期

椅圈马遗址位于河南省尉氏县大营乡椅圈马村东南的台地上，东距县城约 15 公里。遗址东西 200 余米，南北 100 余米，总面积约 2 万平方米。1987 年进行了调查，

1992年进行了发掘。共清理房基3座、灰坑86个、墓葬49座（包括小孩墓葬14座）。其文化内涵包括新石器时代早、中期遗存和少量东周时期遗存。简报分为：一、地层堆积，二、第一期文化遗存，三、第二期文化遗存，四、第三期文化遗存，五、第四期文化遗存，六、初步认识，共六个部分。有照片、手绘图。

据介绍，一期遗存当晚于裴李岗文化，属新石器时代早期最后1个阶段。一期遗存的发现，是此次发掘的一大收获。二、三期关系密切，四期与三期文化差别较大，四期的彩陶壶、镂孔豆、钵等器物为其他遗址所罕见，显示出鲜明的地方特征。

简报称，椅圈马遗址发掘面积较小，遗存也不甚丰富，一、二期之间，三、四期之间还存在有缺环。但它是第1次在豫东地区发现的新石器时代早、中期遗存，填补了该地区这一时期考古学文化的空白，因而具有重要意义。该遗址地处东、西、南、北文化交汇区，文化面貌比较有特色，为研究这一时期相邻考古学文化之间的相互影响和交流提供了重要资料。

洛阳市

685.洛阳王湾遗址发掘简报

作　者：北京大学考古实习队　李仰松、严文明
出　处：《考古》1961年第4期

洛阳王湾遗址位于洛阳市西郊，东距洛阳旧城约15公里，东南距谷水镇约2.5公里。王湾遗址发掘是分2次进行：第1次是1959年秋，第2次是1960年春。两次田野发掘时间为4个月，发现新石器时代的房基9座、灰坑179个、墓葬119座，西周、春秋、战国时代的灰坑57个、陶窑1个、墓葬59座、晋墓1座、北朝灰坑94个、大沟2条及各时期的大量遗物。简报分为：一、分期与年代，二、王湾第一期文化，三、王湾第二期文化，四、王湾第三期文化，五、周代文化，六、晋墓，七、北朝，八、结语，共八个部分。有照片、手绘图。

据介绍，洛阳王湾遗址包括北朝、周代和新石器时代各时期文化堆积。其中新石器时代文化层特别厚，一般达3米。灰坑分布密集，多重叠打破。整个新石器时代文化层可按其堆积层次、各层的文化遗物差异性以及遗址相互叠压打破关系，划分为三个阶段，即王湾第一期文化、王湾第二期文化、王湾第三期文化。这三阶段之间的文化特征是既紧密联系，又互有区别。经过初步比较研究，简报推断王湾第

一期文化属于仰韶文化，王湾第三期文化属于河南龙山文化，而王湾第二期文化则介于二者之间，具有中间过渡特征。因此，可以认为王湾新石器时代文化是一脉相承的。

简报称，这两次发掘，最大的收获是：为这一地区由仰韶文化向龙山文化过渡阶段的年代分期与发展联系诸问题，通过有明显的地层叠压关系和大量的实物资料，提供了深入分析研究的条件。另外，仰韶文化中用石块铺砌的墙基和挖槽现象等，都还是首次发现。

686.河南偃师汤泉沟新石器时代遗址的试掘

作　者：河南省文化局文物工作队　刘笑春

出　处：《考古》1962 年第 11 期

汤泉沟村位于偃师县旧城北约 0.5 公里的台地上。在村南陇海铁路的两侧分布着 1 处面积约有 3500 平方米的新石器时代文化遗址。1957 年 4 月 13 日至 5 月 22 日，曾在铁路以北约 30 米处的遗址中部进行了试掘，共开探方 3 个，试掘面积 150 平方米，清理出窖穴 7 个、窑址 1 座。此外，还发掘了 2 座战国墓。战国墓另有报道。简报分为：一、遗迹，二、出土遗物，三、小结，共三个部分。介绍了遗址中新石器时代文化的发掘情况，有手绘图、照片。

据介绍，偃师汤泉沟新石器时代文化遗址，虽然保存的范围不大，但从所发现的遗迹和遗物来看，却相当重要。遗址的出土物包含有仰韶文化的特征。发掘的 7 个窖穴和 1 座窑址内的包含物中，都可说明这一问题，这显然是属于一个时期的。但其中仰韶文化的成分大于龙山文化的成分，如方格纹、篮纹和黑色磨光陶片数量还是比较少的，而且彩陶片的纹饰也是比较简单的，这与郑州林山砦遗址和临汝大张遗址的性质相同。它对研究仰韶文化与龙山文化的承继关系是很重要的材料。这里发掘的窑址，也是他处同类遗址中比较少见的，对研究当时烧陶技术提供了重要的材料。

687.伊河下游几处新石器遗址的调查

作　者：中国科学院考古研究所洛阳发掘队　高天麟

出　处：《考古》1964 年第 1 期

伊河出龙门，经洛阳，东北流入偃师县，至杨村附近汇入洛河。伊河北为洛河，中间地势低洼，通称"夹河滩"。北部高地二里头村附近有仰韶文化遗址。偃师东北洛河沿岸，有汤泉仰韶文化遗址和孙家湾、小訾殿龙山文化遗址。伊河南岸是黄土台地，从高崖至苗湾沿岸新石器时代遗址延续有 4 ～ 5 公里，较大的有高崖、南砦、苗湾仰韶文化遗址和高湾、半个砦龙山文化遗址，堆积极为丰富。黄土台地以南小河与土沟颇多，古代遗址和古代墓葬相当密集，属于仰韶文化的有赵城、滑城、任才村、酒流沟和灰嘴 5 处；属于龙山文化的有灰嘴和岩湾 2 处。简报分为：一、仰韶文化遗址，二、龙山文化遗址，三、小结，共三个部分。配以照片等，先行介绍伊河以南的较大遗址，其他从略。

简报重点介绍了赵城村遗址、苗湾遗址、高崖遗址、南砦遗址、任才村遗址等仰韶文化遗址，认为其贯穿了豫西仰韶文化的 3 个发展阶段。龙山文化遗址，则属于典型的河南龙山文化。

688.河南栾川合峪的龙山遗址

作　　者：李京华

出　　处：《考古》1964 年第 3 期

栾川合峪龙山遗址位于合峪街东南 0.5 公里明白河南岸的平地上，遗址东西长 170 米，南北宽 90 米。简报配图予以介绍。

据介绍，采集遗物主要是陶片，石器极少，只有残石铲 1 件，磨制粗糙，另有陶片。调查时据当地人介绍，以前这里曾出土过完整的陶罐，有的陶罐里还装着人骨头。合峪遗址应属龙山文化。

689.河南偃师酒流沟新石器时代遗址的调查

作　　者：董　祥

出　　处：《考古》1965 年第 1 期

酒流沟位于偃师县城西南约 20 公里的黄土台地上，由于历年来的山水冲刷，形成了 1 条南高北低的深沟，在沟的西岸上是 1 处新石器时代的文化遗址。1958 年春，当地百姓在沟西岸发现许多新石器时代的遗物，考古人员前往调查。简报配以照片、手绘图予以介绍。

据介绍，遗址南北长约 300 米、东西宽约 40 米，可能由于历年雨水冲刷，文化层一般保存较薄，但从断崖上看，灰坑分布还较为密集。这里采集的陶片以泥质灰陶的数量最多，约占陶片总数的 40%。细泥灰陶和夹砂灰陶次之。另外，也有少量的泥质红陶和泥质黑陶，约占陶片总数的 10%。还有极少量的红胎彩陶和薄胎黑陶。

器表的纹饰,除素面磨光外,计有方格纹、条纹、绳纹、弦纹和附加堆纹等;彩陶片多是在器的颈部用黑彩绘出斜方格纹或横条纹。陶器的形制,计有钵、盆、罐、鼎、豆、杯、壶、瓮、缸、鬶等,大多系碎片,不能复原,但也采集到几件比较完整的石器和陶器。从这处遗址的出土物看,包含有新石器时代龙山文化和仰韶文化两种遗存,而以龙山文化为主。

690.孟津小潘沟遗址试掘简报

作　者：洛阳博物馆　宋云涛、余扶危
出　处：《考古》1978 年第 4 期

小潘沟遗址是 1976 年 1 月考古人员在文物普查中发现的。为了弄清遗址的内涵和年代,于同年 3 ~ 5 月进行了小规模的试掘。简报分为:一、遗址的概况和文化层堆积,二、遗迹和遗物,三、小结,共三个部分。有手绘图。

据介绍,小潘沟村在孟津县老城公社西南 1.5 公里的邙山岭上,属陆村大队。遗址就坐落在村西的坡地上。遗址虽然有相当于洛阳王湾第二期的仰韶龙山过渡期的几个灰坑,但最主要的文化堆积为龙山晚期,相当于王湾三期和煤山遗址的第一期。把小潘沟遗址龙山晚期所表现出来的一系列情况联系起来看,简报认为,当时由于生产的发展,可能已产生了贫富分化,当时的人们也许已经接近了阶级社会的门槛。

691.洛河岸边首次发现旧石器文化遗存

作　者：梁久淮、张森水、方孝廉、曾慧丹
出　处：《河南文博通讯》1980 年第 3 期

在洛阳市凯旋路东端的市建筑公司机械化施工处所在地,于 1978 年发现了 1 处旧石器时代文化遗存。就洛阳市来说,这是首次发现。遗址是在人防工程的建设中,在挖隧道时发现的,考古人员初步确定为洛阳第 1 地点。简报配以手绘图、照片予以介绍。

据介绍,这次发现的主要收获之一是纳玛象化石。最重要的收获是在象化石旁边,伴出的 31 件石器。石器基本是以河中砾石为原料,有石英、沉积岩、燧石等。石器一般是用锤击法打制成的。其中石核石器 13 件,石片石器共 18 件,分圆刮器、长刮器和尖状器。许多石器可明显地看到打击的台面、打击点、疤痕、半锥体、辐射线、破裂面痕迹等。简报初步推断这一旧石器遗存距今约在 5 万年以前。

692.一九七五年洛阳考古调查

作　者：洛阳博物馆　叶万松

出　处：《河南文博通讯》1980 年第 4 期

1975 年冬，考古人员在洛阳市和孟津县境内进行了 1 次考古调查，发现了古文化遗址 28 处。这些遗址大都分布在黄河、洛河、伊河、涧河和瀍河沿岸。遗址面积最大者可达 60 余万平方米，最小者仅 2 万余平方米，一般都包含有从仰韶文化到二里头文化若干阶段的文化遗存，说明先民们曾在这里长期地定居生活。简报分为：一、仰韶文化遗存，二、龙山文化遗存，三、二里头文化遗存，四、结语，共四个部分。有手绘图。

据介绍，在调查的 28 处遗址中，包含有仰韶文化遗存的遗址有 18 处，龙山文化遗存中庙底沟二期遗址 8 处、王湾三期遗址 11 处、二里头文化遗址 9 处。

简报称，此次调查在中原地区首次发现类似甘肃齐家文化的双耳罐，是耐人寻味的。结合同遗址采集的器物，通过对该器物的陶色、制作方法进行观察分析，简报以为，该器物应属于仰韶文化晚期（即王湾二期早期），最迟也应为庙底沟二期。双耳罐的发现，向我们提供了黄河中游与上游古文化互相影响的新例证。简报还认为，庙底沟二期文化的遗物特征在一定程度上表现了仰韶文化向龙山文化的过渡，属于一种早期的龙山文化。

693.河南偃师二里头遗址发现龙山文化早期遗存

作　者：中国社会科学院考古研究所二里头工作队　张国柱

出　处：《考古》1982 年第 5 期

河南偃师二里头遗址是以发现丰富的二里头文化遗存而闻名的，但也曾发现过一些年代较早的文化遗存。1978 年春，考古人员在遗址中部清理了 1 个灰坑，出土了较多的龙山文化早期遗物。简报配以照片、手绘图予以介绍。

据介绍，这个灰坑（78YLIVH1）位于二里头 Ⅳ、Ⅴ 区交界处的四角楼大队。坑内堆积为灰土，其中夹杂不少烧土。遗物除大量陶片外，还有猪骨、蚌壳等。陶器的陶质主要是夹砂陶，其次为泥质陶。陶色不纯，主要是褐色，纯灰色的较少。纹饰主要是较粗的横篮纹，在陶器口沿上做成花边或在口沿下施附加堆纹的较多。陶器的器型主要是夹砂罐，其次是鼎，还有斝和筒形杯等。其他遗物还有陶纺轮、石斧、石锛、石刀、骨针、骨锥、蚌刀、蚌镰以及陶环、骨笄、骨匕等。简报推断为龙山文化早期遗存，但少数器物又具有龙山文化中期特征，表现出由龙山文化早期向中期演变的过程。

694.洛阳西吕庙龙山文化遗址发掘简报

作　者：洛阳市文物工作队　贺官保、隋裕仁
出　处：《中原文物》1982 年第 3 期

西吕庙位于洛阳市东北 7.5 公里处。遗址坐落在西吕庙村东的邙山坡地上，南距洛河 4 公里，北至黄河 9 公里。遗址的东侧有一大冢，传说为东汉汪平章墓，冢土多为遗址灰土堆积起来的。1969 年 11 月，在配合焦枝铁路的工程中，对西吕庙遗址进行了发掘。此次考古人员又清理了其中的 12 座窖穴。简报有照片、手绘图。

据介绍，西吕庙龙山文化遗址的窖穴，全为口小底大的圆形或椭圆形袋状坑。遗物可分早期、晚期。早期出土陶器陶质以泥质灰陶为主，夹砂灰陶次之，磨光黑陶占一定的比例，有少量的棕黄陶。纹饰以篮纹和方格纹为主，其次是弦纹和指甲纹，绳纹很少见。属河南龙山文化中期。晚期出土陶器陶质以夹砂灰陶为主，泥质灰陶次之，磨光黑陶的数量较前期明显地减少，棕黄陶有所增加。篮纹较草率，方格纹较小而不整齐，器形不及前期规则。相当于河南龙山文化晚期偏早。

695.河南伊川马迴营遗址试掘简报

作　者：洛阳地区文物保护管理处　郭引强、宁景通
出　处：《考古》1983 年第 11 期

马迴营遗址位于河南省伊川县平等公社马迴营村东北的台阶地上，东距伊河约 4 公里。遗址面积约 1500 平方米。1979 年 6 月进行了试掘。简报配以手绘图予以介绍。

据介绍，遗址共发现灰坑 5 个。遗物主要为陶器，其次为石器、骨器。时代简报推断为河南龙山文化晚期。简报称，该遗址的发掘，为探讨豫西地区龙山文化的面貌提供了一定的资料。

696.孟津平乐新石器时代遗址调查

作　者：朱　亮
出　处：《中原文物》1983 年第 4 期

该遗址位于孟津县平乐公社平乐寨北门外 200 米处。1978 年考古调查时发现。简报配以手绘图予以介绍。

据介绍，该遗址原有面积应在 2 万平方米以上，因百姓取土已遭破坏。考古人员在调查中采集到石器、蚌器各 1 件，陶器 30 余件。简报认为，此处应是 1 处有地方特色的龙山文化遗存。

697.偃师二里头遗址发现仰韶文化遗存

作　者：中国社会科学院考古研究所二里头工作队　杜金鹏
出　处：《考古》1985 年第 3 期

1982 年秋和 1983 年秋，在二里头遗址四区东南部，因农民取土而暴露出若干灰土、灰坑，考古人员即于发掘该区铸铜遗址的同时，抽暇进行了清理，发现计有仰韶文化和二里头文化的灰坑、房穴等居住遗迹及汉代墓葬等。简报分为：一、地层与遗迹，二、遗物，三、结语，共三个部分。有照片。

据介绍，这次清理的二里头遗址仰韶文化遗存，与洛阳王湾、郑州大河村等遗址的仰韶文化之间，有着多方面的共同因素，其文化面貌基本一致。二里头遗址仰韶文化中的圆形袋状坑，普遍见于上述同类遗存中。如王湾二期文化的圆形袋状坑，一般也都比较规整，底面平坦，有的坑壁涂抹草泥，靠近坑壁的地面上放置一定数量的完整陶器，有的坑里还有人骨架，这些均与二里头遗址所见者基本相同。二里头遗址的这种坑的独特之处，是底部为多层垫土相叠压，每层垫土的表面均敷一薄层黏土。我们认为这种坑未必仅系储存物品的处所，可能也是人们栖身的一种穴室。出土的陶器，红陶占多数，灰陶次之，少量褐陶，未见黑陶。年代经测定距今 4485±159 年（树轮校正）。因此，简报认为二里头遗址仰韶文化遗存属于大河村类型，其年代约当大河村遗址第三期文化时期。

698.洛阳发现水牛化石

作　者：周　军
出　处：《中原文物》1984 年第 3 期

1983 年 12 月，伊川县民工在洛阳市北郊北窑乡龙泉沟挖窑时，发现一批动物化石，考古人员前往清理。简报配以照片予以介绍。

据介绍，这批动物化石中，有 1 具下颌骨，经鉴定为水牛下颌骨。洛阳发现水牛化石这是第 1 次，这为我们探讨洛阳的地理、古气候、古生物提供了新的实物资料。

699.河南伊川发现两件彩陶缸

作　者：张怀银　杨海欣

出　处：《文物》1987 年第 4 期

1985 年 4 月，洛阳地区文物普查成果展览中，展出了伊川县白元乡出土的两件彩陶缸。简报配以照片予以介绍。

据介绍，两件彩陶缸均为泥质红陶。形制相同，均圆唇外卷，大口深腹，小平底，口沿下饰 3 周弦纹，弦纹下塑 3 个对称的鹰嘴状凸钮。1 件上腹部彩绘 3 组对称的圆形图案，以黑彩作框，内涂白色为地，用黑彩绘两个对称的弧边三角形。另 1 件上腹部绘一周宽 10 厘米的白带纹，上下用黑彩画边框，内用黑彩绘 12 个贝形纹，中间用白线贯穿。简报称，这两件彩陶缸即所谓"伊川缸"，为仰韶文化的研究增添了新资料。

700.伊川土门、水寨新石器时代遗址调查简报

作　者：洛阳市第二文物工作队、伊川县文化馆

出　处：《中原文物》1987 年第 3 期

1985 年 6 月，考古人员结合洛阳地区文物普查，对伊川县土门、水寨两遗址再次进行了考古调查。现以此次调查的资料为主，补充了部分县文化馆以前采集的标本。简报分为：一、土门遗址，二、水寨遗址，三、结语，共三个部分。有手绘图。

据介绍，土门遗址位于伊川县东南 2.5 公里的土门村。遗址东高西低，正处在两河交汇处的三角冲积台地上。遗址东西长约 800 米，南北宽约 250 米，总面积近 2 万平方米。遗迹发现有房基、墓葬和灰坑。水寨遗址位于伊川县水寨村的东寨上，西距伊河 4 公里。遗址东西长 400 米，南北宽 300 米，总面积约 12000 平方米。灰层堆积一般在 3 米左右。遗迹发现有灰坑和墓葬，但破坏较甚。此次调查，所获最丰的是红陶缸，习称"伊川缸"。无论从用途上讲（多用作成人二次葬的瓮棺），还是从形制上讲，都是豫中地区仰韶文化所特有的典型器物。其时代一直贯穿于豫中地区仰韶文化的中晚期。

通过调查，简报认为，土门遗址是 1 处和王湾遗址堆积相类似的遗址。因而说土门遗址包含了仰韶文化中晚期和河南龙山文化煤山类型的遗存。水寨遗址是 1 处仰韶文化中晚期的遗址。

今有严文明先生《仰韶文化研究》（文物出版社 2009 年版）一书，可参阅。

701.洛阳地区首次发现中国犀化石

作　者：周　军、王献本
出　处：《中原文物》1991年第2期

1990年12月25日，洛宁县涧口乡院东村一村民在打井时，发现一批动物化石，其中一部分已送交洛阳博物馆。简报配以照片予以介绍。

据介绍，化石材料为带三齿的上颌骨残段，初步确定为中国犀牛的右上颌骨化石。颌骨上所带的3颗牙齿均为前臼齿（P2～P4），齿列残长12.5厘米。这些牙齿磨蚀度中等，石化程度较高。

简报称，中国犀是我国古代南方动物群的典型动物，一般生活在距今100万年至20万年之间。这种犀牛在北方地区极少发现，1978年考古工作者曾在河南南召县发现中国犀化石。这次发现中国犀化石的洛宁，是河南发现第2处出土中国犀化石的地点，也是我国目前发现的位置最北的一个地点（北纬34°20′附近）。

702.河南伊川县伊阙城遗址仰韶文化遗存发掘简报

作　者：洛阳市第二文物工作队　史家珍、桑永夫
出　处：《考古》1997年第12期

洛阳市伊川县伊阙城遗址位于伊川县城南4公里、古城村东北部向阳一面坡地上，北距洛阳市40余公里，东临伊河。遗址周围还发现有多处古文化遗址，东部隔伊河水相望即为著名的土门遗址，南部相距数百米又有1处内涵丰富的新石器时代遗址。1条公路即从遗址东部穿过。伊阙城分为内外两城，内为皇城，居东南部。故城北部保存较好的1段是由夯土筑成的城墙，如今残高6米余。

1994年的发掘工作是为了配合伊川高山水泥厂中转销售站的基本建设而进行的。发掘的同时又对其周围的新石器文化遗存进行了调查。据初步调查，由于受后期建设伊阙城的破坏，遗址保存不完整，残存面积约6万平方米。此次发掘工作自1994年11月21日开始，至1995年1月10日结束，历时51天，发掘面积925平方米。简报分为：一、前言，二、地层堆积与分期，三、第一期文化遗存，四、第二期文化遗存，五、结语，共五个部分。介绍了这次发掘的仰韶文化遗存，有手绘图。

通过此次发掘，简报认为该遗址至少包含有仰韶、战国两个时期的文化遗存。第二期文化遗存中出土物以陶器为主，虽然数量很大，但器类却简单，鼎、罐、缸占了相当大的比例。简报认定这些即是该期遗存的文化特征。此次发掘的5座墓葬，简报确认属于仰韶文化秦王寨类型中期。

简报称，仰韶文化的5座墓葬是这次发掘的最大收获。对这5座墓葬葬式及葬俗的探讨，对原始社会时期母系氏族社会向父系氏族社会过渡阶段的社会性质的研究无疑将具有积极的意义。

703.河南新安县西沃遗址发掘简报

作　　者：河南省文物考古研究所　樊温泉、靳松安
出　　处：《考古》1999年第8期

西沃遗址位于河南省新安县西沃乡西沃村的西部，南距县城约28公里，东距黄河约400米。遗址处在黄河岸边的土岭之上，当地人称"鳖盖岭"。遗址现存面积约2.5万平方米。

1995年11月，为配合黄河小浪底水利工程的建设，考古人员对该遗址进行了抢救性发掘，发掘工作从11月初开始，到1996年1月上旬结束，历时2个月，发掘面积约458平方米。发掘时除在T8、T5内发现少量龙山文化和商代遗存外，其余探方（沟）内发现的遗迹、遗物均属庙底沟二期文化范畴。简报仅对发掘出土的庙底沟二期文化遗存进行了介绍。报告分为：一、地理环境与地层堆积，二、遗迹，三、遗物，四、结语，共四个部分。有手绘图。

据介绍，根据地层堆积和典型遗迹间的叠压、打破关系，结合出土器物的特征、组合以及变化规律，简报将西沃遗址庙底沟二期文化遗存分为两期3段。简报推断：西沃遗址庙底沟二期文化一期1段，属于庙底沟二期文化较早阶段的遗存；二期2段，属于庙底沟二期文化较晚阶段的遗存；二期3段，应是庙底沟二期文化最晚阶段的遗存。

简报称，已发掘的庙底沟二期文化遗址可供分期的材料较少，因此，西沃遗址的发掘，对探讨庙底沟二期文化的分期及其向龙山文化的过渡有一定意义。

704.河南巩义市瓦窑嘴新石器时代遗址的发掘

作　　者：郑州市文物工作队、巩义市文物管理所　周　军、汪　旭、赵海星
出　　处：《考古》1999年第11期

瓦窑嘴遗址位于巩义市区西南的外沟村，西距洛河约1公里。外沟东南与里沟相连，通称"合义沟"。由于沟内流水的作用，在沟谷两侧发育着不太典型的三级阶地。瓦窑嘴遗址即位于三级阶地上。1995年7月，考古人员在对巩义市邮电局外沟家属楼工地进行考古钻探时，发现了古代墓葬和裴李岗文化的灰坑，考古人员对该地点

进行了抢救性发掘。从 7 月 22 日至 9 月 22 日，发掘工作历时 2 个月，发掘面积近 1000 平方米，清理裴李岗文化灰坑 15 个、商代墓葬 27 座、晋墓 2 座，出土了一批有价值的遗物。由于墓葬部分另有报告，简报仅将裴李岗文化的遗迹与遗物予以介绍。简报分为：一、地层堆积与遗迹，二、出土遗物，三、结语，共三个部分。有手绘图、拓片。

据介绍，该遗址的陶器群与其他裴李岗文化遗址的陶器群基本一致，不过陶器中泥质黑陶所占比例较大，并且出现磨光薄胎的精致黑陶，这在同时期的新石器文化中是罕见的，其文化面貌与其后在中原地区出现的仰韶文化似有较大差异。瓦窑嘴裴李岗文化遗址地层堆积、遗迹比较简单，除灰坑和陶窑外，尚未发现墓葬和房址。遗址中发现了一些动物骨骼，可能反映了当时人类已经开始驯养野猪。

705.河南新安县槐林遗址仰韶文化陶窑的清理

作　　者：河南省文物考古研究所　赵　清、韩朝会
出　　处：《考古》2002 年第 5 期

槐林遗址位于河南新安县北约 30 公里的西沃乡槐林村北的缓坡台地上，南临黄河支流小青河，东北距黄河 1.5 公里。遗址所处台地北高南低，现已被平整成 10 多阶梯田。南部第三、四阶台地文化层稍集中，第五至七阶台地有零星灰坑分布。因常年雨水冲刷和修整梯田，遗址多被破坏，所剩文化层堆积较少且不集中。1996 年冬季，为配合黄河小浪底水库工程，考古人员对其淹没区内的槐林遗址进行了发掘，发掘面积 400 多平方米。探方主要开在第三、四阶台地上，在第四阶台地中部发掘 1 座仰韶文化时期的陶窑（编号 96XXHY1，以下简称为 Y1），其北半部已毁。陶窑保存较好，在窑室底部清理出一层陶片，应是该陶窑所烧最后一窑陶器。简报分为：一、陶窑，二、H8，三、出土陶器，四、结语，共四个部分。有手绘图、照片。

简报推断槐林遗址应属于仰韶文化王湾类型，其时代约相当于仰韶文化二期，Y1 或早至一期偏晚阶段。Y1 和 H8 年代相距较近，二者基本是承续发展的。

706.河南偃师市二里头遗址宫城及宫殿区外围道路的勘察与发掘

作　　者：中国社会科学院考古研究所二里头工作队
出　　处：《考古》2004 年第 11 期

近年，中国社会科学院考古研究所二里头工作队自 2002 年起对宫殿区及其附近的道路系统进行追探，在宫殿区外围发现了纵横交错的大路。2003 年春季，对已发

现的道路进行了解剖发掘，并发现了宫城城墙。截至 2004 年 4 月，基本搞清了宫城城墙及宫殿区外围道路的范围、结构和年代。简报分为：一、发现与发掘过程，二、地层堆积与层位关系，三、宫殿区外围道路，四、宫殿城墙及其同期建筑基址，五、其他重要遗存，六、结语，共六个部分。有彩照等。

据介绍，大路从二里头文化早期至晚期一直延续使用。宫城平面略呈纵长方形，面积约 10.8 万平方米，始建年代为二里头文化二、三期之交，一直延续使用至二里头文化四期或稍晚。宫城与道路网的发现，表明二里头遗址是一座布局严整的大型都邑。简报称，二里头遗址宫殿区道路网络系统的初步探明、具有中轴线规划的成组建筑基址的确认以及宫城城墙的发现，使我们对遗址总体结构与布局的认识得以进一步深化。如将宫城定义为围以垣墙的宫室建筑集中区的话，此前可确认的我国最早的宫城遗迹见于偃师商城遗址，面积约 4 万平方米。始建于二里头文化二、三期之交的二里头遗址宫城，则较其又提早了一个阶段，面积则逾 10 万平方米。纵横交错的中心区道路网、方正规矩的宫城和排列有序的建筑基址群表明，二里头遗址是 1 处经缜密规划、布局严整的大型都邑。

其他值得注意的有双轮车车辙与绿松石作坊。简报指出，偃师商城遗址发现了相当于二里岗下层文化时期的车辙，将我国用车的历史由商代晚期前推了 200 ～ 300 年。二里头文化早期车辙的发现，又将我国双轮车的出现时间提早了约 200 年。这为探索我国古代车的起源提供了重要的资料。简报指出，出土的数千枚绿松石块粒，相当一部分带有切割、琢磨的痕迹，还有因钻孔不正而报废的石珠。石料大多细碎，表面面积最大者可达 2 平方厘米。该坑应与绿松石器制造作坊有关，时代亦属二里头文化四期偏晚。

707.河南偃师市二里头遗址 4 号夯土基址发掘简报

作　者：中国社会科学院考古研究所二里头工作队　许　宏、赵海涛、陈国梁等
出　处：《考古》2004 年第 11 期

2001 年秋至 2003 年春，考古人员在二里头遗址宫殿区东部展开了大规模的勘察与发掘。发掘确认了 1978 年发现的、叠压于 2 号宫殿基址之下的二里头文化二期夯土遗存系 1 座（或一组）结构复杂、规模巨大的建筑基址（3 号基址），在其以西新发现了与其同时的 5 号基址。随后，在 2 号基址以南和以北又发现了 4 号、6 号两座基址。上述诸基址中，3 号基址因被晚期基址叠压，且继续向发掘区的南、北方向延伸，有待进一步探寻；5 号和 6 号基址尚未全面揭露。简报分为：一、空间位置与层位关系，二、基址的形制与结构，三、出土遗物，四、结语，共四个部分。介绍了保存状况较好、

主体部分基本清理完毕的 4 号基址的情况，有彩照。

据介绍，对 4 号基址的发掘始于 2002 年春季，至 2003 年春季结束。4 号基址位于宫殿区东部、2 号宫殿基址的正前方。发掘区内的基址由主殿台基和东庑两部分组成，其中主殿夯土台基面积达 460 多平方米。4 号基址的始建年代为二里头文化三期，与 2 号基址大体同时，其废弃年代尚待研究。4 号、2 号基址有共同的建筑中轴线，应属宫城内的同一建筑组群。

708.河南偃师市二里头遗址中心区的考古新发现

作　者：中国社会科学院考古研究所二里头工作队　许　宏、赵海涛、李志鹏、陈国梁等

出　处：《考古》2005 年第 7 期

二里头遗址的发掘工作迄今已逾 40 载，取得了丰硕的成果，奠定了良好的深入探索的基础。考古人员自 2001 年起对二里头遗址中心区进行了系统钻探与重点发掘，发现并清理大型建筑基址数座，发现了成组的贵族墓。同时，对宫殿区及其附近的道路进行了追探，在宫殿区外围发现了纵横交错的大路。2003 年春季发现了宫城城墙。截至 2004 年春季，基本搞清了宫城城墙及宫殿区外围道路的范围、结构和年代。2004 年，又在宫城以南发现了另一道始建于二里头文化第四期的夯土墙以及绿松石器制造作坊等重要遗存。简报分为：一、工作思路与过程，二、主要发现，三、学术意义，共三个部分。有彩照。

据介绍，在遗址中心区发现了宫城、纵横交错的大路、成组的大型夯土基址、随葬品丰富的贵族墓以及绿松石器制造作坊等遗存。二里头遗址宫殿是我国可以确认的最早宫殿遗址。墓葬中至少有两座墓是墓圹超过 2 平方米的贵族墓。贵族墓中出土的大型绿松石龙形器是罕见的艺术珍品。

709.洛阳新安高平寨遗址试掘简报

作　者：郑州大学历史学院、洛阳市文物工作队　徐昭峰、范新生、朱　磊等

出　处：《文物》2008 年第 8 期

2004 年 12 月至 2005 年 1 月，为配合 310 国道沿线扩展工程，洛阳市文物工作队会同新安县文物管理所等单位对新安县城西边的高平寨遗址进行了抢救性调查试掘。此次仅试掘了必须占用的约 100 平方米的面积，具体地点在紧临 310 国道南侧的高平寨遗址一级台地上。简报分为：一、地层堆积，二、文化分期，三、遗迹与

遗物，四、结语，共四个部分。有照片、手绘图。

据介绍，此次发掘的史前遗迹主要以灰坑为主，也发现有墓葬，时代从仰韶文化时期延续至庙底沟二期，但以仰韶文化时期遗存最为丰富。简报认为，先民在仰韶时期应过着定居农耕生活，但渔猎经济仍占重要地位。龙山文化早期，与农耕有关的遗物增加，表明农耕经济更加发达，还出土了1件形似戈的石制兵器。

710.洛阳市南陈遗址仰韶文化遗存的发掘

作　者：河南省文物考古研究所　王　涛、宋国定、席永征
出　处：《中原文物》2008 年第 2 期

南陈遗址是黄河小浪底西霞院反调节水库工程区内需要抢救发掘的重要遗址之一。简报认为该遗址新石器时代文化遗存的文化遗物以仰韶文化晚期为主。简报称，南陈遗址的发掘为洛阳地区考古学文化谱系的研究提供了重要的资料。简报分为：一、遗址概况与地层堆积，二、遗迹，三、遗物，四、结语，共四个部分。有手绘图、照片。

据介绍，南陈遗址群位于河南省洛阳市吉利区向西 5 公里左右的黄河北岸、黄河小浪底西霞院工程区内，处于西霞院坝址的北端。由南陈遗址、南陈墓地及南陈城址 3 部分组成。2004 年 3 ～ 6 月，河南省文物考古研究所与洛阳市文物工作队对南陈遗址群进行了抢救性考古发掘，发现仰韶文化晚期的环壕聚落遗址和西周中晚期村落遗址各 1 处、西周墓地 1 处；同时对遗址北部的战国晚期城址以及城址南侧的人工构筑沟也进行了解剖，发掘工作取得了重要收获。

简报认为，南陈遗址群的发掘为洛阳地区新石器时代文化谱系的研究提供了重要的实物资料，并将有助于该地区新石器时代文化遗存的研究。

711.河南偃师市灰嘴遗址西址 2004 年发掘简报

作　者：中国社会科学院考古研究所河南第一工作队　陈星灿、李永强、
　　　　　刘　莉、谢礼晔等
出　处：《考古》2010 年第 2 期

2002 ～ 2003 年，考古人员对河南偃师市灰嘴遗址东址进行了试掘，发现大量仰韶、龙山、二里头文化和东周时期的遗存。由于历年来农民取土的缘故，东址破坏严重，二里头文化层已所剩无几，遗迹、遗物也不是很丰富。灰嘴遗址西址位于灰嘴村北，被南北向的乡间公路略分为东西两部分。其中，西部大部被取土破坏；东部尚有多半被苹果园和菜园覆盖，虽因取土破坏导致现在的地面比 20 世纪五六十年代时低约

1 米，文化层破坏严重，但还是保留了丰富的二里头文化遗迹、遗物。简报分为：一、地层堆积，二、二里头文化遗迹及遗物，三、结语，共三个部分。有彩照、手绘图。

据介绍，此次发掘共发现 32 个灰坑、2 眼水井和 1 处白灰面残房基。出土遗物有陶器、石器、骨器、蚌器等。灰嘴遗址西址遗存主要属于二里头文化第二、三期。灰嘴遗址西址与东址一样，曾经是二里头时代居民生产、生活的场所，也是以石铲加工为主的石器专业化生产中心之一。

简报推测，此次发掘令人感兴趣的是，石器生产应该是家庭式的，规模不大，加工地点同时也是生活地点，石料及与石器加工有关的废品散布在住房内外，生产和生活垃圾混杂在一起。这种生产方式与二里头遗址所见铜器和绿松石器的生产有本质区别，应该看作是非国家控制的一种专业化生产方式。这为我们了解中国早期国家起源时期的历史提供了翔实的第一手资料。

712.2002～2003 年河南偃师灰嘴遗址的发掘

作　者：中国社会科学院考古研究所河南第一工作队　陈星灿、李永强、
　　　　刘　莉等

出　处：《考古学报》2010 年第 3 期

灰嘴遗址位于偃师市南约 20 公里的灰嘴村东部和北部。该遗址目前分东西两部。1959 年河南省文物工作队所属刘胡兰小队发掘灰嘴东址，并称在附近发现 1 处商代遗址，后者即后来所称的"西址"。简报分为：一、地层堆积及时代，二、仰韶文化遗址，三、龙山文化遗址，四、小结，共四个部分。介绍了 2002～2003 年的发掘情况，有彩照、手绘图。

简报将此次发掘的成果归纳为以下五点：

第一，灰嘴东址从仰韶文化中晚期开始为人类定居，历经龙山、二里头和东周等多个时期。仰韶文化的分布范围较广，面积最大；龙山文化和二里头文化多分布在遗址中部高地，范围有所缩小。周文化分布情况不详，个别东周墓葬出现在遗址中部，显见聚落形态发生了重大变化。晚期居民因多生活在早期居民的遗址上，造成遗迹现象重重叠叠，形成厚厚的灰土。灰嘴实因遗址多灰土而得名。

第二，从出土陶器的初步整理看，该遗址仰韶文化的主要遗存属于仰韶文化晚期或仰韶龙山文化过渡期。个别遗迹可能稍早。龙山遗存以龙山文化晚期为主。二里头文化遗存以二里头二、三期为主。

第三，试掘的主要目的之一，是了解中国早期国家起源阶段石器生产的情况。目前所知，仰韶文化时期，这里虽有人类定居，也有石器生产的遗迹，但是石器的

专业化生产并不存在。石料以河卵石为主，种类比较多样。专业化的石器生产是从龙山文化开始的。加工的主要对象是石铲，石料多是从遗址南部嵩山上开采的鲕状白云岩。遗址中数以千计的石料、毛坯、半成品、石片和石屑，几乎都是加工石铲的遗留物。石铲的成品却很少见，说明该遗址生产的石铲主要是提供给其他地区居民的。遍布遗址各处的石铲半成品、石片和石屑，多因后代取土和农耕破坏所致，可能多是二里头时期石器加工的遗物。值得注意的是，专业石器加工很可能伴随着石灰的生产。龙山和二里头时代诸遗迹发现的大量白烧石，经鉴定多是石灰岩。如此规模的白烧石遗存，显示石灰的生产可能也不仅仅是为满足本地居民的需要，它同石器一样，应该是用来交换或贸易的。

第四，龙山文化和二里头文化的石器加工业，虽然以石铲加工为主，但也生产其他石器，如石刀、石镰等。石器的专业化生产，很可能还停留在家庭手工业的阶段。实际上，出土石片、石屑的灰坑和房址、水井、墓葬等遗迹交织在一起。灰坑中既有跟石器加工有关的遗物，也有一般生活垃圾，说明石器加工很可能是农业生产的一种补充。值得注意的是，石器加工的对象、原料、技术和形式，从龙山到二里头时期没有多少变化，不过二里头时期的石器加工规模明显加大，推测很可能跟二里头中心和二里头时代对石器需求的扩大有关。灰嘴遗址的试掘，为了解中国早期国家形成时期的重要资源——石料和石器的来源，提供了重要线索。

第五，在灰坑中埋藏整牲、人，有时人牲共处一坑，坑中混杂着各种生产和生活垃圾。郑洛地区的灰坑埋人现象从仰韶时代晚期开始，到龙山时代成为不少遗址的常态，显示中原地区社会冲突、暴力和动荡的加剧。

713.河南偃师市灰嘴遗址 2006 年发掘简报

作　者：中国社会科学院考古研究所河南第一工作队　李永强、陈星灿、
　　　　刘　莉等

出　处：《考古》2010 年第 4 期

2002～2005 年，中国社会科学院考古研究所河南第一工作队对河南偃师市灰嘴遗址共进行了 3 次发掘，发现几处与石器制造密切相关的灰坑和石器加工点，出土了大量与石器制作相关的石器毛坯、石片、石料、砺石、石锤以及与烧制石灰相关的白石等。据此基本上可以认定，灰嘴遗址在龙山和二里头文化时期是 1 处石器和石灰加工场，其中在龙山文化时期主要生产石铲（也可能包括毛坯）。为进一步了解仰韶文化时期灰嘴遗址的石器生产状况，探索仰韶文化时期石器加工与龙山、二里头文化时期的联系和差异，了解当时灰嘴遗址居民的生产和生活状况，2006 年

10～12月，中国社会科学院考古研究所河南第一工作队又对灰嘴遗址进行了第4次发掘。简报分为：一、地层堆积，二、仰韶文化遗存，三、结语，共三个部分。有彩照、手绘图。

此次发掘给考古人员留下的印象是：灰嘴遗址的仰韶文化居民，似乎生活在"自给自足的小农经济社会"。房屋既有半地穴的，也有地面式的。房屋多为木骨泥墙，有的墙上还抹白灰，居住环境有很大改善。有的比较考究，既有厚达90厘米的多重铺垫，也有白灰抹面，防潮效果较好。农作物则以粟为主，辅以家猪饲养，也狩猎野兽并捕捞鱼、蚌。粟装在地下粮仓里，粮仓充分考虑了防潮的需要；放在粮仓内的粟是未脱壳的，可能是为了方便储藏。墓葬有竖穴土坑墓和瓮棺葬两种，埋葬整猪的兽坑也比较常见，这也是郑洛地区仰韶晚期文化的普遍现象。生产石器的规模较小，原料可能多是采自浏涧河的河卵石。龙山和二里头文化时期主要靠开采嵩山山脉上的鲕状白云岩、以生产石铲为目的的专业石器加工业在此时尚未出现。

714.洛宁县发现黄土石器工业

作　者：北京师范大学历史学院、洛阳市文物钻探管理办公室　杜水生、刘富良、朱世伟、张　敏、李　飞、王　璐

出　处：《考古与文物》2010年第2期

2006年12月，根据吕遵谔先生提供的线索，考古人员在洛阳市进行了为期1个多月的旧石器考古野外调查，其中在洛宁县境内发现了3处旧石器地点，分别编号为LY03、LY09和LY16。简报分为：一、地层与时代，二、石制品类型，三、小结与比较，共三个部分。有手绘图。

据介绍，所谓"黄土石器工业"，是指在黄土地层中发现的石制品。年代属旧石器时代中期之末。

715.河南栾川蝙蝠洞洞穴遗址考古调查简报

作　者：河南省文物考古研究所、洛阳市文物考古研究院、栾川县文物管理所侯彦峰、顾雪军、周　立、庞海姣、李作献等

出　处：《华夏考古》2013年第3期

栾川蝙蝠洞洞穴遗址，位于河南省洛阳市栾川县庙子镇高崖头村西南，西北距栾川县城7.79千米。遗址地处伏牛山（秦岭支脉）中段北坡，此段为栾川县与西峡县边界分水岭，习称"老界岭"或"南界岭"，是我国南北气候分水岭的过渡地带。

这里重峦叠嶂，景色壮观。2001 年，高崖头村试图对该洞穴进行溶洞旅游开发，在清理洞内堆积过程中，发现有大量的"龙骨"——动物化石。2009 年，栾川县文物管理所在第 3 次文物普查中，发现该洞穴遗址遭到破坏，出土动物化石流落到村民手中，遂将这一情况汇报给河南省文物局。考古人员于 2010 年 1 月和 6 月对蝙蝠洞洞穴遗址进行考古调查、清理和试掘。简报分为：一、地质和地层概况，二、人类化石，三、石制品，四、动物化石，五、初步认识，共五个方面。配有彩照和手绘图。

据介绍，此次调查，计获得古人类牙化石 1 枚、旧石器时代石制品 8 件，还发现大量动物化石，共计 62 种。最大收获是人类化石。出土人牙化石 1 枚，保存完整，石化程度不深，咬合面有一定磨耗，暴露出牙本质，齿冠白色，齿根浅黄局部呈黄褐色，颈嵴明显，近中远中邻龄接角面明显，初步分析人类化石与智人相似。石制品类型有石核、石片、刮削器等。与人类化石和石制品同生层位的动物群显示其时代应为晚更新世早期。蝙蝠洞，是河南发现的第 1 个含古人类化石的洞穴遗址，由此填补了中原地区未在洞穴中发现古人类的空白。人牙化石解剖结构具有现代人特征，对研究中国古人类演化和现代中国人起源具有重要的学术价值。

平顶山市

716.河南临汝大张新石器时代遗址发掘简报

作　者：河南省文化局文物工作队　赵青云等
出　处：《考古》1960 年第 6 期

临汝县在洛阳东南约 90 公里处。大张村位于汝河北岸、县城西北 9 公里。村西临洗耳河，东濒荆河。遗址位于大张西南的平原上，北部为一小土岗，面积约 14 万平方米，地面上散存很多新石器时代的陶片和少量汉代的砖瓦。1959 年 9 月，考古人员试掘了这处古文化遗址，清理窖穴 53 座、墓葬 20 座、房基 1 座，出土遗物 611 件。这里的文化遗迹互相叠压，并有打破的现象，文化遗物也相当丰富。

简报分为：一、地层情况，二、文化遗存，三、结语，共三个部分。有手绘图。

根据这个遗址的两个文化层所提供的材料分析，简报推断这处遗址的文化是属于由仰韶晚期向龙山早期过渡的一种文化。简报认为上下两层有明显的区分，但也有很多共同点。特别是在遗物的特征上，两层是很相近的。像这一类的文化遗址，近年来在河南各地发现的愈来愈多。

717.河南鲁山邱公城古遗址的发掘

作　者：河南省文化局文物工作队　张建中、贾　峨

出　处：《考古》1962 年第 11 期

1958 年 4 ～ 5 月，河南省文化局文物工作队在鲁山县耿集试掘了邱公城新石器时代遗址。

简报分为：一、遗址的位置和地形，二、文化层的堆积，三、遗迹，四、瓮棺葬，五、遗物，六、结语，共六个部分。有手绘图、照片及"鲁山邱公城遗址各层泥质红、黑陶器对照表""鲁山邱公城遗址所出土夹砂陶器对照表"。

据介绍，邱公城遗址的文化堆积颇厚，各层出土遗物应属于同一时期的文化堆积，同时文化层中所出的几种主要陶器，也没有什么显著变化。这里出土的彩陶较多，其器形虽不复杂，但制作却相当精细。房基附近埋葬的瓮棺葬群，西部的一组埋葬婴儿，葬具以砂质和黑陶罐居多。东部的一组瓮棺（5 个），与郑州后庄王、禹县白沙、荥阳青台、西安半坡村所出的瓮棺葬的形制不同，其特点是用 1 个大型的平底罐作为葬具，上面再覆盖 1 个特制的钵形盖。每个罐内都埋葬 1 具成人骨骼。由罐的容积和罐内零乱的人骨看来，是在迁葬时被埋入的。在瓮棺的东南并埋有大型的河光石 2 个。此种瓮棺葬的出现，说明新石器时代晚期，在豫西一带存在着迁葬成人遗骨于瓮棺中的习俗。

这处遗址的相对年代，简报推断应相当于青台遗址第二文化层的年代。

718.河南平顶山市发现一座大汶口类型墓葬

作　者：张　脱

出　处：《考古》1977 年第 5 期

河南省平顶山市寺岗有 1 个古代文化遗址，位于贾庄的西北面，距离市区 2.5 公里。历年出土有仰韶、龙山、商、周和西汉的遗物，最近又发现有屈家岭和大汶口类型的遗物，文化遗存极为丰富。1975 年 7 月 27 日，贾庄农业生产队农民在平整土地时发现 1 座古墓，获得完整人骨架 1 具和随葬陶器 10 件。简报配以手绘图予以介绍。

据介绍，人骨架是头南足北，仰身直肢式。随葬陶器自人骨架的头部至左臂外侧，顺序摆着鬶、长颈壶、粗柄豆、高柄杯、圈足尊、筒形杯各 1 件，还有粗柄豆 4 件。简报推断为大汶口文化晚期墓葬。

719.河南临汝中山寨新石器时代遗址

作　者：方孝廉
出　处：《考古》1978 年第 2 期

中山寨遗址位于临汝县城东 7.5 公里的北汝河上游，遗址东西约 300 米、南北约 500 米，面积共约 15 万平方米。中山寨村就位于该遗址的中心。遗址区内的文化堆积较厚，在村南面的农田里，农耕土均呈黑灰色，地表有不少夹砂红陶、灰陶碎片，在路边的断面上还暴露有很厚的灰层和灰坑。在村子的东北部，暴露出不少墓葬。这些墓葬都很浅，一般在 0.3 米左右就见墓口。据百姓介绍，这里的墓葬形制一般有 2 种：1 种为成人墓，单身，竖穴；另 1 种为小孩墓，都有葬具，其葬具有深腹罐或尖底器，均为直立放置。简报报道的遗物都是在这一地区采集的，主要是陶器，石器仅有石斧、石铲各 1 件，原料均为花青石，磨制。简报配以手绘图予以介绍。

据介绍，这些器物的特点，很多与仰韶文化庙底沟类型的器物相同；但这里的一些器型，如折腹钵和尖底器以及施白陶衣的彩陶片又与庙底沟类型的不同。它的文化内涵接近于洛阳涧滨、洛阳王湾、偃师南湾等遗址，简报推断属于仰韶文化盛期或稍晚。

720.河南郏县水泉发现的新石器时代遗址

作　者：郏县文化馆　王玉殿
出　处：《考古》1979 年第 6 期

水泉村位于郏县东北 7.5 公里，农民平整土地时发现了陶器和石器，考古人员收集了遗物并多次派人调查。简报配以手绘图予以介绍。

据介绍，这次共收集到遗物 52 件，其中陶器 8 件、石器 44 件。陶器以小口双耳罐为主；石器有磨盘、磨棒、铲、镰、斧、凿和圆石盘等。简报推断为新石器时代早期遗存。

721.临汝阎村新石器时代遗址调查

作　者：临汝县文化馆　汤文兴
出　处：《中原文物》1981 年第 1 期

阎村遗址位于临汝县东 12.5 公里，纸坊公社以北、阎村以东、黄涧河西岸的台地上，地势较为平坦，高出河床约 3 米。南北长 250 米，东西宽约 100 米，面积共约 2.5 万平方米，文化层堆积厚约 1 ～ 3 米。

据介绍，1964 年以来，这里修筑河渠和平整土地，不断出土瓮棺葬、白衣彩陶、石斧、石铲、骨针和大量的夹砂红陶片。1978 年 11 月间，当地农民在遗址东部种树，在不到 30 平方米的范围内，挖出了 11 座瓮棺葬。1980 年 10 月 20 日，考古人员前往阎村遗址进行调查访问，并收集了一些文物。简报推断应属于仰韶文化稍晚的遗存。

722.河南临汝煤山遗址发掘报告

作　者：中国社会科学院考古研究所河南二队　赵芝荃、郑　光等
出　处：《考古学报》1982 年第 4 期

煤山遗址位于河南省临汝县城西北 0.5 公里。1958 年在河南临汝煤山遗址发现 1 处河南龙山文化的遗存，1970 年在这里又发现二里头文化的遗存。为了探讨河南龙山文化和二里头文化的关系，1975 年春、秋两季，考古人员在煤山遗址进行发掘。发现房基 33 座、灰坑 87 个、陶窑 4 座、水井 2 口和墓葬 15 座，并获得大量文化遗物。简报分为：一、遗址概况和文化层堆积，二、煤山类型一期文化，三、煤山类型二期文化，四、二里头一期文化，五、二里头三期文化，六、结语，共六个部分。有照片、拓片、手绘图。

简报认为，二里头文化是直接从河南龙山文化发展而来的，属于龙山文化的晚期，具有自身的显著特点，是有一定代表性的文化遗存。因为这一遗存是第一次在煤山遗址发现的，所以考古学界称之为"煤山类型"。煤山类型一期的时代简报推断为公元前 2400 ~ 2100 年。二里头文化是直接从煤山类型一、二期文化发展而来的，这三期之间没有质的变化。相反，二里头三期和二里头一期文化之间存在着较大的差异，前者与商代二里岗时期文化相似。在探讨夏文化的过程中，应当打破人为的考古资料命名的界限，认真地进行分析研究，以寻求夏文化的正确答案。

简报指出，煤山类型一、二期应已进入阶级社会。遗址中发现 1 具有身首异处、全躯肢解的人骨，当是阶级对立的反映。煤山遗址发现的东南沿海地区特征的石锛，湖北一带风格的泥质红陶鸟，反映了煤山遗址先民与外界的交流与联系。

723.临汝县裴李岗文化遗址调查简报

作　者：临汝县汝瓷博物馆　赵会军、杨小铨、段晓宝
出　处：《中原文物》1985 年第 4 期

1984 年，临汝县开展文物普查，对全县境内的新石器时代文化遗址作了重点调查，其中发现 6 处裴李岗文化遗址。简报分为：一、中山寨遗址，二、槐树阴遗址，三、

安沟遗址，四、结语，共四个部分。介绍了其中 3 处典型遗址，有照片、手绘图。

简报称，通过这次调查，发现临汝境内发现的几处裴李岗文化遗址，具有明显的地方特点。这里发现的石磨棒，其形状多为长条不规则椭圆形，体形都比较小，磨制比较粗糙，与新郑裴李岗、密县莪沟遗址发现的石磨棒有所不同。陶器因发现太少，还难以提出比较全面的认识。但这是首次在豫西发现的裴李岗文化遗址。这一发现，对于探讨裴李岗文化在中原地区的发展具有重要的推动作用。

724.河南临汝中山寨遗址调查简报

作　　者：临汝县博物馆　杨　澍
出　　处：《考古》1986 年第 6 期

中山寨遗址位于河南省临汝县纸纺公社，面积约 15 万平方米。中山寨村坐落在该遗址中部。1975 年考古人员对该遗址进行过调查。1978 年，当地平整土地时，在村西发现一批土坑竖穴墓，葬式为仰身直肢，多系成年人，部分人骨架脚部有少量殉葬品。村北发现两行排列整齐的瓮棺葬，葬具一般为大白罐，其中有两个以尖底瓶为葬具的婴儿瓮棺葬。村北、村南地表也暴露着大面积的灰土层。1979 年和 1982 年，考古人员又对该遗址进行了调查，采集到裴李岗文化和仰韶文化的遗物 100 余件，主要是石器和陶器。简报分为：一、裴李岗文化遗存，二、仰韶文化遗存，三、小结，共三个部分。有手绘图。

简报称，中山寨遗址是在豫西地区首次发现的包含有裴李岗文化和仰韶文化的新石器时代遗址。根据这一遗址采集的文化遗物分析，属裴李岗文化遗存的石镰、石铲、石磨棒等与新郑裴李岗遗址所出的同类器颇为接近；双耳壶、深腹罐也与裴李岗遗址出土的同类器相同。仰韶文化遗物中的Ⅰ式、Ⅴ式罐形鼎，陶豆，陶缸等与伊洛地区的秦王寨类型相似；Ⅰ式、Ⅱ式尖底瓶，Ⅰ式、Ⅱ式陶盆，Ⅰ式釜形鼎，Ⅰ式大口罐，釜等与庙底沟类型接近。简报认为，中山寨遗址裴李岗文化和仰韶文化遗存同见于一个遗址的情况是比较少见的。

725.河南临汝中山寨遗址试掘

作　　者：中国社会科学院考古研究所河南一队　郑乃武
出　　处：《考古》1986 年第 7 期

中山寨在河南临汝县城东约 7.5 公里，这里地势北高南低，依山傍水（南边不远即北汝河）。寨子不大，整个村落位于遗址的中部，周围土地大部分已被平整过，现为耕地。遗址地面散布有丰富的仰韶文化遗物，其中包含有较多的白衣彩陶片，面积约 10 万平方米。这个遗址除了仰韶文化遗物外，还有裴李岗文化遗存。考古人员于 1984 年 10 月初到此复查并进行发掘，历时 2 个月，发现有裴李岗文化和仰韶文化窖穴、墓葬以及遗物。简报分为：一、地层情况，二、裴李岗文化遗存，三、仰韶文化遗存，四、自然遗物，五、结语，共五个部分。有照片、手绘图。

简报称，中山寨遗址的发掘，进一步表明这里具有两种不同性质的文化遗存。裴李岗文化在下面，仰韶文化在上面，这从考古学上有力地说明了前者的相对年代早于后者，为探讨河南中部地区裴李岗文化与仰韶文化的关系，提供了重要线索。

726.临汝县张湾发现旧石器

作　者：张维华

出　处：《中原文物》1986 年第 1 期

1984 年 5 月底，考古人员在鉴定临汝县文化馆馆藏文物时，发现该县寄料乡张湾村东山是 1 处不可忽视的第四纪动物化石点。其主要哺乳动物化石有：长鼻三趾马、野牛、鹿、犀等。同时还发现了一批打制石器。张湾旧石器遗址位于临汝县南张湾村东山半山坡上。该地处在外方山的西侧，向北降为低山丘陵，再北数里，即是汝河河谷平原。

据介绍，所获石制品主要有石核 12 件、石片 3 件、尖状器 1 件、刮削器 1 件。这批打制石器，加工简单粗糙，器型较少，显得相当原始。张湾东山发现的旧石器，具有重要的学术价值。它无疑说明，远在百万年以前，中原地区已有人类活动。

727.河南临汝北刘庄遗址发掘报告

作　者：河南省文物研究所　袁广阔

出　处：《华夏考古》1990 年第 2 期

北刘庄遗址位于临汝县城北 0.6 公里、北刘庄村西北的梨园化工厂院内。遗址东西长约 200 米，南北宽约 400 米，1986 年基建时发现并进行了发掘。简报分为：一、发掘概况，二、地层堆积与分期，三、第一期文化遗存，四、第二期文化遗存，五、第三期文化遗存，六、几点认识，共六个部分。有拓片、手绘图。

据介绍，该遗址第一期文化与庙底沟一期文化存在一定渊源关系。二期为主要遗存，受大汶口文化、屈家岭雨季期文化影响。三期已进入龙山文化晚期。与煤山二期关系密切。

728.河南汝州中山寨遗址

作　者：中国社会科学院考古所河南一队　郑乃武、梁中合、田富强等

出　处：《考古学报》1991年第1期

中山寨位于河南省汝州市纸坊乡，距东关约7.5公里。遗址的南边不远处，有汝河自西北向东南流过。据当地老人讲，这里原来是个大土岗，四周为漫坡，寨子就建立在山岗上。由于历年取土及平整土地等，遗址遭到很大的破坏。现在除寨子北墙外一带地势稍高外，其余地方都较低，文化层也较薄。在村北大片地势较低处，有的地层已被扰乱，村南及村东一带地下水位很高，有的探方发掘至深1米左右即见水（如村东原果园一带）。遗址的中部被中山寨村舍所压，不便发掘。村外周围地面散布有仰韶文化陶片。据过去调查估计，遗址面积约15万平方米。在村南和村北的部分断崖上，暴露有灰层和零星的红烧土。此遗址早在1975年洛阳市博物馆曾作过调查。1978年当地百姓平整土地时，在村西发现过一批竖穴土坑墓，在村北发现有两排瓮棺葬。临汝县博物馆于1979年和1982年，对该遗址又进行过两次调查，并采集到裴李岗文化和仰韶文化的遗物百余件。1984年秋，考古人员对中山寨遗址作过一次试掘，在仰韶文化层下面，发现裴李岗文化遗存。这里的裴李岗文化与新郑等地裴李岗文化有明显不同。1985年、1986年又进行了两次小规模发掘。

简报分为：一、地层堆积，二、第一期文化遗存，三、第二期文化遗存，四、第三期文化遗存，五、第四期文化遗存，六、第五期文化遗存，七、战国时期遗存，八、结语，共八个部分。有照片、手绘图。

据介绍，中山寨遗址包含有裴李岗文化（一期）和仰韶文化（二至五期）两种遗存，它们是一脉相承的。目前，在第一期和第二期之间还存在有缺环，但它们的继承关系还是有迹可寻的。第一期文化性质较为特殊，它与新郑裴李岗等遗址有所不同，不妨称其为"裴李岗文化中山寨"类型。主要特征是陶器质地较硬，泥质陶一般均磨光（未见剥落现象），陶质、陶色与第二期文化很接近甚至相同。夹砂陶也有显著特点，大部分采用滑石末为羼和料，器表有光滑感。再从器型看，除三足钵、双耳壶等具有代表性的器物外，还有多耳鼓腹三足壶、侈口三足罐、角把罐、双钮耳盆（H式）以及剖面三角形器足等。另外，还出有花纹较简单的彩陶。但是作为生产工具的石镰、石铲和石磨盘在这里却很少见。年代简报推断约距今7000年。仰韶文化的遗存有居住面、窖穴、陶窑等。战国遗存仅有窖穴1座、水井1口。简报指出，此次发掘最大收获之一，是第一期文化的发现。这为以后进一步探索裴李岗文化向仰韶文化的过渡，提供了重要的线索。

729.河南郏县水泉新石器时代遗址发掘简报

作　者：中国社会科学院考古研究所河南一队　郑乃武
出　处：《考古》1992年第10期

水泉寨位于郏县东北约16公里，属安良乡。遗址在村东偏南兰河南岸高台地上，距河床高约40米。据当地农民介绍，这个遗址早在1971年修水渠时，在台地北部渠首的东边附近，因取土曾发现过石器和陶器。1976年群众平整土地时，又发现了一些遗物，后来郏县文化馆派人作了调查。考古人员也先后2次到此作过调查，并于1986年11月间进行试掘，结果表明此处属裴李岗文化遗址。后来又作过四次小规模的发掘，至1989年春暂告一段落。前后共发掘探沟1条、大小探方33个，总共揭露面积为1980平方米，发现有窖穴、陶窑和墓葬等遗迹及大量遗物。简报分为：一、地层与遗迹，二、遗物，三、结语，共三个部分。有手绘图、照片。

据介绍，水泉遗址的发掘，主要是发现了裴李岗文化墓地。目前这个墓地只是揭露了它的一部分，墓葬排列相当整齐，比新郑裴李岗显得更为有序。这对进一步了解当时的埋葬制度，再次提供了很有价值的资料。出土器物与新郑裴李岗和密县莪沟北岗有很多相同之处，但在晚期窖穴中有些器形则发生明显的变化。另外还出现深腹盆、三足罐、角把罐等，其中垂腹双耳罐、三足罐和管状流壶均为其他同类遗址所未见。出土的敲砸器、两侧带缺口石刃等，与仰韶文化的同类器物很接近或相同，这表明两者具有密切的渊源关系。

关于遗址的年代问题，据H80和H43两个晚期窖穴中出土的木炭标本，经碳十四测定分别为距今7270±120年和距今7160±110年。

730.河南汝州李楼遗址的发掘

作　者：中国社会科学院考古研究所河南一队　吴耀利、陈星灿等
出　处：《考古学报》1994年第1期

李楼遗址位于河南省汝州市杨楼乡李楼村西约200米，东距县城约23公里，北离汝河约1公里。遗址附近俗称"柏树圪垯"，原为一圆形土丘，现在为略高于周围地面的长方形坡地。李楼遗址是原县文化馆馆长张久益先生发现的。1975年，考古人员曾对遗址作过调查。1978年，村民平整土地时，发现商代早期青铜器。嗣后，省、市文物考古部门又多次进行复查。1990年秋，又作了复查。1991年秋，正式发掘李楼遗址，进行了3个季度的田野工作。发现河南龙山文化房址6座、墓葬12座、灰坑15座，复原陶器82件，出土陶、石、骨、角、蚌器等遗物250余件，发现一

批炭化稻米等粮食作物。简报分为：一、地层堆积，二、李楼一期遗存，三、李楼二期遗存，四、结语。共四个部分。有照片、手绘图。

据介绍，李楼一、二期遗存均属河南龙山文化晚期遗存。遗物中炭化稻米的发现，证明新石器时代黄河流域也种植水稻。表明新石器时代的黄河流域，不仅在与长江流域接壤的地带，且在其腹地的适宜地区，也种植水稻。河南龙山文化的农业生产是以粟作为主，兼营水稻和其他粮食作物的多种经济。

731.河南汝州洪山庙遗址发掘

作　者：河南省文物考古研究所
出　处：《文物》1995 年第 4 期

洪山庙遗址位于汝州市西北约 2.5 公里的骑岭乡洪山庙村东一块当地人称"月亮头地"处，焦枝铁路由东北向西南从遗址东部穿过。1989 年 10 月，在配合焦枝铁路复线工程勘查时发现了该遗址，同年 12 月对遗址进行发掘，发掘出仰韶时期的残房基 1 座、灰坑 8 座、大型瓮棺合葬墓 1 座、东周时期灰坑 3 座。1993 年 6 ~ 7 月，对该遗址进行了全面调查和钻探。简报分为：一、保存现状和地层堆积，二、遗迹，三、出土遗物，四、结语，共四个部分。配以彩照、手绘图，先行介绍了这两次发掘中有关仰韶文化遗存的基本情况。

据介绍，遗址出土有陶器、石器等。墓葬流行成人瓮棺二次葬。

732.河南郏县水泉裴李岗文化遗址

作　者：中国社会科学院考古研究所河南一队　郑乃武
出　处：《考古学报》1995 年第 1 期

水泉寨位于郏县东北约 16 公里，属安良乡。村东和南面是丘陵，西为大刘山，北是禹王山和康王山。兰河的支流由北向东流过，与北面的主流汇合向南注入汝河。遗址在村东偏南、兰河南岸高台地上，距河床高约 40 米。据当地农民介绍，1971 年修水渠时，在遗址所在的台地北部近渠首东边的地里，因大量取土曾发现不少石、陶器。1976 年平整土地时，在遗址其他地方也发现一些遗物，嗣后县文化馆曾派人调查。根据许昌地区文物部门提供的线索，考古人员也曾先后两次做过详细调查，并于 1986 年 11 月间进行试掘，探明此遗址系裴李岗文化遗存。后又进行过四次小规模的发掘，至 1989 年春暂告结束。发现窖穴 83 座、陶窑 2 座、墓葬 120 座。简报分为：一、地层堆积情况，二、第一期文化遗存，三、第二期文化遗存，四、第三期文化遗存，五、结语，共五个部分。有照片、拓片、手绘图。

简报称，水泉遗址是继新郑裴李岗、沙窝李遗址之后发掘的又1处重要的裴李岗文化遗址。但是，文化内涵与裴李岗和沙窝李有所不同。水泉遗址的文化遗存可以分为三期。年代据 H80 和 H43 两个晚期窖穴中出土的木炭标本，经碳十四年代测定，分别为距今 7270±120 年和距今 7160±110 年。出土遗物中，两件陶祖为裴李岗文化中首次发现。

733.河南汝州市李楼遗址出土的石制品

作　者：中国社会科学院考古研究所河南一队　陈星灿、吴耀利
出　处：《考古》1998 年第 3 期

李楼遗址位于河南省汝州市（原临汝县）杨楼乡李楼村西约200米，东距市区约23公里，北距汝河约1公里。遗址原为一圆形土丘，现为一略高于周围地面的长方形坡地。遗址南北长250米，东西宽240米，现存面积约6万平方米。1991～1992年，考古人员对该遗址进行了3个季度的田野发掘工作，发现龙山文化时期房址6座、墓葬12座，复原陶器82件，还出土其他陶、石、骨、角、蚌器等遗物250余件。在发掘的前后，曾对该遗址及其周围进行了比较详细的田野调查，采集各种石制品近200件。这批石制品的数量大，类型复杂，不宜纳入发掘报告，故简报予以单独报道。简报分为：一、打制石器，二、磨制石器，三、结语，共三个部分。有手绘图。

据介绍，李楼遗址虽曾发现商代早期青铜器，在本次采集品中也发现有少量商代的陶片，但经过发掘可知，该遗址现存的主要文化堆积是龙山文化晚期的遗存。因此，简报所介绍采集的这批石制品虽不能完全排除个别属于商代，但大部分还应该是龙山文化的遗物。所采集石制品的岩性及种类与发掘出土的石制品有着很大的共性，也说明两者的时代是一致的，即都属于龙山文化晚期。

简报称，李楼遗址石制品的发现，为全面了解中原地区龙山文化居民的生产及生活情况，提供了一批重要的材料。

734.河南平顶山蒲城店遗址发掘简报

作　者：河南省文物考古研究所、平顶山市文物局　魏兴涛、赵文军、楚小龙、徐序白等
出　处：《文物》2008 年第 5 期

蒲城店遗址位于平顶山以东约9公里的东高皇乡蒲城店村北。遗址发现于20世

纪 50 年代末,现存面积约 18 万平方米。2004 年 7 月至 2005 年 6 月,考古人员对蒲城店遗址进行了考古发掘。共发现古代城址、房址、灰坑、窖穴、陶窑、水井、墓葬等遗迹 900 多处,出土了大批的陶、铜、石、骨、蚌器以及动、植物遗存。

简报分为:一、文化堆积与遗址分期,二、龙山文化遗存,三、龙山向二里头文化过渡时间遗存,四、二里头文化遗存,五、结语。共五个部分。配以手绘图等,先行介绍龙山至二里头文化时期的遗存。

据介绍,其中龙山文化城址略呈东西向长方形,面积约 4 万平方米,时代为龙山文化中晚期。二里头文化城址略呈东西向长方形,面积 5 万余平方米,是迄今发现的唯一一座二里头文化早期城址。

735.河南汝州市煤山龙山文化墓葬发掘简报

作　者:河南省文物考古研究所、首都师范大学历史学院、郑州大学历史学院
　　　　袁广阔、韩召会、赵　宏、李　锋等

出　处:《考古》2011 年第 6 期

汝州煤山遗址位于汝州县城北约 0.5 公里的北刘庄村西的 1 处土岗上,东临洗耳河,南面约 2 公里为汝河。遗址中部较四周高,南北长约 500 米,东西宽约 400 米。因遗址堆积为大量的黑灰色土文化层,故当地村民称之为"煤山"。该遗址是 1958 年发现的。1970 年首次对遗址进行了考古发掘。1995 年 7 月,为配合汝州市西环路的建设,对煤山遗址的西部再次进行了较大规模的考古发掘,共发现龙山时期的土坑竖墓 6 座,其中 3 座墓出土有较多彩绘陶器,有壶、豆、罐、杯、碗等。此类墓葬在河南省是第一次发现。

简报分为:一、地层堆积,二、墓葬,三、出土遗物,四、结语,共四个部分。将龙山时期墓葬资料予以介绍,有照片和手绘图。

据介绍,煤山墓葬的埋葬习俗与本地区同时期的龙山时期墓葬差别较大。其他遗址中墓葬的随葬品都是实用器,陶器组合多是鬲、甗、豆、壶等,不见彩绘陶器;而煤山墓葬的随葬品却为明器,且以彩绘陶器为主,陶器表面还有抹白灰的现象。

简报指出,煤山墓葬内随葬的陶器均为冥器,部分可在遗址内找到同类器,但数量较多的宽沿豆、鼓腹壶等在遗址内几乎不见。很多文化因素来自属于石家河文化的湖北随州西花园遗址。简报认为煤山龙山时期埋葬习俗受到来自南方石家河文化的较大影响。

736.鲁山县发现 60 处旧石器时代古人类洞穴

作　者：张水木、赵清坡

出　处：《平顶山晚报》2020 年 12 月 16 日

平顶山市文物事务服务中心主任张水木先生说，此前平顶山市地区旧石器时代遗址仅有庄科洞、张湾 2 处，几乎是一片空白。而此次在鲁山县，一次就发现了 40 处旧石器时代早、中期古人类活动遗址，60 处洞穴，可谓收获巨大。

考古队负责人赵清坡先生说，鲁山一带气候温暖湿润，雨水充沛，是古人类理想的居住场所。而这些尚未受到干扰的洞穴，又是考古人员理想的发掘现场。

据介绍，目前已发现 200 余件石器，包括石核、石片、刮削器、砍砸器等。原料主要为脉石英、石英岩、石英砂岩等。

焦作市

737.河南孟县西后津遗址发掘简报

作　者：河南省文物研究所、新乡地区文管会、孟县文化馆　丁清贤、汪秀峰、尚振明

出　处：《中原文物》1984 年第 4 期

孟县西后津遗址，位于孟县县城东北 7.5 公里西后津村南面的清峰岗上，面积约 4 万平方米。1982 年 11 月，考古人员配合水利工程进行了发掘。发现房基 7 座、窖穴 40 个、烧陶窑 1 座，出土陶、石、骨、蚌器共 225 件。

简报分为：一、地层堆积，二、龙山文化遗存，三、商文化遗存，四、结语，共四个部分。有照片、手绘图。

据介绍，龙山文化遗存有房基 4 处及窖穴、陶窑，商文化遗存有房基 3 处和窖穴。龙山文化遗存更为丰富，商文化应属晚商遗存。

简报称，西后津遗址不见鼎、鬲、甗，当时人们日常生活的主要炊具是罐，另外还有罕和甑，这和已发现的河南龙山文化各个类型都是有一定区别的。在房子的建筑方面，西后津氏族的先民们在建筑房子时，地面均经火烧烤，但没有使用白灰面的习惯。灶以壁灶为主，值得特别注意的是 F10 之中发现 3 处灶，这在以往所发现的河南龙山文化遗址中是没有的，在其他时期的文化遗址中也是罕见的。

738.河南温县仰韶文化遗址调查简报

作　者：张新斌、王再建
出　处：《中原文物》1988 年第 2 期

温县位于河南省西北部，南临黄河，北界沁河，是古代文化较发达的区域之一。考古人员对温县境内的古代文化遗址进行过多次调查，特别是在 1984 年的文物普查中，采集了一些标本。1985 年 7 月又对温县西部的古代文化遗址作了重点考察。

简报分为：一、遗址概况，二、采集文物，三、结语，共三个部分。有手绘图。

简报重点介绍了韩村、蔡村、优村等 5 处仰韶文化遗址。遗物主要为彩陶与石器。简报称，这五处仰韶文化遗址的时代基本属于仰韶文化晚期，并与豫西、豫中和豫北的仰韶文化有联系，但其文化面貌与附近的同类遗存是一致的。

739.河南省孟州市义井遗址调查简报

作　者：焦作市文物处、孟州市博物馆　郭建设、梁永照
出　处：《华夏考古》1998 年第 2 期

义井遗址，位于河南省孟州市西虢乡义井村西南部。该遗址近似正方形，大致呈东南—西北走向，东西 650 米，南北 700 米，东、西、北 3 面临沟，南面靠近黄河滩。

1974 年，河南省文物考古研究所曾两次对遗址进行考查，采集到石器、陶器标本近百件，经过分析，确定为龙山文化遗址。1983 年，孟县人民政府将该遗址公布为县级文物保护单位，1986 年，河南省人民政府公布为省级文物保护单位，至今未经过正式发掘。最近，在对该遗址进行的"四有"建档工作中，对遗址重新进行了调查。

简报分为：一、地层堆积，二、文化遗迹，三、文化遗物，四、结语，共四个部分。有手绘图。

据介绍，义井龙山文化遗址是豫北地区迄今发现的内涵较丰富、保存较完整、面积较大的 1 处新石器时代文化遗址。该遗址出土的石器较少，全为青石质，但均制作精致，磨制光滑，造型美观。双孔石铲在周围遗址中较少见，反映了遗址的一些特点。陶器的质地分夹砂陶和泥质陶 2 种。

简报称，义井遗址对于研究豫北地区以及黄河中游地区新石器时代文化具有一定的价值和意义。

740.河南焦作隰城寨遗址的发掘

作　　者：河南省文物考古研究所、焦作市文物工作队　赵新平、潘伟斌、靳松安
出　　处：《华夏考古》1998 年第 4 期

隰城寨遗址位于焦作市马村区九里山乡隰城寨村南，西南距焦作市约 15 公里。此遗址为一高出周围地面 2 米多的台地，所处地点周围地貌为太行山山前冲积扇平原，西距太行山脉仅 10 余公里。遗址现存面积近 10 万平方米。据历次调查可知，这里包含有大量仰韶文化晚期、龙山文化早期文化遗存。1963 年，该遗址被公布为河南省文物保护单位。1993 年 6 月，为了配合焦作市古汉山煤矿生活专用公路线的建设，考古人员沿公路线进行了文物钻探和发掘。简报分为：一、前言，二、地层堆积及层位关系，三、文化遗存，四、结语，共四个部分。有手绘图。

据介绍，发现有灶、柱洞、灰坑等遗迹，陶器、石器等遗物。简报称，隰城寨遗址是焦作地区目前发现面积较大、保存较好的一处新石器时代遗址。这次发掘地点虽在遗址外围，但仍发现了大面积的文化层和遗迹，出土了一批仰韶文化时期的遗物，为研究太行山南麓地区考古学文化面貌提供了重要的实物资料。

741.河南孟县许村新石器时代遗址

作　　者：河南省文物考古研究所　赵新平、靳松安
出　　处：《考古》1999 年第 2 期

遗址位于河南省焦作市孟县城关乡许村村西，东南距县城约 1.5 公里，南距黄河仅 8 公里。该遗址保存较好，据钻探可知，总面积达 6 万平方米。1994 年春，为配合常洛公路的建设工程，河南省文物考古研究所对许村遗址进行了抢救性发掘，发掘面积共 150 平方米，发现灰坑 6 座，获得一批新石器时代遗物。

简报分为：一、地层堆积及分期，二、第一期文化遗存，三、第二期文化遗存，四、结语。共四个部分。有手绘图。

据介绍，该遗址第一期文化遗存出土遗物丰富，文化遗存的相对年代，简报推断为庙底沟二期文化的中晚阶段；第二期文化遗存发现灰坑 4 个及较丰富的文化遗物，其相对年代简报推断应为龙山文化中晚期。

简报称，许村一期、二期文化遗存之间在年代上尚有缺环，除个别器类外尚难看出其间存在更多的联系。其各自的文化面貌差异较大，二者是两个文化性质不同的考古学文化遗存。

742.河南博爱县西金城龙山文化城址发掘简报

作　者：河南省文物管理局南水北调文物保护办公室、山东大学考古系　王　青、
王良智等

出　处：《考古》2010 年第 6 期

西金城遗址位于河南省博爱县金城乡驻地西金城村周围，西北距县城 7.5 公里，北距太行山脉 10 公里，属于地势比较平缓的山前平原地带。该遗址发现于 20 世纪 50 年代，当地文物管理部门曾多次作过调查和试掘，1995 年等进行了复查并发表相关资料。因南水北调工程中线干渠设计经过该遗址东部，2006 年 6 月至 2008 年 1 月考古人员分 4 次对该遗址进行了大规模勘探与发掘。简报分为：一、地层堆积，二、城址概况，三、其他遗迹，四、出土遗物，五、初步认识，共五个部分。有彩照、手绘图。

据介绍，此次发掘在遗址中北部发现了 1 座龙山文化城址，面积达 30.8 万平方米。清理了城墙、壕沟、灰坑和水井等遗迹，出土一批龙山文化陶器和石器，整体文化面貌属于中原龙山文化中晚期，另外还发现了粟、水稻和小麦等农作物遗存。

简报称，城址位于整个遗址（及西金城村）的中东部，绝大部分压在现代村舍之下。城墙位于地表 1.5 米以下，残高 2 ～ 3 米。城址的平面形状大致呈圆角长方形，只有西南角略向内斜收，城内面积 25.8 万平方米，含城墙面积达 30.8 万平方米。北墙长 560 米，西墙长 520（含斜收部分）米，南墙长 400 米，东墙长 440 米，周长近 2 公里。北、西墙宽约 25 米，东墙宽约 10 米，南墙宽度介于二者之间。城墙为生土和细沙、淤土拍筑而成，局部为堆筑或夯筑。西、南墙中部有中断迹象，可能为城门所在。北、东、南 3 面城墙外侧发现有小河或排水沟环绕形成的防御壕沟。

简报指出，龙山时期处于夏王朝建立的前夜，是中原地区社会剧烈转变的阶段，城址的出现就是显著标志。西金城城址是目前河南省发现的第 10 座龙山文化城址，也是豫西北地区发现的第 3 座龙山时期城址，对研究中原地区的文明起源具有重要意义。

鹤壁市

743.河南淇县花窝遗址试掘

作　者：安阳地区文管会、淇县文化馆　耿青岩

出　处：《考古》1981 年第 3 期

花窝遗址，是 1 处新石器时代早期文化遗址。1979 年 3 月下旬发现，同年夏作

了试掘，清理灰坑 5 个。简报配以照片、手绘图予以介绍。

据介绍，遗址位于淇县城东北约 15 公里、高村公社吕庄大队花窝村东北 0.5 公里许的岗地上。淇河紧靠遗址东部由北向南流去。石器以磨制石器为主，打制石器次之。陶器以夹砂红陶和泥质红陶为主，皆手制。年代经测定为距今 7200 ~ 7000 年，属新石器时代较早的文化遗存。

744.河南淇县王庄龙山文化遗址发掘简报

作　者：河南省文物考古研究所　袁广阔

出　处：《考古》1999 年第 5 期

王庄遗址位于河南省淇县县城南 5 公里王庄村南高岗上。遗址西依太行山，东部是广阔的华北大平原。遗址平面形状为椭圆形，中间高四周低，南北长约 150 米、东西宽约 120 米。遗址的东北部有 1 眼枯泉，泉口向北的古河道保存较好，此泉在 20 世纪 70 年代初期仍有泉水涌出。遗址的南部为现代耕土，北部是未开垦的荒地。由于这里地势较高，20 世纪六七十年代，当地的农民在遗址的中部开挖了一些窖穴，在北部取过一些土，遗址遭到一定程度的破坏。1994 ~ 1995 年，为配合京深高速公路的工程建设，考古人员对该遗址进行了考古发掘，发掘出龙山文化时期聚落遗址 1 处，出土一批石、骨、蚌、陶器，为研究豫北地区龙山文化提供了新资料。简报分为：一、地层堆积，二、遗迹，三、遗物，四、遗址的分期，五、结语，共五部分。

据介绍，遗迹主要有房基、灰沟、灰坑、墓葬等，遗物有石、骨、蚌、陶器等。王庄遗址是 1 处保存较为完整的小型聚落遗址，它大体可分为早、晚两期，从地层及陶器演变序列方面分析，早、晚两期是一脉相承、连续发展的。简报称，王庄遗址是 1 处不可多得的文化遗址，遗址内出土的遗迹、遗物，为研究该地区龙山文化提供了一批新的材料。

新乡市

745.河南新乡龙山文化遗址调查

作　者：周　到

出　处：《考古》1959 年第 9 期

1958 年 4 月，考古人员在新乡县东北 7.5 公里，鲁堡村北、西土岗上发现了龙山文化遗址。这个大土岗比一般耕地要高 5 ～ 10 米。在土岗的中间，由于长时间的流水冲刷形成 3 条沟，也就是通至村口的 3 条道口，沟深约 5 米，宽约 50 米。在断崖上露出了文化层，厚约 3 米，岗上有稀疏的陶片和灰土。估计遗址南北约 600 米，东西约 800 米。简报配以照片予以介绍。

据介绍，这处遗址内涵是非常丰富的，在西边的条沟内文化堆积达 10 层左右，灰坑、窖穴极多。竖井形窖穴在中沟南端仅 10 米长的两边断崖上就有 4 个。在断崖下的地面采集的遗物有石器、陶器、蚌器、兽骨、卜骨等。石器计 15 件，其中石斧 12 件、石凿 1 件、石锤 1 件、磨石 1 件。简报推断为龙山文化遗址。

746.河南新乡刘庄营新石器时代遗址

作　者：新乡市博物馆　齐泰定
出　处：《考古》1966 年第 3 期

刘庄营位于新乡市东南，遗址紧靠刘庄营村北。1958 年 1 月，考古人员在这处遗址进行了部分试掘，简报配以照片予以介绍。

据介绍，遗址所在地势较高，遗物较丰富。灰层堆积大都露于地面。遗物以陶器为主，另有骨器、石器等。年代简报推断为龙山文化时期。

747.新乡市郊区发现大量动物骨化石

作　者：王佑民
出　处：《河南文博通讯》1978 年第 3 期

简报配以手绘图等，介绍了 1975 年春新乡市北站乡开山造田中在约 100 平方米的白石层内，发现的大量动物化石。有犀、鹿、牛类，属更新世初期，距今约 300 万 ～ 100 万年。此次发现，对研究豫北地区古地理、气候变化、古动物群等提供了依据。

748.河南新乡县洛丝潭遗址试掘简报

作　者：新乡地区文管会、新乡县文化馆　刘习祥、汪秀峰
出　处：《考古》1985 年第 2 期

洛丝潭遗址位于河南省新乡市西南 5 公里的新乡县洛丝潭村东，于 1978 年地区文物普查时发现，当时遗址已被破坏一大部分。1981 年该村窑厂起土，发现石器、

陶器等，随后报告了县文化馆。1982 年 4 ～ 6 月，地、县联合对遗址进行了试掘，获得了一批较丰富的文化遗物。简报分为：一、遗址概况及地层堆积，二、第一期遗存，三、第二期遗存，四、第三期遗存，五、结语，共五个部分。有手绘图。

据介绍，第一期文化发现的遗迹主要是灰坑，其形制可分圆形、椭圆形和不规则形 3 种，以圆形居多，属仰韶文化晚期；第二期遗存的遗迹仅有 1 个灰坑，为圆口袋形穴，其年代约为仰韶文化晚期至龙山文化早期；第三期遗存的灰坑与一、二期的基本相同，较重要的是发现房基 1 座（F1），其形制为圆形。第三期文化的年代约为龙山文化的晚期或略早。

简报称，由于洛丝潭遗址地理位置特殊（豫中、豫北两种文化类型的交接地带），因而其文化内涵也是比较复杂的。它既包含有郑州大河村遗址、安阳大司空村类型、汤阴白营遗址等的某些因素，又有自己的特点，显示出一种错综复杂而有独特风格的文化面貌。

749.新乡市博物馆藏一件石祖

作　　者：傅山泉

出　　处：《考古与文物》1990 年第 3 期

新乡市博物馆收藏一件石祖。该石祖呈不规则柱状锥形体，纹带意图是为展现男性生殖器外皮的纹折纹。该石祖是利用 1 块青石的自然造型磨制加工而成，周身还留有磨制时的痕迹，造型十分形象逼真。简报配以照片予以介绍。

据介绍，这件石祖是 20 世纪 50 年代考古人员在调查 1 处新石器文化遗址中发现的。随之一同采集到的同期物有泥质灰陶、黑褐陶的甗、鬲、罐等残片，还有一些骨器、角器、磨制石器等物。陶片的纹饰多为粗细绳纹、方格纹等。

祖，为我国原始社会时期人们对生殖崇拜的表现物，用以祈求后代繁衍不已。陶祖、石祖的出现，又说明当时人们已由对女性生殖崇拜转向男性生殖崇拜，即对父权的崇拜。

750.河南辉县市孟庄龙山文化遗址发掘简报

作　　者：河南省文物考古研究所　袁广阔、潘伟斌、杨文胜、贺惠陆、毛杰英

出　　处：《考古》2000 年第 3 期

孟庄遗址位于河南省辉县市东南、孟庄镇东侧的台地上。1992 ～ 1995 年为配合孟庄镇的基本建设，考古人员对该遗址进行大规模的考古发掘，发掘面积为 4500 平

方米。孟庄遗址包含有裴李岗文化、仰韶文化、龙山文化、二里头文化等多种文化遗存，其中龙山文化遗存最为丰富。尤为重要的是遗址内发现了1座目前河南境内面积最大的龙山文化城址，引起了考古学界的广泛关注。1994年被评为"全国十大考古发现"之一。简报分为：一、前言，二、地层堆积状况，三、遗迹，四、遗物，五、结语，共五个部分。介绍了孟庄遗址出土的龙山文化遗存。

据介绍，从地层关系可知，该城墙被龙山文化晚期的文化层叠压，在二里头文化早期时，城墙遭到破坏，表明该城址在龙山晚期之前已经建成并开始使用；城墙之下主要叠压的是孟庄仰韶文化晚期的地层，从陶器特征看该灰坑年代是属于孟庄龙山一期偏早阶段，简报认为孟庄龙山文化城址的始建年代当不早于此坑的年代，其毁坏可能因洪水或大量雨水而致。

751.河南新乡李大召遗址试掘简报

作　者：郑州大学考古系、新乡地区文物管理委员会、新乡县文物保护管理所
　　　　　韩国河、李　锋、赵海洲
出　处：《中原文物》2005年第3期

2002年3～4月，考古人员对新乡县李大召遗址进行了试掘，发现各时期文化遗存中，以龙山文化遗存最为丰富，出土了一批石、骨、蚌、陶器等，为研究豫北地区龙山文化提供了新的资料。简报分为：一、地层堆积，二、遗迹，三、结语，共三个部分。先行介绍对龙山文化遗存初步整理的结果，有手绘图。

据介绍，李大召遗址位于河南省新乡市西、新乡县大召营镇李大召村北侧的高台地上。新获公路从遗址北部穿过。遗址平面形状为椭圆形，中间高，四周低，南北宽约400米，东西长约500米，遗迹有5座灰坑。通过发掘，确定李大召遗址是一个保存较好、延续时间较长的古代人类聚落地。

752.河南卫辉市倪湾遗址发掘简报

作　者：新乡市文物工作队、卫辉市博物馆
出　处：《华夏考古》2005年第3期

1994年，为配合高速公路建设，考古人员在距卫辉市东北12千米的倪湾村北500米处邻近卫河古堤南侧发现1处龙山文化遗址。简报分为：一、地理位置和地层，二、遗迹，三、遗物，四、结语，共四个部分。有手绘图。

据介绍，共发现房基1处、灰坑4个。房基应为圆形，中心有一柱洞，房顶为尖顶，

门在南边。从痕迹看，该房应毁于火灾。该遗址发现有陶器、石器、骨器、蚌器等。时代从龙山文化晚期前段延至龙山文化晚期后段。

753.河南卫辉市倪湾遗址发掘简报

作　者：河南省文物考古研究所　赵　清等

出　处：《考古》2007年第5期

倪湾遗址位于卫辉市东北9公里的倪湾乡倪湾村东北、卫河故道南岸。现今卫河从倪湾村西由西南向东北流过，而故河道在村西北500米处折而东流，在这里形成了较规整的河湾。这里是平原地域，涝年卫河常闹水患，故在弯道外围筑有宽20余米、现高6米左右的河堤。由于河堤高大，夯层明显，东西长约800米，南北宽400米，所以调查时有人怀疑这是鄘城故址。倪湾遗址是1993年为配合107国道建设而进行文物调查时发现的，发掘前新乡市文物部门曾进行过考古钻探。遗址在故卫河南堤之南，东西长约200米，南北宽100米，面积2万平方米。为配合107国道建设，1994年进行了发掘。简报分为：一、地理环境与遗址现状，二、发掘经过与文化层堆积，三、遗迹，四、遗物，五、结语，共五个部分。介绍了龙山时期遗存的发掘情况，有照片、手绘图。

据介绍，遗址共清理出龙山文化时期墓葬1座、灰坑7座以及战国墓1座和汉代灰坑3座。简报主要介绍龙山文化遗存。龙山文化时期墓葬为竖穴土坑墓，葬2人，为二次葬，无随葬品；灰坑中出有陶器、石器等。具体年代简报推断为龙山文化晚期的偏早阶段。这批资料对研究豫北地区龙山文化有重要价值。

安阳市

754.安阳县北楼顶山发现旧石器时代遗址

作　者：安阳县文教局

出　处：《文物》1959年第1期

当地农民在河南安阳小南海附近发现1个山洞，洞里很深，从洞中捡出几个牙齿，市文化局转知中国科学院住小屯考古队前往勘查，并进行发掘。

简报介绍，小南海北楼顶山洞穴，是河南省第1次发现的旧石器时代晚期遗址，距今约有5万年。洞口朝东，估计南北宽约7步，深约50米。经初次发掘，发现有大量火石和石英制的石器，有用火的痕迹，还有大量的兽骨化石。化石中有今天该地区已经绝迹的犀牛的牙齿和鸵鸟蛋壳，此外还有鹿、马、虎、獾等牙齿和碎骨化石。这一发现，为研究我国原始社会的历史，提供了珍贵的资料，具有重大的学术意义。

755.河南安阳小南海旧石器时代洞穴堆积的试掘

作　　者：中国社会科学院考古研究所　安志敏
出　　处：《考古学报》1965 年第 1 期

小南海为河南安阳境内的名胜之一，位于安阳市西南约 30 公里的石灰岩峡谷中，南北群山环峙，峰峦起伏，景色宜人。洹河河道穿谷而过。它的上游在林县横水潜入地下伏流，直到小南海才潺湲喷涌形成巨潭，故通常误认为这里便是洹水的发源地。实际上循小南海上溯，犹可以看出旧日的河道，说明这种变迁由来已久。洹水由小南海循峡谷向东北流约 1 公里，即进入广阔的黄土平原。小南海的南畔建有观音阁，北畔遗有北齐时期的小型石窟。在观音阁之西 1 公里余有长春观旧址。位于两山之间的坡地上，观宇依山势构筑，为就地取材以石块砌成，部分屋舍还利用奥陶纪石灰岩的裂隙凿成洞室，因此俗名"窟窿寺"，今绝大部分建筑均已倾圮。长春观的南北，两山对峙，南边的俗名"南楼顶"，北边的称为"北楼顶"。新发现的旧石器时代洞穴堆积，便处在北楼顶山的东麓。1960 年 3 月初，采石工人在北楼顶山东麓打开了 1 个洞口，并从洞穴的堆积内采到少量的动物化石。考古人员 4 月 3 日去现场勘查，根据采石工人所交的鹿牙化石和 1 枚石灰质结核的装饰品，认为它们可能属于旧石器时代的遗存。试掘时发现了大量的动物化石、人工打制的石片和石器，并有清楚的文化层，从而断定这里属于旧石器时代晚期的洞穴堆积。从 4 月 3 日开始，到 5 月 18 日结束，工作了 1 个半月。这次试掘仅基本上弄清了洞穴堆积的厚度及其性质，至于洞穴的形状及其堆积范围还有待于进一步探索。这一洞穴遗迹已由安阳市成立保护小组予以保护。简报分为三个部分予以介绍，有照片。

小南海洞穴堆积为河南境内新发现的旧石器文化遗存，也是 1949 年以来，在华北首次发现的旧石器时代晚期的洞穴遗址。简报详述了小南海石器的五个特点，为我国旧石器时代考古研究提供了新的资料。

756.汤阴白营发现一处龙山文化晚期聚落遗址

作　者：安阳地区文管会

出　处：《河南文博通讯》1977 年第 1 期

简报配以手绘图等介绍了白营遗址的发掘情况。

据介绍，在汤阴白营遗址发掘出房基 40 余座，分布密集，纵横排列有序。出土遗物有陶、石、骨、蚌、角、玉器及大量猪、狗、牛、羊等骨骼 。其中白陶鬶、甗、澄滤器等具有河南龙山文化晚期特征。这些遗迹、遗物对探讨中原地区父系氏族社会的瓦解、阶级的产生等问题，提供了极有价值的实物资料。

757.安阳八里庄龙山文化遗址发掘情况

作　者：安阳地区文管会

出　处：《河南文博通讯》1979 年第 3 期

遗址位于安阳县高庄公社八里庄村西南半里许，距安阳市 4 公里。为了配合基本建设，安阳地区文管会于 1979 年 4 月 3 日至 6 月 25 日，分别在 I 区、II 区对此遗址进行了发掘。共发掘面积 180 平方米，出土陶器 130 件、骨器 60 件、蚌器 20 件、石器 70 件，发现灰坑 25 个、房基 18 座、小孩瓮棺葬 5 座、成人墓 2 座、窑址 1 座。简报配以手绘图予以介绍。

据介绍，I 区位于遗址东南部，该地层单纯，文化层下即为生土。II 区位于遗址中心偏西，该区地层堆积较 I 区复杂，主要是龙山文化层。简报称，这次发掘有利于进一步探讨豫北地区原始社会晚期人们的生产和生活状况。特别是土坯墙壁的发现，为了解当时建筑技术发展水平，提供了重要的实物资料。

758.河南汤阴白营龙山文化遗址

作　者：安阳地区文物管理委员会　方西生、孙德萱、赵连生

出　处：《考古》1980 年第 3 期

遗址位于汤阴县城东 6 公里，白营村东 0.5 公里。汤河在遗址北面约 1.5 公里由西向东流过。西南近 1 公里有 1 条东西向的枯河道。遗址的中心地区逐渐形成 1 个高台地，高出周围地表约 3 米。1976 年冬季至 1978 年夏季，考古人员对此遗址进行了 3 次发掘。简报分为：一、地层堆积，二、河南龙山文化晚期遗存，三、河南龙山文化中期遗存，四、河南龙山文化早期遗存，五、结束语，共五个部分。有手

绘图。

简报称，3次发掘的主要收获是了解了房基的布局、结构和营造的方法。房基分布有规律，基本是东西成排，南北成行。房基形状有圆形、长方形两种。营造方法有半地穴和地面上建筑两种。早、中期均为半地穴式，晚期则大多数为地面上建筑，只有个别是半地穴式的建筑，可见从早期到晚期有由半地穴式向地面上建筑发展的趋势。涂抹石灰面的3件石抹子的发现，表明我国远在4000年前已会使用石灰。发现的龙山文化早期的1口水井，为我国迄今发现最早的1口"井"字形木结构水井。从出土的卜骨来看，当时已经有占卜的宗教迷信了。平底盆内口沿上的刻划纹可能是一种原始文字记号。圈足盘上刻划的两个裸体小人像，反映了当时的原始线刻艺术。

简报指出，据测定，白营遗址晚期的时代为距今3760±100年，早期的时代为距今4110±80年，可见该遗址延续了300余年。

759.安阳八里庄龙山遗址发掘简报

作　　者：安阳地区文管会
出　　处：《河南文博通讯》1980年第2期

遗址位于安阳县高庄公社八里庄村西南250米许，是1处高出地面约3米的台地，西北距安阳市4公里。考古人员于1979年4～6月在此进行了发掘。简报分为：一、地层堆积，二、遗迹，三、遗物，四、结语，共四个部分。有手绘图。

据介绍，遗迹有房基3座，其形状呈方形和椭圆形，建筑形式有地面和半地穴2种。还有灰坑及墓葬1座。遗物有陶器16件、骨器、蚌器。时代为距今4535±145年。

简报称，八里庄遗址的发掘，对进一步探讨豫北地区龙山文化的特征及发展过程，特别是探讨用土坯砌墙的圆形房子的建筑结构，有一定参考价值。

760.安阳后冈新石器时代遗址的发掘

作　　者：中国社会科学院考古研究所安阳工作队
出　　处：《考古》1982年第6期

后冈位于河南省安阳市高楼庄村北约400米，西北距小屯村约1500米，是殷墟的重点保护区之一。截至1972年，这里曾经7次发掘，并分别发表有报告或简报。1959年春，考古人员为配合安阳市焦炭厂的基建工程，在后冈南坡北距冈顶约250米处进行的考古发掘，就是这7次发掘中的1次。简报分为：一、地层堆积，二、龙山文化遗存，三、仰韶文化遗存，四、结语，共四个部分。先行介绍了这次发掘发现的新石器时代的资料。

据介绍，截至 1972 年，后冈遗址曾先后经 7 次发掘，1979 年又在冈顶发掘了 2 个季度。总地看来，冈顶的文化层堆积与南坡大同小异，但冈顶上的龙山文化遗存比较丰富，仰韶文化遗存较贫乏。由冈顶往南（即 1959 年和 1971 年的发掘地点）仰韶文化比较丰富，龙山文化却较贫乏。此次龙山文化遗存不多，年代简报测定为公元前 1850 年或公元前 1960 年。这次发掘到 2 座属于仰韶文化的半地穴式居室，面积都较小，其中 1 座有南北 2 条通道，这在后冈还是第 1 次见到。另有 8 座仰韶文化墓葬，尽管有双人葬、二次葬和单人葬 3 类，但绝大多数头均向南，都没有随葬品，有可能是当时当地的一种葬俗。在仰韶文化的陶器中，除 1 件红陶器座和 1 件小口瓶较少见者外，其余都是常见的。

761.1979 年安阳后冈遗址发掘报告

作　者：中国社会科学院考古研究所安阳工作队　杨宝成、徐广德等
出　处：《考古学报》1985 年第 1 期

安阳后冈遗址，是我国著名的考古学家梁思永先生于 1931 年春首次发现的 1 处重要的古遗址。它坐落在洹河南岸一舌形河湾的高冈上，遗址总面积约 10 万平方米。包含有仰韶、龙山和殷代 3 个不同时期的文化遗存，其中以龙山文化遗存的分布范围最广、文化遗物最丰富。该遗址曾经多次发掘。从 1931 年春至 1934 年春，共发掘过 4 次。1949 年后，为配合基建工程，对后冈进行过 3 次发掘，发掘区主要在遗址的南半部。1979 年考古人员对该遗址再次进行发掘，发掘时间为 4 个月。共发现龙山文化的房址 39 座、灰坑 58 个、墓葬 28 座、灶 2 个，商代灰坑 1 个、墓葬 1 座、水井 1 个，唐墓 1 座；获得大量的龙山文化遗物，完整的和可复原的陶器 542 件，骨器、玉石器、蚌器等 290 件。简报分为：一、文化层堆积情况，二、文化遗迹，三、文化遗物，四、文化分期，五、结语，共五个部分。有照片、手绘图。

简报指出，后冈遗址是 1 处龙山时期的大型村落遗址，包含着丰富的物质文化遗存。1949 年前的发掘资料表明，该村落外围还有 1 段宽 2 ～ 4 米、长 70 余米的夯土围墙，可能是村落的一种防卫设施。从揭露的遗迹现象看，早期村落限于冈顶附近，面积较小，灰土堆积较薄，房址很少；中期以后，村落不断扩大，灰土堆积增厚，房址数量增多；晚期村落扩展到整个遗址，文化层堆积丰富，房址密集。

建筑遗址方面，值得注意的现象有三：

其一，人工烧制石灰技术的发明，土坯等新型建筑材料的出现，白灰面防潮设

施的广泛使用，墙基外侧构筑散水以及室外普遍使用擎檐柱等，反映了这一时期房屋建筑技术较仰韶文化时期有了较大的进步。还发现有抹石灰的工具石抹子。至于石灰成分，与今日已无本质区别。

其二，房屋建筑以圆形为主，多为地上建筑，墙壁用黄黏土、土坯或木棍夹黄泥筑成。居住面上抹白灰面，中部有一圆形灶面，墙基外筑有散水或堆放石块。但是这一建筑特点，在其后的中原地区商文化的遗址中却很难找到它的因素。反之，在我国的辽宁、内蒙古等北方地区所发现的夏家店下层文化遗址中，却可找到类似的建筑特色。这说明我国北方地区的夏家店下层文化和中原地区的龙山文化存在着密切的渊源关系。

其三，奠基牺牲。15 座房址下有儿童骨架。简报认为这是一种祭祀牺牲。除了人，还有动物骨架。表明这种奠基现象，至少在龙山时期仍然存在。至于该遗址的社会性质，简报认为从房址看，1 夫 1 妻制父系家庭已成为整个氏族社会的主流，农业种植已占主导地位，畜牧业也很发达，但渔猎、采集活动仍占相当比重。

简报将该遗址文化定义为"先商文化"。

762.安阳鲍家堂仰韶文化遗址

作　者：中国社会科学院考古研究所安阳队　魏树勋、傅宪国等
出　处：《考古学报》1988 年第 2 期

鲍家堂遗址，位于河南省安阳市白璧乡鲍家集村，西北距安阳市约 15 公里，北距白璧集约 3.5 公里。这里是一个东、西、北 3 面较高，南面稍低的缓坡台地。遗址坐落在鲍家集村北的台地上。遗址中部有一条路沟穿过，将其分成东、西两部分。1962 年，考古人员在安阳洹水流域进行考古调查时发现此遗址，并进行了试掘。1965 年秋，配合北京大学历史系考古专业 1962 级同学的实习，自 9 月至 11 月对鲍家堂遗址进行正式发掘。以路沟为界，将遗址分为东、西两区。鲍家堂遗址是一处单纯的仰韶文化遗址，这次发掘共发现窑址 2 座、灰坑 32 座、完整和可复原的器物 340 余件。简报分为：一、地层堆积，二、遗迹，三、遗物，四、结语，共四个部分。有照片、拓片、手绘图。

简报称，鲍家堂遗址是豫北、冀南地区重要的仰韶文化遗址之一，当属仰韶文化向龙山文化过渡时期。其内涵比较单纯，属典型的仰韶文化大司空类型。它的发现和发掘为进一步研究仰韶文化的类型、分期及其与龙山文化的关系等问题提供了重要的资料。发现的陶窑 2 座很有价值。在新石器时代，陶器在人类日常生活中占有举足轻重的地位，人们对陶器制作就尤为重视。H25 和 H5 中所埋的猪骨架，简

报认为当为烧制陶器过程中的一种牺牲。大量猪骨架的发现，从另一个侧面反映了当时农业生产的进步以及家畜饲养的发达。

763.河南安阳市孝民屯新石器时代窑址发掘简报

作　者： 殷墟孝民屯考古队　马俊才、李素婷、杨树刚等
出　处：《考古》2007 年第 10 期

孝民屯村位于殷墟文物保护区西部边缘，东北距殷墟王陵区约 2 公里，东距小屯宫殿区 2.5 公里，属于殷墟一般保护区，面积约 22 万平方米，其西、南、东 3 面已被安钢集团厂房包围。区域内的古代遗存自宋代以来被孝民屯村占压，千百年来村民生产生活对遗址本身已造成严重破坏。20 世纪 60 年代以来，为配合安钢建设，在此区域进行过零星发掘，发现有铸铜遗迹及小型殷代墓葬。2003 年 4 月，为配合河南安阳钢铁集团 120 吨转炉建设工程，在安阳市孝民屯村进行了大规模抢救性考古发掘工作。2004 年 5 月田野工作结束。简报分为：一、地层堆积，二、陶窑形制，三、出土遗物，四、结语，共四个部分。有彩照、手绘图。

据介绍，此次发掘共清理陶窑 6 座。窑址分布较集中，排列有序，工作坑、起土坑等附属设施完备。在窑体和附属设施内发现较丰富的陶器残片和少量石质、骨质制陶工具。

简报推测这批窑址的年代为新石器中期，上限可能进入仰韶文化晚期，一般估计为龙山文化早期。据介绍，这批窑址的主火道长度比其他地方发现的窑址长，投柴孔大，技法新颖，提高了热源利用率。

濮阳市

764.潢川县发现裴李岗文化类型的石磨盘

作　者： 杨履选
出　处：《中原文物》1981 年第 4 期

1977 年 12 月，潢川县张集公社李楼大队鲁寨生产队在进行冬季的水利建设中，发现古代石磨盘 2 件、残石磨棒 1 件。考古人员前往调查并采集到一些陶片，其中石磨盘 1 件和部分陶片现保存潢川县文化馆。简报配以照片、手绘图予以介绍。

据介绍，鲁寨生产队位于潢川县东南约 30 公里处。石磨盘呈长方鞋底形，前宽

22 厘米，顶部稍尖，后宽 17.8 厘米，尾部圆钝，腰部内收，下有四个圆柱足，通长 49.7 厘米，通高 7.5 厘米。通体磨光，制作精细，正面腰部稍下凹，具有明显的使用痕迹。应属裴李岗文化类型的遗物，距今已有 8000～7000 年的历史，这件石磨盘和伴出陶片的发现，为我们研究和探讨裴李岗文化向南分布的范围提供了可贵的实物资料。

765.河南濮阳西水坡遗址发掘简报

作　者：濮阳市文物管理委员会、濮阳市博物馆、濮阳市文物工作队　孙德萱、
　　　　丁清贤、赵连生、张相梅等

出　处：《文物》1988 年第 3 期

濮阳西水坡遗址，位于河南省濮阳县城内西南隅新民街南、环城路之西、京广公路之北，面积约 5 万平方米。遗址的南部被五代时期的古城墙所压，北部是比较低洼的沼泽地。因为遗址周围的地势稍低，常年积水，芦苇丛生，俗称"西水坡"。该遗址是 1987 年 5 月河南省中原化肥厂在修建引黄供水调节池时发现的，考古人员自 1987 年 6 月开始，对其作大面积的发掘。简报分为：一、地层堆积，二、遗迹，三、遗物，四、结语，共四个部分。有照片、手绘图。

据介绍，遗址发现有房基、窖穴、墓葬等遗迹，出土有石器及少量骨器、陶器等遗物。属仰韶文化时期遗存。

简报称，此次发掘的 M45，中间 1 名男性应为墓主人，分别埋于东、西、北 3 面小龛里的死者应是人殉。在仰韶文化墓葬中发现确切的人殉，此为首次。墓主人的左右两侧用蚌壳精心摆塑的龙虎图案更是前所未有，充分反映了墓主人生前的地位和权力。这对于研究仰韶文化的社会性质和中国文明的起源具有重要的意义。简报指出，60 年代初，学术界对仰韶文化的社会性质，曾进行过 1 次热烈的讨论，多数人认为仰韶文化时期还处于母系氏族社会。现在看来，母系说与许多考古材料相矛盾。西水坡蚌壳龙虎墓的发现，更加清楚地说明，仰韶文化时期，贫富已经出现，阶级已经产生，当时的社会不仅已进入父系氏族社会，而且可能已经发展到军事民主制阶段。

简报又称，M45 中用蚌壳摆塑的龙虎图案，具有很高的艺术价值，摆塑方法也很新颖。这一发现对于研究中国工艺美术史也提供了宝贵的资料。

766.濮阳西水坡遗址试掘简报

作　　者：濮阳市文物管理委员会、濮阳市博物馆、文物队　孙德萱、丁清贤、
　　　　　赵连生、张相梅

出　　处：《中原文物》1988 年第 1 期

濮阳西水坡遗址，位于河南省濮阳县城西南隅的新民街南、环城路之西、京广
公路之北，面积 5 万余平方米。遗址的南部被五代时期的故城墙所压，北部是比较
低洼的沼泽地。因为遗址的周围地势稍低，常年雨季积水，芦苇丛生，俗称"西水坡"。
该遗址是 1987 年 5 月河南省中原化肥厂在修建引黄供水调节池时发现的。考古人员
自 1987 年 6 月开始，对该遗址进行了大面积的发掘。目前已发现一批墓葬和窖穴，
出土了一批极其宝贵的实物资料。简报分为：一、地层堆积，二、遗迹，三、遗物，
四、结语，共四个部分。有手绘图、照片。

这次发掘最重要的收获，就是发现了形制较大、葬法特殊的 M45 和两组蚌壳摆
塑的龙虎图案。M45 埋葬四人，墓室正中的壮年男性可能是正常死亡的；而分别埋
于墓室东、西、北 3 面小龛内的人骨架，不可能是墓主人的后代，更不可能是与墓
主人同时死亡的，可能是人殉。仰韶文化中发现人殉，这还是首次。墓主人的左右
两侧用蚌壳精心摆塑龙虎图案更是前所未见。

简报称，以往认为仰韶文化为母系社会阶段，而此次发现证明在中国的仰韶
文化时期，真正主宰世界的是男子而不是女子。早在 8000 年前的裴李岗文化时期，
男子就已经开始从事农业生产，并且是这个部门的主要力量。到了仰韶文化时期，
农业和手工业有了更大的发展，男子在各项生产活动中都属于主导地位。原始的
手工业开始从农业中分离出来成为独立的生产部门，当时的社会不仅正进入父系
氏族社会，而且还已经发展到军事民主制的阶段，产生了文明的因素，出现了文
明的曙光。

767.濮阳西水坡遗址发掘简报

作　　者：濮阳市文物管理委员会、濮阳市博物馆、文物队　孙德萱、丁清贤、
　　　　　赵连生、张相梅

出　　处：《华夏考古》1988 年第 1 期

西水坡遗址位于河南省濮阳县城西南隅的新民街南地，面积 5 万余平方米。遗
址的南部被 1 座古城的南墙所叠压，北部是 1 片低洼的沼泽地。因遗址周围的地势
较低，雨季积水，芦苇丛生，俗称"西水坡。1987 年 5 月，河南省中原化肥厂在

此地修建引黄供水调节池时，发现了这处遗址。经文化部文物局批准，考古人员自1987 年 6 月开始对这处遗址进行了发掘，发现一批墓葬和窖穴，出土了一批极其宝贵的实物资料。简报分为：一、地层堆积，二、遗迹，三、遗物，四、结语，共四个部分。有照片、手绘图。

简报称，西水坡遗址的发掘，使我们对濮阳地区的原始文化遗存有了初步的了解。从目前所掌握的资料看，这里仰韶文化的面貌基本上与豫北、冀南地区的相同，但也有一些自身的特征和山东地区原始文化的因素。这次发掘工作中最重要的收获是发现了形式较大的 M45，该墓埋葬 4 人。墓室正中的壮年男性，仰身直肢，可能是正常死亡的。另有 3 人分别埋于墓室东、西、北 3 边小龛内；其西边的 1 个死者，从骨架的长度来看，似是 1 位少年。在墓主人的左右两侧，有用蚌壳精心摆塑的龙、虎图案，更是前所未见，充分反映了墓主人生前的地位之高、权力之大，具有降龙伏虎的神威。这对于研究豫北仰韶文化的社会性质和中国文明的起源具有重要的意义。

768. 西水坡 45 号墓·古天球·大荔人

作　者：周春茂

出　处：《文博》1999 年第 1 期

1987 年河南濮阳西水坡仰韶文化遗址发现的 M45 及用蚌壳堆塑而成的龙、虎、鹿几组图案遗迹，引起了广泛的重视。M45 中埋葬 4 人，墓主人为 1 名壮年男性，头南足北埋于墓坑正中；其他 3 人年龄较小，分别埋于东、西、北 3 面。东面的骨架保存不好，性别未定。西面的为 1 个 12 岁左右的女性，头部有刀砍痕迹。北面的为 1 个 16 岁左右的男性，两手压于盆骨之下。简报配以手绘图等予以介绍。

据介绍，M45 无随葬品，周围全是仰韶文化后岗时期墓葬。该墓的年代经测定为距今 6500 多年。该墓主人显然具有极高的地位，对其身份，考古界看法很不一致。有的认为墓主人是部落或部落集团的最高军事首领，其他 3 人是人殉。有的认为墓主人是颛顼，其他 3 人是人皇伏羲的太子（大公子）、庶子（二公子）和公主（帝子）。简报认为西水坡 M45 及几组蚌塑图案既是墓主人对天象观测的真实记录，也是后人对墓主人及茫茫星空的隆重祭祀，表现了观象授时和司天祭天的内在联系，既是科学活动，也是宗教活动。当然，从艺术的角度来看，也是一种艺术制作。体现了科学、宗教、艺术相互渗透合而为一的现象。墓主人应为一位仰韶文化时期的巫师。

769.濮阳戚城遗址龙山文化灰坑清理简报

作　者：戚城文化景区管理处　李文颖、马学泽
出　处：《中原文物》2007 年第 5 期

2006 年 12 月，戚城遗址植树时偶然发现一座灰坑，出土一批龙山文化晚期遗物，考古人员进行了抢救性发掘。简报配以拓片、照片、手绘图予以介绍。

据介绍，遗址出土有陶器、骨器、蚌器等。时代相当于龙山文化晚期偏早，相当于距今 4200 年左右。此坑的底部中心有一小柱洞，似乎有一木柱用于支撑遮蔽窖穴的篷盖，此坑似乎原来是作为储物窖穴用。

770.河南省濮阳市铁丘遗址 2012 年发掘简报

作　者：首都师范大学、濮阳市文物保管所　朱光华、袁广阔、张文彦等
出　处：《中原文物》2013 年第 6 期

铁丘遗址位于河南省濮阳市西南约 5 公里的王助乡铁丘村东，遗址以东 2 公里有马颊河流过，遗址以西 1.5 公里为汉代以前的黄河故道。20 世纪 80 年代考古人员曾赴该遗址调查，并发现较为丰富的古文化遗存。2012 年 5 月在当地农田基本建设过程中，于遗址中南部发现部分灰坑、红烧土遗迹裸露于地表。考古人员对该遗址进行了短期的抢救性发掘，发现了一批河南龙山文化遗迹、遗物。分为：一、地层堆积，二、遗迹，三、遗物，四、结语，共四个部分。有手绘图。

据介绍，此次发掘揭露部分龙山时期的房基、墓葬、灰坑等遗迹，出土一批陶器、石器、骨器、蚌器等遗物。从文化因素来看，该类遗存为典型的后冈二期文化，所属年代为河南龙山文化晚期。

771.河南省濮阳市铁丘遗址 2014 年发掘简报

作　者：首都师范大学、濮阳市文物保护管理所
出　处：《洛阳考古》2014 年第 4 期

2014 年 4 月，考古人员对铁丘遗址部分灰坑进行了发掘，出土遗物主要是陶器，也有少量石器、蚌器、骨器及动物骨骼。时代简报推断为后冈二期，即河南龙山文化晚期。

许昌市

772.河南襄城县发现一处龙山文化遗址

作　者：赵世纲
出　处：《考古》1965 年第 1 期

襄城县太平庄位于县城东北约 15 公里。太平庄的西北约 250 米有 1 个高出地面约 6 米的土冈。冈南有一小河，当地人称为"泥河"。冈上有一高台，高约 5 米，东西长约 140 米，南北宽约 110 米。考古人员进行了发掘，简报配以手绘图予以介绍。

据介绍，这个台子完全是由灰土堆积起来的。灰土大部分为浅灰色、个别地方为深灰色。从台东的断崖上看，上部（1 ~ 2 米）堆积中包含有战国时代的板瓦、筒瓦和汉代的空心砖碎片、瓦砾等；下部（3 ~ 5 米）为新石器时代的龙山文化层，该层内陶片多为灰色，红色极少见。陶器制法以轮制为主，少数为模制或手制。采集的标本计有红陶杯 1 件，手制，口沿有慢轮加工痕迹；红陶鬶 2 片，亦为手制，表面磨光，内部有水锈；灰陶残片可看出器形的有碗、盘、瓮、甗、罐和器盖等。陶器纹饰多数为条纹，其次有方格纹，也有素面和磨光的。此外，还有 1 件黑陶碗底残片。石器发现不多，均磨制。有石斧 2 件。

简报指出，从采集的陶器的形制、纹饰、制法等方面看，该遗址应是 1 处河南龙山文化遗存。台形的龙山文化遗址，在豫东皖北等平原地区发现较多，在豫西还是少见的。

773.河南许昌灵井的石器时代遗存

作　者：周国兴
出　处：《文物》1974 年第 2 期

1965 年秋，考古人员从河南许昌灵井采集一批石器时代的遗物，并作了简单报道。简报分为：一、地层堆积，二、文化遗存，三、小结，共三个部分。有手绘图。

据介绍，灵井在河南许昌西北约 15 公里处，北离黄河约有 100 公里。在它的南面有淮河的支流——颍河流过。灵井遗址的石器包含了石片石器和细石器两类，其中细石器的成分占相当大的比例。打制石器具有旧石器时代的传统，而细石器则有着进步的特征。但在砂土堆积中也未找到早期陶片和磨光石器。简报推断此遗址为中石器时代早期阶段的遗物。

简报称，灵井地区石器时代文化遗存的发现，使我们有了更多的理由认为华北地区特别是黄河流域可能是产生我国北方地区细石器文化的摇篮。

774.河南省禹县谷水河遗址发掘简报

作　者： 刘式今

出　处：《河南文博通讯》1977 年第 2 期

简报配以手绘图等，介绍了谷水河遗址的发掘情况。

据介绍，谷水河遗址可分为三期：第一、二期属仰韶文化晚期遗存，与郑州大河村、临汝大张遗址相似；第三期属仰韶文化向龙山文化过渡时期，或相当于龙山文化早期。

775.河南禹县谷水河遗址发掘简报

作　者： 河南省博物馆

出　处：《考古》1979 年第 4 期

1959 年 4 月，徐旭生先生等考古人员为探索夏代文化，曾跋涉于颍水两岸，对谷水河遗址作了初步调查，并采集了有关仰韶文化和龙山文化的陶片。1975 年冬，考古人员对该遗址进行了进一步调查，并采集了不少实物资料。此后不久，又进行了小规模的田野发掘工作。简报分为五个部分，有手绘图。

据介绍，谷水河遗址位于禹县顺店公社东南 2 公里。遗址东北约 500 米系颍水，遗址南是注入颍水的一条小支流——谷水河（又名"涌泉河"），遗址处在这两条河流交叉的三角地带。整个遗址略为隆起，形成台地，总面积约 9.3 万平方米。共发掘了 2 个灰坑及 1 座墓葬。共获完整遗物 150 余件及大量陶片。可分三期，一、二期为仰韶文化晚期，第三期为仰韶文化向龙山文化过渡时期。三期文化一脉相承。第二期文化中发现的长方形单间排房说明了当时婚姻关系的显著变化，为我们研究原始社会末期对偶婚如何向 1 夫 1 妻制的婚姻关系过渡，提供了重要的实物资料。第二期文化中，在离地表很浅的 1 个圆坑中，发现 1 具蜷曲的男性骨骸，其蜷曲程度似经捆绑所致。还应注意的是，紧挨在这男性骨骸身边，埋有 1 个小儿瓮棺葬。这种现象出现在仰韶文化向龙山文化过渡时期，又为母系社会如何向父系社会转化的问题，提供了依据。

今有李伊萍先生《龙山文化研究》（科学出版社 2005 年版）一书，可参阅。

776.长葛县裴李岗文化遗址调查简报

作　者：长葛县文化馆　邢贵东
出　处：《中原文物》1982年第1期

长葛县位于河南省中部，西部是伏牛山的余脉，东部为豫东平原，境内河流密布，两岸散布着许多古文化遗址。近几年来，随着农田基本建设的开展，不断有新的重要文物和古文化遗址被发现。1979年7月和1980年10月，考古人员对新石器时代遗址作了调查，发现裴李岗文化遗址4处。简报配以照片予以介绍。

据介绍，这4处遗址是石固遗址、西杨庄遗址、南张庄遗址、夹岗遗址。采集到的遗物有石器、陶器。

777.河南许昌丁庄遗址试掘

作　者：中国社会科学院考古研究所河南一队　郑乃武
出　处：《考古》1986年第3期

丁庄在许昌县五女店公社，遗址位于村北500米左右。遗址西部因烧砖取土，文化层已被破坏。据当地人说，过去在砖窑附近曾出过2件石磨盘。东部现种小麦。考古人员于1983年10月在这里做了1次试掘。发现有裴李岗文化陶器，均为泥质红陶；龙山文化遗物，除个别陶器呈红色外，其余均类为灰陶。

778.禹县吴湾遗址试掘简报

作　者：河南省文物研究所、禹县文管会　姜　涛、方燕明
出　处：《中原文物》1988年第4期

考古人员于1979年对颍河上游古文化遗址进行了调查，共发现河南龙山文化和二里头文化遗址13处，并对吴湾遗址进行了试掘。简报分为：一、遗址的地理位置和文化遗存的分布情况，二、地层堆积，三、遗迹，四、文化遗物，五、小结，共五个部分。有照片、手绘图。

据介绍，吴湾遗址位于禹县城东约7公里的吴湾村北地。由许昌至洛阳的公路从遗址的南边通过。颍河绕过遗址的西、北折向东南流去。遗存可分上、下两层，下层属豫西龙山文化较早时期，上层相当豫西龙山文化晚期。

简报称，这处文化遗存的发现，为研究河南中部地区龙山文化的发展和分期，提供了一些资料。根据文献的记载，禹县也是夏代居民的重点活动区域之一。吴湾

遗址的试掘，对于今后在这一带探索夏代文化是有意义的。

779.河南禹州市瓦店龙山文化遗址 1997 年的发掘

作　　者：河南省文物考古研究所　方燕明、韩朝会
出　　处：《考古》2000 年第 2 期

瓦店遗址位于河南省禹州市火龙乡瓦店村东部和西北部的岗地上，遗址向东 7 公里为禹州市区。瓦店遗址是在 1979 年进行颍河两岸考古调查时发现的。1980、1981 和 1982 年，1997 年 4 ～ 5 月，考古人员分别对遗址进行过发掘。为了解瓦店遗址的范围和面积，对遗址又进行了初步的钻探。结果表明，瓦店遗址是由村东高岗和西北岗两块遗址构成，现存面积约 20 万平方米。其中东高岗遗址南北向、东西向均约 330 米，面积 10 余万平方米。西北岗遗址东西长 380 米，南北宽 270 米，面积约 10 万平方米。东高岗和西北岗之间有 1 条呈东南—西北走向的大沟，此沟长约 300 米，宽 12 ～ 24 米。沟南部深 3 ～ 4 米，北部深 5 ～ 6 米。该沟的最深和最宽处都在西部，其形成年代尚不清楚，但此沟是在 70 年代中期才被填平的。简报分为：一、地层堆积，二、遗迹，三、遗物，四、遗址分期，五、结语，共五个部分。有手绘图。

据介绍，该遗址包含有龙山文化早、中、晚期遗存，并以龙山文化晚期遗存为主，其考古学文化归属当为王湾三期文化晚期。此遗址面积较大，所见的遗迹、遗物档次较高。简报认为瓦店遗址是王湾三期文化晚期的 1 处级别较高且十分重要的遗址。

简报称，通过进一步的考古工作，可望为研究早期夏文化提供更多的重要资料。

780.许昌灵井旧石器时代遗址 2006 年发掘报告

作　　者：河南省文物考古研究所　李占扬等
出　　处：《考古学报》2010 年第 1 期

河南省文物考古研究所继 2005 年在灵井旧石器遗址进行考古发掘之后，又于 2006 年进行了第 2 次考古发掘。本年度的发掘中不仅出土了 5690 余件石制品，而且还出土了数百件可以鉴定的动物化石标本、100 多件骨器和近万件动物骨骼碎片（碎骨将另文记述）标本。简报分为：一、发掘概况、地貌地层和遗物埋藏，二、哺乳动物化石，三、文化遗物，四、结语，共四个部分。介绍了 2006 年考古发掘的初步结果，有彩照、手绘图。

据介绍，灵井旧石器遗址位于河南省许昌市西北约 15 公里的灵井镇西侧。1965年春，考古人员从村民挖井挖出距地表约 10 米深的堆积物中，采集到一批动物化石、细石器及打制石器，认为属中石器时代，引起考古界的重视。1992 年，灵井遗址被公布为许昌市级文物保护单位。长期以来，灵井旧石器遗址埋藏文化遗物的堆积层被积水浸泡，无法进行考古发掘。2005 年 4 月，因遗址西南约 7 公里的一家煤矿透水，致使包括灵井在内的一批泉水骤然断流，积水循泉眼回流，地下水位下降，原生地层出露，才具备了发掘条件。

简报称，2006 年灵井遗址出土的石制品有以下 7 个特点：

其一，石器以较小的白色脉石英砾石和较大的各色石英岩为原料，脉石英石料占 97%，石英岩石料仅占 3%。较好的石器主要为脉石英石料。用石英岩石料做的石器主要是砍砸器，但数量很少，且不典型。石料可能来源于遗址西北约 7 公里的古河流砾石层，遗址主人从河滩选择采集脉石英和石英岩砾石，带到泉水附近制作石器。

其二，石制品类型包括锤、砧、核、石片、断块和碎屑。脉石英石器以小型为主，石英岩石器以大中型为主。

其三，少量石片和石器有使用痕迹。使用痕迹和大量碎屑表明遗址系制造和使用工具的工作营地。出土石制品基本上没有冲磨痕迹，多数应属原地埋藏类型（不排除湖相沉积出土的标本有过短距离的搬运）。

其四，打片以锤击法为主，少数脉石英采用砸击法。在脉石英石片中不完整石片多于完整石片，反映了石料性脆的特点。石器毛坯以石片和断块残片为主，两者约占工具总数的 70.6%。完整石片作工具的比例偏低。石器器形多不规则。石器组合中，脉石英石器以刮削器居多，石英岩石器主要是砍砸器，二者在工具类型上形成互补。

其五，石器由锤击法加工而成，多数向背面加工，向劈裂面也占有一定比例，两面、交互和错向加工者较少。有少量标本的修理非常精致。部分石器加工粗放，修痕大而深凹，同精致修理的石器形成鲜明对照。部分石器琢制技术的应用，是国内已知最早的，可能说明灵井遗址石器制造已达到相当高的水平。

其六，出土的盘状石核数量多且典型，是灵井石器的一个显著特点。

其七，石球的存在增加了同北方旧石器时代中期文化遗址的可比性，大型砾石石器的出现又反映了同南方砾石器制造的亲缘关系。说明灵井遗址石器兼具北、南方石器的特点。

灵井遗址 2006 年出土的骨器有以下特点：

其一，骨器的类型初步分为刮削器、尖状器、尖刃两用器和雕刻器 4 类，其中以刮削器最多，有 63 件，占骨器总量的 56%，其他依次为尖状器、雕刻器和尖刃两用器。和国内其他旧石器时代遗址相比，灵井遗址出土骨器在数量上最多，制作工艺高超，出现了类似细石器的制作工艺技术，为今后对骨器工业的系统研究打下了良好的基础。

其二，一般采取大型食草动物长骨打制的骨料制作骨器。骨器的加工方法以锤击法为主，这和遗址中石器的打制方法较为一致；但在一些尖状器的制作上采取了多个方向修尖的方法，表现了较多的灵活性。普遍使用裁尾技术。除少数标本有轻微的磨损之外，多数标本棱角锋利，反映了当地遗物埋藏的特点。

简报指出，遗址中除发现大量的打制骨器外，也发现为数不少的使用骨器。骨器制作和使用是否意味着工具模式的转变，还是因合适的石头不够而使用骨器，将是今后研究工作的一个课题。

简报认为，遗址地层包括旧石器时代中、晚期，经新石器时代，延伸到汉宋时期，是迄今中原地区延续时间最长、包涵文化遗物最丰富的典型剖面之一。其中虽有诸如早期新石器时代地层的缺失，但它无疑为今后讨论中原地区文化序列演化，尤其是许昌地区旧石器文化向新石器文化过渡，提供了重要的考古依据。

漯河市

781.河南舞阳的几处新石器时代遗址

作　者：舞阳县人民文化馆

出　处：《考古》1965 年第 5 期

舞阳县位于河南省中部。县内南部多山，北部平原。境内古文化遗址甚多，至 1959 年全县已发现新石器时代遗址 30 余处。简报配以拓片、手绘图予以介绍。

简报主要介绍了 3 个遗址。峨岗寺遗址，位于城东北 17.5 公里的碴王乡岗寺村西北隅，是 1 个突出地面约 10 米的圆形土丘。寺圪垱遗址，在城西北 24.5 公里的北舞渡乡湾刘村后寺圪垱上。遗址靠灰河，是 1 个小型的台地。台地的北部已没入河内，形成断崖。遗址面积很大，到处暴露遗迹遗物。铁山庙遗址，在竹篮店村西北隅，西面紧临港河，西南为铁古窑山，南为铁山。附近路崖暴露有灰坑，并发现陶器与石器。简报称，以上 3 处遗址，皆以龙山文化为主要遗存，采集的遗物有个别的属仰韶文化。

782.舞阳贾湖遗址调查简报

作　者：朱　帜

出　处：《中原文物》1983 年第 1 期

　　贾湖遗址位于舞阳县北舞渡镇西南 2 公里处。1979 年该地学校师生在开荒时发现了 3 件两头弧状的石铲。考古人员对该遗址进行了多次调查。简报配以照片、手绘图予以介绍。

　　据介绍，贾湖遗址面积约 5 万平方米。调查所得遗物有石铲 3 件、石斧 8 件、锯齿石镰 1 件、石磨棒 1 件、陶壶 2 件、骨质制陶工具 1 件。简报称，贾湖遗址是河南省西南部发现的 1 处裴李岗类型的新石器时代遗址，为研究与探索这一类型文化提供了新的资料。

783.舞阳贾湖遗址的试掘

作　者：河南省文物研究所　陈嘉祥

出　处：《华夏考古》1988 年第 2 期

　　贾湖村位于河南省舞阳县城北 24 公里处。村子附近地势低洼，周围筑有防护堤。遗址就在东防护堤的两侧。经过勘探，得知遗址的面积为 5.5 万平方米。这里的文化层厚 0.7 ~ 1.1 米。在遗址西部的边沿钻探出河沙，可能为故河道的遗迹。1978 年当地挖土加固护村堤时，该村小学教师贾建国先生发现了这处遗址。1979 年该村学校师生劳动垦地，拾得两端刃石铲 3 件。1980 年在普查裴李岗文化遗址时，曾在这里作过调查。1982 年、1983 年进行复查。1953 年 5 月下旬至 6 月中旬进行试掘。简报分为：一、地层堆积，二、遗迹，三、遗物，四、结束语，共四个部分，有照片、手绘图。

　　据介绍，贾湖遗址为 1 处面积较大的类似裴李岗文化的遗址，分早、晚两期。从贾湖遗址试掘的情况看，它与裴李岗文化的裴李岗、莪沟、石固诸遗址的关系是十分密切的，特别是与石固 Ⅲ、Ⅳ 期的关系更为密切。就贾湖试掘出土的陶器器形分析，它与石固遗址 Ⅲ、Ⅳ 期所处时限应该是相当的。碳十四年代测定其年代距今 7920±150 年（编号 WB83 ~ 60，半衰期取 5730 年）。很显然，这个数据可能偏早。

784.河南舞阳贾湖新石器时代遗址第二至六次发掘简报

作　　者：河南省文物研究所　张居中等
出　　处：《文物》1989 年第 1 期

舞阳县地处河南省中部伏牛山以东的冲积平原上。贾湖位于舞阳县城北 22 公里。20 世纪 60 年代初，这个遗址已被发现。1979 年以来，国家和省、县各级文物考古部门曾多次派人前往调查。1983 年春，考古人员在此进行试掘，发现相当于裴李岗文化的灰坑 11 座、墓葬 17 座及一批重要遗物。1984～1987 年，为配合村民盖房，又在此进行了 5 次发掘，发现一批相当于裴李岗文化时期的房基、灰坑、陶窑、墓葬，出土遗物数千件。简报分为五个部分，配以照片、手绘图，介绍了这五次发掘的情况。

据介绍，共发掘房基 30 多座，均为圆形或椭圆形半地穴式。另有灰坑、陶窑，陶窑大多保存较差。还发掘墓葬 300 多座，均为竖穴土坑墓。贾湖遗址的年代，据测定一期为距今 8000 年左右，二期为距今 8000～7500 年。

简报指出，以前，在大汶口文化和下王岗早期文化的墓葬中，经常发现以龟随葬的现象，龟腹内还装有小石子。这次在贾湖中又有发现，为这种葬俗找到了更早的例证。在这些龟甲和随葬品中的骨器、石器上发现的契刻符号，很可能具有原始文字的性质。此外，遗址内还发现一批骨笛，大多为七孔，经专家测试可以吹奏。简报认为，这或可以说明在 7000～8000 年前，我们的祖先已经发明了七声音阶。这一发现，为研究中国音乐史增添了珍贵资料，在世界音乐史上也应占有重要地位。

785.郾城郝家台遗址的发掘

作　　者：河南省文物研究所、郾城县许慎纪念馆　曾桂岑、杨肇清、翟继才、
　　　　　王明瑞、樊温泉
出　　处：《华夏考古》1992 年第 3 期

郝家台遗址位于河南省漯河市郾城县东 3 公里石槽赵村东北的台地上。南去 1 公里为漯河市。沙河在遗址南 1 公里处由西向东流去。京广铁路从遗址的西南部穿过。遗址总面积 6.5 万平方米。1986、1987 考古人员进行了 2 次发掘。

简报分为：一、文化堆积，二、郝家台遗址第一期文化，三、郝家台遗址第二期文化，四、郝家台遗址第三期文化，五、郝家台遗址第四期文化，六、郝家台遗址第五期文化，七、郝家台遗址第六期文化，八、郝家台遗址第七期文化，九、郝家台遗址第八期文化，

十、结语，共十个部分。有照片、手绘图。

据介绍，发现有灰坑、墓葬等遗迹，出土有陶器、石器、骨器。在河南省中南部大平原上，郝家台遗址是1处内涵相当丰富的龙山文化、二里头文化的重要遗址。这处遗址的核心是一座古老的城堡遗迹。这座城堡的发现，证明距今4600年前居住在沙河流域的古代居民，已经开始构筑防御工事。郝家台文化的时代相当于二里头文化、龙山文化时期。其中郝家台的城堡建于郝家台二期文化，其古城的建城年代应该在距今4600年以前。

简报称，郝家台遗址龙山文化城址的发现是继王城岗、平粮台、边线王等龙山文化城址之后的又一新发现，其城垣内整齐的排房、丰富的遗迹，为研究龙山文化的社会性质、我国古代城市的出现、国家的起源提供了一批新的资料。

1991年第2期《华夏考古》有杨清先生《河南郾城郝家台遗址出土的陶瓶和陶鬶》一文，可参阅。

786.河南舞阳贾湖遗址 2001 年春发掘简报

作　者：中国科学技术大学科技史与科技考古系、河南省文物考古研究所、舞阳县博物馆　张居中、潘伟彬
出　处：《华夏考古》2002年第2期

2001年对贾湖遗址的发掘，发掘面积共300余平方米。发现房基8座、灰坑66座、陶窑3座、兽坑2座、墓葬96座。发现陶、石、骨等各种质料的遗物数百件，大量水稻、豆等植物种子，各种鱼类、龟、鳖、鹿类、猪、狗等动物骨骼。

简报分为：一、地层堆积，二、遗迹，三、墓葬，四、遗物，五、结语，共五个部分。有彩照、手绘图。

据介绍，舞阳贾湖遗址是我国重要的新石器时代前期遗址，20世纪80年代在这里进行过6次考古发掘，有8000年前之七声音阶骨笛、成组龟甲及原始契刻文字和最早的稻作农业等重要发现。此后进行了10多年的多学科综合研究，其研究成果在国内外公布之后引起社会广泛关注，2000年被评为"20世纪100项重大考古发现"之一。而此次发掘达到了预期的目的，取得了丰硕的成果，进一步丰富了对贾湖文化的认识，为我国新石器时代文化的研究提供了新的珍贵实物资料。主要收获有以下几点：

一是发现了数例男女一次合葬墓，并发现了罕见的多达23人的二次合葬墓，为研究8000年前贾湖先民的社会组织形式、婚姻形态等提供了重要资料。

二是发掘了3处同时并存的公共墓地，其中2处以随葬渔猎工具为主，另1处

以随葬农业生产工具为主。这对研究当时的经济形态、社会分工等具有重要意义。

三是此次发现两座厚葬的女性墓，不仅浑身上下摆满各种随葬品，而且在眼眶内还置入一至数枚绿松石装饰品，处于有可能对后世玉器制作有所启发的萌芽形态，为研究当时的葬俗、葬仪提供了珍贵的资料。

此外，此次发掘又发现了几支骨笛，特别是还发现了 1 支刻划精美图案的两孔骨笛，进一步丰富了我们对贾湖音乐文化的认识。发现的大量稻谷和炭化米以及植物种子、鱼龟类骨头等，也均包含有丰富的远古信息。

三门峡市

787.河南陕县七里铺第一、二区发掘概要

作　者：黄河水库考古队河南分队
出　处：《考古》1959 年第 4 期

1958 年夏冬两季，考古人员发掘了七里铺遗址。简报分为"第一区的试掘和发掘""第二区的试掘和发掘"两个部分，有照片、手绘图。

据介绍，遗址距陕县南关约 1 公里，出城南，横涉涧河即面临陡起 15 ～ 27 米的黄土高地。遗址东沿与陇海铁路接近，西临黄河，北环涧水，西北角为涧水与黄河的汇合处，南为拖延斜坡。斜坡直至七里铺村前，形成了一窄长地带。洛潼公路偏东而过。东西约 300 米、南北约 1100 米。经近年来的调查试掘的结果，精确地了解到这一窄长的高地上，由北往南的 3 个不等高的台地，分布着几个时代的文化堆积，划分为一区（周、仰韶）、二区（周、龙山）、三区（隋唐、殷）。一、二区的遗存主要属仰韶文化和龙山文化。仰韶文化应属晚期。龙山文化应属河南龙山文化系统。

788.河南渑池县考古调查

作　者：中国科学院考古研究所洛阳发掘队　方酉生
出　处：《文物》1964 年第 9 期

1962 年 6 月 15 日，考古人员赴豫西渑池县进行调查，共工作 9 天，调查了新石器时代的仰韶文化和龙山文化遗址共 9 处。简报分为：一、遗址分述，二、小结，共两个部分。有手绘图等。

简报称，渑池县的新石器时代遗址和豫西的其他地方一样，包含有仰韶和龙山两种文化。其中有单一性质的仰韶遗址，如下城头和西河南；有可能包含早晚两期的龙山遗址，如不召寨；而仰韶村遗址，实际包含有四个不同时期的文化遗存；寺沟和陈村遗址，包括着豫西地区仰韶文化晚期至龙山文化早期（庙底沟第二期文化）的遗存。

今有李久昌先生《三门峡仰韶文化研究》（河南科学技术出版社 2011 年版）一书，可参阅。

789.河南渑池西河庵村新石器时代遗址发掘简报

作　　者：河南省文化局文物工作队　　杨宝顺
出　　处：《考古》1965 年第 10 期

西河庵村位于渑池县西南约 1.5 公里的涧河北岸，村北为起伏的丘陵地。在距村北约 500 米处的丘陵东南部，有 1 处新石器时代仰韶文化遗址。遗址东西长约 500 米，南北宽 200 余米。1957 年 11 月，考古人员进行了小面积的发掘。简报配以照片予以介绍。

据介绍，发掘中共发现窖穴 19 个。遗物中以陶片居多，石器中保存较好的为纺轮和石刀。这处遗址出土的彩陶较为复杂。彩陶多先施白色陶衣，然后着彩。彩绘的图案有"米"字纹、弦纹、"X"形纹、方格纹和点纹等。其时代应属于新石器时代的仰韶文化遗址。

790.灵宝发现东方剑齿象化石

作　　者：郭天锁
出　　处：《河南文博通讯》1978 年第 1 期

简报配以手绘图，介绍了 1976 年 4 月灵宝县出土的古象的臼齿和肢骨化石。据观察是 1 头近老年东方剑齿象上第三臼齿，时代为更新世中期或晚期。

791.渑池仰韶村新石器时代遗址

作　　者：李绍连
出　　处：《河南文博通讯》1978 年第 4 期

简报配以手绘图，介绍了渑池遗址的发掘情况。

据介绍，仰韶村是仰韶文化的命名地，该遗址处于母系氏族社会解体到父系氏族社会阶段。1921 年和 1951 年 2 次发掘，出有各种石器、骨器、陶器。陶器中的珍品是绘有精美几何图案的彩陶。

今有彭庆涛先生《黄河中下游父系氏族源流探析》（中国文联出版社 2001 年版）一书，可参阅。

792.渑池县又发现旧石器

作　者：张维华、曹静波
出　处：《中原文物》1986 年第 4 期

1978 年 5 月渑池县进行文物普查时，在县北的黄河南岸龙门发现 2 件石制品。1986 年 3 月，经鉴定，确认是 2 件加工甚好的打制石器。简报配以手绘图予以介绍。

据介绍，龙门位于青山村和任村的交界处。当地群众经常在这一带捡到动物化石。考古人员在调查时，除捡到 1 块动物化石外，还捡到 2 件石器：1 为石片刮削器，1 为大石片砍砸器。时代简报推断为旧石器中期。

793.河南灵宝营里旧石器地点调查简报

作　者：河南省文物研究所、灵宝县文管会　李占扬
出　处：《华夏考古》1990 年第 2 期

灵宝县位于河南省西部，北临黄河，西望潼关，从古至今是东西交通的要道。1989 年 4 ~ 5 月，考古人员在该县进行旧石器时代考古调查时，于朱阳镇营里砖厂发现一批石制品。

简报分为：一、地貌与地层概述，二、文化遗物，三、结语，共三个部。有照片、手绘图。

据介绍，共发现石制品 82 件。营里旧石器地点出土的石制品以各种颜色的石英岩为主，其次为脉石英，角页岩和燧石数量较少。原料来源于西涧河砾石层。上述石质亦大面积暴露于距旧石器地点不远的山体上，但就目前调查所及的范围内，却没有在基岩上直接开采石料的迹象，说明营里石器的制作者仍处在由河滩拣拾砾石进行加工制器阶段。该文化层的时代应为中更新世偏晚，文化时代属旧石器时代早期的晚段，早于丁村文化。

794.灵宝北万回头遗址出土的彩陶盆

作　　者：陈焕玉

出　　处：《华夏考古》1991 年第 2 期

1960 年 3 月，河南省文化局文物工作队在三门峡水库区进行古文化遗址调查时，在河南省灵宝县西闵底乡的北万回头村发现了 1 处新石器时代遗址。遗址分布在北万回头村的高坡台地上，残存面积约 1 万平方米。地面上散布着仰韶文化遗物。遗址偏南处的一条水沟壁上暴露有灰层和灰坑。考古人员清理了此处的灰层和灰坑，其包含物主要为陶片，可辨出器形的有盆、钵、灶、碗、环等，另有石斧和骨簪。简报配以照片予以介绍。

据介绍，此彩陶盆 1 件，出土于水沟壁第一层中，稍残，泥质红陶，图案较简单，口径 38 厘米，底径 12 厘米，高 10 厘米。简报推断这件陶盆应为仰韶文化遗物。

795.河南灵宝市北阳平遗址调查

作　　者：中国社会科学院考古研究所河南第一工作队、河南省文物考古研究所、三门峡市文物工作队、灵宝市文物保护管理所　陈星灿、张居中、黄卫东、李新伟、马萧林、杨肇清

出　　处：《考古》1999 年第 12 期

河南省灵宝市位于豫陕晋 3 省交界处，南依秦岭，北靠黄河，西有函谷古道与关中相通，向东和东南则渐次过渡为丘陵平原，是中原连接关中的咽喉要地，地理位置十分重要。据历年来的普查资料，灵宝新石器时代的遗址多达 110 余处，其中又以仰韶文化遗存为主，其密度之大，实属罕见。种种迹象表明，该地区是仰韶文化中期的一个中心地带。1999 年 3 月，考古人员对北阳平遗址及其所在的阳平小塬进行了细致的拉网式调查。在南北长 5000 米、东西宽 400～800 米的长条形呈西南—东北走向的狭长小塬上，调查发现了除北阳平和乔营遗址之外的四个遗址。遗址自南而北依次是乔营、北阳平、上河村、西横涧南、西横涧和西横涧北遗址。此次调查的主要任务，是在此前历次调查的基础上，初步弄清北阳平遗址的面积和文化遗存的特征及分布状况，着重考察遗址和周围环境的关系，为聚落考古的综合研究提供准确的田野资料，同时为今后的发掘工作作准备。

简报分为：前言，一、乔营遗址，二、北阳平遗址，三、上河村遗址，四、西横涧南遗址，五、西横涧遗址，六、西横涧北遗址，七、小结，共七个部分。有手绘图。

据介绍，此次调查基本确立了北阳平遗址的范围和面积，调查结果支持《中国

文物地图册·河南分册》"大约70万平方米"的说法，说明原来的调查结果比较可靠；基本肯定北阳平遗址是1个长期堆积的以仰韶文化中期即庙底沟类型仰韶文化遗存为主的大型聚落，与周围遗址相比，具有中心聚落的性质。延至仰韶文化晚期即西王村类型仰韶文化时期和庙底沟二期，该遗址仍在使用，但面积缩小，文化遗存偏向南部，不同区域的发现可能分属于不同的几个聚落。

796.河南灵宝铸鼎塬及其周围考古调查报告

作　者：河南省文物考古研究所、中国社科院考古研究所河南一队、三门峡市
　　　　文物工作队、灵宝市文物管理委员会　马萧林、陈星灿、杨肇清、
　　　　张居中、张怀银、李新伟、黄卫东

出　处：《华夏考古》1999年第3期

灵宝市位于河南省最西部，北隔黄河与山西省芮城县相望，西与陕西省潼关县接壤。南部为秦岭山区，北部为黄土塬，地势南高北低。境内发源于秦岭的7条河流，将深厚的黄土分割成6道东西并列、南北走向的黄土塬。铸鼎塬便是其中的1条，该塬南依秦岭，北濒黄河，东有沙河，西为阳平河。1999年2月上旬和3月中下旬，考古人员有重点地选择铸鼎塬东西两条河流沿岸的新石器时代文化遗址进行了2次调查。这2次调查，基本是在原有调查资料基础上的复查。对北阳平遗址所在地和西坡、东常、五坡寨遗址进行了拉网式地面调查，其余大多沿断崖考察。北阳平遗址所在地新石器时代文化遗存十分丰富。这次拉网式调查，初步搞清了该遗址的分布范围和不同时期遗存的分布规律以及其与乔营遗址的关系，同时还新发现了西横涧和上河村遗址，详细结果将另文报道。

简报分为：一、概况，二、阳平河流域，三、沙河流域，四、结语，共四个部分，先行介绍了复查的旧遗址，有手绘图。

据介绍，在铸鼎塬及其周围的小范围区域内，从仰韶早期到龙山时代的文化序列是存在的。同时也发现了早于仰韶文化的遗存，其间很可能具有一定的传承关系。早于仰韶文化的遗存，可以确认的只有西横涧和荆山2处，其文化性质尚难确定。仰韶文化中期遗址最多，达18个。仰韶文化晚期遗址有8个。

简报称，据《史记》等史书记载，这一带是黄帝铸鼎象物、最后升仙的地方，这里与黄帝有关的传说丰富而集中。同时，又是仰韶文化庙底沟类型的腹地。在这里的考古调查、发掘与研究工作的不断深入，必将对中华民族文明起源的探索、仰韶文化聚落形态与环境变迁和人地关系的研究、仰韶时代青铜冶铸技术存在的可能性以及黄帝文化研究的深入，起到积极的推动作用。

今有李桂民先生《黄帝史实与崇拜研究》（中国社会科学出版社 2014 年版）一书，可参阅。

797.河南灵宝市北阳平遗址试掘简报

作　　者：中国社会科学院考古研究所河南第一工作队、河南省文物考古研究所、三门峡市文物工作队、灵宝市文物保护管理所、荆山黄帝陵管理所　黄卫东、王明辉、史智民、张居中、杨肇清、陈星灿

出　　处：《考古》2001 年第 7 期

北阳平遗址位于灵宝市的西北部，东距灵宝市区约 20 公里。遗址坐落在阳平小塬的中南部，在北阳平村西，总面积达 90 万平方米。1982 年，因基建，考古人员在遗址近中部进行了小规模的试掘，但材料未发表。1987 年遗址被列为河南省重点文物保护单位。1999 年 11 ~ 12 月，考古人员在上半年调查的基础上，选择遗址中部西侧进行试掘和抢救性发掘，实际发掘面积为 320 平方米，共揭露房基 3 座、灰坑 27 个和墓葬 5 座。简报分为：一、地层情况，二、仰韶文化庙底沟一期遗存，三、东周文化遗存，四、结语，共四个部分。有手绘图。

据介绍，此次发掘，证实了该遗址特别是遗址中部是以仰韶文化庙底沟类型为主的遗存。简报推断，北阳平遗址在年代上晚于以东庄村为代表的仰韶文化遗存，而又早于以西王村仰韶文化晚期为代表的遗存，属于典型的庙底沟类型。

简报称，北阳平遗址面积巨大，以往调查不仅发现仰韶晚期即西王村类型的遗物，也偶见仰韶早期即类似东庄村类型的遗物，它们与作为主体的庙底沟类型的仰韶中期遗存在文化发展和分布上的关系如何，还不很清楚。对北阳平遗址重要性的认识，还有待于今后更进一步的田野工作。

798.河南灵宝市西坡遗址试掘简报

作　　者：中国社会科学院考古研究所河南一队、河南省文物考古研究所、三门峡市文物工作队、灵宝市文物保护管理所、荆山黄帝陵管理所　陈星灿、黄卫东、王明辉、李永强、李胜利、魏兴涛

出　　处：《考古》2001 年第 11 期

2000 年 10 ~ 12 月，考古人员在此前两次调查的基础上，对西坡遗址进行了试掘。发掘面积 400 平方米（因天气原因，部分探方未挖至底），发现灰坑等人类活动遗迹多处及大批陶器、石器和动物遗骨。简报分为：一、地层堆积，二、遗迹，三、

遗物，四、小结，共四个部分。有手绘图。

据介绍，此次发掘在南区进行。发掘区位于遗址西南部的位置，发掘亦分南北两区，南北各开 5 米 ×5 米探方 8 个（下面所称南北两区，均指发掘区而言）。北部探方东北约 10 多米的公路断崖上，即有仰韶文化多次利用的白灰面房基。但是此次发掘，没有发现类似的人类居住遗迹。西坡遗址属于铸鼎塬仰韶文化聚落群中规模较大的 1 个，如果按面积大小计算，它属于第二个等级，比其西约 5 公里的北阳平遗址要小，但是由于它依山面河，自然条件优越，因此为人类的生存繁衍提供了良好的空间。断崖上暴露出巨大的灰坑和长达 10 米左右的多层白灰面房基，显示出其具有丰厚的文化底蕴。

简报称，此次发掘不仅为了解该遗址的内涵提供了第一手资料，也为了解该地区同类遗址的内涵提供了科学依据，为系统了解铸鼎塬仰韶文化的文化面貌和社会发展进程作了必要的准备。

799.河南灵宝市西坡遗址 2001 年春发掘简报

作　者：河南省文物考古研究所、中国社会科学院考古研究所河南一队、三门峡市文物考古研究所、灵宝市文物保护管理所、荆山黄帝陵管理所

出　处：《华夏考古》2002 年第 2 期

西坡遗址位于河南省灵宝市阳平镇西坡村西北，地处铸鼎塬中部偏东，北距黄河约 6 公里，南约 2.5 公里即为小秦岭北坡。2001 年 3 ～ 5 月，考古人员继 2000 年第 1 次发掘后，进行了第 2 次发掘。简报分为：一、地层堆积，二、仰韶文化遗存，三、结语，共三个部分。有手绘图。

据介绍，遗址共发现有房基、灰坑、灰沟等遗迹。房基均为长方形半地穴式，仅存地穴部分，建筑结构复杂，普遍采用夯筑技术，居住面及墙壁加工考究，表面光滑规整，有门道、火膛、柱洞等设施。此次发掘遗存的时代，简报推断为仰韶文化时期。

800.河南灵宝西坡遗址 105 号仰韶文化遗址

作　者：河南省文物考古研究所、中国社会科学院考古研究所河南一队、三门峡市文物考古研究所、灵宝市文物保护管理所、荆山黄帝陵管理所魏兴涛、李胜利等

出　处：《文物》2003 年第 8 期

西坡遗址位于河南省灵宝市西约 17 公里的阳平镇西坡村西北，现存遗址面积约

40万平方米。2000年秋和2001年春，在此先后进行了2次发掘，发现大量的仰韶文化灰坑、蓄水池、大型房址以及陶、石、骨器，初步揭示出该遗址的文化性质和面貌。2001年10月至2002年1月，对西坡遗址进行了第3次发掘。发现了仰韶文化的1座特大型房址、蓄水池、灰坑以及西周时期的灰坑、墓葬等。其中，仰韶文化的大型房址编号F105，规模宏大，结构复杂，是迄今所见最大的1座仰韶文化房屋建筑遗迹。简报分为：一、地层堆积，二、F105，三、其他文化遗存，四、结语，共四个部分。配以照片、手绘图，介绍了西坡遗址第三次发掘情况。

据介绍，本次发掘的主要收获是F105的发现。该房址的主室为半地穴式，室内居住面低于室外，属半地穴式。室内面积204平方米。主室外四周设置回廊，加上长条形斜坡状门道，F105整体占地面积达516平方米，是迄今发现的仰韶文化规模最大的房屋基址。从地层关系及出土遗物看，F105的年代不晚于仰韶文化中期庙底沟类型，距今约5500年。

801.河南灵宝市西坡遗址发现一座仰韶文化中期特大房址

作　者：中国社会科学院考古研究所河南一队、河南省文物考古研究所、三门峡市文物考古研究所、灵宝市文物保护管理所、荆山黄帝陵管理所李新伟、马萧林、杨海青等

出　处：《考古》2005年第3期

西坡遗址位于河南省灵宝市阳平镇，坐落于自西南向东北倾斜的黄土塬上，南依小秦岭，北面黄河，东、西有夫夫河、灵湖河蜿蜒流过，跨西坡、南涧等自然村，总面积约40万平方米。2000～2002年，中国社会科学院考古研究所与河南省文物考古研究所等单位组成联合考古队，对遗址进行了3次发掘，发现仰韶文化中期半地穴房址F105，其室内面积达204平方米。2004年4～7月，考古人员对遗址进行第四次发掘，揭露出仰韶文化中期又1座特大半地穴房址F106。简报介绍了相关情况，配有彩照等。

据介绍，居住面上未见任何遗物。房址结构颇为复杂，包括半地穴、柱洞遗迹和地面上墙体遗迹等。半地穴部分大致呈四边形，南壁长约15.7米、东壁长约14米、西壁长约14.3米。东、西壁与南壁垂直。北壁外弧，被门道分割为东、西两段，长度分别约为8.5米和8.8米，居住面面积约240平方米。

简报推测半地穴房址建造程序大致如下：

按规划挖出宽约1.6米、深至少30厘米的墙槽。在墙槽内侧挖出口部宽约80厘米、深约1.6米的半地穴墙槽。在半地穴墙槽内立壁柱，并以厚约80厘米的黄

土夯实。再以棕色土夯筑半地穴墙体至与半地穴墙槽齐平。在半地穴墙体内侧挖成半地穴，深约 80 厘米。挖掘时将原来厚可能约 80 厘米的棕色墙体的内侧挖掉，只保留约 20 厘米厚，使壁柱半露。门道和火塘也同时挖成。立室内柱，完成整个木结构。在距离半地穴墙体约 20 厘米处挖槽埋立细柱。依托细柱、墙槽外壁和挡木夯筑外墙体。之后拔走细柱，将留下的沟槽填实，并修整出半地穴墙体上宽约 60 厘米的台面。以青灰色草拌泥铺抹居住面第一层、半地穴墙壁及其上部台面和外墙内侧。铺设居住面其他各层，完成后将居住面和半地穴墙壁内侧涂朱。最后葺顶、架设门道顶棚等。

简报指出，此次发现首先为仰韶文化中期房屋建筑的研究提供了新资料。结合以前发现，可以清楚地认识到仰韶文化中期半地穴房屋的结构远比以前发掘资料所反映的要复杂。建筑像这样的特大房屋，需要大量的人力、物力以及高超的建筑技术和周密的组织。它实际上是仰韶文化中期社会结构复杂化的重要证据。特大房址对深入了解遗址整体布局意义重大。灵宝是仰韶文化中期的文化中心，河南境内目前发现的 10 万平方米以上的庙底沟类型遗址多集中在灵宝境内，西坡遗址是其中保存较好者。这进一步凸显了西坡遗址在同时期聚落群中的重要地位。

802.河南灵宝市西坡遗址 2006 年发现的仰韶文化中期大型墓葬

作　者：中国社会科学院考古研究所河南一队、河南省文物考古研究所、三门峡市文物考古研究所、灵宝市文物保护管理所、荆山黄帝陵管理所
　　　　李新伟、马萧林、杨海青等

出　处：《考古》2007 年第 2 期

河南灵宝地处仰韶文化中期的核心地带，聚集了众多大型中心性聚落。西坡遗址面积达 40 万平方米，是其中保存最为完好者之一。自 2000 年第 1 次发掘以来，该遗址因大型房址、壕沟、墓地、大型墓葬和成批玉器的发现日渐引起学术界的重视。在 2005 年 4 ～ 7 月的第 5 次发掘中，发现了该遗址的墓地区，揭露仰韶文化中期晚段墓葬 22 座，出土玉器 10 余件。2006 年 3 ～ 5 月，考古人员对西坡遗址进行了第 6 次发掘，发现大型墓葬 2 座，其他中小型墓 10 座。出土随葬品有陶器、骨器、石器、玉器等。各墓葬的年代与 2005 年发现的墓葬相当，同属仰韶文化中期晚段。简报分为：一、M27，二、M29，共两个部分。先行介绍了其中 2 座大型墓葬 M27、M29 的情况。

据介绍，2 墓均为带生土二层台的长方形竖穴土坑墓，墓主人均为成年男性。

简报称，M27 和 M29 规模较大，超过 2005 年发现的最大墓葬 M8。墓室和

脚坑之上盖板并覆盖编织物、M27 整体以草拌泥封填等现象皆为新的重要发现，在同时期墓葬中均属罕见。这 2 座墓的发现，再次表明仰韶文化中期晚段的社会结构明显趋于复杂化。耐人寻味的是，这两座大墓并无奢侈品随葬，本次发掘获得的玉器均出自中型墓葬中。M27 中唯一显示等级的物品是在中小型墓葬中基本不见的一对大口缸。缺少奢侈品的大墓，连同以前发现的特大公共性房址，构成了仰韶文化中期社会复杂化过程的显著特点，也是与其他主要史前文化区迥异的特点。

803.河南灵宝市西坡遗址墓地 2005 年发掘简报

作　　者：河南省文物考古研究所、中国社会科学院考古研究所、河南一队、三门峡市文物考古研究所、灵宝市文物保护管理所、荆山黄帝陵管理所马萧林、李新伟、杨海青等

出　　处：《考古》2008 年第 1 期

西坡遗址位于河南省灵宝市阳平镇西坡村西北，坐落于铸鼎塬南部，北距黄河约 8 公里，南距秦岭山脉北坡约 4 公里，东、西两侧分别为沙河的支流夫夫河与灵湖河。2000 年秋至 2004 年春，考古人员对西坡遗址进行了 4 次发掘。2005 年 4～7 月，又对该遗址进行了第 5 次发掘。简报分为：一、地层堆积，二、出土遗物，三、墓葬概况，四、结语，共四个部分。介绍了 2005 年的发掘情况，有彩照、手绘图。

据介绍，第五次发掘共清理墓葬 22 座。墓葬均为长方形竖穴土坑墓，墓内均无葬具，葬式均为单人仰身直肢葬。出土遗物有陶器、石器、骨器、玉器和象牙器等，以陶器为主。西坡墓地的年代简报推断为仰韶文化中期的晚段。

简报指出，西坡墓地是在仰韶文化中期的核心地区首次发现的该时期墓地，为认识西坡聚落的整体布局及这一时期的埋葬习俗、社会结构提供了十分重要的新资料。西坡墓地与居住区的相对位置、墓葬排列特点、填土特征等，为寻找豫陕晋 3 省邻近地区的仰韶文化中期墓地提供了重要线索。成批玉器的发现，对研究中原地区的葬玉习俗、制玉技术与发展脉络以及与其他文化的关系具有重要价值。墓葬规模出现显著差别，表明中原地区的史前社会结构很可能从仰韶文化中期开始出现了意义深远的复杂化趋势，这无疑对探索中原地区古代文明的起源、进程与模式具有重大意义。

804.河南渑池县西湾遗址发掘简报

作　　者：河南省文物考古研究所　赵　清
出　　处：《华夏考古》2008 年第 3 期

遗址位于河南渑池县北约 60 千米的南村乡西湾村北的高台地上，北距黄河 800 米，东临涧河，南距著名的仰韶遗址约 50 公里。遗址西部是 1 条深沟，该台地犹如 1 座孤岛屹立于黄河南岸，高出河床 60 米，属黄河小浪底水库 270 线淹没区。1996 年文物调查时发现，1999 年为配合水利工程建设进行了发掘。简报分为：一、遗址与概况，二、发掘经过与地层堆积，三、文化遗存，四、结语，共四个部分。有照片、手绘图。

据介绍，共发现墓葬 1 座、房址 2 座、灰坑 4 个。墓葬内葬有 1 人骨，下肢骨不太完整。仰身直肢葬，头向东北，无随葬品。遗物主要为陶器，石器很少。时代简报推断属仰韶文化时期。

805.河南渑池笃忠遗址 2006 年发掘简报

作　　者：河南省文物考古研究所
出　　处：《华夏考古》2010 年第 3 期

笃忠遗址位于河南省渑池县东南 12.5 千米处的天池镇笃忠村，其西北约 20 千米处为著名的仰韶村遗址，东距洛阳王湾遗址 44 千米。2006 年 6～10 月，考古人员进行了发掘。简报分为：一、仰韶文化中期，二、仰韶文化晚期，三、结语，共三个部分。有照片、手绘图。

据介绍，遗址共清理灰坑 104 个、墓葬 2 座、灰沟 1 条。除墓葬和灰沟的年代较晚，104 个灰坑皆属新石器时期遗存。其中仰韶文化中期的遗存不多，但出土遗物却很丰富，仰韶晚期的灰坑数量多，出土遗物丰富。大大丰富了豫西地区仰韶晚期遗存的内涵。

806.河南灵宝市晓坞遗址仰韶文化遗存的试掘

作　　者：河南省文物考古研究所、灵宝市文物保护管理所　魏兴涛等
出　　处：《考古》2011 年第 12 期

晓坞遗址位于河南省灵宝市阳店镇晓坞村南。为了做好第 3 次全国文物普查工作，2006～2009 年，以灵宝市为重点参与了三门峡市的文物普查工作，并于 2007 年 4 月

对晓坞遗址进行了调查，初步认定这是 1 处包含仰韶文化早期和二里头文化遗存的遗址。调查时发现在晓坞遗址南部斜坡处暴露出成堆的人骨，西部不远的村中小路边的断崖上也显露出一层人骨。普查队意识到这很可能是 2 座已遭严重破坏的仰韶文化墓葬，遂进行了抢救性发掘。简报分为：一、地层堆积，二、M1，三、M2，四、其他遗迹及出土遗物，五、结语，共五个部分。有彩照、手绘图。

据介绍，此次发掘清理出 2 座仰韶文化早期墓葬。两墓均为长方形竖穴土坑墓，多人二次葬。其中 M1 内残存 79 具个体。三门峡地区很少发现仰韶文化的二次葬墓，晓坞遗址墓葬是该地区首次发现仰韶文化早期的二次葬，具有重要的学术价值。

807.河南三门峡市庙底沟遗址仰韶文化 H9 发掘简报

作　者：河南省文物考古研究所　樊温泉等
出　处：《考古》2011 年第 12 期

庙底沟遗址位于河南省三门峡市西南部的湖滨区韩庄村，2001 年被宣布为全国重点文物保护单位。这一带分布有较多新石器时代遗址，如三里桥遗址、李家窑遗址等。

1956～1957 年，为配合黄河三门峡水利枢纽工程的建设，考古人员对庙底沟遗址开展了第 1 次大规模的发掘工作，发现了仰韶文化庙底沟类型和庙底沟二期文化，并出版了《庙底沟与三里桥》一书。2002 年 5 月，为配合 310 国道工程，考古人员对庙底沟遗址进行了又一次大规模的抢救性发掘。发现仰韶文化庙底沟类型、西王村类型及庙底沟二期文化等时期的灰坑和窖穴 900 余座、陶窑 20 余座、保存完好的房址 10 余座、壕沟 3 条、墓葬 1 座，出土了一大批具有重要价值的实物资料。其中就有 1 座仰韶文化时期的灰坑 H9。该灰坑结构规整，出土遗物丰富，仅复原陶器就有 100 余件，其中不乏精品彩陶。

简报分为：一、H9 概况及地层堆积，二、出土遗物，三、结语，共三个部分。介绍了 H9 的发掘情况，有彩照、手绘图。

据介绍，H9 是 2002 年庙底沟遗址第 2 次大规模发掘时发现的比较重要的遗迹之一，其特点是直径大、坑壁规整、底平坦，出土遗物丰富，尤以彩陶为多，复原器物很多。简报认为，以 H9 为代表的这几处遗迹绝非一般意义上的灰坑，应具有窖穴性质，究竟是单纯用于贮物，还是和某些特定的活动有关，尚待进一步的研究。至于年代，简报认为应是典型的仰韶文化庙底沟类型时期的遗存，也即仰韶文化中期的遗存。

简报指出，H9 出土的遗物不仅有石锤、石研磨器，还有陶调色盆，另有一些陶器的内壁遗留有明显的红色颜料痕迹，说明庙底沟遗址的大量彩陶都是在当地施彩制作的，而且所用矿物颜料也都是在本地粉碎研磨的。

至于绘画的工具，虽然没有发现实物，但从施彩部位的色彩宽细幅度、明暗浓淡程度以及行笔看，推测应该是毛发、细皮一类的软料物质。这或许是中国画笔的最早起源。

南阳市

808.河南南召二郎岗新石器时代遗址

作　　者：河南省文化局文物工作队

出　　处：《文物》1959 年第 7 期

为配合鸭河口水利工程，考古人员前往调查，发现了南召县二郎岗新石器时代遗址，并确定由"刘胡兰"队进行学习发掘。发掘工作从 1958 年 11 月始，至 12 月结束。简报分为：一、遗址的堆积情况，二、建筑遗迹，三、墓葬，四、生产工具，五、生活用具，六、其他，共六个部分。有手绘图、照片。

据介绍，二郎岗位于南召县南约 15 公里，紫岗村东南 500 米处，共发现房基 8 座、窖穴 2 个，多半分布在本岗的南部和东部，墓葬形式为排葬和瓦罐葬。出土器物有石犁、石拍子等生产用具和鼎、钵、豆等生活用具，另还有装饰品、兽骨及很多的蚌壳。

简报称，从这一遗址的发掘状况来看，当时农业生产已有很大发展，先民过着定居生活，工艺制作也达到一定水平。居住址与葬地不分。基本上反映了原始社会面貌。

809.河南镇平赵湾新石器时代遗址的发掘

作　　者：河南省文化局文物工作队

出　　处：《考古》1962 年第 1 期

镇平县位于河南省的西南部，紧靠伏牛山的南麓。县境北部山岭连绵，南部地势较为平坦。赵湾村在县城西北石佛寺镇北约 2.5 公里的河谷内。村西紧靠赵河。遗址分布在村北，东西宽约 100 米，南北长约 200 米，是高出附近地面约 20 米的土丘。1958 年 3 月下旬至 4 月上旬，考古人员在这里进行了发掘。发掘面积合计为 150 平方米。简报分为：一、房基，二、文化遗物，三、结语，共三个部分。有手绘图。

据介绍，根据发掘的材料来看，遗址是属于一个时期的。遗物中陶片较多，而陶片中灰陶多，红陶少，可分为泥质和砂质2种。器型有罐、瓮、盆、钵、镂孔圈足器、直壁杯和鼎足等。鼎足有鸭嘴形、扇圆形、弧形和鬼脸形。陶器表面以素面较多，有些器表加施线纹、划纹、麻点纹及附加堆纹，但施用绳纹的极少。出土有不少彩陶片，绘以黑彩与红彩，多数施有白衣，纹饰有条纹、圆点纹、三角纹等几何花纹。从保存较大的陶片观察，有钵和盘等器型。石器、骨器、蚌器也有一些。另外又有猪、羊、狗骨和鹿角等。简报认为这是1处较郑州、洛阳诸遗址为晚，又带有豫西南地方特色的新石器时代遗址。

810.河南唐河寨茨岗新石器时代遗址

作　者：河南省文化局文物工作队　刘东亚
出　处：《考古》1963 年第 12 期

寨茨岗新石器时代遗址位于唐河县城北 6 公里小庄东边，东距唐河 1.5 公里。1958 年 10 月 8 日至 12 月 26 日，考古人员在此进行了小型发掘。

简报分为：一、文化层的堆积，二、建筑遗存，三、墓葬，四、文化遗物，五、结语，共五个部分。有照片、手绘图。

据介绍，遗址发现有房基 2 处、成人墓 5 座、瓦罐葬 13 座、窖穴 3 个，出土有石器、陶器等。简报认为应属屈家岭文化系统。

简报称，房基 2 在不到 20 平方米的面积上，建筑房子 2 间。东边的 1 间出土有石斧、石锛和 5 件小陶豆，这可能是先民的住室；西边的 1 间房子比较狭小，灶坑占了房子面积的三分之一，灶坑内放置烹煮食物的陶罐，灶门外放有陶缸、器盖和石器，这可能是先民炊事和取暖的所在。

811.河南唐河茅草寺新石器时代遗址

作　者：河南省文化局文物工作队　汤文兴
出　处：《考古》1965 年第 1 期

茅草寺位于唐河县北兴隆镇北郊约 4 公里的土丘上。该丘东西宽约 300 米，南北长约 200 米，高出附近地平面约 10 米。丘的东南和西北两面各有 1 条小河沟。遗址即在此土丘上。1958 年在该地发现了一些新石器时代的瓮棺葬和其他遗物，考古人员得悉后前往调查，并进行了试掘。简报配以手绘图予以介绍。

据介绍，遗址发现有瓮棺葬 13 座以及石器、陶器、骨器等。简报认为，这处遗址和南阳的黄山新石器时代遗址以及淅川下集的新石器时代遗址的大部出土物较为接近，所以茅草寺遗址的文化性质，仍应属于河南省西南部长江流域的新石器时代文化。它与黄河流域的仰韶文化是有显著区别的。

812.南召县发现猿人牙齿化石

作　者：未　化
出　处：《河南文博通讯》1979 年第 2 期

1978 年 9 月 18 日南召县云阳镇文化站反映 1 处化石点被当地人采挖，19 日考古人员前往现场查看，在现场和云阳公社李楼大队卫生所收购的化石中检出几件标本。经专家鉴定，为人牙右下第二前臼齿，时代与北京周口店中国猿人相当。简报分为四个部分予以介绍，有手绘图。

据介绍，云阳杏花山遗址出土的直立人牙齿，在河南省是首次发现，为研究人类的起源和发展提供了新的资料。从出土的动物化石看，有剑齿虎、肿骨鹿、中国鬣狗等，其时代属更新世中无疑。从哺乳动物组合看，有我国南方更新世的剑齿象—大熊猫动物群的成员，也有北方中更新世的肿骨鹿—剑齿虎动物群的成员，具有南方、北方动物群的混合特征。这种南北方动物混合性，在蓝田猿人、郧县猿人、郧西猿人遗址中都有发现。这次发现对今后在中原地区进一步研究古代气候的变迁提供了证据。

813.河南方城县大张庄新石器时代遗址

作　者：南阳地区文物队、方城县文化馆　王建中
出　处：《考古》1983 年第 5 期

1976 年 3 月，考古人员在方城县独树公社大张庄大队开始文物普查时，调查了 1 处新石器时代遗址。1980 年 5 月，认定大张庄遗址是 1 处新石器时代早期遗存，同年 9 月、10 月下旬至 11 月上旬，对该遗址进行了第二、三次调查。先后共清理了 16 个残破灰坑。

简报分为：一、地理环境与地层堆积，二、遗迹与遗物，三、几点认识，共三个部分。有手绘图。

简报称，河南省方城县大张庄遗址，是 1 处新石器时代早期遗存。灰坑中石料较多，打制石器占一定比例，磨制石器较少，但磨制品器型较多。农业经济在当时应占一

定比重。遗址中出土陶片火候不高，颜色不纯，质松易碎。粗质、泥质红褐陶约占70%，泥质黑、灰陶占30%。粗质陶不同于仰韶文化常见的夹砂成分，鼎、罐、碗、钵多手制、素面，不见彩陶。鼎、罐、钵口沿下饰一周乳钉纹，当与裴李岗、磁山出土物类同。简报认为大张庄遗存可能是裴李岗文化和仰韶文化之间的一个过渡环节。另外，赤铁矿颜料的发现，值得注意。

814.内乡县香花寨遗址新出土陶器

作　者：徐新华

出　处：《中原文物》1986 年第 4 期

香花寨遗址，位于内乡县城南约 10 公里。遗址内涵丰富，面积约 2 万平方米。1984 年文物普查时在此征集到一批比较完整的陶器。简报配以照片予以介绍。

据介绍，遗物计有钵、碗、鼎、罐、壶、器座、盂、釜。简报称，从香花寨遗址出土的文物看，其基本特征与庙底沟二期文化相近，且兼有屈家岭文化的因素，还有一些明显的地方特点。该遗址的器物制作多为轮制，口沿部分多有整修，器物的烧造火候一般较高。这批器物的发现，对研究豫西南新石器时期文化，有一定价值。

815.1987 年河南南召小空山旧石器遗址发掘报告

作　者：小空山联合发掘队　王幼军、周　军、杨振威

出　处：《华夏考古》1988 年第 4 期

1980 年，考古人员在南召县小空山下洞发现了旧石器。同年，对该洞进行了试掘，共出土石器和石料 122 件。1987 年 9 月 15 日至 10 月 5 日，对小空山上洞旧石器时代遗址进行了发掘，共发现石制品 153 件，还出土了一批动物化石。对该洞的残余堆积进行了清理，共获得石制品 55 件。简报分为：一、小空山地理位置及地质地貌简况，二、上洞，三、下洞，四、结语，共四个部分。

据介绍，小空山位于南召县小店乡杜庄东南约 500 米处，东距云阳镇 8 公里。小空山下洞的石器工艺还是比较先进的，这主要表现在对优质石料的选择，打片方法的规范化以及石核的多样化方面。简报认为小空山上洞遗址的时代当处于更新世晚期偏晚阶段，在考古分期上属旧石器时代晚期。

816.淅川下集新石器时代遗址发掘报告

作　者：原长办考古队河南分队　汤文兴
出　处：《中原文物》1989 年第 1 期

淅川位于河南省的西南部，地处伏牛山的南麓。西南与湖北省郧县、均县毗连，西北和陕西省商南县为邻。境内多山，老贯河和丹江由北向南在旧县城东南相汇后注入汉水。下集新石器时代遗址坐落在老贯河东岸的台地上，东西长约 210 米，南北宽约 100 米。1959 年 3 月，在配合农田水利建设中，考古人员对该遗址进行了发掘，发掘面积 725 平方米，清理房基 5 座、灶 1 座、窑址 2 座、烧火池 2 个、灰坑 21 个、墓葬 51 座，并获得生产工具和生活用具 1000 余件。简报分为：一、地层关系，二、早期（第三层）的遗迹和遗物，三、中期（第二层）的遗迹和遗物，四、晚期（第一层）的遗迹和遗物，五、结语，共五个部分。有手绘图。

据介绍，早期遗存为仰韶文化，中期遗存为屈家岭文化，晚期遗存为龙山文化。简报称，三期之间存在着承上启下直接发展的关系。文化的发展不是孤立的，江汉、中原两个地区诸文化之间有密切的联系。据现有发掘资料来看，屈家岭文化北抵河南南阳、淅川、内乡、镇平一带，河南龙山文化南达湖北郧县、均县一带，二者在发展的过程中，延伸到豫南淅川一带相互重合。

817.河南淅川黄楝树遗址发掘报告

作　者：长江流域规划办公室考古队河南分队
出　处：《华夏考古》1990 年第 3 期

为了配合丹江水库的建设工程，早在 1957 年，水库勘测的前夕，就对丹江流域进行了文物调查，发现多处古文化遗址和古墓葬，并重点发掘了下集、双河镇、李家庄、留嘴、下王岗、黄楝树六处古文化遗址及下寺、毛坪两处楚国墓葬区。简报分为：一、地层关系，二、仰韶文化遗存，三、屈家岭文化遗存，四、龙山文化遗存，五、结语，共五个部分。配以照片、手绘图，先行介绍了 1965、1966 年对黄楝树遗址的两次发掘的发掘情况。

据介绍，黄楝树村位于淅川县新县城西南 45 公里的丹江和黄岭河交汇处。黄楝树新石器时代文化遗址不仅面积大，而且遗存丰富。它包含着仰韶、屈家岭、龙山 3 个时期的文化遗存，是豫西南地区丹江流域的 1 处重要遗址。尤其是以 25 座房子组成的庭院式房群，在鄂西、豫西南屈家岭文化遗址中也是第 1 次发现，进一步丰富了屈家岭文化的内涵。这些发现为探讨屈家岭文化的社会性质提供了重要的物质依据。

818.河南西峡小洞发现旧石器

作　者：李占扬、柴中庆

出　处：《中原文物》1991年第2期

1987年4月，考古人员在西峡县进行旧石器时代考古调查时，于当地老乡称为"小洞"的洞穴里发现旧石器时代文化遗物和动物化石。小洞位于西桑公路右侧，老灌河左岸，西距桑坪约4公里。海拔571米。洞口向南，略偏东。洞长13米，宽3～5米，堆积上部距洞顶5～7米，洞底高出老灌河河床约40米。简报配以照片予以介绍。

据介绍，发现石制品仅4件，全系脉石英质，出自上层，类别有砍砸器、刮削器、石核。石器加工采用锤击法，石料来源于距小洞不远的老灌河砾层。时代属旧石器时期。

819.河南内乡县部分新石器时代遗址调查简报

作　者：内乡县综合博物馆　徐新华

出　处：《考古与文物》1992年第1期

内乡县湍、默、刁、黄四大河流沿岸，有不少古代遗址。简报分为：一、黄龙庙遗址，二、荣庵遗址，三、香花寨遗址，四、结语，共四个部分。先行介绍新石器时代的遗址，有照片、手绘图。

简报称，内乡县新石器时代遗址有的密度很大，几乎等同于现代村落，且面积大，灰层厚。出土的器物，既有仰韶文化，河南龙山文化的特征，又受到汉水流域文化的影响。

820.河南邓州八里岗遗址的调查与试掘

作　者：北京大学考古学系、南阳地区文物研究所　樊　力、梁玉坡

出　处：《华夏考古》1994年第2期

八里岗遗址，位于河南省邓州市东约3公里处的湍河南岸第二级台地上，隶属城郊乡白庄村。地形为坡状高岗，岗顶高出周围地面约4米，东西长约250米，南北宽约200米，面积约5万平方米。该遗址发现于1957年3月。1975年，曾因取土，使文化层上部受到破坏。20世纪70年代末至80年代初，文物普查时曾对该遗址进行过调查，并公布为县级文物保护单位。1991年秋，对该遗址进行了小规模试掘。

清理灰坑 16 个、墓葬 7 座，出土了一批骨、石、陶器。简报分为：一、文化堆积，二、八里岗一期遗存，三、八里岗二期遗存，四、八里岗三期遗存，共四个部分。有手绘图。

据介绍，一期遗迹有灰坑 2 个、墓葬 7 座。墓葬以多人二次合葬墓为主，随葬品很少。二期有灰坑，出土有石器、陶器。三期有灰坑 8 座，遗物有石器、陶器。时代，一期为仰韶文化，二期为屈家岭文化晚期，三期为石家河文化早期。简报称，通过对八里岗遗址的试掘和对周围几处史前遗址的复查，南阳地区新石器时代后半段的文化序列应该是：仰韶文化早、中期屈家岭文化晚期石家河文化早期—河南龙山文化。

821.1991 年唐白河流域及淮源史前遗址的考古调查

作　者：北京大学考古实习队、河南省南阳市文物研究所　樊　力
出　处：《江汉考古》1996 年第 2 期

1991 年秋，考古人员对唐白河流域及淮源地区的邓州、新野、唐河、南阳、方城和桐柏 6 市县的 13 处史前遗址进行了调查。简报配以手绘图予以介绍。

简报重点介绍了下岗、八里岗、凤凰山、西高营、翟官坟、邓禹台、光武台、黄山、金汤寨、闵岗、影坑、后英庄、陡坡嘴等遗址。这些遗址大致可分为四个时期：一为仰韶文化一、二、三期，二为屈家岭文化早、晚期，三为石家河文化早、中期，四为龙山文化晚期。简报认为，唐白河纵贯南阳盆地，北控汝洛，南蔽荆襄，西通武关，东临淮源，自古以来就是重要的交通要津。在新石器时代，黄河与长江两大文化系统在这里交汇，形成了独特的文化发展序列。

822.河南邓州八里岗遗址发掘简报

作　者：北京大学考古实习队、河南省南阳市文物研究所　张江凯等
出　处：《文物》1998 年第 9 期

邓州八里岗遗址 1991 年进行过发掘，1992、1994、1996 年又进行了 3 次发掘。简报分为：一、文化堆积，二、仰韶文化遗存，三、初步的认识，共三个部分。配以照片、手绘图，介绍了这 3 次发掘的情况。

据介绍，发现的遗迹有房址 40 余座、墓葬 120 余座及不同时期灰坑和窑穴 380 多个，出土有陶器、石器、骨器等 1000 余件。简报推断其年代为公元前 3500 年前后，此时先民似乎正处于氏族组织弱化、家族势力上升的阶段。

823.南阳黄山遗址独山玉制品调查简报

作　者：南阳师范学院独山玉文化研究中心　王建中、江富建、周世全

出　处：《中原文物》2008 年第 5 期

黄山遗址出土的玉制品的质地均为独山玉质，器型主要为各类生产工具，其制作大体经过了 2 个或 2 个以上工艺过程。经实地调查，黄山遗址出土的玉制品以及数百件大小玉料，均来自该遗址西南约 2.5 公里的独山。简报分为：一、黄山遗址独山玉制品，二、黄山遗址独山玉制品的制作工艺及原料来源，三、结语，共三个部分。有手绘图、照片。

据介绍，黄山遗址位于河南省南阳市卧龙区蒲山镇黄山村（原属南阳县）北约 100 米。1959 年 1 月，考古人员对遗址北部和西南部进行了试掘，出土了玉器 5 件，计有铲、凿、璜等。经有关部门鉴定，全部为独山玉制品。依据伴出陶器的特征，该遗址可能是 1 处仰韶文化遗址。

简报称，黄山遗址出土的玉器极为丰富，其中用独山玉材料打制、剔地、切割、琢磨的玉制品，填补了中原地区新石器时代用玉、制玉的历史空白。

今有干福熹等《中国古代玉石和玉器的科学研究》（上海科学技术出版社 2017 年版）一书，可参阅。

824.河南淅川县沟湾遗址仰韶文化遗存发掘简报

作　者：郑州大学历史学院考古系、河南省文物管理局南水北调文物保护办公室　靳松安等

出　处：《考古》2010 年第 6 期

沟湾遗址原名"下集"遗址，位于河南省淅川县上集镇张营村沟湾组村东，北距县城约 6 公里。1958 年考古调查发现该遗址，并于 1959 年对其进行了小规模发掘，发现有仰韶、屈家岭、龙山 3 个时期的文化遗存。1989 年该遗址被确定为河南省重点文物保护单位。2007 年 7 月至 2009 年 7 月，为配合南水北调中线工程丹江口水库淹没区的建设，考古人员对该遗址进行了考古勘探与发掘。发现以新石器时代堆积为主，包含仰韶文化、屈家岭文化、石家河文化和王湾三期文化晚期四个时期的遗存。

简报分为：一、地层堆积，二、遗迹，三、遗物，四、结语，共四个部分。以 2007～2008 年的发掘资料为主，先行介绍出土的仰韶文化遗存，有彩照、手绘图。

据介绍，该遗址出土遗物丰富，典型器物演变序列清晰，基本包括了仰韶文化早期晚段到晚期早段的整个时期。简报认为，沟湾遗址处于黄河与长江中游文化区交接地带的汉水中游地区，仰韶文化遗存十分丰富，尤其重要的是发现和探明了遗址外围不同时期的大、小两条环壕，这是汉水中游地区首次发现的具有环壕聚落特征的史前遗址，填补了该地区史前聚落考古的一项空白。因此，该遗址的发掘，不仅有助于研究汉水中游地区仰韶文化发展与消亡的历程、揭示不同时期的聚落布局及其演变规律、探索当时人们与自然环境的关系，而且对探讨仰韶时期黄河与长江中游两地区的文化交流等都具有十分重要的学术价值。

825.河南淅川县下寨遗址 2009 ~ 2010 年发掘简报

作　者：河南省文物考古研究所、河南省文物局南水北调文物保护办公室
　　　　楚小龙、贾长友

出　处：《华夏考古》2011 年第 2 期

2009 年 3 月至 2010 年 12 月，考古人员对属于水库淹没区的淅川下寨遗址进行发掘，发现了较为丰富的仰韶文化、石家河文化、王湾三期文化晚期遗存。尤其是石家河文化墓葬出土玉石钺和王湾三期文化灰坑出土的骨雕龙，为比较重要的新发现。简报分为：一、地层堆积情况，二、仰韶文化遗存，三、石家河文化遗存，四、王湾三期文化晚期遗存，五、结语，共五个部分。有手绘图。

据介绍，仰韶文化遗迹有灰坑、陶窑、灰（壕）沟，为仰韶文化二期偏晚遗存。石家河文化遗迹有灰坑数座和墓地 1 处，应为石家河文化早期遗存。王湾三期文化晚期遗迹比较丰富，包括灰坑、窖穴、灰沟、瓮棺葬、陶窑等。

826.河南淅川吴营遗址屈家岭文化遗存发掘简报

作　者：郑州大学历史学院考古系、河南省文物局南水北调文物保护办公室
　　　　赵海洲

出　处：《江汉考古》2011 年第 2 期

吴营遗址位于河南省淅川县马蹬镇吴营村，1975 年淅川县文管会调查发现，此后又经过数次复查。2008 年 7 月，为配合南水北调中线工程丹江口水库淹没区的建设，考古人员开始对该遗址进行考古勘探与发掘，历时 2 个多月，实际发掘面积共 2410 平方米。发现了从新石器时代延续到宋代的文化遗存，其中屈家岭时期的遗存较为丰富典型。简报分为：一、遗迹，二、遗物，三、结语，共三个部分。有手绘图。

据介绍，发掘清理出屈家岭文化晚期灰坑 48 座，遗物主要是陶器和石器，显示出豫南鄂北地区屈家岭文化的典型特征。简报称，淅川吴营遗址发现的这批遗物对于研究我国豫南地区屈家岭文化，甚至豫南鄂北地区的新石器时代文化都具有重要意义。

827.河南内乡新石器时代遗址调查

作　者：内乡县博物馆　徐新华、王晓杰
出　处：《中原文物》2014 年第 4 期

内乡县位于豫西南的南阳地区，境内的主要河流有湍、默、刁、黄四大河流。目前，内乡县所发现的新石器时代文化遗址主要分布在上述 4 条河流的沿岸，尤以湍河流域居多。主要遗址有黄龙庙岗、茶庵、香花寨、朱岗等。遗址小则数千平方米，大则数万平方米，堆积厚 1 ~ 10 米，内涵丰富。2013 年 5 月，对内乡新石器时代遗址进行了调查。简报分为：一、黄龙庙岗遗址，二、茶庵遗址，三、香花寨遗址，四、朱岗遗址，五、结语，共五个部分。有彩照、手绘图。

据介绍，内乡县新石器时代遗址比较丰富，多居于河流沿岸的台地上。有些遗址的密度很大，几乎和现代村落相同，并且具有面积大、灰层厚、多层文化叠压、延续时间较长、遗物丰富之特点。

简报称，豫西南地区当是南、北文化大交接、大融合的地带。内乡处于这个交接地带上，受南、北文化的直接影响。遗址内所出土的器物，既有仰韶文化、河南龙山文化的特征，又有汉水流域文化之因素，但和南、北文化有着一定的差异，自成序列，并经历了独特的发展过程。

828.河南淅川县龙山岗遗址 2008 ~ 2009 年发掘简报

作　者：河南省文物考古研究院、河南省文物局南水北调文物保护办公室
　　　　梁法伟、聂　凡等
出　处：《华夏考古》2014 年第 4 期

龙山岗遗址位于豫西南丹江库区。配合南水北调中线工程建设，考古人员对遗址进行了抢救性考古发掘。简报分为：一、地层堆积，二、仰韶时代晚期遗存，三、屈家岭文化遗存，四、石家河文化遗存，五、结语，共五个部分。有彩照、手绘图。

据介绍，2008 ~ 2009 年的发掘，发现了丰富的仰韶时代晚期、屈家岭文化、石家河文化遗存。简报称，本次发掘对进一步了解龙山岗遗址文化内涵、研究该地区新石器时代各时期聚落形态演变及文化源流具有重要意义。

商丘市

829.河南商丘县坞墙遗址试掘简报

作　　者：商丘地区文物管理委员会、中国社会科学院考古研究所河南二队　刘忠伏
出　　处：《考古》1983 年第 2 期

坞墙遗址位于商丘县东南约 30 公里，在坞墙集的中部坞墙公社东街大队。遗址原为一凸起的台地，由于历年取土，四周已积水成塘。1976 年冬，考古人员调查了此遗址，采集到河南龙山文化晚期、二里头文化早期、殷商及东周不同时期的陶器残片。1977 年春，对此遗址进行了试掘。简报分为：一、地层堆积，二、遗迹与遗物，三、结语，共三个部分。有照片。

据介绍，遗址发现有房基等遗迹，出土有石器、陶器、骨器、蚌刀、角器等遗物。主要为河南龙山文化晚期遗存。二里头文化一期的遗存虽较少，但对于我们进一步了解二里头文化早期的分布、性质及有关问题提供了新的资料。

830.河南夏邑县清凉山遗址 1988 年发掘简报

作　　者：北京大学考古学系、商丘地区文管会　张翠莲
出　　处：《考古》1997 年第 11 期

清凉山遗址位于河南省夏邑县城西南 30 公里的魏庄村西北，为 1 处高出地面的堌堆遗址。遗址北临岳河故道，西南有挡马沟穿过，是 1977 年在考古调查中发现。1988 年 7 月，为了解该地区夏商时期的文化面貌，考古人员对该遗址进行了复查，并于同年 9 ～ 11 月进行了发掘，简报分为：一、地层堆积，二、相当于庙底沟二期的文化遗存，三、龙山文化遗存，四、岳石文化遗存，五、商文化遗存，六、结语，共六个部分。有手绘图。

据介绍，通过对清凉山遗址的发掘，初步了解了该地区新石器时代至商代的文化序列和文化面貌。清凉山遗址发现的遗存时代相当于庙底沟二期的文化遗存，与豫中地区的庙底沟二期文化和鲁西南地区的大汶口文化晚期遗存均有密切关系。限于目前的资料，其文化归属简报尚难最后断定。

简报称，清凉山遗址岳石文化遗存的发现当属本次发掘的重要收获。

831.河南民权县牛牧岗遗址发掘简报

作　者：郑州大学历史学院考古系、商丘市文物局、民权县文化局　张国硕、
　　　　赵俊杰
出　处：《考古》2012 年第 2 期

2007 年 9～12 月，考古人员对牛牧岗遗址进行了发掘，实际发掘面积 375 平方米。简报分为：一、地层堆积，二、仰韶文化遗存，三、龙山文化遗存，四、下七垣文化遗存，五、二里冈文化遗存，六、殷墟文化遗存，七、东周文化遗存，八、结语，共八个部分。有彩照、手绘图。

据介绍，牛牧岗遗址通过发掘，发现了仰韶文化、龙山文化、下七垣文化、商文化以及东周、西汉等时期的遗存，其中以龙山文化遗存最为丰富。龙山文化遗存遗迹有房址、灰坑，遗物有陶器、石器、骨器、蚌器等。简报称，该遗址的发掘，为研究豫东地区古代历史文化提供了珍贵的实物资料。

信阳市

832.河南淮滨发现新石器时代墓葬

作　者：信阳地区文管会、淮滨县文化馆　欧潭生、李绍曾
出　处：《考古》1981 年第 1 期

1978 年，淮滨县在文物普查过程中，发现该县赵集公社肖营大队有 1 处沙冢台地，属于新石器时代遗址。遗址位于淮滨县城西北 30 多公里，紧靠驻马店地区新蔡县境，坐落在 1 个辽阔的冲积平原上。1 条小河沟自西向东，绕过遗址北端，流入淮河的支流洪河。遗址长约 80 米、宽约 20 米，高出周围地面约 5 米。当地人因其土松如沙，平地兀起，故名"沙冢"。1979 年 10～11 月，考古人员进行了试掘。简报配以手绘图等予以介绍。

据介绍，发现有墓葬 1 座，出土有陶器、玉饰、兽牙、猪下颚骨等遗物。时代简报推断上限为龙山文化。值得注意的是，出土陶器上的五个原始符号，和青海乐都柳湾的原始彩绘陶文相似。简报指出，位于淮河中上游的这座新石器时代晚期墓葬，文化内涵丰富，很有地方特色，其确切的文化性质和年代以及与周围地区新石器文化的关系问题，有待于进一步发掘来说明。

833.河南信阳南山咀新石器时代遗址试掘简报

作　者： 中国社会科学院考古研究所河南一队　王吉怀
出　处： 《考古》1990 年第 5 期

南山咀遗址位于信阳市五星公社平桥西大队，遗址为一高约 10 米的土岗，面积约 1500 平方米，遗址以西 30 米是京广铁路。1978 年 2 月和 1951 年 4 月，考古人员曾在此处发掘 3 座春秋墓。1982 年秋，考古人员在豫中南调查时，对该遗址又进行了复查。从断崖暴露的现象看，文化层堆积厚约 1 米，地面还可捡到人工打下的石英石块和锥形鼎足等遗物。由于烧砖取土，遗址大部已被破坏，只有少部分保存较好。为详细了解其文化内涵，1983 年春进行了试掘，发掘面积 300 平方米。

简报分为：一、地层堆积，二、遗迹，三、遗物，四、小结，共四个部分。

据介绍，虽然南山咀遗址未进行碳十四年代测定，但地层和灰坑中所出的遗物却表现出两种不同的文化面貌。一般说来，地层中的出土物要早于灰坑中的出土物。但是，由于这一地区过去对新石器时代遗址发掘较少，对比资料比较缺乏，因而对南山咀遗址文化内涵的全面认识，还有待积累更多的资料。

834.河南罗山县李上湾新石器时代遗址

作　者： 河南省文物考古研究所、信阳市文物管理委员会　赵新平、张志清
出　处： 《华夏考古》2000 年第 3 期

李上湾遗址位于河南省罗山县城西偏北 16 公里的高店乡三河村李上湾自然村东北约 400 米处。1991 年春，为探讨淮河流域古代文化面貌及与周邻文化相互作用这一学术课题，考古人员对淮河上游信阳地区的古文化遗址进行了考古调查，并在同年夏、秋两季发掘了罗山天湖商周墓地和李上湾、擂台子两处古文化遗址。发掘面积 100 平方米，获得一批古代文化遗物。

简报分为：一、文化堆积及其分期，二、第一期文化遗存，三、第二期文化遗存，四、结语，共四个部分。介绍了李上湾遗址发掘收获，有手绘图。

据介绍，李上湾第一期文化遗存夹砂陶多于泥质陶，以夹砂灰黑陶、泥质黑陶为主。李上湾一期虽不同程度地受到南、北文化的影响，但地域特征明显，简报认为目前尚难以简单地将其归入某一考古学文化中去。

李上湾第二期文化遗存较少，无法窥其全貌。该期文化遗存夹砂陶仍多于泥质陶，仍以夹砂灰黑陶最多，所见陶系同李上湾一期大体相同。李上湾二期的相对年代大体同屈家岭文化晚期相当，其文化性质因材料所限尚难定论。但从其出土陶器总体

特征看，简报认为李上湾二期是在李上湾一期的基础上发展起来的，但文化性质已有所不同。

周口市

835.河南商水县发现一处大汶口文化墓地

作　者：商水县文化馆
出　处：《考古》1981年第1期

1975年秋季，河南省商水县城关公社章华台生产队在农业生产建设中发现一些古代陶器，经考古人员调查清理，确定此处是1片大汶口文化的墓地。简报配以照片、手绘图予以介绍。

据介绍，章华台遗址位于县城以北500米许，遗址为方形台地，东西长约140米，南北宽约120米，高约1米。地面暴露有龙山文化、东周和汉代的遗物，东部边缘地下灰土厚0.6米。遗址的东北部和东南部是大汶口文化的墓葬区，约占遗址面积的40%。在遗址的东北部见到2处完整的人骨架，1处距地面深1米余，有2具人骨，仰身直肢式，身旁随葬陶器；1处距地面深约2米，有3具人骨，身旁也有随葬陶器。另外，附近还发现有人骨和随葬陶器，采集陶器约20件。该墓地的时代，简报推断为大汶口文化晚期。一般认为，大汶口文化的年代为距今6300～4600年。

836.河南郸城段砦出土大汶口文化遗物

作　者：郸城县文化馆
出　处：《考古》1981年第2期

河南省郸城县段砦遗址为省级重点文物保护单位。遗址位于郸城西南7.5公里、巴集公社段砦村的北面。遗址东北约1公里处有黄谷河，东南约800米处有拉沟河，遗址恰在两河交会的三角地带。整个遗址呈圆丘形，总面积约3万平方米。近年遗址四周已去掉许多，中部留一高台，台上面积约8000平方米，高约7米。1976年春季，段砦生产队在高台东北约15米处耕田，曾发现一些完整的古代陶器和人骨。考古人员前往调查，在距地面深0.3～0.5米处发现有人骨和随葬陶器。简报推测这里是1处大汶口文化的墓地。简报配以照片予以介绍。一般认为，大汶口文化的时代为距今 6300 ~ 4600 年。

据介绍,出土陶器除了褐陶鬶和宽边罐以外,均为大汶口文化常见器。以灰陶为主,黑陶也占一定比例,还有少量白陶、灰黄陶。简报推断此遗址时代为大汶口晚期。附近还有龙山文化遗存。

837.郸城段寨遗址试掘

作　者: 曹桂岑

出　处: 《中原文物》1981 年第 3 期

段寨遗址位于河南省郸城县西南 8 公里巴集公社段寨村西北角。遗址是 1 处约 6700 平方米大的台地,台高约 5 ~ 6 米。1974 年在遗址北边平整土地时,发现一批大汶口文化的陶器,可能是墓葬的随葬品,有镂孔豆、高足杯、白陶鬶、罐等,征集后存郸城县文化馆。1979 年 10 月,考古人员对段寨遗址进行调查,采集了一批文物。同年 12 月派人前往试掘。试掘地点在段寨遗址北部。这次共清理古墓葬 2 座、灰坑 18 个,彼此没有打破或叠压关系。从出土陶片看,有 5 个灰坑属战国时代,均未清理到底。简报分为:一、段寨早期,二、段寨中期,三、段寨晚期,四、结语,共四个部分。有手绘图、照片。

据介绍,郸城段寨遗址仅清理了 2 座墓葬和 13 座灰坑,它们之间虽然没有相互打破和地层叠压关系,但出土的文化遗物,从陶质、陶色、纹饰、器形等方面来看,可以分早、中、晚 3 期。简报推断:段寨遗址早期文化的时代与大汶口文化晚期相近,也与中原地区仰韶文化晚期相当;段寨中期文化的时代早于常见的龙山文化,当属龙山文化早期,段寨晚期文化时代当属龙山文化晚期。

838.河南淮阳平粮台龙山文化城址试掘简报

作　者: 河南省文物研究所、周口地区文化局文物科　曹桂岑、马　全

出　处: 《文物》1983 年第 3 期

平粮台遗址位于淮阳县城东南 4 公里的大朱庄西南,面积 5 万多平方米,高出附近地面 3 ~ 5 米,又称"平粮冢"或"贮粮台"。1979、1980 年考古人员进行了发掘。简报分为:一、文化堆积,二、文化分期和遗物,三、古城遗迹,四、结语,共四个部分。有照片、手绘图。

据介绍,发现有城址遗迹、房基及陶窑 3 座、墓葬 16 座等。城址的年代,简报测定为距今 4355±175 年以前。

简报指出，在豫东大平原上，平粮台是1处文化内涵相当丰富的龙山文化遗址。这处遗址的核心是1座古老城堡的遗迹。由于这座城堡的发现，证明了距今4300多年前中原地区的古代居民，已知道构筑用于防御的工事。平粮台古城的建造，在生产工具还很落后的情况下是一个了不起的创造。土坯的普遍使用，更是建筑史上的一大进步。门卫房的设置、陶排水管道的铺设，充分表现出4300多年前我们的祖先在城市建设上的创造精神。铜渣的发现，证明先民已初步掌握了冶铜技术。平粮台古城的发掘，对于研究我国古代城市的起源、国家的形成以及青铜冶炼的历史等问题，都有重要的价值。

839.周口市大汶口文化墓葬清理简报

作　者：周口地区文化局文物科　韩维龙、杨　峰等
出　处：《中原文物》1986年第1期

1984年5月，周口地区烟草公司仓库在建房中挖出古陶器及人骨架，考古人员赶到现场时，地面最深处已挖至1.2米左右，骨架零乱，器物残碎，清理出大汶口文化墓葬四座。简报分为：一、地理环境及地层堆积，二、墓葬概况，三、随葬器物，四、结语，共四个部分。有手绘图。

据介绍，发掘地点在周口市区内，与周口至项城公路相邻。4座墓葬中有3座因施工受到严重破坏。M1、M3仅见零散人骨，M2为1壮年男性，M4为1老年女性。除M4处均有随葬品。有石铲、陶纺轮等生产工具及陶罐等生活用品。为带有一定地方特色的大汶口文化遗存，此处曾发现过仰韶文化遗存。这次发掘清理的大汶口文化墓葬，是河南境内发现的大汶口文化时代较早的1处。于仰韶文化遗址中发现大汶口文化墓葬，在目前也还属仅见。这说明仰韶文化同大汶口文化的联系已相当密切。

840.淮阳平粮台龙山文化城址出土的陶鬶和陶水管

作　者：曹桂岑
出　处：《华夏考古》1991年第2期

平粮台龙山文化城址位于河南省淮阳县城东南4公里的大朱庄西南台地上，面积近百亩，当地人称其为"平粮台"。1979～1989年，河南省文物研究所对其进行发掘，发掘面积4532平方米，清理房基19座、灰坑260个、墓葬211座。发掘证明平粮台是1处龙山文化城址。简报配以照片予以介绍。

据介绍，城址的平面为正方形，四周有夯土筑起的城垣，有南、北2个城门，

此外还有灰坑、陶窑、墓葬等。城内面积 34225 平方米，城墙外有宽阔的护城河。关于古城的年代，从地层双叠压和碳十四测定结果，简报断定平粮台龙山文化古城的建筑年代在距今 4500 年以前。该城址于 1988 年 1 月，被国务院公布为全国重点文物保护单位。

841.河南鹿邑县武庄遗址的发掘

作　者：河南省文物考古研究所　赵新平、张志清、张文军
出　处：《考古》2002 年第 3 期

武庄遗址位于河南省鹿邑县城南 10 公里的王皮溜乡马庄行政村武庄村北。这是 1 处孤堆形遗址，东西约 300 米，南北约 250 米。近代曾在其上建庙，人称"梅闾寺"。遗址东、北有一古河道环绕，俗称"运粮河"，现已湮灭。遗址北有白沟河，南有清水河，均为淮河支流。1987 年河南省文物考古研究所调查时发现该遗址。1990 年春为配合苏、鲁、豫、皖相邻地区古文化研究课题的开展进行了发掘。发现商周时期及汉代墓葬 10 余座和一批新石器时代的遗迹、遗物。简报分为：一、地层堆积与文化分期，二、第一期文化遗存，三、第二期文化遗存，四、结语，共四个部分。介绍以 T101、T102、T103 探方资料为主，此次发掘的新石器时代文化遗存的主要收获，有手绘图。

据介绍，武庄二期文化遗存是在一期文化遗存的基础上发展而来的，其第一、二段文化面貌同定远侯家寨二期文化遗存有着许多共性，年代亦应大致相当。武庄二期文化遗存的第三段应晚于侯家寨二期，其年代相当于郑州大河村遗址的二期或稍晚。但武庄二期文化遗存在文化面貌上，简报认为同以大河村一、二期为代表的文化遗存仍存在较大的差异。

842.郸城发现大汶口文化晚期刻符陶片

作　者：周口市文化局　周建山、杜红磊
出　处：《中原文物》2010 年第 3 期

2009 年 11 月 3 日，周口市第三次全国文物普查队会同郸城县文物普查队在段寨遗址进行实地调查时，在该遗址西北部地表采集到 1 枚大汶口文化晚期带有原始刻画符号的陶片，这在豫东地区大汶口文化中尚属首次发现。简报配以照片予以介绍。

据介绍，段寨遗址位于郸城县东南 8 公里巴集乡段寨村西北角高 5 米多的方形台地上，面积约 700 平方米。此次发现的是 1 块泥质夹砂姜黄陶，外面上部有一似"山"

字形的刻画符号。"山"字形刻符的第一笔画力度较小，第二、三画刻划力度较大。在这枚刻符陶片上还零星刻划有两个简单的短斜"｜"符号。经著名历史学家、古文字学家李学勤先生鉴定："陶片上确是刻画符号，但太残，不能判断是否为原始文字。"这枚刻符陶片的年代，据曾试掘段寨遗址的河南省文物考古研究所曹桂岑先生推测，应属豫东地区大汶口文化晚期遗物，其年代为距今 4800 ～ 4600 年。

驻马店市

843.河南泌阳板桥新石器时代遗址的调查和试掘

作　者：河南省文化局文物工作队　安金槐
出　处：《考古》1965 年第 9 期

1951 年春至 1952 年秋，考古人员在板桥一带除清理发掘了一部分古墓和古井外，还发现了三所楼和荆树坟 2 处新石器时代遗址，并对三所楼遗址进行了探掘。简报分为：一、三所楼遗址，二、荆树坟遗址，三、结语，共三个部分。有手绘图。

据介绍，三所楼村位于板桥西约 1 公里。遗址紧靠三所楼村南的沙河北岸。遗物以陶片最多，质料很松脆，很少能够复原。骨器和蚌器等皆未发现。石器共 76 件，大都经过精工磨制，器型有斧、铲、锛、刀、镰、镞、锥、璜形器和砺石等，其中以斧和刀的数量较多。还有不少石器的半成品、废石料和碎石片。荆树坟村位于板桥西约 500 米，遗址在村北。采集到石器 15 件、纺轮 25 件等。简报指出，两处遗址均属新石器时代遗址。

844.上蔡发现五处新石器时代文化遗址

作　者：上蔡县文化馆　尚景熙
出　处：《河南文博通讯》1979 年第 3 期

上蔡县在 1978 年的文物普查中，发现五处新石器时代文化遗址：十里铺遗址、段寨遗址、钓鱼台遗址、蟾虎寺遗址、晒书台遗址。从地面捡到的陶片看，这几处遗址内都有河南龙山、屈家岭和大汶口 3 种文化堆积。

据介绍，河南龙山文化陶器中，灰陶居多，黑陶次之；纹饰以绳纹居多，条纹次之，并有少量方格纹；器型有鼎、鬲、罐、豆、碗、壶和鬶等。屈家岭文化陶器的陶色为赭红、深灰两种；有粗绳纹、也有素面；完整器物尚未发现，但出土很多长方形的板状鼎腿和鼎罐口沿。大汶口文化陶器多灰陶和黑陶；纹饰有浅篮纹和竹节状纹；出土的器物有竹节豆、折腹罐、高足黑陶杯等。1977 年，驻马店地区文管会在十里铺试掘中，还发现河南龙山与屈家岭文化的叠压关系：上部为河南龙山文化堆积，下部压着屈家岭文化层。从而为研究这 2 种文化的时代关系提供了新的证据。

845.新蔡又发现一颗古象牙齿化石

作　　者：薛焕民、孙新民
出　　处：《中原文物》1985 年第 1 期

1983 年春，农民张金相在洪河下游黑龙潭打鱼时捞出 1 颗古象臼齿化石。这是继 1953 年新蔡练村出土 1 具古象化石之后又 1 次发现古象化石。这件臼齿化石呈红褐色，齿长 41 厘米，宽 9～18 厘米，重 6.25 公斤，初步鉴定为第四纪纳玛象臼齿化石。简报配以照片予以介绍。

简报称，1949 年以来，在新蔡先后发现了 17 种哺乳类动物化石，计有鼹鼠、臼齿鼩、獾、棕熊、仓鼠、简田鼠、大鼠、披毛犀、马、野猪、葛氏斑鹿、扁角鹿、水鹿、麋鹿、水牛、纳玛象等。从这些动物化石来看，新蔡于中生代晚期新生代初期就出现了哺乳类动物。1953 年在新蔡搜集的哺乳动物标本中，在 1 支鹿角根部发现有石器砍砸的痕迹，这表明在新生代晚期第四纪就有人类在新蔡生活繁衍。这些珍贵实物，对探索豫东南地区的地质、气候、生物的变化以及人类生活具有重要价值。

846.河南驻马店市党楼遗址的发掘

作　　者：北京大学考古系、驻马店市文物保护管理所　韩建业、李亚东、宋豫秦、
　　　　　雷兴山
出　　处：《考古》1996 年第 5 期

党楼遗址位于驻马店市西约 6 公里的刘阁乡党楼村北。练江河支流五里河自西向东从遗址南部流过。遗址原为一坡状台地，东西宽约 150 米，南北长约 300 米，因附近窑场积年取土，遗址中部已被毁殆尽。党楼遗址是驻马店市文物保护管理所于 1985 年在文物复查中发现的。1992 年秋，为配合板桥供水工程，进行了抢救性发掘。1993 年春，对遗址北部进行了第 2 次抢救性发掘。1993 年 5 月进行了第 3 次发掘，发现 2 座灰坑和一批陶、石器。简报分为：一、地层堆积与分期，二、党楼一期遗存，三、党楼二期遗存，四、党楼三期遗存，五、结语，共五个部分。配以手绘图，介绍了 1993 年第 3 次发掘的主要收获。

据介绍，党楼一期前段与屈家岭文化早期遗存相似，一期后段与屈家岭文化晚期相似，但又都带有地方特色。党楼二期属中原龙山文化系统，党楼三期应属二里头文化遗存。

济源市

847.河南济源苗店遗址发掘简报

作　者：中国历史博物馆考古部、河南省新乡地区文管会、河南省济源县文物保管所　李先登、张新斌、卢建设

出　处：《考古与文物》1990 年第 6 期

为深入进行夏文化的探索与研究，考古人员于 1985 年 10 ～ 11 月对济源县苗店遗址进行发掘。简报分为五个部分予以介绍，有手绘图。

据介绍，此次苗店遗址发掘面积虽很小，但发现了丰富的遗迹和遗物，说明苗店遗址龙山文化内涵丰富，是 1 处重要的古文化遗址。简报推断苗店一期的时代属于河南龙山文化晚期，大致相当于王城岗龙山文化二期。苗店一期 JMT1 灰沟出土的木炭，其碳十四测定年代为距今 4090±85 年，树轮校正年代为 4520±135 年。苗店二期的时代简报推断亦属于河南龙山文化晚期，大致相当于王城岗龙山文化三期。

简报称，苗店二期文化的石戈，暗示了龙山文化晚期铜戈的出现，这是研究当时生产力与社会发展水平的重要资料。苗店二期的奠基坑、可能和祭祀有关的灰坑 JMH6 和牛、羊卜骨及具有礼器性质的玉铲、玉锛的发现，以及陶器上的刻划符号等为研究当时的社会性质提供了一批重要资料。苗店遗址的发掘不仅填补了济源地区龙山文化的空白，而且为探索夏文化提供了新的资料。

848.河南济源市王屋山地区石器时代地点调查

作　者：赵朝洪、武弘麟

出　处：《考古》1995 年第 10 期

1992 年夏天，考古人员在王屋山风景名胜区内先后进行了多次实地考察。在东起蹄七河流域、西至铁山河以东的范围内，发现了几处石器时代地点，采集到打制石器、细石器、磨制石器和陶片等遗物。简报配以手绘图予以介绍。

简报推测王屋山发现的细石器年代大致在 1 万年前，属于旧石器时代末期至中

石器时代的遗存。此前，在河南省境内许昌、安阳、南召、洛阳、渑池、三门峡、临汝、镇平、西峡等地曾发现过旧石器时代的遗存，但在黄河以北的焦作、济源一带尚未发现过细石器，此次发现属首次。此次发现不仅把人类在济源市境内活动的历史大大提前，也扩大了细石器在河南境内的分布范围。

849.河南济源发现四千年前锅巴

作　　者：河南省济源市济渎庙文物保管所　卢化南
出　　处：《农业考古》1997年第3期

河南省济源市文物保管所考古人员，在黄河小浪底施工区调查文物时，在清河口的1处龙山文化遗址中，发现一陶鬲片上有一层熟食遗物，即俗称的"锅巴"，其厚度如纸，面积有10平方厘米，呈黄色。简报配以照片予以介绍。

据考证，遗物年代当在4000年前。古人在刷锅前把鬲打烂，经晒干后，堆积在干燥处保存下来。该片锅巴的发现，对研究古代农业、先民的膳食结构、调料搭配种类等具有重要的意义。简报称，这片锅巴实属罕见，为揭示古人的生活提供了证据。

湖北省

850.长荆铁路应城、钟祥段调查简报

作　者：湖北省文物考古研究所　宋有志、李桃元、付守平

出　处：《江汉考古》1999 年第 1 期

1998 年 9 月下旬，为配合长荆铁路（应城长江埠—荆门）建设，考古人员对将要先期动土施工的钟祥、应城 2 市境内铁路沿线进行了文物普查，共发现地下文物点 14 处，其中古文化遗址 3 处，古墓地 9 处，既有早期古文化遗存又有晚期古墓葬的文物点 2 处。在上述文物点中，有 2 处遗址的古代文化遗存较为丰富，采集到了不少标本。简报分为：一、狮子山遗址，二、门板湾遗址，三、结语，共三个部分，重点介绍了新石器时代遗址。有手绘图。

据介绍，遗物为采集，有陶器和石器。可看出两处遗址为两处文化性质及内涵决然不同的古代文化遗存。狮子山遗址为一处两周时期遗址，而门板湾遗址为一处屈家岭文化至石家河文化的新石器时代遗址。

851.大洪山南麓史前聚落调查——以石家河为中心

作　者：湖北省文物考古研究所　孟华平、黄文新、张成明

出　处：《江汉考古》2009 年第 1 期

大洪山南麓发现的史前遗存不仅数量多、保存好，而且价值高、影响大，是国内外学界广泛关注的探讨中华文明进程的重要热点区域之一。2008 年，通过大洪山南麓以石家河为中心的区域进行的系统调查显示，在约 150 平方公里的区域内集中分布 73 处史前遗址。考古人员选择文化堆积单纯的遗址作为基本参数分析聚落规模级差，进一步丰富了对于该区域聚落形成发展及变化的认识，并借此加深对大洪山南麓以石家河为中心的史前聚落的数量、规模、年代、文化内涵、分布及其关系等方面的认识，提供分析以石家河古城为核心的聚落形成与发展过程的基础性资料，进而推动该区域文明进程的研究。简报分为：一、调查区域，二、调查方法，三、遗址概况，四、初步认识，共四个部分。有手绘图。

调查显示，73 处史前遗址中，处于东河与西河交会地带的石家河镇北的遗址分布最密集（共 45 处），北港湖与北汉湖之间分布的遗址数次之（共 17 处），其他遗址则零星分布于西河西侧和东河东侧的岗台地上。简报称，这些遗址所反映的规模、数量、文化内涵等时空方面的基本信息，提供了进一步认识石家河古城形成与发展过程的重要线索。

一般认为，石家河文化的年代为距今约 4500 ～ 4200 年。

852.江汉平原东北发现两座新石器时代城址

作　者：刘　辉
出　处：《江汉考古》2009 年第 1 期

2008 年，在配合国家大型基建工程的文物保护中，考古人员在湖北孝感市和武汉黄陂区发现 2 座新石器时代城址。

据介绍，叶家庙遗址位于孝感市孝南区朋兴乡，是 1 处规模较大的屈家岭文化晚期的中心城址聚落。通过近 5 个月的调查、勘探、发掘，发现了城址的城垣、环壕、城内居住区、公共墓地。整个城址结构完整、布局清晰，发展与演变脉络有迹可循。

张西湾遗址位于武汉市黄陂区祁家湾镇，遗址于 2008 年 6 月配合郑汉高速铁路（郑州—武汉）建设的文物保护专项调查时发现。2008 年 9 ～ 11 月，考古人员对该遗址进行了抢救性发掘。遗址平面形状近圆形，局部发现保存至今的城垣和壕沟，其南北长 295 米，东西宽 335 米，面积约 98000 平方米。但由于遗址内现代人口居住过于密集，破坏非常严重，城垣现存北部和东部。从保存较好的北城垣看，城垣基底现宽 25 ～ 30 米，现存高度 3 ～ 7 米。西部已完全被破坏。南部地势低平，没有发现任何城垣堆积。简报初步判断城垣的形成应在石家河文化早中期。

武汉市

853.武汉市郊发现打制石器

作　者：李天元
出　处：《江汉考古》1987 年第 2 期

九峰风景区位于武汉市东郊，距市中心约 25 公里，这一带岗峦起伏，林木葱郁。考古人员在这里采集到 1 件打制石器。采集地点在马驿山南麓新新大队冷饮厂上面的公路附近，高出山脚梯田约 20 米。标本的原料为肉红色石英岩砾石，系 1 件素台面石片加工而成的刮削器。标本长 12.8 厘米，宽 9.1 厘米。从标本的形制与加工方法看，它与三峡及江汉平原上新石器时代遗址中发现的石片风格迥异，而与大冶石龙头遗址中的某些标本很相似。此件标本系采集，附近又未发现动物化石和文化遗物，因而难以推定其时代，但肯定应属史前人类遗物。

854.湖北武汉地区发现的红陶系史前文化遗存

作　者：黄　锂

出　处：《考古》1996 年第 12 期

简报分为：一、以程家墩、河李湾遗址为代表的红陶系遗存，二、以面前畈、铁门坎遗址为代表的红陶系遗存，三、以马投潭遗址为代表的红陶系遗存，四、结语，共四个部分。介绍了武汉地区发现的史前文化遗存，有手绘图等。

据介绍，这 5 处遗址大多位于黄陂县境内，仅马投潭遗址位于武汉市郊东西湖区，均为比屈家岭文化早一个阶段的史前文化遗存。

855.1998 年江夏潘柳村遗址发掘报告

作　者：武汉市博物馆、江夏区博物馆　刘森淼、罗宏斌

出　处：《江汉考古》2000 年第 3 期

潘柳村遗址位于湖北省武汉市江夏区五里界镇，西距纸坊 10 公里，南距五里界镇约 400 米。遗址为一台地，高出西、北面约 5～8 米，东面与小丘岗连绵。遗址发现于 1983 年，当时保存面积约 15000 平方米，因五里界镇砖厂长期在南部取土而毁去大半。1998 年 6～8 月，为配合京珠、沪蓉两条高速公路联络线工程建设，考古人员对该遗址进行了考古发掘。共开 5 米×5 米探方 13 个，发掘面积为 325 平方米。发现新石器时代房屋遗迹 2 座、灰坑 5 个、墓葬 1 座，西周灰坑 3 个。出土大量陶片、纺轮和少量石器。简报分为：一、地层堆积，二、新石器时代遗存，三、西周时代遗存，四、结语，共四个部分。有手绘图。

西周时代遗存很少，简报未作深入探讨，主要讨论的是新石器时代的遗存。从石器与陶器综合分析，潘柳村遗址的文化面貌是以屈家岭晚期文化为主，其绝对年代应属屈家岭文化晚期，距今大约 4500 年。2 座房屋（F1、F2）遗迹是本次发掘的最大收获。从选址上看，其地处高丘，濒临湖港，有渔捞舟楫之便而无洪水之患。从布局上看，门向东、南，阳光充足；背向西、北，可避寒风。两座房址的灶位都

在西北一角的避风位置，含有防止火灾的意味。如果说，F1 的灶和居处尚未分离，卫生条件较差，那么，F2 的厨房与居所已经分隔，表明了房屋的主人已经懂得了柴烟与灰屑对人体的危害，有了一定的卫生常识。居住面使用红烧土，具有防潮作用；采用地面建筑而非北方的半地穴式，也具有南方的特点。两座房址朝向不同，大小有别，可能表明当时已存在贫富的差距。F1 与 F2 的主人应是同族近邻，但经济地位已有不同。不过，从 F2 把贮物的窖穴置于居室看，当时可供贮藏的物品尚不多，表明生产力水平依然低下。

856.江夏区锣鼓包遗址发掘简报

作　者：武汉市博物馆、江夏区博物馆　许志斌、陈　艳
出　处：《江汉考古》2000 年第 3 期

锣鼓包古文化遗址位于武汉市江夏区郑店街劳一村冯泉湾，现在是 1 处高出周围 5～7 米的台地。北面便是汤逊湖，东面是京广铁路，往西为 107 国道，地理环境十分优越。遗址内除房舍外，多为庄稼地。1988 年配合公路建设，考古人员进行了发掘。简报分为：一、地层堆积，二、遗迹，三、遗物，四、结语，共四个部分。有手绘图。

据介绍，遗迹仅 4 个灰坑，遗物有陶片、石器。遗址出土的石器，虽然数量不多，但多经磨制，种类有斧、锛、凿、片、砺石等。简报推断遗址为屈家岭文化晚期遗存，距今约 4500 年。

857.湖北省武汉市江夏豹澥槎山遗址 2001 年发掘简报

作　者：武汉市文物考古研究所、江夏区博物馆
出　处：《江汉考古》2008 年第 4 期

槎山遗址位于湖北省武汉市江夏区豹澥镇，2001 年发掘面积 150 平方米。主要出土石家河时期的遗物，包括侧扁足和宽扁足鼎以及罐、豆、碗、钵、器盖、曲腹杯、纺轮等陶器，三棱镞、雕刻器、锛、砺石等石器。简报分为：一、地层堆积，二、遗迹，三、遗物，四、结语，共四个部分。有手绘图。

据介绍，根据器物类比分析，再加之槎山遗址的层位单一，只有第三层为新石器时代文化层，槎山遗址的年代简报推断为新石器时代石家河文化时期，而且器物大部分具有石家河文化中晚期的特点。其文化风格主要受鄂东南文化的影响，特别是受尧家林类型的影响较大。

858.武汉市黄陂区张西湾新石器时代城址发掘简报

作　者：湖北省文物考古研究所、武汉市黄陂区文物管理所　刘　辉、郭长江、
　　　　张　君、谢育新

出　处：《考古》2012 年第 8 期

张西湾遗址位于武汉市黄陂区祁家湾镇建安村，东南距黄陂城区 8 公里，南距武汉市区约 45 公里。2008 年 9 ~ 11 月，为配合铁路建设工程，考古人员对该遗址进行了抢救性发掘。

简报分为：一、地层堆积，二、遗迹，三、出土遗物，四、结语，共四个部分。有彩照、手绘图。

据介绍，张西湾遗址是长江中游地区已知时代最晚、位置最偏东的 1 处新石器时代城址。简报推断城垣大致兴建于石家河文化早期，至石家河文化中、晚期可能已被废弃。

简报认为此项发现为认识史前城址的发展过程、兴废动因及长江中游史前文明化进程等提供了重要资料。

黄石市

襄樊市

859.襄阳山湾发现几件打制石器

作　者：李天元

出　处：《江汉考古》1983 年第 1 期

1973 年，考古人员在襄阳第六新生砖瓦厂取土场周围进行调查，在取土场边缘发现了几件打制石器。标本寄至北京后，引起裴文中等专家的重视。1974 年考古人员再赴现场调查，又有所发现。简报配以照片、手绘图，介绍了这两次发现的情况。

据介绍，襄阳山湾发现的几件石器中，以 1 件三棱尖状器最为典型，尖刮器次之。简报推断其为旧石器时代晚期遗存。

860.襄阳三步两道桥遗址调查

作　者：湖北省博物馆　朱吉平
出　处：《江汉考古》1984 年第 2 期

襄阳三步两道桥遗址，1957 年区文物普查组普查时发现，考古人员先后两次对该遗址进行了调查。简报配以手绘图予以介绍。

据介绍，遗址位于襄阳县南约 30 公里，三步两道桥村西 250 米处的岗地上。采集有石斧 2 件、石镞 1 件。采集的陶片比较破碎，除 1 件陶罐复原外，其他均无法复原。就陶片看，制作方法多为手制，个别经慢轮修整；陶质以泥质灰陶居多，次为黑陶、红陶和橙黄陶，红陶衣占一定比例；纹饰主要为素面，其次有弦纹，附加堆纹和刻划纹，篮纹和绳纹发现的数量较少，不见方格纹。蛋壳彩陶和蛋壳黑陶也有发现，这些彩陶片比较破碎，器型很难辨认；彩陶纹样有斜格纹、弧线纹等；为黑彩和鲜红彩；主要器型有盆、罐、钵、壶形器、折腹器、厚胎红陶杯、高圈足杯、缸、鼎和纺轮等。该遗址的时代，简报推断为屈家岭文化时期，有的遗物可能早于屈家岭文化。一般认为，在距今 5100 年前后，屈家岭文化在长江中游地区实现了空前的统一和繁荣。

861.枣阳县雕龙碑遗址调查简报

作　者：襄阳地区博物馆　阎金安
出　处：《江汉考古》1984 年第 3 期

枣阳县位于湖北省西北部桐柏山和大洪山之间的随枣走廊。雕龙碑遗址位于枣阳县城东北约 22.5 公里的鹿头公社永光大队一台地上。该台地原为不规则圆形土丘，其顶部为耕地，1978 年平整土地时将其顶部截去，其东侧也推走一部分。地表遗物很多，陶片、石器、红烧土、骨骼，俯拾即是。遗址断面上还可见到红烧土层和灰坑的遗迹，文化内涵甚为丰富。简报分为：一、遗物，二、结语，共两个部分。重点介绍采集的石器和陶器（片），有手绘图。

据介绍，采集较完整的或能看出器型的石器共 45 件。其制作加工主要采用打制、琢制、磨制 3 种方法，以磨制为主。器物种类主要有斧、凿、铲、镰、刀、镞、石饼和装饰品。其中石斧较完整的有 23 件。陶片中有彩陶片 14 片，陶器中有纺轮 21 个。简报称，雕龙碑遗址是襄阳地区目前发现较重要的遗址之一，现已列为"枣阳县重点文物保护单位"。雕龙碑遗址的发现，为研究大溪、屈家岭以及中原仰韶文化三者之间的关系和发展，提供了新的线索。

862.湖北宜城曹家楼新石器时代遗址

作　者：武汉大学历史系考古教研室、襄樊市博物馆、宜城县博物馆　肖元达、
　　　　　王　然、向绪成等

出　处：《考古学报》1988 年第 1 期

宜城县位于湖北省境内汉水中游，在江汉平原西北部。曹家楼遗址在宜城境内西北，距县城 11 公里，北距小河镇 4 公里，襄沙公路（襄阳—沙市）从西北向东南穿过遗址，向东近 2 公里即达汉水，现属宜城县小河乡詹营村。遗址为一高出周围地面约 2 米的台地，东西宽约 100 米、南北长约 200 米，总面积 2 万多平方米。遗址西北部有 1 座现代残砖瓦窑。当地农民反映，遗址原来较高，因平整土地和烧窑取土，遗址已经遭到破坏。1984 年 9 ～ 11 月，为配合襄沙公路扩修工程，考古人员对曹家楼遗址进行首次发掘。从包含物来看，遗址原为 1 处新石器时代的村落遗址。简报分为：一、文化层堆积与分期，二、第一期遗存，三、第二期遗存，四、结语。共四个方面。有照片、手绘图。

简报称，曹家楼新石器遗存虽属屈家岭文化，因其地处江汉平原西北边缘，与中原相去不远，同时受到中原原始文化的影响，具有浓厚的地方特色。此次发掘，对全面认识江汉平原新石器时代的文化面貌，有其价值。

863.湖北枣阳市雕龙碑新石器时代遗址试掘简报

作　者：中国社会科学院考古研究所湖北队　王　杰、田富强、黄卫东

出　处：《考古》1992 年第 7 期

枣阳市位于湖北省西北部，介于桐柏山与大洪山之间，北与河南省的唐河、桐柏两县相毗邻。雕龙碑遗址坐落在枣阳市鹿头镇北 3 公里的武庄村南，北距河南省唐河、桐柏 2 县约 20 公里。遗址的东、北两侧被桐柏山的余脉包围，附近的最高山为大阜山。源于桐柏山脉的沙河和黄河支流分别从东向西和从北向南流经遗址的南、西两侧，交汇于遗址的西南部。遗址就在两河交汇的三角台地上。据当地老人讲，几十年前，在遗址的南部、沙河北岸曾竖立有一石碑，其上有雕龙花纹，故名为"雕龙碑"。

据介绍，雕龙碑遗址试掘出土的遗迹和遗物，大多是其他文化中所不见的。根据地层叠压早晚关系和陶器的发展变化，简报将其分为一、二、三期文化。每期除都具有一批代表性的典型器物外，也含有一些不同程度的外来文化因素。出土资料证明，雕龙碑遗址地近古代南北文化接壤地带，长江、黄河两大流域产生的不同的

新石器时代文化因素在这里都有遗存。由于南北同时代的不同文化互相影响和融合，使雕龙碑新石器时代文化产生了不同于其他新石器时代文化的性质。就目前出土的资料来看，较晚的文化遗存独具特色，有可能是1种具有地方特征的新文化类型，它将为我国考古学文化增添新的内容，这也是雕龙碑遗址试掘的重大收获。根据部分二期F1出土木炭已测定的年代（经校正）为距今5535±130年，再结合出土遗物，简报推断雕龙碑遗址的年代为距今6000～5000年。

简报称，通过发掘出土的部分遗迹和大量遗物，证明了雕龙碑遗址是1处内涵丰富、保存完好的原始氏族聚落遗址，是湖北省内同时代的其他文化中不可多得的。

864.雕龙碑新石器时代遗址发掘收获

作　者：王　杰
出　处：《江汉考古》1995年第3期

1990～1992年，考古人员对湖北省枣阳市雕龙碑新石器时代文化遗址先后进行过5次发掘和近1年多的资料整理工作，初步了解到遗址文化内涵具有较强的地方特色，其上层是1个新文化类型的遗存。在揭露面积1500平方米的范围内，发现有不同时期的房屋建筑基址21座、窖穴75座、氏族成人土坑竖穴墓133座、婴儿瓮棺葬63座、动物葬坑26座、各种生产工具和生活用具等遗物多达4000余件，许多发现尚属首次。

简报分为：一、一期文化遗存，二、二期文化遗存，三、三期文化遗存，四、文化性质，五、文化命名，共五个部分。有手绘图。

据介绍，该处遗存可分三期。一、二期文化遗物分别含有仰韶文化早、中期文化因素，年代分别相当于仰韶文化早期偏晚和仰韶文化中期。碳十四测定的年代数据，经树轮校正：一期，公元前4034～前3780年，这个数据应该是它的下限；二期数据有9个，最大的年代数据为公元前4034～前3814年，最小的年代数据为公元前3585～前3350年，这组下限略偏低。三期文化含有仰韶文化晚期和屈家岭文化早期因素，特别是有部分白衣彩陶纹饰乃至一些图案都含有仰韶文化晚期的因素。年代相当于仰韶文化晚期、屈家岭文化早期。碳十四测定的年代数据，经树轮校正有两个数据：公元前3510～前3100年、公元前3019～前2709年。

简报称，雕龙碑遗址的发掘，对于研究长江与黄河两河流域交会地带新石器时代文化发展提供了不可多得的大量而丰富的实物资料。

865.随枣走廊几处新石器时代遗址调查

作　者：襄樊市博物馆　王先福
出　处：《江汉考古》1995 年第 4 期

随枣走廊位于襄樊市东部枣阳、随州一带，其西与南阳盆地相连，东邻鄂东低山丘陵，是 1 个重要的古文化区。1989 ～ 1990 年，考古人员在全市范围内进行了文物普查，共发现遗址近 700 处，尤以随枣走廊地区为多。这里遗址分布密集，面积较大，内涵丰富，时代序列清楚，为认识该地区新石器时代文化面貌提供了线索。简报分为七个部分，配以手绘图介绍其中 6 处遗址的调查材料。

据介绍，简报重点介绍了陈大堪、二王庄、孙家湾、窑湾、长堰湖、周家古城 6 处遗址。从采集遗物的文化特征看，遗址包含有仰韶文化、屈家岭文化及石家河文化 3 种文化因素，尤以石家河文化遗物最为丰富，表现出人口的增加、生产的发展、聚落址的扩大。

今有《石家河发现与研究》（科学出版社 2021 年版）一书，可参阅。

866.湖北枣阳雕龙碑遗址的考古收获

作　者：王　杰
出　处：《江汉考古》1997 年第 4 期

雕龙碑是湖北省经过科学发掘的 1 处新石器时代氏族村落遗址，地处湖北省江汉平原西北部随枣走廊，枣阳市境内的鹿头镇，面积为 5 万余平方米，年代为距今 6000 ～ 5000 年。共发掘出土有住房建筑遗存 20 座，大、小型公共墓地各 1 处，墓葬 196 座，使用过的窖穴 75 座，用于祭祀活动的大型圆形建筑 1 处，遗迹 3 处，动物葬 36 座，生产、生活使用过的工具和器皿等遗物达 3000 余件。

简报分为：一、房屋建筑，二、墓葬，三、生产工具与生活用具，四、结语，共四个部分。有手绘图。

据介绍，该遗址遗存可分三期。第一期房址为椭圆形半地穴式，二、三期房址为地面建筑，其中第三期尤具特色。三期房屋皆为长方形地面建筑，呈东北、西南方向有序成行排列，前后 2 行之间相距约 20 米，房屋左右之间相隔约 5 米，房体结构为木、石灰、红烧土块和草拌泥构筑，墙体为直壁木骨泥墙，并经火烧烤，呈红色，房顶盖呈斜坡状，推测属硬山式之类。简报将之命名为"雕龙碑文化"。

867.襄阳县三处旧石器时代遗址调查

作　　者：襄阳县文物管理处　王庆华
出　　处：《江汉考古》1999 年第 4 期

湖北省襄阳县 3 处旧石器遗址（金鸡嘴、军营坡、龚家洲）发现于 1989 ～ 1991 年的文物普查，随后又多次对这 3 处遗址进行复查。

简报分为：一、地形概况，二、地点与石制器，共两个部分。有手绘图。

据介绍，3 处遗址采集标本共 30 余件，但绝大多数来自地表，特别是几件石器均失去确切的地层关系，也无其他共生物（如化石标本）佐证。石器多采取直接单面打击，器类包括石核、石片、尖状器、砍砸器、刮削器，大多数保留有砾石原面。较为典型的是尖状器，选用长扁圆状砾石，由两侧或多侧交互打击制成尖端，由于多侧加工，在几面剥取石片交互打击，在交互线上形成脊，其横断面呈三棱或四棱形，而相对尖状的另一端保留原砾石面，平坦光滑，便于把握，具有丁村人文化风格。时代应为旧石器时代中期或偏晚。

868.湖北枣阳市雕龙碑遗址 15 号房址

作　　者：中国社会科学院考古研究所湖北队　王　杰、黄卫东
出　　处：《考古》2000 年第 3 期

枣阳市雕龙碑新石器时代文化遗址，于 1990 年春季首次发掘，并发表有简报，尔后又进行过 4 次发掘，取得了丰硕成果。特别是第 4 次和第 5 次发掘，发现有 F15、F17、F18 和 F19 等大、中型房址，其中 F15 和 F19 为两栋保存较好的大型多间式房址，其推拉式结构的屋门为首次发现，引起了学术界有关专家、学者们的瞩目。

简报分为：一、F15 发掘概况，二、F15 房屋建筑情况，三、F15 出土遗物，四、结语。介绍了 F15 发掘情况，有手绘图。

据介绍，F15 房屋建筑是目前我国史前考古学发现年代最早、保存最好且是科学、技术、适用相结合得完备的土木混凝结构体。F15 使用的一些建筑材料，至今仍属最佳建筑材料。F15 出土的 93 件遗物中，有农业生产工具、加工木材的工具、纺织工具和饮食生活器皿等，这些遗物的年代应与 F15 相同。

简报称，这一考古重要新发现，为史前建筑研究提供了不可多得的极珍贵的实物资料，具有很高的学术研究价值。

869.湖北宜城老鸹仓遗址试掘报告

作　者：湖北省文物考古研究所、宜城市博物馆　贾汉清、王　勇、熊兆发
出　处：《江汉考古》2003 年第 1 期

老鸹仓遗址位于湖北省宜城市，面积约 6 万平方米。为配合襄荆高速公路（襄阳—荆州）的建设，考古人员于 2000 年对该遗址进行了试掘，试掘面积为 130 平方米。发现屈家岭文化灰坑 3 座、房址 1 座、瓮棺 4 座，石家河文化灰坑 10 座、灰沟 2 条、房址 1 座、墓葬 2 座及瓮棺 4 座。屈家岭文化的出土物包括陶碗、豆、盆、罐、杯、纺轮，骨簇、簪以及动物遗存等；石家河文化的出土物包括陶碗、豆、鼎、杯、罐、网坠、纺轮、骨针、石斧以及动物遗存等。此次发掘为这 2 种文化的分期提供了新的依据。简报分为：一、地层堆积，二、屈家岭文化遗存，三、石家河文化遗存，四、结语，共四个部分。有手绘图。

据介绍，发掘地点位于宜城市小河镇胡湾村四组。这次发掘面积虽然不大，但是出土了可复原陶器 90 余件、陶纺轮等 200 余件，取得的成绩是相当可观的。其屈家岭文化遗存，陶系方面以泥质灰陶和黑陶为主，红陶、褐陶、橙黄陶比较少见，夹砂陶和夹炭陶也较少；器表装饰主要以素面为主，凸弦纹是最主要的纹饰；应属屈家岭文化晚期遗存。其石家河文化遗存，在陶系方面，泥质陶虽然仍居第一位，但夹砂陶大增，灰陶、黑陶、红陶的比例大体持平，褐陶和橙黄陶有所增加；素面陶仍占绝大多数，但是篮纹成为最主要的纹饰。简报认为，老鸹仓遗址应是汉水中游一处重要的新石器时代聚落中心遗址。

870.襄樊市牌坊岗新石器时代遗址发掘简报

作　者：襄樊市考古队　王志刚
出　处：《江汉考古》2007 年第 4 期

襄樊市牌坊岗新石器时代遗址位于汉水以北、南阳盆地的南部边缘。2004 年进行了首次发掘，发掘面积 175 平方米，揭露了石家河文化晚期房址 1 处、灰坑 2 座，出土了陶鼎、碗、钵、杯、豆、盘、罐、瓮、缸、器盖、器座、纺轮、制陶拍、网坠，以及石斧、锛、镞等遗物。初步研究表明，该遗址具有以石家河文化为主体且受到龙山文化较强影响的边缘文化特征。简报分为：一、地层堆积，二、遗迹，三、遗物，四、结语，共四个部分。有手绘图。

据介绍，牌坊岗新石器时代遗址位于襄樊市汽车产业开发区米庄镇米庄村七组东侧的岗地上，地势起伏不大，较开阔。南距汉水约 11.5 公里，东距唐白河约 12 公里，

西距小清河约 3.8 公里。该遗址未见于襄樊市历次文物抽查资料，市汽车产业开发区于 2004 年春开始在该地建设施工时发现。遗物为陶器 65 件、石器 7 件。遗址的年代，简报推断为石家河文化晚期。一般认为，石家河文化的年代为距今 4500～4200 年。

871.宜城下姜家边子遗址发掘简报

作　者：湖北省文物考古研究所、宜城市博物馆　周　蜜、史德勇、王　勇等
出　处：《江汉考古》2014 年第 2 期

下姜家边子遗址位于襄阳市宜城市小河镇余云村六组，遗址东面为焦柳铁路（焦作—柳州），北为余云村六组居民点，遗址处于 1 块略高于周边的台地之上，保存面积约为 5000 平方米。2013 年 6 月，为配合麻竹高速公路（麻城—竹溪）的建设，湖北省文物考古研究所对下姜家边子遗址进行了发掘，发掘面积 200 平方米。简报分为：一、地层堆积，二、遗迹，三、遗物，四、结语，共四个部分。有彩照、手绘图。

据介绍，遗址时代主要为后石家河文化时期，出土遗物主要是陶器和石器。简报认为，后石家河文化时期的遗存在枣宜平原并不多见，本次发掘充实了枣宜地区新石器末期的考古材料，为研究后石家河文化时期整个江汉地区的文化变迁与社会格局提供了不可多得的宝贵资料。

十堰市

872.一九五八至一九六一年湖北郧县和均县发掘简报

作　者：长办文物考古队直属工作队　金学山
出　处：《考古》1961 年第 10 期

1958 年 5 月至 1961 年 5 月，考古人员先后在湖北省的郧县和均县进行了一系列的考古调查和发掘工作。1960 年 10～12 月，在上述地区，考古人员于调查中共发现新石器时代、春秋、战国、汉、唐等遗址 80 多处，并在郧县发掘了大寺遗址、青龙泉遗址和徐家坪墓地，在均县发掘了朱家台、乱石滩、观音坪等遗址。简报分为三个部分，有手绘图、照片。

据介绍，通过大寺、青龙泉、朱家台、乱石滩 4 个地点的发掘，并结合调查所得的一些资料，了解到在新石器时代，汉水中游存在着仰韶、屈家岭和龙山文化 3

种遗存。另根据地层迭压关系，弄清了它们在这一地区相对年代的序列，即：仰韶—屈家岭—龙山。关于这里的仰韶文化，也可区分为早晚两个阶段，早期可以近似半坡型的大寺遗存为代表，晚期则以朱家台的遗存为代表（包括青龙泉和乱石滩）。但这两者之间差异较大，在其发展的序列上似乎还有若干缺环。特别是青龙泉遗址的发掘，发现了很多遗迹和遗物，丰富了近年来在江汉平原发现的屈家岭文化的内涵。至于这里的龙山文化，与豫、陕等地的龙山文化差别很大。也许与其所处的地理环境有关，表现了浓厚的地域色彩。

873.湖北房县古人类活动遗迹的初步调查报告

作　　者：北京自然博物馆　周国兴
出　　处：《考古与文物》1982 年第 3 期

1977 年，考古人员在湖北省西北部进行"奇异动物"（"野人"）考察期间，曾对这一地区远古人类的活动遗迹进行了初步调查。调查过程中，在房县东南郊的文峰塔兔子洼和北郊的莲花湾两地点采集到不少打制石器，它们主要出自中更新世的地层。

此外，还在神农架林区的宋洛山古水、桂竹园、庙儿沟等地地表上找到一些具有明显人工打击痕迹的石片或加工成型的打制石器，但限于地表上的采集，没有明确的层位关系，不能判断它们的时代。简报分为：一、兔子洼地点，二、莲花湾地点，共两个部分。有照片。

据介绍，房县地区兔子洼和莲花湾这 2 个地点的打制石器主要出自两个层位。其中由兔子洼三级阶地前缘的堆积物中出土的石器，器形较小，石器修理得较为精细；而在这两个地点的黏土中出土的石器，器形较大，制作风格粗犷，显然代表了两个时代的文化的特点。两个文化的时代，虽然缺乏明确的动物化石的断代依据，从阶地、地层层序和岩性以及堆积物的性质观察，其地质时代简报推断可初步定在中更新世和晚更新世，分别属于旧石器时代的早期和晚期文化，前者至少可与北京人文化相比。

874.房县羊鼻岭遗址调查简报

作　　者：湖北省博物馆、房县文化馆、武汉大学考古专业七六级　李龙章、林邦存
出　　处：《江汉考古》1982 年第 1 期

房县，位于湖北省西北部武当山脉西南侧。县城及其近郊为群山环绕，是中间

低凹的蕉叶形盆地，汉水支流渚水和南河分别蜿蜒于本县西北和东南。在南河及其支流的一、二级台地上，分布着不少古代的文化遗址。目前，除城西的七里河遗址已进行过考古发掘外，其他遗址只作过一些调查。从调查资料看，羊鼻岭遗址时代较早，延续时间也较长，保存也较好，现已列为我省重点文物保护单位。这个调查简报，就是根据1976年以来考古人员前往调查的资料写成，有手绘图。

羊鼻岭遗址在县城东北约2.5公里的白窝公社白窝大队境内。它北靠五将山，其他三面环水。地表上经农民耕地而翻出的遗物很多，陶片、石器、骨骼比比皆是；断坎剖面上还可见到有红烧土层、灰坑或墓葬的遗迹，文化内涵甚为丰富。从采集品中较完整或能看出器型的46件石器标本观察，当时制作加工石器主要采用打制、琢磨、磨制3种方法，器物种类主要有斧、锛、锄、铲、凿、雕刻器、刀、镞等生产工具（或武器）及环等装饰品。陶器有龙山文化、屈家岭文化时期遗存等。可以肯定这一带从新石器时代一直到商周时期，都是人类活动很频繁的地方。

简报称，湖北境内早于屈家岭文化的新石器时代遗址，目前已知有仰韶文化和大溪文化。这两类文化各有自己的鲜明特点是无疑的，但是它们的时代较接近，地域相邻，就不可避免会相互影响。此次发掘发现屈家岭文化遗存就既含有仰韶因素，又具有龙山因素。

875.房县七里河遗址发掘的主要收获

作　者：湖北省博物馆、武大考古专业、房县文化馆　王　劲、林邦存
出　处：《江汉考古》1984年第3期

七里河遗址是鄂西北汉水流域的1处新石器时代的聚落遗址。它位于房县县城西面3.5公里的七里河和横贯房县东西的马栏河交汇的二级台地上，遗址南面紧靠巫山山脉北麓的凤凰山二郎岗，其余三面皆是宽阔平缓的河谷阶地。根据地表暴露的遗物、遗迹调查了解，遗址的总面积约为6万平方米。1976～1978年，考古人员先后3次对遗址进行了发掘。发掘面积1348平方米。出土了大量的陶器、石器和骨器等遗物，揭露了一批房屋基址、窖穴、陶窑和墓葬等遗迹。其文化内涵主要是相当于龙山文化时期的石家河文化青龙泉类型（青龙泉三期）的文化遗存。其主要收获有三：一是遗址上青龙泉类型的石家河文化分早、中、晚连续发展的三期；二是石家河文化早期遗存中发现了数座多人合葬墓，并在其晚期遗存中发现带腰坑的人墓葬；三是从墓葬、灰坑等遗迹中发现有拔牙和猎头等习俗。简报分为：一、地层、文化分期及第一、二、三期的陶器特征，二、早期的多人二次合墓，三、拔牙习俗和猎头风俗的遗址，四、结语，共四个部分。有手绘图。

所谓"猎头"，是指在墓葬中发现的尸骨仅缺头骨。简报推测，当时七里河附近应有猎头风俗的氏族部落存在，他们也猎取七里河先民的头，这在湖北省是首次发现。至于合葬，按照母系氏族制的基本原则，没有参加成丁仪式的儿童是不为氏族所承认、不被算作氏族的正式成员的。儿童死后，没有资格进入氏族墓地，也就是说氏族制度规定男女老幼不能合葬在一起。如半坡氏族的居民，即遵循了这一原则，凡夭折的儿童，或单独用瓮棺葬，或埋在居址附近，不能和氏族公墓的成年人合葬。七里河文化遗存中有不同辈分、不同性别的男女老少合葬在一起，尤其是出现了成年男子和小孩合葬在一起的合葬墓，这显然是对旧的传统法则的突破。

876.武当山下发现古象牙化石

作　者：李　俊、王正华
出　处：《江汉考古》1984 年第 4 期

1983 年 9 月 22 日，考古人员在丹江口市习家店区习家庄前小河南岸土坡上，发现了古象牙化石。当时，小河正在涨水，遂进行了抢救性发掘，并于 29 日将化石安全运至丹江口市博物馆。该化石中心直径 25 厘米，牙根处直径 22 厘米，全长 313 厘米，但在抢救性发掘前，被当地农民折损敲碎了 90 厘米，发掘时尚收回碎块 6.5 公斤。这块罕见的古象门牙化石在武当山下的首次发现，为研究中国南方古代的地理、气候、生物史等提供了实物资料。

877.房县发现新石器时代遗址和古城址

作　者：李　俊
出　处：《江汉考古》1985 年第 4 期

1982 年冬至 1983 年春郧阳地区文物普查队在房县逐社逐队进行普查。除对 49 个已知的文物点复查外，又新发现 44 个文物点，其中比较有历史研究价值的是 4 个新石器时代遗址、3 座古城和 1 组汉墓群。简报配以照片予以介绍。

简报称，采集的大量文物标本证实了《竹书纪年》中唐尧"帝子丹朱避舜于房陵"的记载和神农架源于神农氏搭架采集的传说都并非虚构。这个县目前发现距今7000～5000 年的遗址共有 9 处。除了已发掘的七里河遗址、已试掘的羊鼻岭遗址外，这次新发现的 4 个新石器时代遗址为：军店公社翁家店遗址、化龙公社长望六队遗址、化龙大队砖瓦厂遗址和长望大队砖瓦厂遗址。3 座古城址有秦代的秦皇寨古城、唐代的化龙古城和唐中宗的宫城。

878.湖北均县乱石滩遗址发掘报告

作　者：中国社会科学院考古研究所长江工作队
出　处：《考古》1986 年第 7 期

乱石滩遗址位于鄂西北均县城东 7.5 公里的汉江北岸香炉碗小山南麓缓坡上，东边正当一条注入汉江的大沟出口处，再往东为乱石滩村（又名"邹家庄"）。缓坡南部边缘形成断崖，往下即为一大片江边沙滩。1958、1959 年进行过 3 次发掘。简报分为四个部分，有手绘图。

据介绍，仰韶文化地层仅发现灰坑 1 处及少量遗物。晚于仰韶文化的上层新石器时代末期文化，发现灰坑 1 座、墓葬 4 座及较多文化遗物。内置大量烧土块及少数陶片。其绝对年代，简报推断为距今 4200 ~ 4000 年。简报称，乱石滩遗址是鄂西北地区新发现的 1 处仰韶文化和新石器时代末期的文化遗址。它的发现，为研究汉江中上游地区仰韶文化与其他新石器文化的关系，又提供了一些资料。

879.房县樟脑洞发现的旧石器

作　者：李天元、武仙竹
出　处：《江汉考古》1986 年第 3 期

樟脑洞位于房县西部的中坝区龙滩乡青阳村，为崖屋式洞穴，在樟脑河（地图上名为"深河"）左岸，洞依河名。洞底距河流水面约 10 米。1986 年 4 月上旬，房县在修筑中坝区至龙滩乡的公路时，在洞内堆积物中发现象牙及其他动物化石。经过考古发掘，证实樟脑洞为 1 处旧石器时代晚期的洞穴遗址。简报配以照片、手绘图予以介绍。

据介绍，发掘获得脊椎动物化石 10 余种，可鉴定的有大熊猫、剑齿象、犀、貘、鹿、麂等。多为零星的牙齿和碎骨片，未发现完整的长骨，有不少骨片上留下敲砸的痕迹。石制品约 2000 件。

简报称，樟脑洞的文化遗物，除了具有我国旧石器文化之共性——石片石器为主之外，至少还有 2 点值得注意：一是器物大小混杂共存，大件器物加工粗糙，小件器物加工较精，且具有原始细石器的特征；二是以文化面貌相比较，与华南和华北某些地点的遗物，从器形到制作方法都很类似。

简报指出，樟脑洞是长江中游的首次发现的旧石器遗址。为研究长江流域的旧石器文化的发展提供了重要资料，为研究鄂西北和三峡地区的地壳抬升提供了可靠的数据。

880.丹江口市石鼓后山坡旧石器地点调查简报

作　者：湖北省博物馆、丹江口市博物馆　李天元、高　波、陈刚毅
出　处：《江汉考古》1987 年第 4 期

1984 年秋，丹江口市石鼓村农民张兆培在后山坡挖红薯窖时，从土层中发现有"龙骨"。考古人员进行了调查，收集到部分哺乳动物化石标本，并从现场采集到 2 件小石片。1987 年 7 月，考古人员再次前往调查。简报配以手绘图予以介绍。

据介绍，化石地点位于丹江口市西北约 45 公里的张家营后山坡，隶属于丹江口市凉水河区石鼓乡石鼓村一组。1987 年的调查，共采集到石器 28 件，另有动物牙齿和骨片。简报初步认为可能属于中更新世晚期或晚更新世早期。当时的人类或为猿人（直立人）晚期，或为智人早期。

简报称，丹江口市西与郧县接壤，北与河南省淅川县为邻，这 2 县均有猿人化石发现。郧县以西的郧西白龙洞也出土了猿人化石，房县樟脑洞出土了旧石器时代晚期丰富的文化遗物。这一切都说明原始人类在这一带活动是很频繁的。

881.湖北省郧县曲远河口化石地点调查与试掘

作　者：李天元、王正华、李文森、冯小波、胡　魁、刘文春
出　处：《江汉考古》1991 年第 2 期

1989 年 5 月，湖北省郧阳地区在文物普查工作中，在郧县曲远河口汉江北岸的阶地上发现 1 具基本完整的高等灵长类颅骨化石。根据这一重要线索，考古人员进行了试掘，证实该化石不是采集品，并在第 1 件颅骨化石附近又发现 1 件更为完整的远古人类颅骨化石，在地层中获得一批伴生的动物化石和石制品。

简报分为：一、化石地点的调查，二、地层堆积，三、哺乳动物化石，四、人类化石，五、文化遗物，六、结语，共六个部分。有照片、手绘图。

据介绍，化石发现地点位于汉江北岸曲远河口的学堂梁子，隶属于郧县青曲镇弥陀寺村，东北距青曲镇约 10 公里，沿汉江往下约 40 公里至郧县城关。两具化石都很完整，时代大致相当于更新世中期，是研究人类起源和发展的宝贵材料，对研究早期人类的形态特征以及探讨直立人（猿人）与智人之间的承袭发展关系尤为珍贵。

882.湖北郧县曲远河口发现的猴类化石

作　者：李天元、武仙竹、李文森

出　处：《江汉考古》1995 年第 3 期

1989 年 5 月，在湖北省郧县青曲镇曲远河口学堂梁子发现第 1 具人类头骨化石以后，考古人员先后在学堂梁子进行过 3 次考古发掘，获得 1 具保存更为完整的人类头骨化石，同时还获得一批石制品和丰富的伴生哺乳动物化石。现在已经修理的动物化石有 200 多件，分属于 5 个目：灵长目（Primates）、啮齿目（Rodentia）、食肉目（Carnivora）、奇蹄目（Perissodactyla）和偶蹄目（Artiodactyla）。非人类灵长类共 3 件标本：残上、下颌骨和 1 枚上臼齿。上颌骨保存了左、右侧颊齿列，但左侧齿列在发掘中齿冠均已破损，右侧齿列也有损坏；下颌骨保存了基本完整的左、右侧颊齿齿列和下颌连合部。牙齿仅轻度磨蚀、特征清楚，是比较研究的极好材料。

简报分为：一、标本记述，二、比较和讨论，共两个部分。有照片。

据介绍，该标本为蓝田金丝猴的上、下颌骨各 1 件，已残。零星臼齿 1 枚。时代为中更新世早期或稍早。

883.南水北调工程丹江口水库郧县淹没区新石器时代考古调查

作　者：湖北省文物考古研究所、十堰市博物馆、郧县博物馆　宋有志、李桃元、
　　　　付守平、祝恒富

出　处：《江汉考古》1996 年第 2 期

郧县位于湖北省西北部。1994 年底，为配合南水北调工程，考古人员对郧县境内汉江两岸 170 米水位线以下的河谷地区进行了 1 次全面的文物调查，共发现地下文物点 60 处，地上古建 4 处。在 60 处地下文物点中，有古文化遗址 42 处，古墓地 18 处。在 42 处古文化遗址中，其中新石器时代遗址有 19 处。

简报分为：一、庹家洲遗址，二、大寺遗址，三、梅子园遗址，四、青龙泉遗址，五、郭家道子遗址，六、郭家垸遗址，七、结语，共七个部分。有手绘图。

简报重点介绍了以上 6 处遗址，其他 13 处遗址以表格方式予以介绍。时代有仰韶文化时期、屈家岭文化时期、龙山文化时期。每处遗址包含 2 ～ 3 种不同文化。

884.十堰市犟河沿岸两处古遗址调查

作　者：十堰市博物馆　王　毅
出　处：《江汉考古》1996 年第 2 期

十堰市位于鄂西北山区，犟河流经其境，全长 30 公里。1995 年，为配合南水北调工程，考古人员进行了调查。简报配以手绘图予以介绍。

简报重点介绍了康家湾遗址和杨家咀遗址。康家湾遗址属屈家岭文化。康家湾遗址与周邻同时代文化遗存的关系和分布范围等问题，有待于以后进一步的考古工作。杨家咀遗址从目前所采集到的遗物看，基本属于周代文化遗存。值得注意的是采集到 2 件石祖，这为我们研究古代生殖崇拜的延续，提供了新资料。

885.郧县梅子园遗址调查简报

作　者：十堰市博物馆
出　处：《江汉考古》1997 年第 3 期

梅子园遗址位于郧县县城东的杨溪铺镇财神庙村，距县城约 10 公里。遗址坐落在玉钱山南麓、汉江北岸的二级台地上。遗址面积较大，北高东低，209 国道从遗址的上缘穿过。梅子园遗址 20 世纪 50 年代发现，之后丹江口水库工程动工，考古人员对该遗址进行了发掘，同时发掘的还有青龙泉和王家堡。因这 3 个遗址相互毗连，故发掘者将其作为一个整体看待。1997 春，因汉江水位未上涨，再次对该遗址进行了调查。简报分为：一、生产工具，二、生活用具，三、结语，共三个部分。有手绘图。

据介绍，工具全部为石器，共 60 余件。石器的原料一般是砾石，按制作工艺可分为打制和磨制两大类。打制石器占绝大部分，它们制作粗糙，部分还是半成品或初坯；磨制石器较少，只是局部磨光，多为刃部，极少通体磨光。器型有石斧、石锛、石凿、石刀、石镰、石锄和少量的砍砸器及刮削器。生活用具主要为陶器。时代简报推断为仰韶文化、屈家岭文化、石家河文化时期。

886.湖北丹江口水库旧石器调查简报

作　者：十堰市博物馆、丹江口市博物馆　祝恒富、杨学安、杨晓瑞
出　处：《华夏考古》1999 年第 2 期

丹江口水库位于汉水上游，地处鄂西北、豫西南交界处的秦岭、大巴山与江汉平原的过渡地带，属丘陵盆地型水库，正常蓄水位为 157 米，淹没区面积 800 多平

方公里。据调查，这一带有大量的古文化遗存，其中旧石器时代遗存也极为丰富。调查工作于1996年春进行，历时1个月，先后在丹江口市区域发现旧石器地点5处，在郧县发现1处。简报分为：一、环境及地貌，二、文化遗物，三、结语，共三个部分。配以手绘图，先仅就这次调查材料作简略的介绍。

据介绍，这次发现的6处旧石器地点的具体位置为：红石坎位于丹江口市肖川乡红石坎码头东，汉江右岸；北太山庙位于肖川乡关门岩村，汉江左岸；金陵鱼场位于肖川乡鱼场村，汉江右侧一支流的左岸；龙口，位于龙口乡东工村，汉江左岸；土台位于土台乡彭家河村，汉江右岸；曲远河口，位于汉水与其支流曲远河的交汇处。这6处地点均处于汉水两岸的三级阶地上，属旷野类型坡状堆积，有5处地点洪水期淹没、枯水季退出，另1处现水位尚不能到达。本次调查在6处地点共采集石制品50余件。这些标本打制痕迹清晰，加工意图明确，大多都有明显的石器特征。时代简报推断为旧石器时代早期。简报称，这次调查所获得的遗物虽不太多，但具有较强的自身特点，对进一步认识本区旧石器文化具有积极意义。

简报指出，这些材料大体可反映出这批遗址以砾石砍砸器为主的文化特征。这与湖南湘西、广西百色、安徽巢湖及湖北江汉地区的同期文化面貌大同小异，而与北方以大石片砍砸器为主的文化还是有很大的差异的。简报认为这种差异的深层次问题，应是中国旧石器文化研究的一个重大课题。

887.太山庙新石器时代遗址第一次发掘简报

作　者：湖北省文物考古研究所、湖北省十堰市博物馆　朱俊英、刘文春、胡平乐
出　处：《江汉考古》2001年第2期

太山庙新石器时代遗址位于湖北省丹江口市六里坪镇孙家湾村第三组，西距十堰市25公里。遗址为一略高于四周地面的小型台地，平面形状不规则，南宽北窄似梨形。清朝咸丰年间，在遗址的南部曾建有1座寺庙，名曰"太山庙"，故将这处新石器时代遗址定名为"太山庙遗址"。2000年3～4月，为配合汉十高速公路建设，对遗址进行了抢救性发掘。简报分为：一、地理位置与环境，二、地层堆积与层次关系，三、遗迹，四、出土遗物，五、小结，共五个部分。有手绘图。

据介绍，该遗址生产工具全部是磨制石器，器类不是很多，有斧、锛、凿和盘状刮削器。器表磨制光洁，制作精致。生活器皿全是陶质器，以炊器（鼎）、水器（壶、罐）、盛食器（盆、钵、碗、豆、杯、瓮）为组合。陶质陶色以泥质红陶和夹砂红陶为主，夹砂灰陶与泥质黑衣红陶为次，另有少量泥质灰陶、黑陶和夹砂灰白与黑陶。陶器纹饰以凸弦纹为主，以指捏圈足花边和指窝纹最具特点。陶器和石器不仅具有屈

家岭文化的因素，而且还具有仰韶文化晚期的某些因素，这与该遗址处在鄂西北，北与河南、西与陕西接壤的地理位置有关。

888.湖北丹江口市连沟旧石器遗址调查

作　者：十堰市博物馆　祝恒富
出　处：《华夏考古》2005 年第 1 期

连沟旧石器遗址位于湖北丹江口市凉水河镇薛垭村七组，系丹江南岸，距下游的丹江口市约 20 公里。丹江与汉水在该市交会，丹江大坝也建筑于此。连沟这一带水域宽广，当地称为"小太平洋"。由于库水淹没面积较大和本地多山的特点，库区沿岸出现众多的半岛形地貌，连沟遗址的位置正为一半岛伸入水库部位。1998 年考古人员进行了抢救性发掘，采集了大批石制品。简报分为：一、Ⅲ级阶地石制品，二、Ⅱ级阶地石制品，三、讨论及结语，共三个部分。有手绘图。

据介绍，简报推断连沟Ⅲ级阶地的石制品为旧石器时期，Ⅱ级阶地者为旧石器时代中期。Ⅲ级阶地采集石制品计 105 件，其中可供分类的有 94 件，可分为石核、石片、砍砸器、刮削器、尖刀器、石球 6 大类，另有数件具有人工打击痕迹的碎块。连沟Ⅱ级阶地所采集的石制品计 96 件，其中可供分类的有 80 件，可分为石核、石片、砍砸器、刮削器、尖状器、石球 6 大类，另 16 件为具有人工痕迹的碎块。当然，简报也指出此次遗物均为采集品，若要进行科学发掘，其价值将大大增强。

889.湖北丹江口市毛家洼旧石器遗址调查

作　者：十堰市博物馆　祝恒富
出　处：《华夏考古》2007 年第 1 期

湖北丹江口市石鼓一带的旧石器遗存非常丰富，在约 2 平方千米的区域内发现旧石器时代晚期遗址 5 处，毛家洼是其中之一。该遗址发现于 20 世纪 80 年代，后又发现石制品 200 余件。这批石制品可分为石核、石片、刮削器、砍砸器、尖状器 5 大类。其原料均为燧石，石核的利用率高。石器的素材多石片。石器中以刮削器为主。1999 年考古人员再次进行了调查。简报分为：一、调查经过及遗址概况，二、文化遗物，三、结语，共三个部分。有手绘图。

简报仅介绍了毛家洼遗址。毛家洼隶属于丹江口市薛桥镇石鼓村一组。遗址在石鼓河东岸，其西与张家营旧石器遗址隔河相望，南与跑马岭遗址相距仅百余米。石制品出土于距石鼓河约 200 米、高出河面约 10 米的洼地，地形呈"凹"字形。石制品出土点正处于"凹"字的中心部位，面东望西，两侧为小土梁伸出。简报认为该遗址属旧石器时代晚期，大约距今 13500 年。

890.湖北郧县大寺遗址 2006 年发掘简报

作　者：湖北省文物考古研究所、湖北省文物局南水北调办公室　黄文新、
　　　　郭长江、李治明等

出　处：《考古》2008 年第 4 期

大寺遗址位于湖北十堰市郧县城关镇后殿村，东南距那县城区约 3 公里。1958 年，襄阳专署文教局在文物普查时发现大寺遗址。1958 年 12 月至 1964 年 4 月，中国科学院考古研究所和郧县文教局对遗址先后进行过 5 次发掘，已刊发考古发掘报告。从那时至今的 50 年间，遗址大部分被汉江冲毁，形成三角形台地，残存面积约 2000 平方米。2006 年 10 月，为配合南水北调工程，对大寺遗址进行了抢救性发掘。发掘工作自 2006 年 10 月中旬开始，于 2007 年 2 月上旬结束。发现房基 13 座、窖穴 3 个、灶 1 个、窑 2 座、灰坑 232 个、灰沟 6 条、墓葬 29 座、瓮棺 11 座。文化内涵包括新石器时代的仰韶文化、屈家岭文化、龙山文化和周、汉、唐、宋及明、清等时期的文化遗存。简报分为：一、地理位置与工作概况，二、地层堆积，三、文化遗存，四、结语，共四个部分。先行介绍新石器时代的文化遗存，有彩照、手绘图。

据介绍，大寺新石器时代遗址内包含仰韶文化、屈家岭文化和龙山文化的遗存。遗迹有房址、窑、窖穴、灰坑、墓葬和瓮棺，出土遗物主要为陶器。具体年代简报推断屈家岭文化遗址为早期，龙山文化遗址为中原龙山文化早期。大寺遗址的发掘，对研究汉水中上游史前文化、中原与汉水流域间的文化交流等具有重要的价值。

891.竹山县霍山遗址采集精致石器

作　者：陈树祥

出　处：《江汉考古》2009 年第 1 期

霍山遗址位于竹山县城东南约 1.5 公里的霍山西北坡上的霍山小学校内，在堵河与霍河相交右岸的二级台地。因遗址所处地势高于堵河河床 20 米，当地俗称"霍山"。遗址原有面积近 5000 平方米。1973 年霍山学校扩建运动场时发现遗址。此后，数家单位多次在遗址上取土发现大批石器和陶片，考古人员多次到现场调查处理。因遗址破坏严重，加之有多家单位的建筑物，故一直未作发掘。1994 年，原郧阳地区博物馆业务人员将历年采集收藏的陶、石、玉器标本进行整理并写成《竹山县霍山遗

址调查简报》，发表于《江汉考古》。简报介绍的 4 件石器是从众多采集的石器中挑选出来的，配以手绘图。

据介绍，石器为树叶形石镞、圭形两刃石凿、扁长条形石铲、长条形石刀各 1 件。霍山遗址出土的新石器时代陶片中有一批石家河文化遗物，这 4 件石器又出于相同灰黑土中，因此，简报推断它们可能同属石家河文化遗物。

892.湖北郧县青龙泉遗址 2008 年度发掘简报

作　者：武汉大学考古系、湖北省文物考古研究所　陈冰白、周国平、罗运兵、
　　　　陈明辉
出　处：《江汉考古》2010 年第 1 期

郧县青龙泉遗址 2008 年度发掘获取了相当丰富的屈家岭、石家河文化时期的遗迹、遗物，丰富了鄂西北地区屈家岭文化、石家河文化的文化内涵。同时在该遗址新确认了一批乱石滩文化的遗迹，出土遗物较为丰富，为研究该地区后石家河文化时期的文化格局以及中原与鄂西北地区的区域文化互动提供了新资料。本次发掘还确认了 1 种比较特殊的石家河文化埋葬习俗——少（婴）儿瓮棺以腰坑的形式与成年人土坑墓共同组成二次合葬。简报分为六个部分，有手绘图。

据介绍，青龙泉遗址位于湖北郧县杨溪铺镇财神庙村五组，西距郧县县城约 10 公里，北距 209 国道 300 米。遗址坐落在汉江北岸、玉钱山南麓的二级台地上，青龙泉遗址已经多次发掘。2008 年 4 ~ 10 月，考古人员对该遗址进行了连续发掘，发掘面积 1600 平方米。清理新石器时代房址 27 座、灰坑 131 座、灰沟 12 条、土坑墓 44 座、瓮棺 16 个、陶窑 3 座、灶 8 座、烧土堆积 12 个，并获得近千件陶、石、骨、玉质小件器物，收获颇丰。

893.黄家湾旧石器遗址发掘简报

作　者：中国科学院古脊椎动物与古人类研究所、吉林大学边疆考古研究中心、
　　　　北京大学考古文博学院　方　启、陈全家、高霄旭
出　处：《考古与文物》2011 年第 1 期

黄家湾遗址属湖北省丹江口市均县镇铺嘴村黄家湾组，处于南水北调中线工程的淹没区。2008 年进行了正式发掘，出土石制品 85 件，加上在遗址区域内采集的 6 件石制品，共获得石制品 91 件。简报分为：一、地理概况与地层堆积，二、石制品分类与描述，三、分析与讨论，四、结语，共四个部分。有手绘图。

据介绍，黄家湾遗址所出土的旧石器时代石制品相对较为丰富，代表了旧石器时代早期的文化面貌。近年来在该遗址附近发掘的双树旧石器遗址和杜店旧石器遗址所出土的遗物，与黄家湾遗址具有一些共性，如都发现有手斧、砍砸器等大型工具。同时黄家湾遗址的石制品又具备了一些独特的特点，如石料岩性的相对单纯、断块的大量出土等。简报认为黄家湾是远古人类的1处临时性的活动场。当时的远古人类在这些河岸和丘陵临时加工生产工具，进行采集和狩猎活动。

894.湖北郧县刘湾旧石器时代遗址发掘简报

作　者：北京联合大学应用文理学院历史文博系、中国科学院古脊椎动物与古人类研究所

出　处：《江汉考古》2012 年第 2 期

刘湾旧石器时代遗址位于湖北省十堰市郧县杨溪铺镇刘湾村四组，汉水左岸第三级阶地上。其文化面貌有以下一些特点：石制品的岩性大类中以火成岩为多，种类以沉积岩为多；岩性多样，以脉石英为主；素材以河床中磨圆度较高的河卵石为主，石器的素材以砾石（石核）为主，以石片为素材的石器处于可忽略的地位；石制品的剥片和加工方式均为硬锤锤击法，没有发现采用砸击法等其他方法的产品；剥片时对石核的台面不进行预先修理；石器类型以砍砸器为主，其次为手斧、手镐，刮削器最少；石器的加工方式以单向加工的为多，但双向加工的石器也有相当的比例。刘湾旧石器时代遗址的发掘证明，在汉水流域不仅有距今 100 万年的旧石器时代早期的"郧县人"文化，也有距今 10 ~ 5 万年的文化。汉水流域的远古文化是土生土长的文化。简报分为四个部分，有手绘图。

据介绍，该遗址 1994 年调查时发现，2010 年 4 ~ 7 月进行了正式发掘。发现各类石器 319 件。属距今 10 ~ 5 万年的旧石器文化时期遗存。

895.湖北丹江口市杜店旧石器时代遗址发掘简报

作　者：吉林大学边疆考古研究中心、湖北省文物事业管理局　陈全家、贺存定、方　启、王春雪等

出　处：《考古》2013 年第 11 期

杜店遗址东南距丹江口市约 40 公里，南至武当山约 20 公里，西距十堰市约 50 公里。2008 年 3 月，对位于丹江口库区的湖北丹江口市均县镇杜店遗址进行了抢救性发掘，揭露面积 600 平方米。发掘范围共分 I、II 两个区域。简报分为：一、遗址概况，二、

遗迹，三、石制品，四、结语。共四部分。有彩照和手绘图。

据介绍，遗址出土 209 件石制品，并发现 1 处石器加工场所的工作面。Ⅱ 区石制品体现砾石工业特征，属旧石器时代早期；Ⅰ 区石制品体现石片工业特征，属旧石器时代晚期。该遗址丰富了对中国南北过渡区域旧石器文化面貌的认识，也为进一步探讨早期人类在汉水流域的活动提供了重要材料。

896.湖北郧县后房旧石器遗址发掘简报

作　者：武汉大学历史学院、南京大学地理与海洋科学学院　李英华、孙雪峰等
出　处：《江汉考古》2013 年第 1 期

后房旧石器遗址位于湖北省十堰市郧县青曲镇王家山村，东距郧县县城 20 公里，北距曲远河口郧县人遗址 1.5 公里。该遗址于 1994 年由中国科学院古脊椎动物与古人类研究所南水北调野外考察队调查时发现，并于 2004 年复查时确认。2010 年 10 ~ 11 月，考古人员对该遗址进行了抢救性发掘。简报分为：一、地貌、地层与发掘概况，二、石制品，三、小结与讨论，三个部分。有手绘图。

据简报介绍，共出土石制品 162 件，类型包括石核、石片、砾石工具、断块、砾石等。原料都是磨圆度高的砾石，岩性以脉石英为主；石制品以中小型为主，大型石器数量相当少；石核、石片、断块数量多，砾石石器数量极少，包括手镐、砍砸器、两面器，仅占总数的 30% 左右；工具毛坯多是石核、石片、断块，砾石毛坯比例很低；石制品生产体系存在两种不同的概念，对应于两条不同的操作链。根据地貌地层对比推断，遗址形成于中更新世晚期至晚更新世初期。地层里出土的两面器为探讨中国两面器的演化及其与西方旧石器文化之间的关系提供了重要材料。

荆州市

897.湖北松滋县桂花树新石器时代遗址

作　者：湖北省荆州地区博物馆
出　处：《考古》1976 年第 3 期

1974 年 2 月，在配合湖北省松滋县的修建工程中，在桂花树发现 1 处新石器时代遗址。考古人员在现场进行了调查，并采集了大批文物，清理了几座残墓。同年 12 月至 1975 年 1 月，又作了小面积试掘。简报分为四个部分，有手绘图。

据介绍，桂花树遗址位于松滋、公安 2 县交界的王家大湖南边，距松滋县城约 40公里，至湖南澧县梦溪约 20 公里。浣水从王家大湖中穿过，与虎渡河汇合，流入洞庭湖。桂花树是王家大湖中地势较高的部分，湖水减退时，可露出水面。近年来，由于围垦王家大湖，浣水改道，湖水水面下降，目前遗址高出水面约 3 米。现在遗址的东部和北部是围垦区，西部和南部是改道后的浣水河堤。遗址现存面积约 1.69 万平方米。

简报称，该遗址可分为 3 期。早期与大溪文化相似，可以看出，大溪文化的分布范围到达长江中游，南近洞庭湖滨，其东限已达江陵。桂花树中期文化遗存甚少，应属江汉平原一带的屈家岭文化，说明屈家岭文化的分布已越过长江，到达江南。桂花树晚期陶器的主要器型、质地、纹饰和制作方法等都与河南龙山文化接近；但河南龙山文化常见的斝和鬲在此处不见，晚期遗存中的高柄杯等器型却是河南龙山文化所没有的。它与屈家岭文化晚期似有密切的内在联系，但又属龙山文化的发展阶段。因此，桂花树晚期文化在年代上应与河南龙山文化相当，文化面貌有共同之处，但带有地方特征，简报将之暂定名为"湖北龙山文化"。

898.湖北王家岗新石器时代遗址

作　　者：湖北省荆州地区博物馆　张绪球、何德珍、王运新等
出　　处：《考古学报》1984 年第 2 期

王家岗位于湖北省公安县南闸公社复兴大队林场，地处江汉平原的南部边缘，这是一片高出周围地面约 2 米的岗地。遗址就在这片岗地上。王家岗遗址面积约 6万平方米。1978 年当地社队计划在此修建排灌站，为了配合以上工程，荆州地区博物馆从 1978 年 10 月至 1980 年 3 月，连续 3 次对该遗址进行了发掘，发现新石器时代墓葬 74 座、灰坑 29 个，出土了大批遗物。简报分为：一、地层堆积，二、第一期遗存（文化层），三、第二期遗存（墓葬），四、第三期遗存（灰坑），五、结语，共五个部分。有照片、手绘图。

简报称，王家岗遗址属新石器时代文化，第一期属大溪文化，第二期、第三期分别对应屈家岭文化早期、晚期。

899.湖北监利县柳关和福田新石器时代遗址试掘简报

作　　者：荆州地区博物馆　张绪球
出　　处：《江汉考古》1984 年第 2 期

1973 年底，湖北省开挖洪湖防洪排涝工程河、兴筑主隔堤工程，在监利县柳关

和福田发现 2 处新石器时代遗址。考古人员对这 2 处遗址进行了调查和试掘，1974年 2 ~ 3 月进行了试掘。简报分为：一、地层堆积，二、遗迹，三、遗物，四、结语，共四个部分。有手绘图。

据介绍，一般认为，大溪文化的年代为距今 6900 ~ 5100 年。柳关和福田遗址是目前发现的大溪文化区最东边的遗址，因此带有较多的地方特色。如陶色方面，有较多的红陶呈灰红色，红衣陶数量似略少于关庙山和王家岗第一期。在器型方面，鼎的比例大于其他大溪文化遗址。在纹饰方面，鼎腿上常饰指窝纹和横条纹，也为其他大溪文化遗址所少见。在柳关和福田的一些陶片中，有清楚的稻壳痕迹，并发现许多谷壳和稻草的灰烬，说明当时已种植水稻。另外还发现大量的鱼、兽骨和蚌壳，反映当时的渔猎在经济生活中也占有重要的地位，这种经济生活特点和遗址所处的地理环境是相适应的。另外，在柳关遗址上发现许多小陶器坑，少数器物和底部都凿有小圆洞，这种情况常见于大溪遗址的墓葬中，陶器坑和墓地距离又很近，因此，这些陶器有可能是为集体墓地安放的。这种葬俗在原始文化中尚属少见，其含义有待进一步探讨。

900.湖北洪湖乌林矶新石器时代遗址

作　者：洪湖博物馆文物组　余向东
出　处：《考古》1987 年第 5 期

自洪湖县城新隄镇沿长江东下 20 公里，从大江北岸北行约 1.2 公里，有一片高低起伏、绵延环结的丘陵地带。丘陵的最南边呈带状分布的土阜，即是 1 处原始人类曾经繁衍生息过的地方，名曰"乌林矶"。其北距荆北水系干流内荆河 2 公里以上，海拔 28 米左右，今属洪湖县石码头区黄蓬乡境域。几十年来，在农民建房开挖房基或拓宽公路以及疏浚渠道等项基本建设中，乌林矶遗址陆续出土了一些新石器时代和东周、汉代的遗物及其残片。1976 年，考古人员对该遗址及其附近范围进行了初步调查；1982、1984 年，又对该遗址进行了重点调查和复查。在遗址范围内采集到大量自然暴露的新石器时代晚期文化遗物和少数东周至汉代遗物的残片，证实乌林矶实为 1 处新石器时代晚期文化遗址。经统计，在乌林矶遗址处共出土或采集有新石器时代晚期陶、石、骨等遗物及残片近 200 件，其中多数为陶器，骨、石器次之。简报分为：一、遗址概况，二、采集的遗物，三、结语，共三个部分。有手绘图。

简报称，仅就乌林矶遗址的采集标本而言，这里是 1 处典型的龙山文化遗址，确证河湖纵横交错的洪湖地区，在 5000 多年乃至更早以前即有原始人类繁衍生息了。

901.湖北沙市市新石器时代遗址调查

作　者：沙市市博物馆　文必贵
出　处：《江汉考古》1988 年第 1 期

沙市市位于湖北省的中南部，江汉平原西缘，濒长江北岸，地貌类型属古代河漫滩，境内多河流和湖沼，除局部地方有起伏，地势基本平坦，海拔一般为黄海高程 28 ～ 34 米。市北有长湖，南临长江，西与历史文化名城江陵毗邻。1984 年 8 月，考古人员对沙市市郊区所属范围进行了考古调查，发现了张家台、贾家荒、军刘台 3 处新石器时代遗址。简报配以手绘图予以介绍。

据介绍，遗址发现有陶器、石器等遗物，文化内涵应属屈家岭文化、龙山文化。沙市市古属江陵地域，但历来未发现新石器时代遗址，曾被认为是历史短、无古可考的地方。此次张家台、贾家荒、军刘台 3 处新石器历代遗址的发现，为沙市市的历史沿革又提供了新的依据。

902.江陵朱家台遗址调查简报

作　者：纪南城考古工作站　杨权喜、胡文春、黄文新
出　处：《江汉考古》1988 年第 4 期

朱家台遗址为江陵县县级重点文物保护单位，位于该县纪南乡纪城村和九店乡朱集村之间，东南距朱河约 100 米，南方正对楚郢都纪南城北垣水门遗址，相距约 120 米。近年，当地农民修堤取土和掘鱼池，将遗址西南角和东北角破坏，暴露出不少古代陶片。1986 年冬和 1988 年春，考古人员 2 次前往调查。简报分为：一、遗址基本情况，二、文化遗物，三、结语，共三个部分。有手绘图。

据介绍，朱家台遗址是面积最大，保存情况亦较好的江陵地区较重要的 1 处新石器时代遗址。朱家台采集到的陶片，虽以龙山文化的陶片为多，但遗址的主要部分应属于大溪文化。一般认为，大溪文物的年代为距今 6900 ～ 5100 年。

903.湖北洪湖圆山新石器时代遗址

作　者：洪湖市博物馆　余向东
出　处：《考古》1989 年第 5 期

圆山遗址位于湖北洪湖市新隄镇东北 16.5 公里处，东南与香山紧邻，东北与汪家山、余家山、邓家山相望，现属洪湖市乌林镇。遗址于 1979 年发现，以后又经数

次调查,确认该处为1处新石器时代晚期遗址。在圆山山坡及周围山沟中采集到陶器、石器等遗物170余件,其中陶片居多。简报配以手绘图予以介绍。

据介绍,圆山遗址所采集的许多遗物,具有屈家岭文化的特征。陶器方面,陶质以灰色为大宗,红陶次之,但也有一定数量的薄壁细泥质磨光黑陶器,颇近于屈家岭文化的青龙泉和关庙山类型。纹饰则更近于屈家岭文化的关庙山和屈家岭类型。器型方面,有一定数量的双腹、折腹器。细泥胎器和施彩器多薄壁,制作精细,特别是蛋壳彩衣陶器,壁极薄。石器中近刃部弧鼓的石斧、磨制极精的石凿等,都具有屈家岭文化的一些特点。圆山遗址所出标本中,还有数例的时代有延续至龙山文化时期之可能。

904.湖北江陵朱家台遗址发掘简报

作　者:湖北省文物考古研究所　杨权喜
出　处:《江汉考古》1991 年第 3 期

江陵朱家台遗址是楚纪南故城北垣外 1 处重要的新石器时代遗址,1987 年被列为县级重点文物保护单位。遗址南距纪南城北垣水门(朱河入城处)约 140 米。遗址为高出附近地面 1 ~ 3.4 米的台地,平面略呈椭圆形,面积约 2 万平方米。朱河自北而南绕遗址东南部入纪南城。1988 年春,因当地农民在遗址边缘挖鱼池和取土筑堤而暴露了不少遗物。1988 年夏和 1990 年冬,考古人员先后进行了 2 次发掘,发掘总面积为 626 平方米。简报分为:一、文化堆积,二、大溪文化遗存,三、季家湖类型文化遗址,四、结语,共四个部分。有手绘图。

据介绍,朱家台遗址是江陵地区一处重要的新石器时代遗址。虽然遗址上有东周楚墓、明代墓和近现代墓分布,遗址的东部和周围边缘部分又已被破坏,但整座遗址面积较大,尚保存了比较完整的地层和许多遗迹、遗物。其中大溪文化遗存应相当于大溪文化早、中期阶段。大溪文化与其后的季家湖文化遗存之间,尚存在较大的缺环。

一般认为,大溪文化的年代为距今 6900 ~ 5100 年。

905.湖北江陵朱家台遗址 1991 年的发掘

作　者:湖北省文物考古研究所、武汉大学历史系考古教研室　余西云、
　　　　刘　琳、黄文新、胡文春等
出　处:《考古学报》1996 年第 4 期

朱家台遗址属湖北省江陵县纪南乡朱集村,位于楚纪南故城的北城垣外,南距

纪南城北垣水门（今朱河入纪南城处）约140米。遗址周围是平坦的水田，朱河绕遗址东南入纪南城。遗址本身为一土台，高出周围农田1～3.1米，现为旱地，种有庄稼。土台平面大致呈椭圆形，东南部因近代烧窑取土而失一隅。1988年春，当地人在遗址边缘取土时，揭露出一些遗物，考古人员赶赴现场对其进行清理。1988年夏和1990年冬，先后对该遗址进行了2次发掘。1991年秋，进行了第3次发掘，发掘工作从9月19日开始，至11月20日结束。有部分隔梁没有清理。发掘结束后，随即对发掘资料进行了初步整理，1992年夏又作了进一步整理。该遗址此次发掘的主要内涵是新石器时代遗存，也有少量战国墓葬、水井和秦代墓。简报分为：一、前言，二、地层堆积与分期，三、第一期遗存，四、第二期遗存，五、第三期遗存，六、结语。共六个部分。先行介绍了朱家台遗址1991年发掘的西南部17个探方的新石器时代遗存。

据介绍，第一期遗存最为丰富，遗物主要为陶器和石器，发现有一台式建筑，其人工筑成的台基分为三层并形成一个两重的台基，显现出史前文明中少见的成熟建筑技术。第二期遗存陶器以粗泥夹炭陶为主。第三期陶器以泥质陶为主。简报指出，此次发掘，为江陵地区史前文化研究提供了丰富的资料。

906.监利狮子山遗址调查与试掘

作　者：荆州博物馆、监利县博物馆　王　宏、王维清
出　处：《江汉考古》1992年第2期

狮子山遗址位于监利县白螺镇，西北距县城约50公里。遗址位处长江左岸，东南临长江，并与长江干堤相连。1983年5月，监利县文物普查队发现该遗址，当时在白螺供销社仓库、米厂、水厂、食品站等处均发现有文化堆积。分布区域面积约12000平方米。但各处文化堆积被破坏较甚，均只有小面积残留，当时采集到一批新石器时代和春秋时期文化遗物。1987年6月24日至7月9日，荆州博物馆、监利县博物馆联合对该遗址进行了试掘，出土一批新石器时代的陶器和石器。简报分为：一、地层堆积，二、文化遗物，三、小结，共三个部分。介绍了调查和试掘的收获，有手绘图。

简报综合分析狮子山遗址各层次的陶器特征，将其分成大体连贯发展变化的三期遗存。简报推断：第一期遗存年代大致与屈家岭文化晚期相当；第二期、第三期文化遗存总体文化面貌较多接近龙山时期的石家河文化，第二期与第三期遗存之间，也因时间早晚存在一些差异。

简报称，该遗址虽材料不多，但仍为探讨两湖地区龙山时期遗存复杂的文化关系以及鄂南地区与湘东北地区的新石器时代文化提供了新的材料。

907.湖北荆州市阴湘城遗址东城墙发掘简报

作　者：荆州博物馆、日本福冈教育委员会　院文清
出　处：《考古》1997 年第 5 期

阴湘城遗址位于湖北省荆州市荆州区城西北约 25 公里处，西距马山镇约 3 公里，现隶属荆州区（1994 年 10 月前行政区划为荆州地区江陵县）马山镇阳城村五组。20 世纪 50 年代，经考古调查证实，此城属新石器时代遗址。1983 年，考古人员对阴湘城进行了考古调查，确认这里是 1 处新石器时代至周代的遗址，并且有城垣的存在。

1991 年冬，考古人员对该遗址进行了历时 4 个多月的调查和试掘，工作时间从 1991 年 10 月至 1992 年 2 月。发掘结果确定阴湘城城址始建于新石器时代屈家岭文化时期，并一直沿用至西周。在遗址的下层堆积有大溪文化遗存。

1995 年春季，联合考古队对阴湘城遗址进行调查和发掘。此次工作从 1995 年 3 月初开始至 5 月中旬结束。1991 年度的调查及发掘工作，分为工作概况、地理环境及城址概况、地层堆积、遗迹、出土遗物、结语共六个部分。有手绘图。

据介绍，调查和发掘资料表明，阴湘城遗址在大溪文化时期已是 1 处规模很大的聚落遗址。阴湘城城址的始建年代为屈家岭文化时期，屈家岭文化早期，开始修筑起颇具规模的城垣，成为方圆数十里区域内的一个中心聚落。根据发掘资料，简报断定第一期城墙的时代下限为屈家岭文化时期，阴湘城城址的时代下限是西周时期。

简报称，阴湘城遗址屈家岭文化时期的古城址，作为长江中游地区所发现的古城址群中的一个重要组成部分，具有其重要的学术价值。阴湘城的出现，是文明起源的重要标志，阴湘城遗址是江汉平原西部 1 处十分重要的古文化遗址。

908.湖北公安鸡鸣城遗址的调查

作　者：荆州博物馆　贾汉清
出　处：《文物》1998 年第 6 期

1996 年 1～2 月，考古人员到湖北省公安县对新石器时代遗址进行重点调查，发现了鸡鸣城遗址。简报分为：一、鸡鸣城的由来，二、自然地理概况，三、古城现状，四、年代推测，五、结语，共五个部分。有照片、手绘图。

据介绍，遗址出土有陶器等遗物，简报认为城址为屈家岭文化时期所建，城址中部有一块高出周围约 1 米的台地，面积约 4 万平方米，台地上文化遗物非常丰富，当地人称"沈家大山"。简报称，公安县内新石器遗址已发现 8 处，当时这一带人口应很密集。

909.湖北荆州市阴湘城遗址 1995 年发掘简报

作　者：荆州博物馆　贾汉清

出　处：《考古》1998 年第 1 期

阴湘城遗址位于湖北省荆州市荆州区马山镇阳城村三组，南距马山镇约 4 公里。1994 年荆州地区与沙市市合并前属江陵县。遗址处于沮漳河下游平原和荆山余脉的交界地带，北面和西北面紧邻菱角湖的一部分——余家湖，东面为低矮的枣林岗地。闻名全国的荆江大堤即以枣林岗为起点，从遗址东南约 300 米的地方蜿蜒而过。

1991 年秋，为配合荆江大堤的加固工程，荆州博物馆曾对古城东城墙进行过发掘，初步搞清了古城的构筑和使用年代。为进一步搞清城址的平面布局，对遗址进行聚落形态、环境变迁等问题的研究，1995 年 3 ~ 5 月，荆州博物馆和日本福冈市教育委员会联合组成考古队，对遗址进行更大规模的调查和发掘。日方工作人员对遗址进行了精心的测绘工作。这次发掘，除对 1991 年 9 个探方（统一编号为 Ⅱ T1）继续进行发掘外，又发掘了 3 个地点，揭露面积共 370 平方米。由于遗迹现象复杂及工期紧等原因，没有一个探方完全发掘到底。简报分为：一、地层堆积，二、大溪文化遗存，三、屈家岭文化遗存，四、石家河文化遗存，五、结语，共五个部分。有手绘图。

据介绍，阴湘城新石器时代遗址，现存面积约 20 万平方米，文化堆积较厚，内涵丰富，叠压着大溪文化、屈家岭文化和石家河文化 3 种遗存。简报称，阴湘城屈家岭文化古城的发现，表明沮漳河流域也存在与天门石家河古城、石首走马岭古城等类似的大型中心聚落。

910.湖北石首市走马岭新石器时代遗址发掘简报

作　者：荆州市博物馆、石首市博物馆、武汉大学历史系考古专业　陈官涛

出　处：《考古》1998 年第 4 期

走马岭遗址是 1989 年夏石首市空心砖厂取土时发现的。遗址位于石首市焦山河乡走马岭村与滑家垱镇屯子山村的交界处，总面积约 8 万平方米。1990 年 5 月考古人员对走马岭遗址因砖厂取土遭破坏的东南区进行了试掘。1990 年秋和 1991 年春再次进行发掘，1990 年和 1991 年的 4 次实际发掘面积 1200 平方米。共发现房址 4 座、陶窑 2 座、灰坑 109 座，清理墓葬 19 座，出土遗物十分丰富。简报分为：一、地层堆积，二、居住址，三、墓葬，四、结语，共四个部分。有手绘图。

据介绍，根据地层叠压打破关系和陶器组合演变特点，简报将走马岭遗址划分

为六期。走马岭遗址六期之间是互相衔接的，经历了大溪文化（晚期）—屈家岭文化（早、中、晚三期）—石家河文化（早、中期）的连续发展过程，特别是屈家岭文化早、中、晚3期的发展特点，在地层和墓葬中都得到了清楚的反映。

简报称，走马岭城址的发现，为我们研究长江中游新石器时代晚期的原始文化提供了重要的考古资料。

911.屈家岭遗址周围又新发现一批屈家岭文化遗址

作　者: 湖北省文物考古研究所、荆门市博物馆、京山县博物馆　林邦存、黄凤春
出　处: 《江汉考古》1998年第2期

1998年5月，考古人员在屈家岭以东又发现了3处屈家岭文化遗址。简报配以手绘图予以介绍。

据介绍，这3处遗址是钟家岭遗址、殷家岭遗址、冢子坝遗址。遗物有石器、陶器。其中，钟家岭遗址破坏最为严重，故暴露遗物最多，所见遗物自早至晚与屈家岭遗址第3次发掘遗存相同。同时，在该遗址的南部还见有屈家岭文化晚期遗存。殷家岭遗址地面虽未见屈家岭文化早中期的遗物，但在遗址的北部发现有较多的屈家岭文化晚期遗存。与钟家岭遗址不同的是，殷家岭遗址还发现有较多的商周时期文化遗存。

简报称，屈家岭遗址是1954年冬为配合石龙过江水库工程调查而发现的，1955年2月进行了第1次发掘，1956年6月至1957年2月又进行了第2次发掘。第2次发掘材料经整理和研究，编写成《京山屈家岭》一书，并正式将其特有的文化特征命名为"屈家岭文化"。1989年7～8月，在该遗址的北部又进行了第3次发掘。第3次发掘不仅再次发现了屈家岭文化的遗存，而且还发现了比屈家岭文化时代更早并与屈家岭文化的屈家岭类型有着渊源关系的前屈家岭文化时代的一期遗存，使得屈家岭类型的谱系更加明朗。但前3次的工作都局限于屈家岭遗址本身，而未对其外围开展工作，对遗址群的全貌还知之甚少。这次新发现的3处屈家岭文化遗址为研究屈家岭遗址群和屈家岭类型与屈家岭文化之间的内在关系，又提供了一批重要资料，对研究屈家岭文化的社会组织的内部结构有着重要的学术价值。

912.湖北荆州观音垱汪家屋场遗址的调查

作　者: 荆州博物馆　贾汉清等
出　处: 《文物》1999年第1期

观音垱镇原属湖北省江陵县，现属荆州市沙市区。该镇地处荆州市的东北角，

北隔长湖与荆门市相望，东与潜江市比邻。这里是长湖南岸的滨湖地带，地形以平原为主，平均海拔约 30 米。境内原有 10 多个大大小小的湖泊，经过多年改造，现在多已荡然无存。汪家屋场遗址在观音垱镇以东约 4 公里，属枪杆村四组。北面 150 米左右是新建成的宜黄高速公路，再往北不远是 308 国道。这是一处略高于周围地面的小台地，从文化遗物的分布范围估测，遗址的面积约 3000 平方米。文化层厚薄不均，最厚处约 1 米。简报配以照片、手绘图予以介绍。

据介绍，遗址出土的文化遗物除征集的 3 件石器外，还采集到不少陶片。年代简报推断为石家河文化晚期，大约距今 4200 ~ 4000 年。汪家屋场遗址，应是石家河文化晚期的 1 处氏族墓地。

913.湖北京山屈家岭遗址群 2007 年调查报告

作　者：湖北省文物考古研究所、京山县博物馆　刘　辉、陈中富、熊学斌
出　处：《江汉考古》2008 年第 2 期

该遗址 1954 年修水库时发现，1955、1956 ~ 1957、1989 年共 3 次发掘，2007 年进行了调查。2007 年的调查在屈家岭遗址周边新发现 8 个新石器时代遗址和石器采集点，证明屈家岭是 1 处新石器时代的大型遗址群，其分布范围远远超过以往的认识，其中屈家岭遗址在遗址群中具有核心地位。调查还发现包括屈家岭遗址、钟家岭遗址、冢子坝遗址的大环壕系统，另外还可能存在仅限于屈家岭遗址南部的小环壕系统，这是继 3 次发掘后对屈家岭遗址群聚落结构与聚落形态演变的突破性认识。简报分为：一、遗址概况及以往工作概述，二、调查工作概述，三、附属聚落遗址，四、遗址群分布范围及面积，五、文化层保护现状与特征，六、主要遗迹现象，七、聚落结构分析与形态演变，共七个部分。有手绘图。

简报称，通过本次调查，我们对屈家岭遗址的聚落结构有了新的突破性的认识。屈家岭遗址群是 1 处特大型的新石器时代聚落群，聚落之间呈现明显的等级划分。其中，屈家岭遗址处于绝对的中心位置，面积最大，文化层堆积最厚，延续发展的时间也最长，应为中心聚落；周边遗址冢子坝、钟家岭、殷家岭、九亩堰、大禾场、小毛岭、毛岭、土地山、杨湾、东湾等遗址呈环状分布于屈家岭遗址周边，应为附属聚落。从历次发掘和采集标本看，屈家岭遗址文化序列最为完整，从油子岭文化一直延续到屈家岭文化晚期。最早的油子岭文化遗存位于屈家岭遗址北部，应是整个聚落群的起源地；冢子坝遗址采集标本也具有明显的油子岭文化特征；钟家岭遗址则可能兼有油子岭文化，屈家岭文化早、晚期的遗物，九亩堰遗址从采集的陶片看，也应属油子岭文化，但陶片过于碎小且不辨器形；其余遗址则以屈家岭文化类型为

可主。可见，屈家岭遗址聚落群最早发端于屈家岭遗址北部，最早在油子岭文化时期发展形成了包括屈家岭遗址、冢子坝遗址、钟家岭遗址的大环壕系统，此时无明显的等级体系，仅在其西边出现了 1 个九亩堰附属聚落。到屈家岭文化时期，聚落群发展到顶峰，分布范围最广，可能形成了明显的聚落等级体系。小环壕系统就是整个聚落等级体系的顶端，其余遗址则作为附属聚落分布于四周。

宜昌市

914.湖北宜都甘家河新石器时代遗址

作　者：高仲达

出　处：《考古》1965 年第 1 期

1964 年 1 月，考古人员对宜都县甘家河遗址作了初步调查。遗址在长江南岸边，上距宜昌 30 多公里，下距宜都县城约 16 公里。简报配以手绘图予以介绍。

据介绍，发现有灰坑和几个间距相等、高 1 米多、略呈椭圆形的红烧土堆（可能为陶窑）。灰坑多在断面的中段，红烧土堆则在东端。遗物有大量的红、黑陶片及打制石器和石片。陶片以泥质、夹砂红陶最多，黑陶次之，蛋壳红黄陶极少。红陶有钵、碗、罐、盘、圈足器底等，多为素面，彩绘的极少，制法有轮制和手制。石器有斧和刮削器。简报推断遗址应为新石器时代晚期遗址。

915.当阳季家湖考古试掘的主要收获

作　者：杨权喜

出　处：《江汉考古》1980 年第 2 期

1979 年冬，考古人员在离楚故都纪南城（今江陵县境内）西北约 40 公里的当阳县草埠湖农场季家湖西岸的新华大队（原属枝江县）进行了 1 次具有相当规模的考古调查与试掘工作，以了解该处发现的古城址的年代、范围和城内遗存情况。经多次调查之后，于 9 月 26 日正式开始，先后试掘了隶属于新华大队的九口堰、杨家山子、一号台基、范家大垸、季家坡和鲁家坟 6 个地点，试掘总面积约 350 平方米，于 11 月 11 日顺利结束。简报分为：一、季家湖文化的发现，二、季家湖城址的确定，共两个部分。

据介绍，季家湖文化的发现，明确了鄂西地区（或者称沮漳河流域）原始文化发展系列，即是由大约 6000 ~ 7000 年前的大溪文化阶段，经过大约四五千年前的屈家岭文化阶段，发展到大约 3000 ~ 4000 年前的季家湖文化阶段。经过初步钻探、调查，城址的大致范围北起鲁家坟，南至九口堰，东起季家湖西岸，西至新人工河东岸，南北长约 1600 米，东西宽约 1400 米，是 1 座规模不算小的东周城址。简报称，季家湖楚城，地处沮漳河下游的西岸，它的发现为楚文化研究增添了新资料。

916.湖北枝江县关庙山新石器时代遗址发掘简报

作　者：中国社会科学院考古研究所湖北工作队　王　杰、陈　超、朱乃诚
出　处：《考古》1981 年第 4 期

枝江县位于长江中游地区、江汉平原的西部。关庙山遗址位于县城东北 11.5 公里的长江北岸。简报分为：一、关庙山遗址一期遗存，二、关庙山遗址二期遗存，三、关庙山遗址三期遗存，四、结语，共四个部分。有照片、手绘图。

据介绍，关庙山一期为大溪文化较早遗存；关庙山二期为大溪文化较晚的遗存。第二期是在第一期基础上发展起来的。简报称，目前已知的大溪文化，东到湖北江陵县的毛家山、松滋县桂花树一带，南到湖南澧县三元宫一带，西到长江三峡地区，北到湖北当阳县，有宜昌县清水滩（即青鱼背）、巫山县大溪等遗址。至于关庙山第三期，简报认为是屈家岭文化晚期的遗存。这一时期关庙山出现近百座瓮棺葬，是以往的屈家岭遗址罕见的。一般认为，屈家岭文化的年代为距今 5000 年左右。

917.湖北枝江关庙山遗址第二次发掘

作　者：中国社会科学院考古研究所湖北工作队　李文杰、沈强华、任式楠
出　处：《考古》1983 年第 1 期

简报分为：一、地层情况，二、大溪文化遗存，三、屈家岭文化遗存，四、青龙泉三期文化遗存，五、结语，共五个部分。介绍了 1979 年秋至 1980 年冬湖北省枝江县关庙山新石器时代遗址第 2 次发掘的资料，有手绘图。

据介绍，关庙山遗址以大溪文化遗存为主。这是一种以稻作为主的农业文化，时代应在距今 5000 多年前。在关庙山新石器时代遗址还发现了青龙泉三期文化遗存、屈家岭文化晚期遗存。其中青龙泉三期文化，简报认为是江汉及其周围有关地区新石器时代晚期文化的一个重要阶段，有其自身的来源、特征和发展道路，与黄河流域的龙山文化，属于不同的发展系统，故不宜称作"湖北龙山文化"。

918.宜昌县清水滩新石器时代遗址的发掘

作　者：湖北省宜昌地区博物馆、四川大学历史系考古专业　马继贤、卢德佩
出　处：《考古与文物》1983 年第 2 期

清水滩遗址地处长江西陵峡的南岸，属宜昌县三斗坪公社，东去宜昌市约 45 公里，西距黄陵庙约 4 公里。为配合葛洲坝工程建设，1979 年秋，考古人员在此进行了发掘。简报分为：一、地层堆积，二、遗迹，三、遗物，四、结语，共四个部分。有手绘图、照片。

据介绍，遗址共发现灰坑 27 个、墓葬 4 座。遗物以石器最丰富，包括耕土层，出土共 1300 多件，其他有陶、骨、玉、角等质料的器物。简报认为该遗址可分为一、二两期，是属同一种文化的先后不同发展阶段。简报推断清水滩一期约相当于大溪文化中期的较早阶段，二期相当于中期的偏晚阶段。

简报称，从遗址里出土的鹿角、野猪獠牙等动物遗骨分析，当时这里起伏的峰峦上树木比较茂密，灌木丛生，动物出没，是从事狩猎的良好场所；从出土的箭镞、弹丸等工具亦可证明狩猎是人们经济生活的重要来源。同时，遗址靠近长江，地层里发现了大量青鱼和白鲢的骨骼和牙齿，说明捕鱼也占有重要地位。但就石器工具的种类来看，数量最多的还是用于砍伐和掘土的工具，也就不能排斥有种植农作物的可能。

919.当阳冯山、杨木岗遗址试掘简报

作　者：湖北省博物馆、武汉大学历史系考古专业　王红星
出　处：《江汉考古》1983 年第 1 期

为探索楚文化的发展系列以及楚文化发展与鄂西地区原始文化的渊源关系等课题，在沮漳河中游考古调查的基础上，考古人员于 1980 年 6 月对当阳境内的冯山和杨木岗遗址进行了试掘。简报分为：一、冯山遗址，二、杨木岗遗址，三、结语，共三个部分。有手绘图、照片。

据介绍，冯山遗址出土的蛋壳彩陶片、高圈足杯、盂形器、罐形扁足小鼎、仰折壁豆等器物，主要特征与枝江关庙山遗址第三期器物基本类似，具有强烈的屈家岭文化因素。但是与典型屈家岭文化的同期遗物相比，它具有鄂西地区同期文化的特征，可能是屈家岭文化的另 1 个类型，尚有待进一步研究。简报称，杨木岗遗址试掘的最大收获，是其上层出土了一组特征鲜明的共存陶器，为研究楚文化的发展序列提供了新资料。

920.宜昌县杨家湾新石器时代遗址

作　者：宜昌地区博物馆　余秀翠、王　劲
出　处：《江汉考古》1984 年第 4 期

杨家湾遗址位于西陵峡之南的宜昌县三斗坪公社杨家湾大队第二生产队，东距宜昌市约 45 公里，西距三斗坪公社约 4 公里，北临长江。1958 年即作过试掘，1981 年又配合三峡工程进行了抢救性发掘。

简报分为：一、遗址位置及发掘情况，二、地层堆积，三、遗迹，四、遗物，五、彩陶和刻划符号，六、自然、动物遗骸，七、结语，共七个部分。有手绘图。

据介绍，该遗址属大溪文化。一般认为，大溪文化距今为 6900～5100 年。一大批彩陶的出现，为长江三峡一带的大溪文化增添了新的内容。杨家湾遗址的彩陶丰富，花纹繁多，为当时陶器装饰艺术的代表作。一大批刻划符号的出现，为新石器时代的原始文字研究揭开了新篇章。刻划符号在仰韶文化遗址中出土过，但杨家湾遗址刻划符号种类之多，是继仰韶文化刻划符号之后大溪文化首次所见的主要收获。

921.湖北宜都石板巷子新石器时代遗址

作　者：宜都考古发掘队　杨权喜、陈振裕
出　处：《考古》1985 年第 11 期

石板巷子遗址位于宜都县姚店公社清圣庵大队，西距宜都县城关（即清江口）约 5 公里，北靠长江，南距宜白公路约 50 米。遗址处于江汉平原与鄂西山地的缓冲地带，分布于长江的二级台地上断续长约 300 米、宽约 15 米的范围内，实际残存面积约 500 平方米。1982 年宜昌地区文物普查时发现了此遗址。1983 年 9～11 月，宜都考古发掘队对该址进行了发掘。简报分为：一、地层堆积，二、文化遗迹，三、文化遗物，四、结语，共四个部分。有手绘图、照片、拓片。

据介绍，石板巷子遗址因遭到江水的严重破坏，残存面积小，遗址内涵全貌已无法了解。这次发掘的东、西区都是处于整个遗址的边缘部分，未发掘部分遗址所剩无几。这次发掘所获得的资料主要有新石器时代的水沟 2 条、灰坑 11 个和一批石器、陶器，其中陶器较为丰富。石板巷子遗址是目前所掌握的鄂西地区重要的新石器时代晚期遗址之一，它为研究鄂西地区的新石器时代文化增加了一批新资料，在填补鄂西地区古代文化缺环方面，具有重要意义。简报推断，石板巷子遗存的相对年代，应晚于季家湖下层遗存。

922.宜昌覃家沱两处周代遗址的发掘

作　者：湖北省博物馆　王善才

出　处：《江汉考古》1985 年第 1 期

为配合长江三峡大坝动土工程，1984 年 6 月，考古人员对鄂西峡江北岸的宜昌县太平溪区龙潭坪乡覃家沱附近的 2 处古文化遗址进行了考古发掘。

简报分为：一、覃家沱遗址，二、黄土包遗址，三、结语，共三个部分。有手绘图、照片、拓片。

据介绍，覃家沱遗址虽有汉代人居住过，但汉代遗物并不多，时间不会很长。因此，汉代文化遗物不是这处遗址的主要内容，主要内容是周代文化遗存。具体年代简报推定在西周晚期到两周之际。黄土包遗址与覃家沱遗址稍有不同，一是上面不见汉代遗存，一是周代文化层的下部混有少许新石器时代的遗物。但根据地层及文化堆积的情况看，主要还是周代遗存。这又与覃家沱遗址相同，所以我们仍以主要文化遗存为代表来称呼它是 1 处周代遗址。当然，新石器时代的遗存也有它重要的意义，不可忽视。此地的新石器时代遗存似属大溪文化，在峡江北岸发现大溪文化遗址，属填补空白。

923.江汉地区新石器时代考古收获（1955 ～ 1965 年）

作　者：张云鹏

出　处：《江汉考古》1985 年第 4 期

1949 年后，江汉地区的考古取得了诸多成果。简报专门介绍了新石器时代江汉地区的考古收获。

简报称，首先应该提到在长阳县下钟家湾 1 个山洞中发现的长阳人遗存。它晚于马坝人，早于丁村人，距今约 12 万至 13 万年。长阳人的发现，使长江中游古代史上溯至 10 多万年前，为研究长江中游地区旧石器时代文化提供了重要线索。江汉地区的屈家岭文物，有着明显的地域特征，是一支独具风格的原始文化。鄂西北的原始文化中，呈现出的某些仰韶文化和龙山文化的特征，如郧县大寺下层、青龙泉下层等文化遗存，应是南北原始文化相互影响的现象，以均县朱家台为代表。早于屈家岭文化的一类原始文化遗存，是这一地区内具有地方特色的一类原始文化，值得注意。鄂东的新石器时代文化遗存，在文化面貌上，与江西的原始文化联系较密，呈现出长江中、下游原始文化在江汉地区东缘交会的现象。

924.宜昌扬家湾在新石器时代陶器上发现刻划符号

作　者：余秀翠

出　处：《考古》1987 年第 8 期

最近几年，考古人员试掘了宜昌县扬家湾新石器时代遗址，并通过整理发现了一批陶器上的刻划符号。这个遗址的时代相当于大溪文化的中期，是大溪文化发展到鼎盛时期的文化，距今 6000 年左右，出土有大批彩陶和有刻划符号的陶器以及一批有戳印纹支座，很具特色。简报配以手绘图予以介绍。

据介绍，扬家湾遗址共发现 74 件有刻划符号的陶片。这些刻划符号均在陶器的圈足底外面，与仰韶文化、马家窑文化的彩绘符号，大汶口文化的象形文字所在部位均不一样。从完整的器物看，刻划符号一般在圈足碗、圈足盘的圈足底外部。有的可能是用竹木片削尖或者是用骨质的平刀、小刮刀一类的用具刻划上去的，有的看上去刻得比较费劲，大概是由于难以把符号刻划清楚而采用的一种比较尖利的工具刻成。简报推测这批符号具有文字初创阶段的性质。将它们与各地新石器时代的刻划符号、已进入阶级社会的文字体系——甲骨文、金文作比较研究，对文字的发生、发展的研究可能提供具有一定价值的史料。

925.宜昌中堡岛新石器时代遗址

作　者：湖北省宜昌地区博物馆、四川大学历史系　陈任贤、谢达远等

出　处：《考古学报》1987 年第 1 期

中堡岛（又名"松苞岛""中包岛"）位于长江西陵峡境三斗坪镇（因建葛洲坝该镇已拆迁）西 1 公里许，四周为沙石堆积的河漫滩，中部隆起而平缓，其上竹树葱茏，远视如一座堡垒，故名。全岛东西长约 1000 米，南北宽 300～400 米，西端隔茅坪溪与秭归县茅坪镇相望，南侧近山，中隔一条宽约数十米的江汉，北临长江。据地貌观察，中堡岛在较早的年代是一片和南侧山岗相连的山前河谷台地，由于长期受到自西南方直泻的茅坪溪水的冲刷和长江洪水倒灌的冲蚀，沿山根部分的泥土流失，岩石逐渐裸露，山岗和台地被分割开，山下形成江汉，台地成为一长形小岛。中堡岛遗址是 50 年代末长江水库考古队发现的。又作过多次调查。1979 年，为配合水利工程，考古人员进行了发掘，历时 1 月。简报分为：一、地层堆积和分期，二、大溪文化一期遗存，三、大溪文化二期遗存，四、大溪文化三期遗存，五、大溪文化四期遗存，六、屈家岭文化遗存，七、二里头文化时期的遗存，八、结语，共八个部分。有照片、手绘图。

据介绍，该遗址大溪文化一至四期一脉相承。从陶器发展趋势看，一至四期的泥质黑陶和灰陶所占比重逐渐增多，器类不断增加，彩陶从无到有，三、四期达到鼎盛；烧制陶器的技术不断提高。该遗址屈家岭文化以泥质灰陶和黑陶为主。简报同意屈家岭文化系从大溪文化继承发展而来的观点。二里头文化中有些器物与三星堆出土的遗物很相似。该遗址二里头文化与周边文化的关系尚待研究。

926.湖北长阳清江沿岸遗址调查

作　　者：湖北长阳县博物馆　张典维
出　　处：《考古》1988 年第 6 期

长阳县位于鄂西南清江中下游，东接宜都，西连巴东，与宜昌相邻。清江由西向东横贯全县，遗址一般分布在小溪与清江汇合处的三角平台上。

1958 年以来，长阳县博物馆陆续对清江两岸进行考古调查，发现古文化遗址 10 处，基本弄清了清江沿岸古文化遗存的分布情况。由于 1969 年清江暴发了 1 次百年未有的洪水，使两岸的平地蒙上了 30 厘米左右的泥沙，故采集的标本不多。简报分为：一、西寺坪遗址，二、桅杆坪遗址，三、沙嘴遗址，四、千渔坪遗址，五、南岸坪遗址，六、外村里遗址，七、榨洞遗址，八、香炉石遗址，九、小结，共九个部分。有手绘图。

简报介绍的 8 处遗址，除外村里遗址包含有大量的周代遗物外，其他几处遗址暴露的陶片均属新石器时代遗物。

西寺坪遗址内涵比较丰富。从采集的陶器看，以红陶为主，黑陶较少，红陶外壁普遍涂红陶衣，颜色鲜红。器物外红内黑的数量多，圈足器多，三足器少。石斧、锛大部分为长方形或梯形，除少量打制外，大多数经过磨制，石料取材于河边鹅卵石。这些特征与枝江关庙山第一期遗存相似，简报推断属大溪文化早期。一般认为，大溪文化的年代为距今约 6900 ～ 5100 年。

927.宜昌伍相庙新石器时代遗址发掘简报

作　　者：湖北省博物馆、江陵考古工作站
出　　处：《江汉考古》1988 年第 1 期

伍相庙新石器时代遗址，位于湖北省宜昌县太平溪区伍相庙乡伍相庙村的山坡上，是长江西陵峡中段北岸 1 处保存较好的遗址。向东 500 米与路家河商周遗址隔溪相望，西距太平溪镇约 5 公里。1984 年 6 月、10 月，为配合三峡工程，考古人员进行了两次发掘。简报分为：一、地层堆积及遗迹，二、大溪文化遗物，三、小结，共三个部分。有手绘图。

据介绍，该遗址是 1 处重要的新石器时代遗址。从遗址四周比较宽阔的情况来看，原遗址面积是相当大的，现保存的只是遗址的局部。该遗址出土的石器，制作还比较粗糙，虽然经过磨制，但多未磨平，打制痕迹还十分明显。还有一部分打制石器。出土的陶器多为夹碳陶并施红陶衣，还有少量夹蚌陶和夹砂陶。纹饰有线纹、刻划纹、戳印纹、镂孔等。器型有弧腹小矮足鼎、鼓腹釜、圈足碗、双折壁圆底碟、器盖和刻划纹支座等。简报认为当属大溪文化。一般认为，大溪文化的时代为距今 6900～5100 年。

928.清水滩遗址 1984 年发掘简报

作　者：武汉大学历史系考古专业　向绪成、王　然
出　处：《江汉考古》1988 年第 3 期

清水滩遗址是一处新石器时代遗址，位于长江西陵峡南岸，紧靠江边，属湖北省宜昌县三斗坪镇，西距黄陵庙约 4 公里。1979 年、1984 年考古人员进行了 2 次发掘。简报分为：一、地层堆积，二、第一期遗存，三、第二期遗存，四、结语，共四个部分。介绍了 1984 年发掘的情况，有照片、手绘图。

据介绍，该遗址遗存可分为一、二两期。第一期大致相当于大溪文化第二期，第二期大致相当于大溪文化三、四期。一般认为，大溪文化可分四期，年代为距今 6900～5100 年。

据介绍，该遗址石制生产工具丰富，多用砾石石片和砾（石核）制作石器。以打制为主，石器规整，趋向定型（如长方形、梯形石斧，圭形石凿等）。石斧等砍伐工具在石器中占绝对多数，是清水滩遗址大溪文化石器的特色。简报指出，清水滩遗址中发现有箭镞、矛、鱼钩、鱼镖等狩猎捕鱼工具，还发现鹿角、野猪等动物骨骸和大量青鱼、白鲢等鱼骨，说明狩猎、捕鱼在当时人们经济生活中占有重要的地位。在生产工具种类中，大量出土了用于砍伐掘土的生产工具，说明当时清水滩人们的经济生活仍以农业生产为主。

929.当阳罗家山新石器时代遗址调查简报

作　者：宜昌地区博物馆　王家德
出　处：《江汉考古》1989 年第 4 期

1983 年 8 月，考古人员对当阳罗家山新石器时代遗址进行了调查。简报分为：

一、遗址的位置与分布，二、断面上地层堆积情况，三、采集遗物标本，四、小结，共四个部分。有手绘图。

据介绍，该遗址隶属当阳县河溶区前合七队，地处沮漳河东岸，西距河溶镇约250米；南临汉宜公路。采集有石斧、石锄、石锛各1件，陶器多件。该遗址主要为屈家岭文化遗物，也不排除大溪文化因素，还有龙山文化遗物。

930.湖北枝城九道河旧石器时代遗址发掘报告

作　者：李天元

出　处：《考古与文物》1990年第1期

1986年8月，湖北宜都县青龙嘴乡九道河村采石场在开采石灰石时发现动物化石，1件为牛的上臼齿，另1件为獏的左侧上颌骨，上附有3枚保存完好的牙齿（Ml～M3）。经过现场调查，这里是1处旧石器时代洞穴遗址。洞口部分已被炸毁，洞内堆积物已略有损失。9月下旬，进行了第1次考古发掘，获百余件石制品和零星的动物化石。10月下旬，对该遗址进行了第2次发掘，发掘工作进行了5天，获石制品百余件，获得1件鬣狗的右侧下颌骨化石。1987年2月下旬至3月上旬，对该遗址进行了第3次考古发掘。这次工作16天，所获材料较多，但废片和碎块的数量较大，挑选出来的石制品也不足200件，发现的比较重要的化石有獏、剑齿象、大熊猫等的牙齿，还有1件残的鹿头骨。简报分为：一、遗址概况，二、哺乳动物化石，三、石制品研究，四、结语和讨论，共四个部分。

据介绍，此为1处旧石器时代更新世晚期遗址。简报称，将枝城九道河与大冶石龙头两处遗址的文化遗物相比较，二者有惊人的相似之处。无论是石制品的原料还是石制品的生产方式、石器的种类，二者都是一致的。张森水先生在《中国旧石器文化》一书中称石龙头石器为"长江边上的粗化文化"。简报认为，"粗化"二字在某种程度上准确地抓住了石龙头文化的特征。

931.湖北枝江新石器时代遗址调查

作　者：枝江县博物馆　黄道华

出　处：《考古》1992年第2期

枝江县位于长江中游的荆江之首，地处江汉平原西缘、荆山山脉南麓。1975～1983年先后在枝江进行了3次大规模文物普查，其后又多次进行复查，发现新石器时代遗址数量较多。简报分为：一、红岩子山遗址（编号1），二、马家溪遗址（编号 2），三、新庙子遗址（编号 3），四、壕沟屋遗址（编号 4），五、大坟坝遗址（编号 5），六、施家坡遗址（编号 6），七、雨山坡遗址（编号 7），八、独家山子遗址（编号 8），九、熊家台子遗址（编号 9），十、杨家山子遗址（编号 10），十一、结语，共十一个部分。有手绘图。

据介绍，这 10 处遗址的文化内涵主要是长江中游的大溪文化、屈家岭文化和石家河文化。红岩子山遗址时代较早，器类简单，制法原始，釜、罐类器形与大溪文化有共同点，时代早于大溪文化，与枝城市城背溪等地发现的相类遗址有密切关系。新庙子遗址文化层较厚，遗物体现出前述 3 种原始文化的特点，与关庙山遗址相似。新庙子、施家坡和马家溪 3 处遗址都有关庙山一期的器物。后 2 处遗址的时代下限至关庙山第三期，如施家坡的折沿直口圈足盘，马家溪所出的镂空圈足碗等。独家山子的梯形扁鼎足、圈足碗，熊家台子的锥形鼎足、折沿罐、敛口碗都是关庙山第三期的器物。独家山子的泥质黑陶曲腹杯、喇叭形圈足豆、圈足杯，熊家台子的泥质黑陶子母口碗、镂孔圈足豆具有屈家岭文化的特点。雨山坡、壕沟屋、大坟坝、杨家山子等处遗址，基本上以石家河文化为其特点。雨山坡有双腹豆，表明被毁之前尚有屈家岭文化堆积。宽扁鼎足、三角形鼎足、圈足盘、圈足豆、斜直壁杯及较多的泥质灰白陶器，具有石家河文化的特点。综合来看，3 种原始文化的堆积都有、面积又较大、文化层较厚的遗址，东部地段是关庙山，西部地段则是玛瑙河流域的新庙子。这 10 处遗址为探讨大溪文化及其与江汉地区原始文化的关系提供了新的资料，对于综合研究关庙山遗址的文化面貌、荆江上游原始文化的传承与发展具有一定的意义。

一般认为，大溪文化的年代为距今 6900 ～ 5100 年。

932.1982 年秭归县柳林溪发掘的新石器早期文化遗存

作　者：湖北省文物考古研究所　陈振裕、杨权喜
出　处：《江汉考古》1994 年第 1 期

1981 年 4 月 28 日至 5 月 7 日，湖北省三峡考古小组第 2 次发掘了秭归县柳林溪遗址，发掘面积共计 110 平方米。这次发掘不但发现了丰富的商周文化遗存，而且发现了重要的新石器早期文化遗存。简报分为：一、遗址概况，二、新石器时代文化遗物，三、结语，共三个部分。介绍柳林溪新石器时代早期文化遗存，有手绘图、拓片。

据介绍，柳林溪遗址在秭归县城关以东 37 公里处，紧临长江北岸。柳林溪第四层新石器时代文化遗物包含了新的文化内容。它的所属年代，简报认为它在长江中游地区的新石器时代诸文化中，相对年代是较早的。它与目前长江中游地区较早的

大溪文化不应归为同一文化。柳林溪第四层文化遗物的相对年代应早于大溪文化。文化性质和具体年代，简报指出有待今后的探索。

简报称，柳林溪第四层新石器时代文化遗存的发现，为以后调查和认识宜都城背溪、枝城北等一系列长江中游新石器时代早期文化遗址，提供了宝贵线索。它在探索长江流域古代文明史上有着重要意义。

933.湖北清江香炉石遗址的发掘

作　者：湖北省清江隔河岩考古队　王善才、张典维等
出　处：《文物》1995 年第 9 期

为配合湖北省清江隔河岩大型水利枢纽工程建设，考古人员于 1987 年春季开始，对清江两岸水库淹没区的地下文物进行抢救性发掘，香炉石遗址即是其中重要遗址之一。1988 年和 1989 年先后 2 次对该遗址进行了发掘，获得先商、商、周等时期的遗物近万件。简报分为：一、地理位置及自然环境，二、地层堆积，三、文化遗物，四、结语，共四个部分。有照片、手绘图。

据介绍，香炉石遗址位于湖北省宜昌市长阳土家族自治县渔峡口镇东南 0.5 公里的清江北岸，东距长阳县城 97 公里，地处清江中游。该遗址已发掘面积不到 400 平方米，但出土遗物近万件，还不包括大量的动物遗骸，这在鄂西清江流域和长阳山区来说，是极为罕见的。所出遗物包括大量的陶器和骨器，更重要的是出土了大量卜甲。卜甲、精致骨器及早期陶印章的出现，表明该地先民尽管地处山区河谷地带，但文明程度不低。简报甚至怀疑此处是古巴人最初定居的都城——夷城所在地。

934.1985 ～ 1986 年宜昌白庙遗址发掘简报

作　者：湖北省文物考古研究所　杨权喜
出　处：《江汉考古》1996 年第 3 期

湖北省宜昌县三斗坪镇东岳庙村的白庙遗址位于长江西陵峡中段南岸的黄牛山下，西距中堡岛（三峡大坝基址）约 3 公里，东距黄陵庙约 6 公里。遗址坐落于两条山间小溪之间的山坡上，地势由南向北逐渐低下，北边为窄长的长江河漫滩（滩上有岩石和卵石分布），南部为陡坡，有山谷和岩峰。遗址一带均垦为梯田，种植大量柑橘和旱地作物。遗址中部原有 1 座古庙，故该地被称为"白庙子"。古庙毁后被掘为塘堰，附近坡地亦改为水田。该遗址 1958 年发现，1960 年复查，1979 年第 1 次发掘，1981 年第 2 次发掘。为配合三峡工程，1985、1986 年，又进行了第 3、

第 4 次发掘。简报分为：一、文化堆积，二、文化遗迹，三、文化遗物，四、结语，共四个部分。配以手绘图，介绍了第三、第四次发掘的情况。

据介绍，白庙遗址是长江西陵峡地区目前发现的 1 处内涵最丰富的石家河文化遗址，是研究三峡地区新石器时代晚期文化的基本资料。除该遗址以外，在坝区的宜昌下岸、中堡岛和库区的秭归庙坪也出土过同一阶段较零星的陶器。由于三峡工程已动工，坝区的这类遗址均不复存在，因而白庙的这两次发掘资料就弥足珍贵。

一般认为，石家河文化的年代为距今 4500 ~ 4200 年。

935.三峡地区发现原始社会腰坑墓葬

作　者：宜昌博物馆　卢德佩
出　处：《江汉考古》1999 年第 1 期

1988 年 11 月下旬，考古人员为配合三峡工程建设，在三峡库区秭归县旧州河古遗址的考古发掘过程中，发现 2 座距今 4000 多年的原始社会墓葬，其中二号墓为腰坑墓。

据介绍，这 2 座墓葬为同一时期的土坑竖穴墓，距地表深 3 米左右。其中一号墓坑长 2 米，宽 0.78 米，人骨架保存较好，骨架长 1.64 米，葬式为屈肢，头向南，不见任何随葬品；二号墓坑长 2.12 米，宽 0.85 米，深 0.4 米，人骨架保存较好，骨架长 1.65 米，葬式为仰身直肢，头向北，随葬有陶罐、陶钵、陶碗、石镜等 6 件随葬品。二号墓底中部有一弧壁圆底的圆形腰坑，坑中放置 1 件泥质黑陶高领卷沿罐，卷沿罐内置 1 件泥质黑陶圈足碗，碗中盛放 1 条草鱼（仅存鱼牙、腮骨、椎骨等骨骼）。卷沿罐上为人骨架，人骨架胸部覆盖 1 件泥质黑陶钵，其位置正好与骨架下腰坑中的卷沿陶罐位置相对应。这一奇特现象，不仅在鄂西三峡地区属重大考古新发现，而且在我国原始社会考古中尚属首次发现。同时，这一发现把腰坑墓的年代自商代向前提早了数百年。经研究，2 座墓葬属于新石器时代石家河文化遗存。

936.宜昌发现新石器时代文化堆积

作　者：宜昌博物馆
出　处：《江汉考古》1999 年第 1 期

考古人员在宜都市陆城街道办事处三江村四组进行考古发掘时，发现有新石器时代文化遗存，采集到的遗物主要为石器。正式发掘尚在进行中。

荆门市

937.湖北京山朱家咀新石器遗址第一次发掘

作　者：湖北省文物管理委员会　王善才
出　处：《考古》1964 年第 5 期

1960 年 3 月，考古人员重点发掘京山县朱家咀新石器时代遗址，获得了大批的文化遗物，还发现了房屋、窖穴、灰坑和烧红土等建筑遗迹（建筑遗迹发掘未完，此次不作报道）。特别是在红烧土块中，发现了水稻谷壳痕迹，这是继京山屈家岭、天门石家河和武昌放鹰台等新石器遗址发现水稻谷壳痕迹之后，又一次重要发现。简报分为：一、地理环境和地层情况，二、文化遗物，三、小结，共三个部分。有手绘图、照片。

据介绍，朱家咀遗址位于京山县城西南约 2.5 公里，在大鼓山北面的朱家咀台地上，出土的遗物很丰富。陶器制作以轮制为主，又以磨得非常光亮而精致的小型陶器为多，这说明当时人们的制陶技术已达到较高的水平。1 件里面装有 15 粒或 15 粒以上大小与豌豆差不多的烧过的陶丸、摇动可发出音响的陶响器（儿童玩具），尤为引人注目。遗址中出土了大量的农具和手工工具，没有发现狩猎工具和捕鱼工具，并有大量猪骨的出现以及烧红土中发现了水稻谷壳痕迹，等等，说明了当时人们的主要生产活动是农耕。出土了大量的陶纺轮，说明当时的纺织手工业也比较发达。年代简报推断应比屈家岭遗址为早或与其早期相当。

938.荆门市荆家城新石器时代遗址调查

作　者：荆门市博物馆　刘祖信、崔仁义
出　处：《江汉考古》1987 年第 2 期

荆家城遗址 1982 年即已发现，1985 年 9 月上旬，考古人员对该遗址进行了复查。简报分为“地层关系”“暴露遗物”等几个部分予以介绍，有手绘图。

据介绍，荆家城遗址位于荆门市东南部毛李区瞄集乡，面积约 2 万平方米。据当地人反映，传说荆家城四面各有一门道，分别为东城坡、南城坡、西城坡、北城坡。荆家城四周环水，其西南曾墩筑设桥，古城西有望子台。从采集遗物看，遗址应属大溪文化、屈家岭文化范畴。荆家城遗址处在长江与汉水之间，在江陵毛家山遗址的东北面，距离汉水 15 公里左右。它的发现，使大溪文化的分布范围进一步向北、向东扩展了。这表明，大溪文化不仅分布于长江中上游，而且扩大到汉水流域，从而缩小了大溪文化与屈家岭文化在分布范围上的距离。荆家城遗址的发现，揭示了大溪文化与屈家岭文化的早晚关系，而探讨这一遗址的文化内涵，对于进一步研究二者之间的关系具有重要的意义。

939.荆门市新石器时代遗址调查简报

作　者：荆门市博物馆　李兆华
出　处：《江汉考古》1988 年第 4 期

　　荆门市位于湖北省腹地、江汉平原的西北部，属汉江中游地区，北部为秦岭南支的荆山余脉，南部为滨湖平原，是山地、丘陵平原的过渡地带。这一地区的新石器时代文化面貌，过去认识一直比较模糊。自 1982 年文物普查以来，荆门共发现了 19 处新石器时代遗址。简报分为：一、肖场遗址，二、万家湾遗址，三、三百钱港遗址，四、梅老岗遗址，五、王家坟遗址，六、结语，共六个部分。有手绘图。

　　据介绍，荆门地区大溪文化遗址多发现于荆门中部丘陵地带。屈家岭文化发现不多，且多与大溪、龙山文化同出一地。龙山文化多发现于荆门城东南部的滨湖平原地区，有其地方特色。

940.湖北荆门市新石器时代遗址调查

作　者：荆门市博物馆　李兆华
出　处：《考古》1992 年第 6 期

　　荆门市位于湖北省腹地、江汉平原西北部。境内地势西北高，东南低。西北部为秦岭南支的荆山余脉，东南部为湖滨平原地带。这一地区的新石器时代文化面貌的认识过去一直比较模糊。自 1982 年文物普查以来，发现了不少新石器时代遗址，其中大溪文化遗址 10 处、屈家岭文化遗址 7 处、龙山文化遗址 15 处。主要分布在汉水沿岸及城东南的滨湖地区。简报分为：一、大溪文化，二、屈家岭文化，三、龙山文化，共三个部分。有手绘图。

　　据介绍，大溪文化遗址中有 3 处紧临汉水，遗存皆丰富，文化层厚 2～3 米，上层多被屈家岭或龙山文化叠压。采集的遗物有石器和陶器两类。调查的 10 处大溪文化遗址，其文化面貌是相同的。

　　屈家岭文化遗址时代以中晚期为多，一般被龙山文化层叠压。文化层厚 0.4～1

米，内涵一般较丰富。采集的遗物有石器和陶器两种。屈家岭文化主要分布在汉水流域。简报调查的几处屈家岭文化遗址均紧临汉水，文化面貌较复杂。这里的蛋壳彩陶发现较少，象征着屈家岭文化特征的彩陶纺轮目前也未发现。

龙山文化遗址 15 处，其中有 5 处叠压在大溪和屈家岭文化层之上，2 处被商代文化层叠压。文化层厚 1.5～3 米。地面暴露有烧土块、碎陶片、蚌壳、螺蛳壳等。在调查袁集和十里铺两处遗址时，从沟槽的断面还见有同时期的墓葬和灰坑等。采集的遗物有石器和陶器。15 处龙山文化遗址，文化面貌大多具有中原与山东龙山文化风格。

941.屈家岭遗址第三次发掘

作　　者：屈家岭考古发掘队　陈宫涛、黄凤春、林邦存等
出　　处：《考古学报》1992 年第 1 期

屈家岭遗址是江汉平原中北部、大洪山南麓的 1 处新石器时代遗址，其东北距湖北省京山县城约 30 公里，现隶属国营五三农场园艺分场屈岭村屈岭组管辖。闻名于考古界的屈家岭文化就以该遗址而命名。屈家岭遗址是 1954 年考古调查中发现的。1955 年在屈家岭村西部进行了第 1 次发掘。1956～1957 年又在屈家岭村西北进行第 2 次发掘。1956 年由科学出版社出版了《京山屈家岭》报告书，正式将那次发现的早期文化遗存和晚期文化遗存命名为"屈家岭文化"。屈家岭遗址现已公布为第三批全国重点文物保护单位。1989 年 7 月 10 日至 8 月 8 日，考古人员对屈家岭遗址进行第三次发掘。其中先后共清理了 13 座土坑竖穴墓葬和两期文化堆积，出土了大批文化遗物。简报分为：一、地层堆积，二、屈家岭第一期遗存，三、屈家岭第二期遗存，四、屈家岭第三期遗存，五、文化性质与年代推断，六、几点认识，共六个部分。有照片、手绘图。

据介绍，发掘结果可分为三期，文化性质分别是前屈家岭文化、屈家岭文化初期、屈家岭文化早期。其中第二期遗存的年代，推测应介于第一、三期之间，即大约在距今 5650 年前后，其上限不早于距今 5720 年，其下限不会晚于距今 5580 年。

简报指出，新发现的屈家岭第一、二期遗存，为研究屈家岭文化的渊源和形成，提供了两期比屈家岭文化早期更早的新资料；屈家岭第三期遗存 13 座墓葬的清理，又使原资料尚较缺乏的屈家岭文化早期遗存得到进一步的充实和丰富。这些主要收获再结合《京山屈家岭》报告，不但可以更全面地了解到前屈家岭文化向屈家岭文化早二期发展的大体过程，而且可以进一步认识到这一系列文化在发展过程中客观存在的若干较为稳定的文化因素以及为时代发展逐渐淘汰的一些文化因素和新出现

的一些文化因素。第 3 次发掘的成果，为研究屈家岭文化提供了不可或缺的重要资料。

942.湖北京山油子岭新石器时代遗址的试掘

作　者：湖北省荆州地区博物馆　何德珍
出　处：《考古》1994 年第 10 期

油子岭遗址位于京山县钱场镇钱场村一组，北距县城约 25 公里，天京公路从遗址的东边通过。遗址北端高出地面 5 米多，其他 3 面为漫坡，面积 2 万余平方米。该遗址于 1982 年全省文物普查时发现，由于当地农民建窑取土，遗址遭到很大破坏。为了解遗址的文化内涵，1985 年冬荆州地区博物馆会同京山县博物馆在遗址的西北边缘进行了试掘。开 5 米 ×5 米的探方 4 个，编号 T1 ~ T4。共清理墓葬 11 座，灰坑 4 个。出土遗物较多，可分为三期，以第一期文化遗存为主体。简报分为：一、地层堆积，二、第一期文化遗存，三、第二期文化遗存，四、第三期文化遗存，五、结语，共五个部分。有手绘图、照片。

据介绍，第一期文化遗存与大溪文化相同或接近，第二期文化遗存与公安王家岗、钟祥六合等遗址的屈家岭文化早期遗存基本相似，其年代则应稍晚。第三期文化遗存所出的罐形小鼎、双腹碗、壶形器、彩陶杯、纺轮等主要器型，同属江汉地区屈家岭文化晚期遗存。

简报称，油子岭遗址的试掘，为大溪文化和屈家岭文化的深入研究提供了新资料。至于一期文化的相对年代，简报认为与关庙山大溪文化二期相似。

943.钟祥左家坡遗址调查

作　者：钟祥市博物馆　孟世和
出　处：《江汉考古》1996 年第 4 期

钟祥市位于湖北省中部、江汉平原北部、大洪山南麓，汉水从北向南纵贯市境。左家坡遗址坐落于钟祥郢中镇东 7.5 公里处的九里回族乡（原长城公社）以南的一片丘陵岗地上，现地表为荒丘。1961 年被湖北省人民政府公布为第一批重点文物保护单位。遗址东南临长河，西为肖店粮站，北连皂当公路，东距京山屈家岭遗址 60 余公里，南距边畈遗址 20 公里，西距六合遗址 5 公里。20 世纪 70 年代中期，荆州地区第四技工学校建校舍时，破坏了遗址的大部分；20 世纪 80 年代初，拆校建砖瓦厂，做砖取土使遗址再次遭到严重破坏，西南部分已毁坏无存，北部在修公路时已被挖或被覆盖。简报配以手绘图予以介绍。

据介绍，从采集到的 100 余片陶片看，以夹砂红陶为主，泥质红黑、灰陶各占二分之一。夹砂红陶以鼎为主，其他器类多泥质陶。主要遗物有鼎、碗、盆和圈足器等。此遗址的发现使我们对本地域内新石器时代原始文化的分布情况，特别是对边畈遗址一、二期文化遗存分布有了进一步的了解。边畈一、二期文化是湖北省距今 6000 多年前的新石器时代原始文化中独具特色的一支文化。

944.荆门马家院屈家岭文化城址调查

作　者：湖北省荆门市博物馆　王传富、汤学锋等
出　处：《文物》1997 年第 7 期

马家院古城位于湖北省荆门市五里镇，地处长江中游、江汉平原西北，其地南距江陵楚故都纪南城约 28 公里，西至荆襄古道（即 207 国道）约 4 公里。东港河紧靠古城西城垣，由北往南经鲍河、长湖注入汉水。1989 年 10 月，荆门市考古人员在进行文物调查时，在五里镇显灵村五组马家院发现 1 座保存完整的古城遗址。这是 1 处极为重要的新石器时代文化城址，其城垣、护城河完整。简报配以照片、手绘图予以介绍。

据介绍，马家院古城址营筑在高出周围地面约 2 ～ 3 米的平岗地上，其四周为宽阔的稻田。城址至今保存完整。南北略呈梯形，长约 640 米，宽 300 ～ 400 米，总面积约 24 万平方米。

简报指出，马家院城布局完整合理，具有一定的防御性能。它的发现是江汉地区史前古城址与聚落考古的又一重大收获，对于研究我国新石器时代古城址的形态特征、形成与发展具有重要意义。

945.荆门团林叉堰冲遗址发掘简报

作　者：湖北省文物考古研究所　杨权喜
出　处：《江汉考古》2001 年第 3 期

叉堰冲遗址位于荆门市东宝区团林镇五岭村六组，北距荆门市市区约 20 公里，西离 207 国道上的团林约 10 公里。整个遗址坐落在 1 座西北高、东南低的岗地上，岗地海拔 101 ～ 105 米。文化堆积主要分布在岗地的东南部，现存面积约 3000 平方米，在文化层分布范围的西边为水田，东边为竹林并有高大的树木。该遗址于 1999 年发现，2000 年 5 ～ 7 月进行了首次发掘。简报分为：一、地层堆积，二、文化遗迹，三、

文化遗物，四、结语，共四个部分。有手绘图。

据介绍，遗迹主要为灰坑、柱洞和墓葬。墓葬1座（M4），为石家河文化时期1座较大型墓葬。遗物有石器、陶器。石器不多且未见石斧。陶器多为陶片，可复原者不多。该遗址的时代，简报推断为石家河文化较晚时期，下限有可能已进入夏文化时期，一般认为，石家河文化的年代为距今4500～4200年。

946.湖北省京山县青树岭新石器时代遗址发掘简报

作　者：湖北省文物考古研究所　冯少龙、倪　婉、陈官涛
出　处：《江汉考古》2004年第1期

青树岭遗址是1处典型的屈家岭文化早期遗存，主要遗迹有房子、灰坑和灶，主要遗物有鼎、罐、有领罐、盆、豆、瓮等。青树岭遗址的发掘，为进一步弄清屈家岭文化早期的文化面貌提供了重要资料，同时对解决屈家岭文化来源问题有着重要的学术意义。简报分为：一、地理概况，二、地层堆积，三、屈家岭文化早期遗存，四、结语，共四个部分。有手绘图。

据介绍，青树岭遗址位于湖北省京山县孙桥镇青树岭村一组，地处大洪山南麓虎爪山与摩天岭之间的丘陵区域，海拔高度在100米左右，年降雨量1000毫米左右。遗址南距著名的屈家岭文化命名地——屈家岭遗址约22公里，东南距京山县城约17公里。1998年发现，1999年发掘。实际发掘面积208平方米。共清理房址1座、灰坑18个、灶3个，出土陶器、石器共计50件。从遗迹、遗物看，为典型的屈家岭文化早期遗存。如房址，为单间或木骨泥墙小房子，为屈家岭早期主要居住建筑方式。陶器以泥质灰陶、黑陶为主，红陶仅占3.5%。

简报称，青树岭遗址依山傍水，地理位置优越，是人类早期活动的理想场所。该遗址与京山屈家岭遗址、油子岭遗址、天门石家河遗址、钟祥六合遗址等构成汉水东部一个庞大的新石器时代的遗址群。这里也是研究长江中游原始文化和文明起源的核心地域。

947.荆门叉堰冲新石器时代遗址第二次发掘简报

作　者：湖北省文物考古研究所　杨权喜
出　处：《江汉考古》2006年第1期

荆门叉堰冲遗址的第2次发掘，发现地层堆积分三层，发现新石器时代灰坑5个、柱洞11个、墓葬1座，其中墓葬是1座较大型的有二层台的长方形土坑墓，随葬陶

器 64 件。出土新石器时代遗物分生产工具、生活器皿和随葬器物 3 类，生产工具又分石器和陶器，生活器皿和随葬器物均为陶器。这些陶器以泥质黑陶最多，主要纹饰为篮纹和斜方格纹，器型有鼎、罐等 17 种。据陶器特征，又堰冲新石器时代遗存属石家河文化季家湖类型。简报分为：一、地层堆积，二、文化遗迹，三、文化遗物，四、结语，共四个部分。有拓片、手绘图。

据介绍，该遗址于 2000 年 10 月至 2001 年 1 月进行了第 2 次发掘。这次发掘的重要收获是发现了 1 座较大型的新石器时代墓葬（M5）和一批具有文化特点的新石器时代晚期陶器。时代简报推断为石家河文化早期后段，下限或已进入夏代。一般认为，石家河文化的年代为距今 4500 ～ 4200 年。

948.湖北荆门市后港城河城址调查报告

作　者：荆门市文物考古研究所　龙永芳
出　处：《江汉考古》2008 年第 2 期

荆门后港城河城址位于江汉平原西北部，地处平原向荆山余脉过渡的丘陵岗地地带，是长江中游地区发现的又 1 处新石器时代的古城址，也是汉水流域荆门境内继马家垸城址后发现的第 2 座新石器时代古城址。简报分为：一、城址概况，二、城墙与城壕，三、文化遗物，四、结语，共四个部分。有照片、手绘图。

据介绍，城址位于湖北省荆门市港镇城河村六组，北距荆门市约 50 公里。1983 年文物普查发现时命名为"草家湾遗址"，1984 年公布为市级文物保护单位。2005 年、2006 年考古人员都曾前往调查。从残存城墙痕迹看，城址呈不规则椭圆形，西北部略内凹。城垣南北长 600 ～ 800 米，东西宽 550 ～ 650 米，不包括城壕，面积近 50 万平方米。城墙为土筑，堆筑层次清楚。保存较好的城墙主要是南城墙和北城墙西段。在城址内采集的文化遗物以生活用器为主，仅见少量生产工具。与长江中游地区其他的早期城址相比，该城址有 2 个特点：1 是就城址的面积看，规模大，仅次于天门石家河城址；2 是部分城墙利用自然高岗地作为天然城墙。城址年代不晚于石家河文化时期。

简报称，该城址西北距荆门境内的马家垸城址约 20 公里，西南距荆州阴湘城城址约 42 公里，东北距天门石家河城址约 68 公里，南部 100 多公里处有公安的鸡鸣城、石首的走马岭城址。在长江中游地区有如此多早期的古城址，绝非偶然。荆门城河古城址的发现不仅丰富了长江中游早期古城址的内容，同时对研究长江中游地区这些早期城址之间的关系、探讨长江中游史前聚落考古文化提供了不可多得的资料。

949.湖北荆门龙王山新石器时代墓地发掘简报

作　者：湖北省文物考古研究所、荆门市文物考古研究所
出　处：《江汉考古》2008 年第 4 期

2007 年 6 ～ 11 月，为配合湖北省荆门 220 千伏南桥输变电站工程建设进行了龙王山新石器时代墓地考古发掘，发掘面积 1700 平方米，共发掘清理大溪文化至屈家岭文化时期的墓葬 203 座，出土器物逾万件，有陶器、玉器等。

简报分为：一、地层堆积，二、墓葬概况，三、出土遗物，四、结语，共四个部分。有手绘图。

据介绍，该墓地是长江中游汉水流域所见同时期墓葬中规格等级最高的墓地，不仅墓圹大，而且随葬器物丰富。由于目前龙王山墓地的资料正在整理中，简报初步推断这批墓葬的时代相当于大溪文化晚期至屈家岭文化时期。

简报称，本次发掘的龙王山墓地与过去已确认的龙王山遗址是一个有机整体，为将来做好龙王山遗址的聚落考古研究提供了宝贵资料。

950.湖北钟祥崔家台新石器时代遗址调查简报

作　者：钟祥市博物馆　孟世和
出　处：《江汉考古》2010 年第 2 期

湖北钟祥崔家台新石器时代遗址发现于 20 世纪 50 年代中后期，2008 年钟祥市博物馆对该遗址进行了一次复查。通过对采集标本的分析，简报推断该遗址的文化面貌属边畈文化、屈家岭文化和石家河文化 3 个时期。

简报分为：一、遗址概况，二、调查经过，三、采集标本，四、结语，共四个部分。有手绘图。

据介绍，湖北钟祥崔家台遗址位于钟祥市政府机关所在地——郢中镇东南 23 公里处的长滩镇先锋村七组的崔家台。简报称，本次调查进一步了解了本区域新石器时代文化特别是边畈文化一、二期文化遗存的分布，对以后探讨边畈文化与其他文化的关系提供了重要的实物资料。

鄂州市

孝感市

951.大悟县土城古遗址探掘简报

作　者：孝感地区博物馆、大悟县博物馆　熊卜发、付亚南
出　处：《江汉考古》1986 年第 2 期

土城遗址，位于湖北大悟县城北约 30 公里的三里镇土城湾。该遗址是在 1981年文物普查时发现的。1982 年考古人员进行了 1 次探掘，挖掘面积 40 平方米。简报配以手绘图予以介绍。

据介绍，从这次探掘的资料看，土城遗址是属于屈家岭晚期和龙山时期的遗存。遗址文化堆积厚、遗物丰富，延续时间长，为进一步研究屈家岭文化向鄂东北地区发展及其趋向，提供了实物资料。对于探讨鄂东北地区龙山文化发展的来龙去脉以及综合研究江汉地区龙山文化类型等问题，具有一定的学术价值。

952.湖北云梦新石器时代遗址调查简报

作　者：云梦县博物馆　张泽栋
出　处：《考古》1987 年第 2 期

云梦县地处江汉平原的东北部，属云梦泽之民子遗。境内平坦，多湖泊，涢水、漳水、滚子河、女儿港等主要河流自北朝南经县境腹地，汇入汉水。古文化遗址多数分布在上述河流的两岸。多年来，考古工作者对这处令人神往的"千湖之国"进行过多次的考古调查，在这块陆薮交错的地域内寻找新石器文化的遗迹。1984 年底，在涢水的沿岸发现了 4 处新石器时代遗址。这些遗址的发现，为研究该地区大溪文化、屈家岭文化、湖北龙山文化的面貌、特征及社会性质等问题提供了一批新资料。简报分为：一、龚寨遗址，二、好石桥东城址，三、胡家岗遗址，四、斋神堡遗址，五、结语，共五个部分。有手绘图。

据介绍，龚寨遗址有大溪文化早期和屈家岭文化、龙山文化遗存。胡家岗遗址以仰韶文化、大溪文化遗存为主。好石桥东城址、斋神堡遗址以屈家岭文化、龙山文化遗存为主。简报称，分布在涢水沿岸的这四支先民是种植水稻为主，捕鱼、狩猎为辅，他们的生存方式与大溪文化、屈家岭文化的先民们是一致的。

大溪文化主要分布于长江三峡地区、清江和沮漳河流域，一般认为其年代为距

今 6900 ～ 5100 年左右。

953.应城市新石器时代遗址调查

作　　者：孝感地区博物馆、应城市博物馆　刘志升
出　　处：《江汉考古》1989 年第 2 期

继 1958 年全省文物普查之后,孝感地区博物馆组织全区文物干部,于 1979 年、1982 年、1984 年先后 3 次对全区进行了文物普查或复查,获得了一批重要的文物资料。其中,应城市的新石器时代资料较为丰富。简报分为:一、地形地貌和遗址的分布,二、主要遗址及其内涵,三、初步认识,共三个部分。有手绘图。

据介绍,应城市位于汉北河以北、湖北省中部偏东,共发现古代文化遗址 32 处,其中新石器时代遗址 14 处（包括单纯的新石器时代遗址和上有其他时期遗存叠压的新石器时代遗址）,占古文化遗址总数的 48% 以上。它们分布在境内各地,其中大富水流域较为密集,共有 6 处,漳水河次之,见 3 处,其他湖泊和小河流沿岸分布着 5 处。这些遗址一般都紧临水边,并且多居水之阳（约占 80%）。台墩式遗址最多,约占 71%,一般台高 1 米以上。时代有屈家岭文化中期、晚期,龙山文化前期。

954.湖北孝感地区新石器时代遗址调查试掘

作　　者：孝感地区博物馆　熊卜发
出　　处：《考古》1990 年第 11 期

1958 年以来,孝感地区曾先后 3 次组织考古人员,对所属八县进行文物普查,发现新石器时代文化遗址和遗存 120 余处。考古人员在文物普查的基础上,对其中的部分遗址进行了复查和试掘工作,获得一批具有文化特点的实物标本。简报分为:一、遗址与遗物,二、结语,共两个部分。介绍部分遗址的调查试掘情况,有手绘图。

据介绍,八省遗址所采集和出土的石器、陶器,含有仰韶文化、屈家岭文化、龙山文化 3 个不同时期的文化。新石器时代晚期的遗址和遗存,遍布了整个鄂东北地区,均分布在河流两岸的台地上,面积大,文化堆积厚,遗物丰富。一部分遗址含有五个不同时期的文化遗存,即屈家岭、龙山、商周、春秋战国、汉代五个时期相叠压。

简报指出,孝感地区所发现的相当于屈家岭时期文化的陶器,无论是器物类型、造型风格、形制特点,还是陶质陶色和纹饰,均与湖北屈家岭文化一致。又因这一

地区仅与京山屈家岭一河一丘之隔，简报认为这一地区应属屈家岭文化分布的中心地区，其文化族属应同属典型的屈家岭文化系统。

955.孝感市大台子新石器时代遗址调查

作　者：孝感市文管所　陈明芳
出　处：《江汉考古》1990 年第 2 期

大台子遗址位于孝感市东北 6 公里处的新铺镇远光村南，生产、生活用石器、陶器暴露在地面，简报配以手绘图予以介绍。

据介绍，石器只见石锛，陶器轮制、手制或二者兼用都有。陶质以细泥陶、夹砂陶为主，陶色以橙黄陶为多见，灰陶次之。素面陶片比例不小。此处遗址，应是 1 处受河南龙山文化影响的石家河文明遗存，亦有少量二里头时期文化遗存。

956.湖北安陆市新石器时代遗址调查

作　者：孝感市博物馆　熊卜发
出　处：《江汉考古》1993 年第 4 期

安陆市位于湖北省西北部、涢水流域的中游，为桐柏大洪山余脉的南麓，地势北高南低，水陆交通便利，自古以来就是南北交通的要道，埋藏在地下的历史文物极为丰富。1979 年以来，考古人员对该市进行了 3 次文物普查工作，共发现古文化遗址 44 处，其中属于新石器时代的遗址和遗存 19 处。这些遗址的文化内涵极为丰富，部分遗址堆积有几个不同时期的遗存。简报分为：一、熊家嘴遗址，二、汤家寨遗址，三、余家岗湾遗址，四、庙墩遗址，五、解放山遗址，六、胡家山遗址，七、八字坟遗址，八、陈徐湾遗址，九、大台子遗址，十、汉堰台遗址，十一、结语，共十一个部分。介绍几处具有新石器时代文化特点的遗址，有手绘图。

据介绍，从分布区域来看，在这一地区所发现的 19 处新石器时代遗址，基本上遍布了整个安陆境内。这些遗址均分布在涢水、漳河及其支流两岸地势较高的位置上，但涢水西岸及漳水东岸分布比较密集，涢水东岸分布较少。从目前考古资料来看，这里的新石器时代遗址面积普遍较大，多数遗址分布在距河流较远而地势较高的坡岗地上，少数遗址为台地。从文化堆积来看，这里所发现的新石器时代遗址文化堆积比较单一，90% 以上的遗存为一个时代，极少数遗址上层堆积有西周或东周时期文化遗存。这种特点与整个鄂东北地区或其他地域有着较大的区别。简报推断上述 10 处古文化遗址的相对年代，大致可分为屈家岭文化和石家河文化两个时期。

957.孝感市古文化遗址调查简报

作　者：孝感市博物馆　陈明芳
出　处：《江汉考古》1995 年第 3 期

考古人员在孝感市进行文物普查，发现古代石寨 63 处及古墓葬、古遗址多处。简报分为：一、寨王寨遗址，二、墩坡遗址，三、大岗坡遗址，四、徐家坟遗址，五、结语，共五个部分。有手绘图。

简报认为此 4 处遗址均位河水岸边，遗物主要为陶器，时代为龙山文化时期。简报称，当时龙山文化在此地应十分兴盛。

958.湖北应城陶家湖古城址调查

作　者：湖北省文物考古研究所、应城市博物馆　李桃元、夏　丰
出　处：《文物》2001 年第 4 期

1998 年 12 月，为配合长荆铁路工程建设，继在应城门板湾发现了屈家岭文化时期的城址之后，考古人员对应城境内的泗龙河遗址也进行了调查，发现了 1 座保存较好的新石器时代大型城址。简报分为：一、调查经过，二、自然地理，三、古城现状，四、文化遗物，五、结语，共五个部分。有照片、手绘图。

据介绍，1998 年在应城市泗龙河遗址发现的古城址，年代为屈家岭文化晚期至石家河文化早期。简报将其命名为"陶家湖古城"。陶家湖古城址平面呈椭圆形，南北最长 1000 米，东西最宽 850 米，总面积约 67 万平方米。城墙用土筑成，城外有壕沟，城内发现大量陶器碎片。可能是因洪水冲垮北城墙而导致废弃。

959.湖北孝感市叶家庙新石器时代城址发掘简报

作　者：湖北省文物考古研究所、孝感市博物馆、孝南区博物馆　刘　辉、胡家驹、
　　　　　唐　宁、郭长江
出　处：《考古》2012 年第 8 期

叶家庙城址位于孝感市西北角，1979 年文物普查时发现。

2008 年，湖北省文物考古研究所等单位对叶家庙遗址进行了发掘，这是近年来长江中游史前城址聚落考古的 1 次重要发现。简报分为四个部分。有彩照、手绘图。

据介绍，发现的文化遗存，相当于屈家岭文化早期、屈家岭文化晚期和石家河

文化早期。城垣兴建于屈家岭文化晚期。简报推断城外墓地的使用时间是从屈家岭文化早期延续至石家河文化早期。

黄冈市

960.湖北黄冈螺蛳山遗址的探掘

作　　者：中国科学院考古研究所湖北发掘队　张云鹏
出　　处：《考古》1962年第7期

螺蛳山遗址在湖北省黄冈县城北约12公里，位于长江支流的西河东岸约0.5公里、诸城镇之北约1公里。遗址现为一椭圆形的台地，南北长约120米，东西宽在60米以上，高出周围的农田2～3米。这个遗址是1956年发现的，曾发表简讯，误名为"牛角山"（见《文物参考资料》1957年第5期第87页）。考古人员两次前往调查，1957年对遗址进行了探掘。简报分为：一、遗址的地层堆积，二、新石器时代的遗物，三、新石器时代的墓葬，四、西周文化遗物，五、结论，共五个部分。有照片、手绘图。

据介绍，黄冈螺蛳山遗址的西周文化遗物很少，还是以新石器时代遗存为主。新石器时代的文化遗存在文化面貌上似乎表现出一定的复杂性。从陶器的质料、表饰看，在很大程度上呈现了仰韶文化的特征。但陶器中有较多的鼎，这与青莲岗文化相似。遗物中还有一部分蛋壳彩陶则又和屈家岭文化相似。某些灰陶和黑陶的器皿，如墓葬出土的陶豆，似乎也表现了龙山文化的某些特点。从上述的情况看，这个遗址的文化属性问题还难以确定，有待今后作更多的工作才能解决。简报初步认为它与仰韶文化的关系较为密切，它所包含的其他文化的若干因素，可能是由于这个遗址正处于各种不同文化的交会地区，受了其他文化的影响而形成的。

961.黄梅龙感湖三处遗址调查

作　　者：黄冈地区文物普查队　吴晓松
出　　处：《江汉考古》1983年第4期

1983年春，黄梅县进行文物普查，考古人员在龙感湖区发现了塞墩、陆墩、窑墩3处古文化遗址。黄梅县地处鄂东长江北岸，位于黄梅东南面的龙感湖，跨鄂、皖2省。3处遗址均分布在龙感湖区的范围内。简报分为：一、塞墩遗址，二、陆墩遗址，三、窑墩遗址，四、结语，共四个部分。有手绘图。

据介绍，这 3 处遗址均属具有地域特点的龙山文化。这一原始文化的面貌，一方面带有较多的江浙地区新石器时代文化的因素，另一方面又具有长江中游鄂东南地区原始文化特点。这可能是遗址所处的地理位置所致。它应属鄂东南地区的原始文化类型。

962.湖北黄冈螺蛳山遗址墓葬

作　者：湖北省黄冈地区博物馆　吴晓松
出　处：《考古学报》1987 年第 3 期

螺蛳山遗址在湖北省黄冈县城北约 12 公里的堵城镇，位于长江支流东约 500 米的小山丘螺蛳山上，遗址北约 300 米是县砖瓦厂，西南距堵城镇约 500 米，南约 500 米是王有山遗址。螺蛳山、王有山 2 遗址原坐落在一个山岗上，因砖瓦厂历年取土，将两种遗址中间的山岗挖掉，形成一面积较大的水塘，王家山遗址几乎全部被破坏。螺蛳山遗址是 1956 年发现的，1957 年曾作过报道，当时误称为牛角山。1957 年对该遗址进行了试掘。遗址上部已被挖掉一部分，20 世纪 50 年代至 70 年代，在遗址上多处修建小土窑和深挖战备洞。这些举动及历年来的农耕翻土，使遗址屡遭破坏。在遗址的北部，农民在种地时，常见墓中随葬的完整陶器出土。陶片、红烧土块、人骨、兽骨等遗物常散见于表层土中。1985 年 5 月，对该遗址进行复查时，发现遗址西北部原战备洞因连日降雨而坍塌，暴露有人骨、小件陶器等遗物，随即进行抢救性发掘，共发现新石器时代的墓葬 10 座，并出土一批具有特色的文化遗物。简报分为：一、墓葬概述，二、随葬器物，三、结语，共三个部分。有照片、手绘图。

据介绍，共发掘 10 座墓葬，其中有 8 座墓（M1 ～ M3、M5 ～ M9），头向西南，1 座头向西北（M10）。经观察，墓主人下牙床仅有 6 枚牙齿，牙床肿大，根孔极浅，明显不对称，属生理畸形；另 1 座墓（M4）头向不明。遗址上部已被挖掉，这 10 座墓的坑口已无法知道，扰乱十分严重。葬式均为单人仰身直肢一次葬。随葬器物多放置在人体的下肢上，随葬陶器的组合主要是鼎、曲腹杯、碗、豆、圈足罐、甑、小罐等。随葬器皿中的圈足和三足有的是有意打掉的。以上诸因素的一致性，说明这 10 座墓葬存在共同的文化特征。简报认为螺蛳山遗址早期墓葬的年代相当于大溪文化晚期偏早、崧泽文化第二期，晚期墓葬的年代相当于王家岗第二期、划城岗中一期、屈家岭文化早期。

简报指出，螺蛳山遗址这次发掘的 10 座墓葬，虽不能代表螺蛳山遗址的全貌，但也反映出该遗址文化面貌较为复杂。在 1957 年的探掘中，就已认识到该遗址文化遗存在文化面貌上似乎表现出一定的复杂性，并进一步分析"它所包含的其他文化的若干因素，可能是由于这个遗址正处于各种不同文化的交会地区，受了其他文化的影响而形成的"。这次发掘的 10 座墓，进一步证实了考古人员当时分析的正确性。这 10 座墓葬具有大溪和屈家岭文化的某些因素，又带有江淮、宁镇地区原始文化特别是薛家岗文化的某些因素。因为遗址地处长江中游东部，是东西和南北各个考古文化的接触地带，物质文化必然会发生相互影响和融合的现象，所以这一遗存含有多种文化的因素，也是该遗址文化面貌的地域性特点。而从葬俗方面所反映出的螺蛳山人们在意识形态上的观念，也明显带有强烈的地域特点，如发现的一个 32 岁女性牙床同动物骨骼一样作为随葬品、器足和圈足有的被有意识地打掉、烧墓坑的出现以及石枕的出现等。从主体上看，螺蛳山遗址的文化面貌是否属于一种新的、具有地域特点的文化类型，是值得探讨的。

963.湖北麻城栗山岗新石器时代遗址

作　者：武汉大学历史系考古教研室、黄冈地区博物馆、麻城市革命博物馆
　　　　李龙章等

出　处：《考古学报》1990 年第 4 期

栗山岗遗址位于湖北省麻城市松鹤乡，南距麻城城关约 2.5 公里，东距举水河约 1 公里，汉潢公路在遗址与举水之间自南向北穿过，西北不远处为五脑山。遗址为一土墩，高出四周水田 2～4 米，现存面积约 6000 平方米。据当地百姓反映，遗址原来的面积较大，因历年整地和取土，遭到严重破坏。栗山岗遗址是 1984 年黄冈地区开展文物普查时发现的。1986 年 9～11 月，武汉大学历史系考古专业 1984 级师生与黄冈地区博物馆、麻城市革命博物馆合作，对遗址进行发掘。简报分为：一、文化层堆积，二、早期遗存，三、晚期遗存，四、结语，共四个部分。介绍了这次发掘的新石器时代文化遗存。

据介绍，该遗址发现的新石器时代遗存，有较多石家河文化的特征，也含有一些屈家岭文化的因素，还具有少许地方色彩。此次发掘，为鄂东一带新石器文化研究，提供了新的实物材料。

964.湖北黄梅陆墩新石器时代墓葬

作　者：中国社会科学院考古研究所湖北工作队　任式楠、陈　超

出　处：《考古》1991 年第 6 期

陆墩遗址位于湖北省黄梅县东南部的龙感湖中，归属北岸的下新镇管辖，两地

直线距离约 7 公里,东与安徽省宿松县接壤,南临长江与江西省九江市遥望。陆墩以北一片湖面,又称"源湖",湖水较浅,遗址孤立于湖中,为一处荒芜的漫坡小土墩,经常被水淹没或略露出窄条墩顶。1958 年 9 月,黄梅县文物普查中首次发现了陆墩遗址。同年,经湖北省博物馆核验,确定为新石器时代遗址,定为县级保护单位。1983 年春黄冈地区文物普查工作队作过调查,并发表了简报。1986 年 5 月 6 日和 12 月 10 日做过两次调查。1987 年 3 月 4 ～ 18 日,进行第 1 次发掘。简报分为:一、前言,二、墓葬概述,三、随葬器物,四、小结,共四个部分。有手绘图。

据介绍,从已经清理的 21 座墓葬看,都属长方形竖穴土坑。每坑 1 人,头向东北。尤为突出的是,这里普遍实行一种大体仿仰身直肢姿势的二次葬,有别于把尸骨捡聚成堆的二次葬形式,这为我国新石器时代的葬俗增添了内容。在个别墓中,发现有明显使用木质葬具的痕迹。无论死者成年与否,各墓普遍放置随葬品,数量不等,种类也有些差异。主要是陶器,基本上属实用器,多放在脚部附近。以陶壶为最多,较常见的还有鼎和豆。甑与鼎共存。纺轮与斧、钺基本不同出。此外,有 4 座墓分别在坑底或填土中,随葬猪下颚骨、兽骨和鱼。简报认为应属吸取了其他几种原始文化的薛家岗四期文化遗址。一般认为,薛家岗文化的年代为距今5500 年前后。

965.湖北蕲春坳上湾新石器时代遗址

作　者:汪宗耀

出　处:《考古》1992 年第 7 期

1982 年 4 月,黄冈地区文物普查队在青石区白水乡毛家嘴村坳上湾发现新石器时代遗址。经实地勘察,遗址呈长带形,分布在一个东西向漫岗上,东西长 100 米,南北宽 20 米,北面是一片丘陵地,西南是一条弯曲的小溪,四周被高岗所环抱。

据介绍,1974 年因水利工程建设,遗址大部分遭到破坏,从所保存的文化层看,离地表 2 米深处有 80 ～ 120 厘米的黑褐色土层,土质略带黏性,并拌有红烧土块。在遗址范围内,采集到大量的石制生产工具、陶制生活器皿和玉器之类遗物,这些遗物标本,现藏于蕲春县李时珍文管所。简报配以手绘图、照片予以介绍。

据介绍,除以上采集到的器物外,据群众反映,在遗址西侧 50 米处,发现有 3 处火烧屋坑遗迹和 1 处窑址,面积大约在长 150 米、宽 60 米的范围内。遗物有陶锅、陶罐、陶鼎等,并掘出 2 根栗树,均已腐烂,呈黑褐色,直径约为 50 厘米,可惜原址已毁,原物均已散失。简报推断应属典型的龙山文化。

简报称，白水毛家嘴坳上湾新石器时代遗址的发现，为进一步弄清湖北省新石器时代文化分布和研究我国长江中下游地区新石器时代文化，增加了新的线索。

966.麻城金罗家遗址调查简报

作　者：麻城市博物馆　江益林
出　处：《江汉考古》1993 年第 3 期

金罗家遗址位于麻城市宋埠镇新田铺村金家垸与罗家垸之间，为金家垸耕地，罗家垸有的居民已建房在遗址之上。遗址东北距麻城市区约 20 公里，西南距宋埠镇约 7 公里。遗址于 1989 年 10 月在文物普查中发现，经地面初步调查，获得一批考古资料。

简报分为：一、地理环境和地层堆积，二、文化遗物，三、小结，共三个部分。有手绘图。

据介绍，金罗家遗址保存很好，文化堆积厚，内涵丰富，包括了新石器时代和周代几个时期的文化遗存。其中周代文化堆积较薄，遗址以新石器时代文化遗存为主。调查采集标本不多，主要是新石器时代的器物标本。简报称，金罗家类遗址对于研究长江中游鄂东地区新石器时代考古学文化类型十分重要。

967.麻城罗家墩遗址调查简报

作　者：麻城市博物馆　江益林
出　处：《江汉考古》1993 年第 3 期

罗家墩遗址位于麻城市宋埠镇新回铺村罗家垸后岗，东北距城区约 20 公里，于 1989 年 10 月在文物普查中发现，经初步调查，获得一批考古资料。

简报分为：一、地理环境和地层堆积，二、文化遗物，三、结语，共三个部分。有手绘图。

据介绍，罗家墩遗址的新石器时代遗存堆积厚，内涵丰富。其中以泥质红陶或泥质夹灰心红陶为主要陶系的遗存，是本地区新石器时代较早的文化遗存。

简报称，这类遗址在学术上的重要意义是，它不仅是研究长江中游。鄂东地区原始部落文化类型的重要遗址，也是探索几种原始文化交会地区原始部落的经济意识形态特征的较为理想的遗址。罗家墩遗址文化内涵的全面展现，还有待于对遗址进行科学的发掘。

968.湖北郧西归仙河遗址 2009 年度发掘简报

作　者：武汉大学考古系　陈冰白等
出　处：《江汉考古》2012 年第 1 期

郧西归仙河遗址 2009 年度发掘获取了一批石家河文化、汉代、唐代、明代遗存，其中石家河文化遗存较多，丰富了鄂西北地区石家河文化的内涵。归仙河遗址的石家河文化遗存和郧县青龙泉遗址的石家河文化遗存表现出极大的相似性，但文化面貌纯净，遗址中仅见石家河文化遗存一种新石器时代遗存，不见青龙泉遗址中出现的仰韶时期及龙山时期的其他文化因素。因此归仙河遗址的石家河文化遗存对于鄂西北地区石家河文化的界定有较为重要的意义。简报分为七个部分予以介绍，有手绘图。

据介绍，归仙河遗址位于湖北省十堰市郧西县河夹镇仙河村七组及九组，东北距郧西县城约 20 公里。一般认为，石家河文化的年代，为距今 4500 ～ 4200 年左右。

咸宁市

969.鄂东南首次试掘新石器时代遗址

作　者：李龙章
出　处：《江汉考古》1982 年第 1 期

1982 年考古人员试掘了通城县尧家林新石器遗址。过去，在鄂东南地区曾调查发现了一些新石器文化遗址，但考古试掘工作还是第 1 次。

据介绍，尧家林遗址是 1981 年年底咸宁地区博物馆在通城县进行文物普查时发现的。遗址面积约 3 万平方米，地面散见不少文化遗物，除发现有新石器时代的石器、陶器外，还见有拍印曲折纹、蕉叶纹、云雷纹、水波纹、米字式复线方格纹、箆纹等纹样的几何印纹硬陶片。这次揭露面积为 100 平方米。出土器物比较丰富：生产工具中以石镞为多，还有石斧、石锛、石网坠、陶纺轮、石刀、石铲、石雕刀、砺石等；生活用具都是陶器，可复原的陶器约数十件，种类有各式鼎、豆、盆、罐、缸、碗、钵、鬶、杯、圈足盘、筒形器、壶形器、盂形器、甑等。

简报称，尧家林遗址的试掘，帮助我们进一步了解了鄂东南地区的新石器文化面貌。整理研究这批考古资料，对于探索湖北境内龙山期文化遗存的分区、类型及其发展系列等学术问题，无疑是十分重要的。由于此遗址位于鄂、湘、赣三省交界处，因而也为我们研究了解长江中游和华南地区原始文化的相互关系提供了新资料。

970.湖北通城尧家林遗址的试掘

作　者：武汉大学历史系考古专业、咸宁地区博物馆、通城县文化馆　李龙章、
　　　　彭明祺、向绪成、王　然

出　处：《江汉考古》1983 年第 3 期

尧家林遗址位于湖北省通城县麦市公社山下大队，遗址为长条亚腰形台地，高出周围水稻田约 8 米，总面积约 3 万平方米。

1981 年冬，通城县进行文物普查时发现了该遗址。1982 年春，考古人员对尧家林遗址作了试掘。工作从 2 月 28 日开始，至 4 月 6 日结束，发掘面积 100 平方米。

简报分为：一、地层堆积，二、遗迹，三、文化遗物，四、结语，共四个部分。有手绘图。

简报认为可考虑将划分尧家林晚期为江汉地区龙山期文化的一个新类型，以和分布在汉水流域及鄂西地区的遗存相区别。经咸宁地区近年来的普查，类似尧家林晚期的选址曾有多处发现。在湖南，经过发掘的平江献冲舵上坪、湘乡岱子坪龙山文化遗址，也出有折腹杯、喇叭筒形器等器物，在相当程度上接近尧家林晚期类型。其次从对应关系考虑，尧家林晚期前段的文化面貌与七里河三期较接近，两者的时间大体也相当，那么比它们要晚的尧家林晚期后段，则应属江汉地区龙山期文化更后一阶段了。

随州市

971.湖北随县发现旧石器

作　者：王善才

出　处：《考古》1961 年第 7 期

1957 年 6 月，湖北省文管会的一个工作组在距随县县城约 5 公里的山地的 1 条小路旁采集到 1 件打制石器。经鉴定，这是 1 件旧石器。

简报称，这件旧石器是在湖北地区、也是长江流域的首次发现。1949 年后虽在长江流域的四川资阳、湖北长阳和安徽泗洪发现过人类化石的材料，但没有发现过

旧石器。因而，这次的发现是值得注意的。

早在 1928 年，法国学者即著有《中国的旧石器时代》一书，今有科学出版社 2013 年新版。

972.随州西花园遗址发掘简报

作　者：武汉大学随州考古发掘队　方酉生
出　处：《江汉考古》1991 年第 2 期

随州西花园遗址是武汉大学历史系考古教研室于 1983 年下学期为 1980 级考古班学生进行实习而选择进行发掘的。发掘工作从 9 月 10 日开始至 11 月 30 日结束，发掘面积 500 余平方米。这次发掘的情况，已经有简讯报道。简报分为：一、地层堆积与文化分期，二、各文化遗存分述，三、小结，共三个部分。再次介绍了这次发掘的主要收获。

据介绍，通过这次田野考古发掘和室内整理所划分出来的湖北龙山文化的早、中、晚 3 期，在时间上是相互衔接的，在文化性质上是一脉相承的。西花园遗址的湖北龙山文化早、中、晚 3 期内涵，大体上包括了这一地区龙山文化从早期到晚期的全部发展过程，从而为这一地区的龙山文化树立了一支可靠的分期标尺。考古实践证明，湖北龙山文化是在继承屈家岭文化晚期的基础上发展起来的一种新文化，它的走向，是发展成为二里头文化类型的一种相当于夏商时期的物质文化。

简报称，西花园遗址屈家岭文化晚期的遗迹有房基、灰坑和墓葬等，房基大多数保存不好，未发现完整的。龙山文化早期房基，与屈家岭文化晚期的大体相同。龙山文化中期墓葬，成年人、儿童、男、女合埋一处，反映出 5000 ～ 6000 年前父系氏族社会情景。陶器上已有刻划符号。湖北龙山文化晚期遗迹发现墓葬 8 座，皆无墓坑，为仰身直肢葬，无随葬品。陶器以夹砂黑陶为主，夹砂红陶和夹砂灰陶次之，泥质陶较少。纹饰以篮纹和方格纹为主，还有附加堆纹、叶脉纹和弦纹，以及朱绘和磨光蛋壳黑陶等。东周遗存，大部分已被破坏，发现遗迹遗物较少。发现墓葬 1 座，编号 M2。随葬器物有鬲、豆、盆、罐各 1 件和墓主口中所含绿松石玦 2 块。

973.湖北随州市黄土岗遗址新石器时代环壕的发掘

作　者：湖北省文物考古研究所　刘　辉等
出　处：《考古》2008 年第 11 期

黄土岗遗址位于湖北随州市均川镇贺氏祠村和胡家台村之间，东至贺氏祠村 270

米，南距胡家台村 400 米，1957 年第 1 次文物普查时发现。2005 年 2 月 25 日至 4 月 26 日，为配合随岳高速公路中段的建设，考古人员对该遗址进行了细致的勘探和抢救性试掘。发掘表明，该遗址包含新石器时代、东周和汉代 3 个时期的文化遗存。简报分为：一、地层堆积，二、新石器时代环壕，三、出土遗物，四、结语，共四个部分。先行介绍了新石器时代环壕的发掘情况。

据介绍，此处新石器时代环壕，整体近似椭圆形，南北长约 316 米，东西宽约 235 米。壕沟平均宽度 15～20 米，平均深度 2.5～3 米，最深处超 3.8 米。沟内的出土遗物均为陶器。壕沟的形成年代简报推断为不晚于屈家岭文化晚期，距今 5000 年左右。壕沟沿用至石家河文化早期，可能具有防御功能。

简报称，目前在长江中游地区发现的带环壕的城址聚落已超过 10 座，均位于荆山—大洪山以南及洞庭湖西北岸，鄂北地区尚未发现，时代大多属于屈家岭文化晚期至石家河文化早期，且大多在石家河文化中晚期遭到废弃。黄土岗遗址环壕的兴废时间也不例外，但黄土岗遗址仅发现环壕，未发现城垣，两者功能上可能有所区别。这是否反映了大洪山以北的鄂北地区与两湖平原在聚落形态上的差异，尚需更多的资料来研究。

简报指出，该遗址是 1 处规模较大、等级较高的新石器时代大型聚落遗址，应是 1 处中心聚集点。

974.湖北随州新石器时代遗址调查

作　者：湖北省文物考古研究所　刘　辉
出　处：《江汉考古》2010 年第 1 期

本次调查在随州境内复查 18 个遗址，新发现遗址 2 个，其文化内涵以屈家岭文化和石家河文化为主。从地域看，随南分布密集，随北稀少，沿河分布的特征明显。简报认为大量的与炎帝部落同时代的新石器时代遗址的发现为我们认识炎帝神农氏的出生地和活动范围提供了有力的依据。简报分为：一、遗址概况，二、遗址分布特征，三、文化内涵，四、保存状况评估，共四个部分。有手绘图。

据介绍，通过本次调查，发现绝大多数史前遗址的保护面临十分严峻的局面，绝大多数遗址都遭到不同程度的破坏，部分遗址完全消失。如果任其发展，再过若干年，至少一半的遗址将不再存在。遗址破坏原因主要为农田建设、城镇发展、窑场取土和自然破坏。

975.2000～2001 年随州厉山佘家老湾遗址试掘报告

作　者：湖北省文物考古研究所、随州市曾都区考古队　笪浩波、陈晓坤
出　处：《江汉考古》2011 年第 4 期

佘家老湾遗址位于湖北省随州市北约 24 公里处，隶属随州市随县厉山镇王岗乡同心村八组佘家老湾。2000 年上半年，在配合汉丹—宁西铁路连接线建设工程的考古调查中发现该遗址，遗址面积约 10 万平方米。2000 年 11～12 月及 2001 年 5～6 月，考古人员对遗址进行了试掘，发掘面积 324 平方米。出土了主要是新石器时代晚期遗存。从出土的遗物特征看，属江汉地区石家河文化系统，但又具有河南龙山文化王湾三期的特点。该遗址对于研究这两大文化的相互碰撞及交流提供了极好的范例，同时也使我们对于这一特殊地理区域内的石家河文化晚期的面貌有了较深入的了解。简报分为：一、地理概况及发掘经过，二、地层及文化堆积，三、遗迹及遗物，四、结语，共四个部分。有照片、手绘图。

据介绍，遗址共发现房址 1 座、灰坑 18 个、灰沟 3 条、瓮棺 1 座。出土遗物以陶器为主。从该遗址的钻探及发掘情况看，遗址地层由西至东逐渐变厚。东部出土的石器较多，还有石球、陶弹丸、石杵、石臼等生产工具，但没有房子等，而西部发现有房子。由地形和出土物分析，简报认为西部为居住处，东部为生产和活动区。

恩施州

976.建始县又发现巨猿牙化石

作　者：杨年友
出　处：《江汉考古》1991 年第 2 期

1986 年冬，建始县高坪区桑园乡麻扎坪村五组村民李明武在摇船湾的责任田中挖地时挖出了古生物化石，继而挖成 1 个小坑，共挖出各种骨、牙化石 15.7 公斤。尔后李将化石全部卖给了区供销社收购站。建始县文管所闻讯后，立即前往调查，并将李明武卖给收购站的牙化石全部征集到所收藏。考古人员对该点出土的牙化石进行了鉴定，除了有熊猫、剑齿象、马、貘、犀、野猪和牛牙以外，还有步氏巨猿右下第二前臼齿 1 枚。随后，又到该点对堆积剖面进行了清理。简报配以照片予以介绍。

据介绍，该点位于我国境内第 4 个巨猿化石发现的高坪区桑园乡麻扎坪村五组巨猿洞东口 100 米处的山坡上，与巨猿洞同处一条山梁。其堆积层位与巨猿洞内堆积基本相同，巨猿牙和伴生动物牙化石的特征同巨猿洞内的化石很类似，其地质年代同巨猿洞一样为早更新世晚期。该点的发现为进一步研究和探讨巨猿的发生和发展规律提供了新的资料。

977.建始巨猿洞新发现巨猿牙齿

作　　者：李文森

出　　处：《江汉考古》1991 年第 4 期

1990 年 7 月，考古人员对湖北省建始县进行古人类遗址的调查，获得了关于巨猿化石的重要线索。为此，考古人员于今年 6 月在建始巨猿洞进行了发掘。

据介绍，发掘地点选在东洞口，面积约 20 平方米，堆积物厚约 4.5 米，自上至下分为 10 个小层，其中比较重要的有含动物化石层和鬣狗粪化石层。发现 5 枚巨猿牙化石，均为臼齿或前臼齿，除 1 枚齿冠稍有残破外，其余齿冠和齿根均保存完好。在化石层中同时发现了与巨猿牙化石伴生的大量的哺乳动物化石，经初步鉴定，它们分属 6 个目 19 种：灵长目（猴），啮齿目（豪猪），食肉目（鬣狗、剑齿虎、豹、豺、熊猫、熊、獾、鼬），长鼻目（剑齿象、乳齿象），奇蹄目（云南马、中国貘、中国犀），偶蹄目（猪、虎、鹿、羊、牛）。此外还发现了爬行类动物化石，它们属于广义的大熊猫——剑齿象动物群（或称"巨猿动物群"）。

粪化石层位于红色土层下，深 2.2 米，厚 0.1 米，发现了大量的鬣狗粪化石，呈散状颗粒堆积，排列比较整齐，保存基本完好，这对于研究当时动物的活动大有帮助。

简报称，迄今为止，已发现巨猿牙齿化石的地点共 6 处，除在印度西瓦立克地区的多克·帕坦发现 1 件巨猿下颌骨外，其余的地点均在中国境内。比较重要的材料为广西柳城巨猿洞的 3 件下颌骨，其他地点发现的均为单枚牙齿化石。虽然截至目前，获得巨猿牙化石的数目已逾千枚，但建始的这批材料有明确的地点和地层，有详尽的科学记录，有丰富的伴生动物化石，因而具有更重要的学术价值。

978.湖北建始新发现的巨猿化石地点

作　　者：许春华、陈醒斌、冯小波、杨年友

出　　处：《江汉考古》1993 年第 3 期

1990 年 7 月，考古人员在建始县工作时，观察了该县文物管理所收藏的化石，

其中有一步氏巨猿的右下第二前臼齿。这枚巨猿牙齿和伴生的动物化石是1986年冬、该县高坪区桑园乡麻扎坪村农民李明武挖地时发现的，其后他将所得化石出售给高坪区供销社收购站。建始县文管所获悉后，派人前去化石地点调查，并将李明武卖给收购站的化石全部收藏。考古人员前往化石出土地点，清理了堆积剖面，找到了零星的化石，初步了解了该化石地点的地层和化石的分布情况。简报分为：一、化石地点简况，二、化石描述，三、讨论，三个部分。有手绘图、照片。

据介绍，该巨猿化石地点位于麻扎坪村名叫"摇船湾"的山坡上，距高坪龙骨洞（巨猿洞）的东洞口约100米，海拔约740米。化石地点附近为三叠纪灰岩，溶洞发育。简报推断，建始摇船湾巨猿化石的地质时代应为早更新世晚期。

979.湖北巴东县李家湾遗址考古新发现

作　者：唐　斑
出　处：《江汉考古》2002年第2期

李家湾遗址位于长江右岸，隶属于湖北省巴东县官渡口镇楠木园村五组，属于三峡工程库区的淹没范围。该遗址于1994年调查发现。2001年9月20日至12月13日，考古人员对李家湾遗址进行了历时58天的首次试掘。

据介绍，遗址发现有新石器时代陶片、六朝及近现代陶瓷片，此外还发现有1座明代墓葬。六朝时期遗存多为绳纹瓦片或素面瓦片，无完整器物。新石器时代有屈家岭文化和大溪文化的遗物及陶片。发现的遗迹有墓葬26座、灰坑17座、窑址1座、坑1个、沟1条、灶1座，其中新石器时代的遗迹占大部分，包括25座墓葬、6座灰坑及上百件遗物。新石器时代的墓葬均为长方形竖穴土坑墓，保存较差。出土遗物以陶器为最多，其次为石器和玉器，主要器类有陶双腹豆、蛋壳杯、鼎、高圈足杯、磨制石斧，玉璜、玉坠等。由此可见，李家湾遗址的主体文化堆积为新石器时代的堆积，且以接近屈家岭文化的遗物为多，属于大溪文化的只有一些没有随葬品的墓葬和破碎陶片。从日前发掘的情况分析，该遗址应为1处新石器时代墓地，其文化面貌与屈家岭文化比较接近。李家湾遗址的发掘，将屈家岭文化的分布范围大大地向西扩展了。这也是目前所知的屈家岭文化分布最西的材料，由此可见屈家岭文化极强的渗透力。

980.湖北巴东县楠木园遗址发掘简报

作　者：武汉大学考古学系、湖北省文物考古研究所三峡工作站、巴东县博物馆
　　　　余西云、王风竹、侯亚梅、李英华等

出　处：《考古》2005 年第 6 期

楠木园遗址位于湖北省巴东县官渡口的楠木园村，地处巫峡东段，为配合三峡工程的建设，考古人员从 2000 年 9 月至 2003 年 6 月对楠木园遗址进行了大规模的抢救性发掘，发掘总面积近 1 万平方米。该遗址的文化堆积较厚，发现有新石器时代、商周时期、汉至六朝时期、唐宋时期、明清时期等不同时代的文化遗存。其中，新石器时代遗存的材料较为丰富，尤其重要的收获是新辨认出一类特点鲜明的文化遗存，其内涵和性质有别于此前本地区发现的其他新石器时代考古学文化。简报分为：一、地层堆积和遗存分类，二、新石器时代第一类遗存，三、新石器时代第二类遗存，四、结语，共四个部分。先行介绍有关新石器时代的发掘和整理情况，有照片、手绘图。

据介绍，该遗址新石器时代第一类遗存早、晚期的年代分别与城背溪文化和朝天嘴遗址的相关遗存接近，但文化面貌有所不同，应属一类新的文化遗存。石锄出土较多，说明耕作农业已经出现。楠木园遗址新石器时代第二类遗存则属于大溪文化的范畴。

981.湖北建始杨家坡洞发掘简报

作　者：湖北省文物考古研究所　陆成秋、杨年友、肖友红、胡家豪、王晓宁、
　　　　周　文、王青槐

出　处：《江汉考古》2010 年第 4 期

湖北省建始杨家坡洞位于建始县龙骨洞下边。此地发现的哺乳动物化石有 8 目 30 科 80 种，其中有一些智人牙齿化石。杨家坡洞动物群为晚更新世大熊猫—剑齿象动物群，其生存环境为热带—亚热带温暖湿润的环境。简报分为四个部分予以介绍，有手绘图。

据介绍，杨家坡洞位于湖北省恩施土家族自治州建始县高坪镇西南 1500 米处的金塘村二组。建始人遗址即建始龙骨洞在斜下方约 25 米处的石灰岩陡坎下，2 个山洞之间的垂直落差约为 7 米。杨家坡洞出土的人牙是湖北省建始地区第 1 次发现的智人材料。杨家坡洞的智人与龙骨洞的古爪哇魁人出现在同一地方，更进一步说明了建始高坪地区是我国最重要的人类起源热点区域之一。杨家坡洞出土的动物化石

种类极为丰富，这在我国华南地区已发现的更新世动物群中也是不多见的，它与上层的龙骨洞早更新世动物群共同构成了本地区更新世动物群的演化发展兴替序列，成为研究华南更新世动物群的又一重要材料。

982.湖北省建始县岩风洞遗址发掘简报

作　者：北京联合大学应用文理学院、中国科学院古脊椎动物与古人类研究所
　　　　刘　越、冯小波、杨年友等
出　处：《江汉考古》2014 年第 5 期

湖北省建始县因高坪巨猿洞盛产哺乳动物化石而闻名，随着考古工作者在该地区的不断努力，尤其是自 1998 年国家"九五"规划专项"早期人类起源及环境背景的研究"启动以来，发现了古人类、巨猿、石制品及共生的哺乳动物化石等数量众多的材料。考古人员对建始县境内的洞穴资源进行了调查，并选择一些地点进行了试掘，岩风洞即其中的 1 个。简报分为：一、地层堆积，二、石制品描述，三、讨论，共三个部分。有手绘图。

据介绍，岩风洞遗址位于湖北省建始县业州镇罗家坝村 7 组，洞口海拔高度为694 米。在岩风洞遗址中发现了 25 件石制品，其岩性以灰岩为主，占总数的 64%，变质岩的标本较少；石制品包括砾石、石锤、碎片（块）、石片、刮削器和锯齿状器等类型，以刮削器为主；石制工具以石片或碎片为素材者居多，以砾石或石核为素材加工的工具只有 1 件；石片多为剥片或者加工石器初级阶段的类型。其文化面貌和该县高坪巨猿洞"建始人遗址"的面貌相接近，均以石片石器为主，以刮削器为多。简报推断其时代应为旧石器时代晚期。

仙桃市

983.沔阳月洲湖遗址调查

作　者：沔阳县博物馆　姚高悟
出　处：《江汉考古》1986 年第 3 期

沔阳县位于江汉平原，处于武汉与江陵之间，南临长江，北靠汉水，境内湖泊众多，素有"水乡泽国"之称。月洲湖遗址在沔阳南部，海拔 23.2 米，北离仙桃镇 20 公里，南距东荆河白庙大桥 5 公里。1983 年 1 月底，张沟镇在月洲湖开挖鱼池，发现了这

处遗址。遗址面积经初步测定，东西长约 590 米，南北宽约 120 米，现保存部分约二分之一。考古人员从 1 月 26 日开始进行调查，2 月 3 日结束。简报配以手绘图予以介绍。

据介绍，发现房屋遗址多处，表面都有红烧土，并含有少量灰渣、陶片、石器及柱洞、水沟，其面积一般在 40 ～ 50 米，为地上建筑。陶窑址 1 处，已破坏。灰坑多处，仅清理了 1 处。采集遗物有石器 158 件及陶器等，共计 380 多件。年代应属屈家岭文化向龙山文化过渡时期。

潜江市

天门市

984.天门石家河出土的一批红陶小动物

作　者：天门县文化馆　刘安国
出　处：《江汉考古》1980 年第 2 期

天门石家河新石器时代遗址出土的红陶动物，早在 1954 年冬季考古人员配合石龙过江水库干渠工程进行调查时即有发现。1955 年春至 1956 年，对京山屈家岭和天门石家河等处有文化遗址的地方进行了考古发掘，出土了大批磨制石器，探明了红陶动物的层位，明确了这些红陶动物（当时仅见羊、鸡、龟、人等）属于新石器时代晚期的艺术遗存。新石期时代的文化遗址，在我国各地发现甚多，但出土陶动物，却很少见，故堪珍贵！

1973 年春，为配合农田基本建设，考古人员在石家河新石器时代遗址附近发现一批泥塑动物，计 36 件。同年 8 月，文物普查时，又收集到泥塑动物 27 件。简报对这批泥塑艺术品予以介绍。

据介绍，在这批泥塑艺术品中，可分人、禽、兽 3 大类。简报指出，天门县石河公社邓家湾发现了新石器时代的红陶象，说明了直到 4000 ～ 5000 年前，在长江流域的汉水中游附近，还有大森林的存在和象的活动。这个红陶象的发现，无疑对研究我国古代生物与气候的变迁，提供了极为可贵的科学资料。

985.湖北天门县石家河遗址出土的泥塑小动物

作　者：湖北省天门县博物馆　刘安国
出　处：《农业考古》1984 年第 1 期

1975 年春，考古人员在石家河新石器时代遗址附近，配合农田基本建设，出土了泥塑动物 36 件，同年 8 月，文物普查时，又收集到泥塑动物 27 件。简报配以照片予以介绍。

据介绍，这批泥塑计红陶人 3 件（残）、红陶禽 37 件、红陶兽 23 件。其中红陶象值得重视，它的发现，说明直至 4000 ～ 5000 年前，汉水中游仍有象存在。

今有《中国动物考古学》（文物出版社 2015 年版）一书，可参阅。

986.天门谭家岭遗址发掘简讯

作　者：茂　林
出　处：《江汉考古》1985 年第 3 期

谭家岭新石器时代遗址，位于天门石河镇西北 1.5 公里处，总面积约 15 万平方米。1982 年上半年，考古人员对谭家岭遗址进行发掘，发掘面积 137 平方米，发现红陶系文化遗存、屈家岭文化遗存、石家河文化遗存 3 个阶段的文化堆积，并揭露出残房基墓遗迹 2 座、墓葬（包括瓮棺葬）18 座、灰坑 10 个，出土大量陶、石器。

据介绍，红陶系遗存遗物不多，但较有特色，应早于屈家岭文化。文化性质待定。屈家岭文化遗存可分为早、晚两期。石家河文化可看出与屈家岭文化一脉相承，已修复的完整陶器即有 250 件之多，以泥质黑灰陶为主，灰陶和红陶次之，主要为素面陶，纹饰以篮纹为主，也有方格纹、镂孔、弦纹、附加堆纹，部分酒器上施有红衣和红、黑彩。

987.天门县新石器时代遗址调查

作　者：天门县博物馆　周　文、范学斌
出　处：《江汉考古》1987 年第 4 期

天门县古称"竟陵"，位于湖北省中部的江汉平原。1984 年 3 月至 1985 年 3 月，考古人员在天门全境进行了 1 次全面的文物普查，共发现新石器时代遗址 57 处，大体上包含有：龙咀遗址早期文化、屈家岭文化、石家河文化等几个不同阶段的古文化遗存。简报先行介绍了新石器时代文化遗存的情况，共分四个部分：

一、龙咀遗址早期遗存，二、屈家岭文化遗存，三、石家河文化遗存，四、结语。有手绘图。

据介绍，龙咀遗址早期遗存是 1 种早于屈家岭文化和石家河文化遗存的本地遗存，这一发现是此次普查的主要收获之一。龙咀遗址与屈家岭文化或有内在联系。而当地的石家河文化遗存，带有本地特点。

988.湖北省石河遗址群 1987 年发掘简报

作　者：石河考古队

出　处：《文物》1990 年第 8 期

湖北省天门市石河镇，位于江汉平原中北部，南距天门市区约 15 公里，石家河的东河和西河都由北向南流过。境内密集地分布着几十处新石器时代遗址。1956 年为配合水利建设，考古人员曾在贯平堰、石板冲、三房湾、罗家柏岭 4 处进行发掘，面积约 1600 平方米。1978 年在邓家湾遗址进行了试掘，1982 年在谭家岭、土城遗址进行发掘，面积 200 多平方米，1987 年春季，在邓家湾遗址进行发掘。为了对石河遗址群进行有计划的发掘和研究，考古人员于 1987 年 9 月 28 日至 12 月 15 日，先后在邓家湾、谭家岭和肖家屋脊 3 个遗址进行了发掘。

简报分为：一、邓家湾遗址；二、谭家岭遗址；三、肖家屋脊遗址，共三个部分予以介绍。有照片、手绘图。

据介绍，邓家湾、谭家岭、肖家屋脊遗址位于石河镇以北，彼此相距很近。邓家湾遗址在邓家湾村的东北，距石河镇市区约 2.5 公里。遗址北端较高，南部和东部略低，面积约 6 万平方米。谭家岭遗址位于谭家岭村东侧、邓家湾遗址以南，面积约 20 万平方米。肖家屋脊遗址在谭家岭遗址之南，距石河镇市区约 0.5 公里，遗址原有面积约 20 万平方米。1987 年的发掘，清理房屋 8 座、墓葬 97 座、瓮棺葬 20 座、灰坑 131 个。为进一步了解石河遗址群的内涵、文化特征、分期及其在江汉地区新石器时代文化中的地位，提供了重要资料。

989.湖北天门市邓家湾遗址 1992 年发掘简报

作　者：石河考古队　孟华平、李文森、胡文春等

出　处：《文物》1994 年第 4 期

邓家湾遗址是湖北天门市石河遗址群比较有代表性的 1 处。1992 年 4～6 月，石河考古队对该遗址西部作了 1 次补充性发掘，发掘面积约 400 平方米，清理不同

时期的新石器时代墓葬 29 座、瓮棺 25 座、灰坑 14 个、建筑遗迹 5 处，并解剖了 1 段城墙，出土了大量的遗物。

简报分为：一、地层堆积，二、聚落遗存，三、分期，四、结语，共四个部分。有照片。

据介绍，邓家湾遗址的新石器时代遗存可大体分为五期。第一、二期的文化面貌比较接近，第一期约相当于屈家岭文化中期偏晚阶段，第二期相当于屈家岭文化晚期。第三期与第二期既有联系又有差异，属屈家岭文化晚期与石家河文化早期的过渡阶段。第四期已进入石家河文化早期阶段。第五期与第四期有一定的差别，可能已进入石家河文化中期偏晚阶段。古城遗址上限不早于屈家岭文化中期，下限不晚于石家河文化中期。

990.湖北石家河罗家柏岭新石器时代遗址

作　者：湖北省文物考古研究所、中国社会科学院考古研究所　张云鹏、
　　　　　王　劲等

出　处：《考古学报》1994 年第 2 期

天门石家河镇北新石器时代遗址群是和京山屈家岭遗址同时于 1954 年冬配合石龙过江水库渠道工程调查发现的。水库位于京山县西南，渠道自水库流至天门县中部，与该县汉北河交汇，所经之地发现古文化遗址近 100 处，其中新石器时代遗址约占 90%。这些遗址多分布在天门与京山两县接壤地带，以石家河镇北最为密集，现已发现 40 余处，这批新石器遗址总称为"石家河遗址群"。自 1955 年至 1956 年，考古人员先后在石家河进行过 2 次发掘。第一次发掘自 1955 年 2 月至 4 月底，主要是在渠道工程线上的破坏区作抢救性发掘，计发掘罗家柏岭、贯平堰、石板冲、三房湾 4 处遗址。同年，在罗家柏岭遗址进行了第 2 次发掘，发掘工作分前后 2 个阶段。前段主要是继续揭露遗址上层发现的烧土建筑遗迹，时间自 5 月初至 8 月中旬；后段为了解遗迹以下及遗址东北的文化堆积情况作补充发掘，时间自 1956 年底至 1957 年春，为时 1 个多月。简报分为：一、地理环境与发掘经过，二、文化层堆积与分期，三、文化遗迹和遗物的，四、结语。共四个部分。配以照片和手绘图，先行介绍罗家柏岭的资料。

据介绍，罗家柏岭是石家河新石器时代遗址群中位于东部的一个聚落，遗址面积较大，遗存丰富，其内涵有屈家岭文化和石家河文化。屈家岭文化分布在遗址中部偏东南的下层，文化堆积不厚。屈家岭文化生产工具有石斧、石锛、石凿、石刀、石箭镞、陶纺轮等，以彩陶纺轮较有特色。陶生活用具以泥质灰陶为主，泥质黑陶次之，

橙黄、橙红陶再次之，应属屈家岭文化晚期。石家河文化分布于整个遗址的上层，文化堆积较厚，遗物丰富，粗分为一、二两期。为保留上层遗存的大型建筑遗迹，下层揭露面积较小，故出土遗物不多。一期应属石家河文化早期阶段，二期大体可归入石家河文化中期阶段。

简报指出，罗家柏文化遗址的发掘，不仅最先在天门石家河发现揭露了江汉地区继屈家岭文化之后形成的石家河文化，使我们认识了这一文化的面貌和特色，同时还取得了由屈家岭文化晚期发展到石家河文化早期的地层依据。在石家河新石器时代遗址群的调查中，发现石家河文化时期的制陶、纺织、制玉、制石器等手工业都有了较大的发展。制作玉器的加工工具似为砣，说明此时已能铸制小型铜工具。结合建筑遗迹内及其堆积层中多处发现残铜片和铜绿石等现象推测，石家河文化的手工业中还应有铸造小型铜工具的生产部门。出土的红陶鸡、狗、牛等动物模型，反映了畜牧业的发展。农业、畜牧业、手工业社会分工的扩大，为阶级社会的产生提供了物质条件。这些现象说明石家河新石器时代遗址群，包含有揭示江汉地区原始文化谱系和探寻文明起源等重要学术课题的线索，无疑是十分重要的。

991.石河遗址群 1987 年考古发掘的主要收获

作　者：石河联合考古队　张绪球
出　处：《江汉考古》1989 年第 2 期

石河遗址群主要分布在天门市石河镇境内，南距天门市区 15 ～ 20 公里，位处江汉平原中部，地形以漫岗坡地为主。整个遗址群包括 40 多个遗址，其中绝大多数为新石器时代的遗存。1978 ～ 1982、1987 年考古人员多次前往进行调查和发掘。简报分为：一、遗址发掘概况，二、大溪文化时期的遗存，三、屈家岭文化遗存，四、石家河文化遗存，共四个部分。有手绘图。

据介绍，邓家湾、谭家岭、肖家屋脊遗址均位于石河镇之北，共清理不同时期的墓葬 97 座，其中邓家湾 60 座、谭家岭 23 座、肖家屋脊 14 座。另外，在 3 个遗址上还发现了瓮棺 20 座、灰坑 131 个。通过发掘，对 3 个遗址的文化堆积有了初步的了解。谭家岭遗址下层为相当于大溪文化时期的遗存，中层为屈家岭文化遗存，上层为石家河文化遗存，以中、下层最为丰富。邓家湾遗址下层为屈家岭文化遗存，上层为石家河文化遗存。肖家屋脊遗址下层有少许屈家岭文化遗存，上层为石家河文化遗存。3 个遗址均包含了相当于大溪文化时期到石家河文化的全部遗存内容。

992.天门邓家湾遗址 1987 年春发掘简报

作　者：荆州地区博物馆、北京大学考古学系　何德珍、郑中华
出　处：《江汉考古》1993 年第 1 期

邓家湾遗址位于天门市石河镇北约 2.5 公里处，南距天门市区约 15 公里。遗址以北约 2 公里与京山县交界，属大洪山脉的山前地带。整个遗址由北略向东倾斜，其西部高出稻田约 2.8 米，面积 6 万余平方米。1979 年考古人员曾在遗址的西部试掘 1 条探沟，1987 年春季又进行了发掘，清理墓葬 15 座、瓮棺葬 2 座、灰坑 29 个，出土了一大批新石器时代晚期的文化遗物。简报分为：一、地层堆积，二、屈家岭第一期遗存，三、屈家岭第二期遗存，四、石家河文化早期遗存，五、小结，共五个部分。有手绘图、照片。

据介绍，此次发掘出土了一批屈家岭文化至石家河文化时期的重要遗物，根据地层叠压关系和文化特征，简报将这批遗存大致分为：屈家岭文化第一期遗存和第二期遗存，石家河文化早期遗存。以上三期遗存的划分，分别与石家河文化遗存群的第四、五、六期相当。出土的大量遗物，为江汉平原新石器时代晚期的考古学分期提供了新资料。特别是第二期遗存的出现，简报据此提出了"屈家岭文化晚期遗存的分期问题"，从而将对屈家岭文化的认识和研究提高到新水平。

993.天门张家山新石器时代遗址考古发掘取得重要成果

作　者：朱俊英
出　处：《江汉考古》1999 年第 2 期

为了配合三峡铁路建设，1999 年 1～2 月考古人员对铁路线经过的张家山遗址进行了考古发掘。

据介绍，张家山遗址位于湖北省天门市李场镇赵北村二组郑家台东北角 150 米，西南距天门市政府所在地竟陵镇约 25.5 公里，东距武汉市约 115 公里。遗址共清理房屋基址 1 座、灰坑 6 个、红烧土遗迹 1 处，出土完整陶、石器 96 件，陶片 1 万余块。此次发掘，再次从考古学上证实了大溪文化、屈家岭文化、石家河文化这 3 者之间一脉相承的关系。简报指出，张家山遗址从早至晚有大溪文化、屈家岭文化、石家河文化的人们在此繁衍生息，这类单体聚落延续时间长的原因为探讨长江中游地区原始文化发展嬗变过程及其地理环境的变迁提供了典型例证。

994.湖北省天门市张家山新石器时代遗址发掘简报

作　者：天门市博物馆、湖北省文物考古研究所　周　文、胡平乐、朱俊英

出　处：《江汉考古》2004 年第 2 期

张家山遗址是江汉平原地区 1 处重要的新石器时代遗址，文化遗存非常丰富，包含有新石器时代的油子岭文化、屈家岭文化和石家河文化等，这几个文化一脉相承。该遗址的发掘为研究江汉平原新石器时代文化的内涵和考古学文化谱系提供了一批新资料。简报分为：一、地理位置，二、地层堆积，三、遗迹，四、出土遗物，五、结语，共五个部分。有照片、手绘图。

据介绍，张家山遗址位于湖北省天门市皂市镇赵北村 2 组郑家台。1999 年 1 ~ 2 月，为配合铁路建设而对遗址进行了发掘，出土有陶制生活用器、陶制装饰品（陶环）、陶制玩具（陶球）等。文化面貌从大溪文化四期偏早，历屈家岭文化，一直延续到石家河文化早期。张家山遗址距京山油子岭、屈家岭、石家河等重要遗址不过几十公里，处于这些史前重要聚落的核心位置，具有重要的研究价值。

995.湖北省天门市龙嘴遗址 2005 年发掘简报

作　者：湖北省文物考古研究所　孟华平、张成明、黄文新

出　处：《江汉考古》2008 年第 4 期

2005 年 3 ~ 9 月，在随州—岳阳高速公路建设中，湖北省文物考古研究所对龙嘴遗址进行了抢救性发掘，新发现 1 座油子岭文化时期的古城，揭示出同时期的其他各类遗迹 97 个，出土丰富的陶器、石器、玉器和稻壳等遗物。

简报分为：一、地理位置与工作概况，二、文化层堆积，三、遗迹与遗物，四、结语，共四个部分。有手绘图。

据介绍，龙嘴遗址是湖北境内迄今发现最早的新石器时代古城遗址，其文化内涵较单纯，主要为油子岭文化遗存。简报称，龙嘴古城的发现，对研究汉水流域乃至长江流域城址的起源、分布规律具有重要意义。

996.湖北天门市石家河古城三房湾遗址 2011 年发掘简报

作　　者：湖北省文物考古研究所、北京大学考古文博学院　孟华平、刘　辉、
　　　　　邓振华、向其芳

出　　处：《考古》2012 年第 8 期

石家河遗址群位于湖北省天门市石河镇西北的土城村，是长江中游地区目前发现最大的史前古城——石家河古城址所在地。2011 年 3 ～ 4 月考古人员对石家河古城的三房湾、谭家岭遗址进行小规模发掘，揭露面积达 200 平方米。

简报分为：一、探方位置与地层堆积，二、遗迹及遗物，三、结语，共三个部分。有彩照、手绘图。

据介绍，考古人员对石家河古城三房湾遗址的东南低洼地带进行了勘探和发掘，证实该处存在城垣堆积，且走向明确。简报推断城垣的兴建年代不早于屈家岭文化晚期，至石家河文化晚期已经废弃。简报称，此次工作，为全面认识石家河古城的结构以及聚落变迁提供了重要的资料。

神农架林区

997.神农架发现石斧

作　　者：湖北省神农架林区文管所　周学森

出　　处：《江汉考古》1990 年第 4 期

在全面开展文物普查的过程中，神农架林区文物普查组征集到 1 件磨制石斧。这件石斧长 21 厘米，上宽 7 厘米，下宽 9 厘米，厚 2 厘米，表面光滑，上部有一直径 15 厘米的圆孔。经专家鉴定，为新石器时代晚期的磨制石器。简报配以照片、手绘图予以介绍。

据介绍，这件石器是 1980 年民工在神农架阳日镇乐意村水电站工地开挖水渠时发现的。与石斧同时出土的还有部分陶片，可惜当时民工只将石斧保存下来，陶片却无人采集。这件石器的发现，说明早在新石器时代，神农架已有人类活动。

湖南省

长沙市

998.湖南浏阳樟树潭新石器时代遗址调查

作　者：湖南省博物馆　张欣如

出　处：《考古》1965 年第 7 期

1964 年 7 月，湖南博物馆派人去浏阳县调查一批出土的青铜器时，在城西樟树潭调查发现 1 处新石器时代遗址。简报配以拓片、手绘图予以介绍。

浏阳在湖南东部，距长沙 90 公里。樟树潭遗址在浏阳城西，距城关约 0.5 公里，是浏阳河转弯之处靠山的河旁高地，遗址东西长 300 米，南北宽 200 米左右，中部暴露出厚 1 ~ 2 米的文化层。在文化层的断面中和地面上，都分布着大量的红烧土和陶片，陶片以粗胎夹砂红陶为主，也有部分夹砂灰陶和磨光黑皮褐胎陶片。考古人员采集到的遗物有石器和陶器，如打制石斧、有肩石斧、石镞、陶器足、陶片、陶豆柄、石刮削器、陶大口器、陶碗底等。

简报称，根据此次采集的石器和陶片来看，这是湘东地区较早的一处遗址。打制石器在湖南地区虽有发现，但数量不多，并且发现地点分散，此次发现大量的打制石器，是以前所没有的。陶器方面，有大量的粗胎夹砂红陶以及厚胎夹砂灰白陶，还有大口器、三足器、厚底碗和器足等。其中的三足器、器足和厚底碗，在湖南的安仁、华容、石门、宁乡等地曾发现。因此，这处遗址的发现，为湘东地区新石器时代的考古，提供了新的资料。

999.湖南浏阳城西樟树塘遗址发掘的主要收获

作　者：湖南省文物考古研究所　周　能

出　处：《考古》1994 年第 11 期

樟树塘位于湖南省浏阳县城西郊约 1 公里。遗址分布在城关镇城西大队浏阳河与龙泉港交汇处的三角洲上，东濒浏阳河，北倚西湖山，海拔约80米。1964年7月间，遗址因农民取土烧砖，经省考古人员调查发现，同年10月进行发掘。遗址分布面积约1万平方米，因农民取土烧砖，遗址基本遭到破坏。当时因受诸多因素的制约，只在樟树塘老屋场未遭破坏的地段，开了1个探方（TI：规格6米×6米）。同时，在探方周围还采集到农民取土烧砖时出土的石器数百件。

发掘情况简报分为：一、地层堆积情况，二、文化遗物，三、结语，共三个部分。有手绘图、拓片。

据介绍，通过对该遗存遗物的对比分析，简报认为樟树塘遗址可分为上、下两层。遗存上层的年代简报推断相当于商代文化。该遗址发掘面积虽然不大，但所出遗物的文化内涵却较复杂。从总体看，遗址陶器以夹砂红陶为主，约占陶器总数的87%，次为泥质红胎黑皮陶和泥质灰陶，另有少量印纹硬陶。除绳纹外，器表纹饰有30%的几何形印纹，其中最具特色的几何形印纹是编织纹和复合于同一器物上的水波纹与雷纹。从器型观察，在遗存中，从始至终都贯穿着代表当地特征的一组陶器，包括敞口高柄豆、圈足罐、小圈足碗、敛口盂、盆以及盘口或翻沿釜。与炊器釜伴出的式样多变的承托物支脚极为发达，是该遗址的一个重要特征。该遗存另一特点是，出土的石器数量多，品种齐，种类不一，各具功用，为这一时期的遗址所少见。该遗存中未见商文化因素的影响。简报肯定地说，该遗址是有别于石门皂市、江陵荆南寺、江西吴城等遗址的一种区域性的地方类型遗址。因目前掌握的资料极少，对该遗址的认识还很粗浅，至于更深入的探讨，则有赖于今后进一步调查和科学发掘。

株洲市

湘潭市

1000.湖南湘潭县堆子岭新石器时代遗址

作　者：湖南省文物考古研究所　郭伟民
出　处：《考古》2000年第1期

堆子岭遗址位于湖南省湘潭县锦石乡苍场村上湾组，东北距湘潭市区约15公里。遗址地处湘江支流涓水旁一级台地的小土岗上，土岗中心有一堰塘，堰塘周围分布着不少民居。考古人员通过调查勘探，了解到文化遗存主要堆积在该土岗的北部。由于村民建房及生产耕作，遗址受到较大程度的破坏。1993 年 4～5 月，湖南省文物考古研究所对其进行了发掘，发掘面积共 100 平方米。此次发掘，出土了甚为丰富的文化遗物，显示出一种独特的文化面貌。

简报分为：一、地层堆积，二、遗迹，三、遗物，四、分期与年代，共四个部分予以介绍。

据介绍，湖南新石器时代文化谱系比较清楚的地区是洞庭湖区。洞庭湖区以圜底器、圈足器为特色的新石器文化起自彭头山文化，终于石家河文化，有一条比较清晰的发展线索。大溪文化时期，该地区考古学文化是划城岗类型，被认为是大溪文化的一种地方类型。简报从堆子岭遗址的出土遗物看，认为这里早期即受到划城岗类型的影响，到了晚期这种影响更为加强。湘江流域具有这类文化特征的遗存还有汨罗附山园、株洲磨山、茶陵独岭坳等遗址的部分层位。它们有的早于堆子岭遗存，有的则相对更晚。简报称，随着考古工作的深入，相信堆子岭文化的面貌将会越来越清晰。

衡阳市

1001.湖南南岳新石器时代遗址

作　者：周世荣

出　处：《考古》1966 年第 4 期

1965 年 5 月，南岳县文物管理所反映在师古坡彭家岭发现石器和陶片。周世荣先生于 6 月初去该处调查，顺便调查了园艺场等两处遗址，简报配以拓片、手绘图予以介绍。

据介绍，彭家岭遗址距县城东郊约 8 公里，位于师古大队大桥小队彭家岭的肖家大屋背后。彭家岭一带是衡山东麓的丘陵谷地，遗址在光秃秃的黄土山上，面积约 1000 平方米。遗物有石器 5 件及陶片，未见骨器、蚌器。园艺场遗址在南岳大庙北部，遗物分布面积约 400 平方米。采集到石器和刮削器，陶片很少。省干部疗养院遗址距县城约 1 公里，已被扰乱，采集一些陶片，绝大部分是夹砂黑红印纹陶片，未发现石器。

简报称，彭家岭遗址范围较大。从初步调查的层次关系来看，上层陶器以印纹硬陶为主，下层以夹砂红陶等软陶为主，可能代表同一文化的两个互相衔接的阶段。

邵阳市

1002.湖南新宁地区新石器时代遗址调查与试掘

作　者：李福生
出　处：《考古》1991 年第 10 期

1985 年夏，由地处湖南省南端新宁县文化局主持的文物普查，分别在扶夷水上游沿岸的周家山、白面寨以及扶夷水支流大圳江下游的马屁股山等地点采集到一些新石器时代的文化遗物。1986 年及 1988 年间，先后对 3 处地点作了一些考古调查和小面积试掘工作，将这 3 处地点定为"新石器点"。简报分为：一、地理环境，二、周家山与马屁股山遗址，三、白面寨遗址，四、结语，共四个部分。有手绘图。

简报称，新宁地区新石器文化当属华南边缘地区新石器文化。出土的部分遗物，如作为两用石器的石球、石锛等以及单纯的夹砂陶和以釜为代表的器类等，与粤、桂地区的新石器文化遗存十分接近。由于地域的影响，其器物与湖南大溪文化的同类器也存在某种联系。一些彩陶的造型和纹样装饰，与马家窑文化某些类型的出土物也有较多的相似之处。一般认为，马家窑文化早于半山，而半山又早于马厂。马家窑文化应晚于中原地区的仰韶文化，年代约为公元前 3000～前 2000 年。

岳阳市

1003.湖南华容县时家岗发现新石器时代遗址

作　者：湖南省博物馆　张鑫如
出　处：《考古》1961 年第 11 期

1960 年 7 月上旬，考古人员在华容县时家岗调查时，发现了 1 处新石器时代遗址。遗址在华容县东北，距县城 17.5 公里，面积较大，遗物也较丰富。简报配图予以介绍。

据介绍，陶器有夹砂红陶黑陶、灰陶和黑衣褐陶，其中以夹砂红陶为最多。器型有罐、鬲、壶、钵、杯和豆等。石器有斧、锛、镰、镞、刮削器和石料等。此外，还有长方形和四方形的砺石。此遗址年代，简报暂定为新石器时代晚期。

1004.湖南华容县车轱山遗址的原始农业遗存

作　者：湖南省岳阳地区文物工作队　郭胜斌
出　处：《农业考古》1985 年第 2 期

1983 年冬，考古人员发掘了华容县车轱山新石器时代遗址，出土有陶器及炭化大米。简报配以照片予以介绍。

据介绍，遗址发现有大米、稻谷壳。车轱山早、中、晚 3 期文化遗存的农业生产工具全为石器，主要有斧、锛、镬、铲等类。此外，还有渔猎工具网坠、弹丸、石球、箭镞等类。简报认为出土的谷壳与大米应是人工栽培的稻谷，时代距今约 7000 年。

常德市

1005.澧县梦溪新石器时代遗址试掘简报

作　者：湖南省博物馆
出　处：《文物》1972 年第 2 期

1967 年春，洞庭湖区水利工程中发现古代遗址，考古人员进行了试掘。简报配以手绘图予以介绍。

据介绍，试掘地点在澧县梦溪冯家港，距澧县县城东北 15 公里。出土有石器、陶器、马牙、兽骨等，有黑陶和彩陶。时代简报推断为新石器时代晚期。

1006.澧县梦溪三元宫遗址

作　者：湖南省博物馆　高至喜、何介钧等
出　处：《考古学报》1979 年第 4 期

三元宫遗址位于湖南省澧县梦溪公社三元大队，南距澧县县城 16 公里，北距湖北省公安县界 20 余公里。地处洞庭湖沉积区——澧阳平原的最北边缘。遗址所在地远古时应属丘陵伸入大湖的平缓坡地，以后湖面逐渐淤塞，遂与沉积平原连成一体。三元宫遗址范围约 2 万平方米，1966 年当地兴修水利时发现。1967 年，湖南省博物馆曾进行小规模的试掘。1979 年秋，考古人员进行了发掘。共发现灰坑 12 座（H1～12），墓葬 23 座（M1～23）及大量文化遗物，这是湖南省第 1 次发掘新石器时代的墓葬。简报分为：一、遗址，二、墓葬，三、结语，共三部分。有照片、手绘图。

简报称，三元宫遗址可分早、中、晚3期。早、中期的器物与仰韶文化中、晚期大体相近，但又有自身的特点，应属大溪文化类型。晚期与屈家岭文化关系密切，但又有自身特点。三元宫遗址的发掘，大大扩展了屈家岭文化的南部边界。简报认为，三元宫遗址经历了大溪文化和屈家岭文化两个不同的发展阶段。这两种文化，不但有明确的地层叠压关系，而且从很多器形可以看出二者之间有着承袭关系。三元宫遗址的发掘为进一步探讨大溪文化和屈家岭文化的关系，提供了重要的实物资料。

1007.湖南安乡县汤家岗新石器时代遗址

作　者：湖南省博物馆　何介钧、周世荣
出　处：《考古》1982年第4期

1978年11月，考古人员对湖南省安乡县汤家岗新石器时代遗址进行了试掘。这个遗址是湖南省亦工亦农训练班学员潘能艳同学发现的。这次发掘，除获得大批文物外，还发现了12座墓葬。这些墓葬，是截至目前为止湖南省发现的时代最早的一批墓葬。

据介绍，汤家岗遗址位于安乡县北部，离安乡县与湖北省公安县交界处（黄山头镇）仅5公里。湖北省荆州地区博物馆曾在黄山头附近的王家岗也试掘了1个同类型的遗址。汤家岗遗址现存面积约2万平方米，在1个较四周平地高出1米左右的小土岗上。遗址南面100多米处，有1条久已淤塞废弃、并已改作农田的古老河道。计发现灰坑12个及建筑遗迹，陶器、石佩饰等遗物。最大收获是发现大溪文化早期的12座墓葬。汤家岗的墓葬，特别是其早期的10座墓葬，特点十分突出：无墓坑，不随葬生产工具，陶器以盘、碗、釜和钵、碗、釜为常见的组合，主要以戳印、篦点、刻划、拍印（或模印）的花纹图案为装饰。

1008.安乡划城岗新石器时代遗址

作　者：湖南省博物馆　何介钧等
出　处：《考古学报》1983年第4期

安乡县在湖南省的北端，紧邻湖北省公安县。安乡县除北部有低矮的山丘外，其余地方均为河港密布的湖成平原，地势低平，澧水、松滋河、虎渡河自北向南流贯全境。划城岗在县城北9公里，其西约1公里即为松滋河，其东0.5公里为李光堰、蔡家溪等大小湖泊。1979年湖南省博物馆在离划城岗5公里的度有岗遗址进行发掘时，得知这里常有石器出土，随之进行调查。1980年冬进行发掘。简报分为：一、地层堆积情况，二、早一期文化遗存，三、早二期文化遗存，四、中一期文化遗存，

五、中二期文化遗存，六、晚期文化遗存，七、结语，共七个部分。配以照片、拓片、手绘图。

简报认为，划城岗遗址的早一、早二期属于大溪文化中期和晚期，中一、中二期属于屈家岭文化早期和晚期，晚期属于长江中游地区的龙山文化。

1009.湖南石门县皂市下层新石器遗存

作　者：湖南省博物馆

出　处：《考古》1986 年第 1 期

石门县位于湘西北，地处澧水中游，北与湖北鹤峰、五峰、松滋 3 县交界，东与临澧、澧县接壤，南连桃源，西邻慈利、桑植。县之东北、西北、西南均为山地，中南部是丘陵和平原。澧水及其支流溇水流贯本县。皂市在石门县城西 15 公里南溪流入溇水处，遗址位于溇水东岸的坡地上。1960 年，湖南省博物馆曾在此发现商代遗存。据此线索，1977、1981 年相继在这里进行了发掘。简报分为：一、地层堆积，二、文化遗存，三、结语，共三个部分。有手绘图。

据介绍，石门皂市下层遗存是近几年来湖南考古的重要发现，遗存中不仅有一批富有特征的日用陶器，而且还有为数不少的生产工具。生产工具包括采用砾石加工而成的磨制石器和用燧石打制、压制而成的小型石器（细石器）。从加工方法和功能看，这些细石器同中原以及西樵山等地的细石器都很接近。年代据测定，在距今 7000 年左右，应早于大溪文化、屈家岭文化。

简报称，在遗址西区北部所发现的新石器遗存堆积层中，发现了大量的动物残骨，多为牙齿和残破的颈骨等。经鉴定，动物种类包括梅花鹿、水牛以及羊、豪猪、老鼠、麂、龟等，其中以鹿、水牛和猪的牙齿居多。它们是否由人工畜养，还有待进一步研究。

1010.湖南临澧县早期新石器文化遗存调查报告

作　者：湖南省文物普查办公室、湖南省博物馆　王文建、刘　茂

出　处：《考古》1986 年第 5 期

1984 年 11 ～ 12 月，考古人员在临澧县进行文物普查，发现先秦时期遗址 100 余处。经过整理和复查，可以确认 6 处遗址中有早于大溪文化的遗存。这 6 处遗址是新安乡沙堤荷花台、新合乡大丰余家铺、金岗金鸡岗、九里乡邱桥邹家山、万岗胡家屋场、太平王家祠堂。简报分为：一、地层堆积与分组，二、文化遗物，三、结语，共三个部分。有手绘图。

简报称，这批遗址的年代应为 7900 ～ 7200 年。而大溪文化的年代范围，大致为距今 6500 ～ 5300 年。石门、临澧等地的早期遗存，文化特征不同于大溪文化，绝对年代早于大溪文化。两者的地域分布有所重合，部分器物形态显示出一定联系。凡此种种，可以证明，这种早期遗存是早于大溪文化的一种新石器文化，并与大溪文化有着一定的渊源关系。简报还注意到澧水流域这批遗址与鄂西地区早期新石器文化遗址的联系，认为"它们共同构成了长江中游的早期新石器文化，并且共同孕育出大溪文化"。

1011.湖南省澧县新石器时代早期遗址调查报告

作　者：湖南省文物考古研究所、湖南省澧县博物馆　曹传松
出　处：《考古》1989 年第 10 期

在文物普查中，湖南澧县发现多处新石器时代早期遗址。简报分为：一、彭头山遗址，二、李家岗遗址，三、东坡遗址，四、习家湾遗址，五、黄家岗遗址，六、结语，共六个部分。有手绘图、拓片。

据介绍，简报所报道的五处遗址，就其文化内涵可分 2 个类型：1 个类型是黄家岗和东坡、习家湾，简称"黄家岗类型"；1 个类型是彭头山和李家岗，简称"彭头山类型"。2 个类型存在若干共同因素，又存在明显的差异。两个类型相对年代的早晚虽无地层叠压关系可证明，但根据文化内涵基本上可以判断。黄家岗类型的出土物均应属于皂市下层文化。皂市遗址下层，经碳十四年代测定，大约距今 7500 年，大体处于新石器时代早期偏晚的阶段。彭头山类型无论从陶器的陶质、纹饰和器类分析，均要早于黄家岗类型，亦即要早于皂市下层文化，它表现出更加明显的原始性，而且两者之间还不能直接衔接，很可能有相当大的时间缺环。简报认为，最保守的估计其年代当在距今 8000 年以前。简报判断，彭头山和李家岗遗址文化面貌上表现出一系列更加原始性的特征，可以明显地和皂市下层文化加以区别。因此，简报认为应该命名为一种新的原始文化。考虑到彭头山遗址出土物丰富，能较全面地反映这一类遗存的特点，可以将这一类遗存称之为"彭头山文化"。

1012.湖南临澧县太山庙遗址发掘

作　者：湖南省文物考古研究所、常德地区文物工作队、临澧县文物管理所
　　　　裴安平等
出　处：《考古》1989 年第 10 期

太山庙遗址南距临澧县城 1 公里，属湘西北地区。遗址因基建而发现，残留面

积千余平方米。1986 年 4 月，考古人员进行了发掘。简报分为：一、遗址地形与地层关系，二、房屋居址，三、文化遗物，四、遗址的年代与文化性质，共四个部分。有手绘图、照片。

据介绍，遗址坐落在小山岗顶部，海拔高 70 米，实际距坡脚高 15 米。发掘区内共发现房屋居址 3 座，均属同一时代，分别编号 F1、F2、F3。文化遗物有陶器、石器两类。遗址的发掘面积虽然较小，但出土器物丰富，特征鲜明。在太山庙遗址中还存在一组无论造型或纹饰风格均与屈家岭晚期文化接近的器物。简报认为，这一组器物的存在不仅证实了太山庙遗址应属龙山文化早期，而且更进一步说明了遗址的年代距离屈家岭晚期文化不会太远。

简报称，太山庙遗址还存在比较突出的地方特征。这些自身特点表明，它与安乡划城岗在文化面貌上有较多共性，应同属于一种地方类型，即长江中游龙山文化湘西北类型。

1013.湖南澧县彭头山新石器时代早期遗址发掘简报

作　者：湖南省文物考古研究所、澧县文物管理所　裴安平、曹传松等
出　处：《文物》1990 年第 8 期

彭头山遗址是近年在湘西北澧县新发现的 1 处新石器早期文化的代表性遗址，以此遗址为代表的文化现已定名为"彭头山文化"。遗址位于澧县县城西北，距县城约 12 公里，地处澧水北岸的澧阳平原是现今湖南最大的平原之一，介于武陵山余脉与洞庭湖盆地之间，为过渡地带。根据湖南省文物考古研究所孢粉实验室对遗址文化层土壤的孢粉分析，在新石器时代早期，这里的植被多杉木和蕨类孢子植物，属暖性针叶林为主的森林草原环境，气候暖湿，气温较现代略低。由于在遗址的孢粉组合中明显缺失水生类植物，又由于洞庭湖地区秦汉时的自然景观仍属河网切割平原，可知遗址当时的地貌与现代情况接近，处于平原之中由小土岗丘连接而成的地势较低矮的缓坡地带，而不是处于湖滨沼池边缘。简报分为：一、遗址地形与古环境，二、发掘概况与地层关系，三、聚落遗存，四、稻作遗存，五、陶器，六、石器，七、遗址年代与发掘意义，共七个部分。有照片。

据介绍，遗址于 1988 年 11 月正式发掘，共开探方 14 个，总发掘面积近 400 平方米。遗址的聚落遗存集中发现于南区，有居住址、墓葬、灰坑 3 类遗存；遗址陶片中夹大量的稻壳和稻谷，发掘出的大量陶片可修复的器物达百余件，另还有石器 3 类（细小燧石器、大型打制石器、磨制石器）。遗址的绝对年代，简报推测为距今 8200～7800 年。

简报认为：在长江中游地区，真正属于新石器早期的文化应该是距今8000年以前的彭头山文化，后来继起的其他文化则分属中、晚期。彭头山遗址与周围及近邻地区的旧石器晚期遗存在大型打制石器方面存在一些相似性，为研究这些地区古人类向新石器时代转变的模式提供了线索。彭头山遗址的陶器虽然原始，但就整体而言，已经迈出了初始阶段的门槛。简报指出，本次发掘最重要的收获是稻作遗存的发现，它不仅是我国，也是世界上已知最早的稻作农业资料。彭头山遗址的发掘，将为长江以南地区新石器时代早期的研究树立一个标尺。另外，彭头山遗址所出双耳高领罐与中原裴李岗文化的同类器有相似之处，这似乎表明，在当时两个文化之间已有一定交往和接触。

1014.湖南省津市市新石器时代遗址普查简报

作　　者：湖南省津市市文物普查办公室　谭远辉
出　　处：《考古》1990年第1期

1986年3月，考古人员对湖南省第一劳动改造管教队的地上地下文物进行了初步普查，发现先秦时期遗址20余处。通过整理，可以确认其中5处（包括1984年5月发现的于涔澹农场青龙咀遗址）属于新石器时代的遗存。5处遗址分别位于涔澹农场青龙咀、白衣乡永兴村打鼓台、西湖渔场欧家台、保河堤镇铜盆村吉安湾、保河堤镇铜盆村范家咀。5处遗址均靠近水源，且多集中在南部丘陵地带，坐落于澧水西岸与毛里湖边的台地上。简报分为：一、地理环境及遗址分布，二、遗址概貌及采集标本，三、结语，共三个部分。有手绘图。

据介绍，各遗址标本全为采集，但从其文化差异看，基本上展现了长江中游原始文化各发展阶段的面貌，发展序列应为：大溪文化—屈家岭文化—龙山文化。其中吉安湾应属大溪文化早中期，青龙咀包含了大溪、屈家岭、龙山三种文化因素。

1015.湖南澧县张家滩、仙公旧石器地点调查简报

作　　者：澧县博物馆　安　强
出　　处：《华夏考古》1992年第4期

1989年秋，考古人员在洞庭湖西岸澧水支流道河沿岸发现2处旧石器地点，采集到一批石制品。简报分为：一、地貌概况，二、发现地点与石制品，三、结语，共三个部分。有手绘图。

据介绍，这2处旧石器地点分别发现于澧县南部的道河乡张家滩和仙公2地，

简报将 2 个地点的石制品归属旧石器时代中期。这两个地点的石器材料，包括石核、石片、砍斫器、尖状器、刮削器、石球，属就地采集。无疑，张家滩、仙公 2 个地点的旧石器与梁山旧石器之间的共性，大大加强了旧石器时代我国南北方的空间联系。

1016.湖南澧县彭山东麓旧石器地点调查报告

作　　者：湖南省澧县文物管理所　向安强
出　　处：《江汉考古》1992 年第 1 期

1987 年秋，考古工作者在澧县彭山东麓调查发现红旗旧石器地点；1988 年初，在彭山东脚调查发现钵鱼山旧石器地点；1989 年冬，在彭山东麓调查发现了龙山岗和乔家河两个旧石器地点。简报分为：一、地貌与环境，二、地点与石制品，三、结语，共三个部分。有手绘图。

简报暂时将龙山岗地点的石制品时代定为旧石器时代早期后段，将乔家河、钵鱼山等三处地点的石制品时代定为旧石器时代中期。彭山东麓地点的石制品材料，包括石核、石片、砍斫器、尖状器、三棱尖状器、似手斧尖状器和可以归属为石球类的球形石核。这些石制品的石料是就地采集的。石制品中无论是石核、石片或石器皆保留有砾石原面。打片和制器基本上只见锤击技术一种。石器中以砾石石器为主，也有少量石片石器和石核石器。石器中以单面加工者多，两面对向打击者少，多为砾石台面，人工台面甚少。这些石制品或多或少地反映出我国旧石器时代石器制造的共同特征。

1017.湖南澧水下游三处旧石器遗址调查报告

作　　者：湖南省文物考古研究所、湖南省澧县文物管理所　曹传松
出　　处：《江汉考古》1992 年第 1 期

1987 年以来，在湖南省澧水下游的石门、临澧、澧县、津市市等县市发现 50 多处旧石器时代遗址，尤其以澧县境内发现最多，其中数处遗址已由湖南省文物考古研究所进行了正式发掘。本文所报道的猴儿坡、多宝寺、万红岭 3 处遗址是澧县的文物考古工作者新近发现的，所获石制品丰富，材料新颖。简报分为：一、遗址的地理环境，二、遗址概况与遗物，三、结论，共三个部分。有手绘图。

据介绍，以上 3 处旧石器遗址，文化遗存以大型石器为特征。石器种类没有超过砍砸器、尖状器、刮削器 3 大类，其形状也具有一定的原始性。但与旧石器早期相比，

许多工艺技术表现了一定的进步性，出现了个别事先经过调整的石核。斧形砍砸器接近磨制石斧的雏形。有1件束腰斧形砍砸器和1件弧刃砍砸器似乎可为装木柄宜绳捆扎。从上述因素和石制品多出于三级阶地上部网纹红土层中等来看，虽无动物化石佐证，简报推断其时代大约相当于旧石器中期。

1018.澧县城头山屈家岭文化城址调查与试掘

作　者：湖南省文物考古研究所、湖南省澧县文物管理所　单先进、曹传松、何介钧等

出　处：《文物》1993年第12期

城头山城址位于湖南澧县县城西北约10公里处，属车溪乡南岳村。1979年，澧县文管所在文物调查中发现了该城址。1991年11～12月，考古人员对该城址进行了详细的调查和试掘。除实测城址外，在西城墙的南头横切一条长26米、宽1.5米的探沟解剖城墙，以确定城址的建筑和使用年代。由于城墙内坡上层石家河文化时期的建筑遗迹保存较好，探掘时有意避开，仅对城墙内、外墙根部分的文化层作较细致的发掘，直至生土。简报分为：一、城址调查，二、城墙试掘，三、遗物年代，四、结语，共四个部分。有照片、手绘图。

据介绍，城头山坐落在澧阳平原中部的徐家岗南端的东头，距今约4800年，为屈家岭文化中期，是迄今我国发现的最早城址之一，比龙山文化各古城要早。当时澧阳平原上，分布着大大小小200多处聚落遗址。

简报指出，城头山城墙夯筑方式原始，外垣呈圆形，外有护城河。南方河流密布，可以部分利用天然河道加以贯通，这样不但节省了工程量，同时可兼及防御、供水、航运3项功能。因此，护城河成为南方早期城市的一个创造。

1019.湖南临澧县胡家屋场新石器时代遗址

作　者：湖南省文物考古研究所　王文建、张春龙等

出　处：《考古学报》1993年第2期

胡家屋场遗址发现于1984年冬，主要堆积是一种早于大溪文化的新石器遗存，年代约距今7900～7300年，调查材料已经在《考古》1986年5期上发表。为进一步了解遗存的文化面貌，1986年10～11月，考古人员对遗址进行第一次发掘，发掘工作的内容与收获是：

1.比较准确地了解到遗址的范围、形状、层位和堆积特征；

2.发现两座残破的房基，对当时居住方式有了初步了解；

3.获得大量石器、陶器，对陶器制造工艺进行了初步测试与研究；

4.采集到相当数量的动植物遗存，并进行了初步鉴定；

5.分层位按1米间距采集土壤标本，对其中几组标本作了含磷量测定；

6.采集表土层至生土层的土壤标本，作了植物孢粉分析与土壤结构分析；

7.通过上述各项结果的综合观察，初步了解了当时的经济生活方式。

简报分为：一、工作概况，二、地理环境与层位堆积，三、土址含磷量和孢粉分析，四、遗迹，五、出土器物，六、动植物遗存，七、分期，八、结语，共八个方面。有照片、手绘图。附有南京大学地理系《胡家屋场遗址孢粉分析研究》一文。

据介绍，遗址发现房基2处、墓葬1座、红烧土层等遗迹，出土有陶器、石器等。简报认为当时人们已开始定居，会采取防潮措施，掌握了制陶技术、水稻种植技术，并开始饲养牲畜，但渔猎、采集仍是重要的谋生手段。

1020.湘北澧阳平原旧石器地点调查报告

作　者：湖南澧县博物馆、澧县文物管理所　向安强

出　处：《华夏考古》1994年第4期

1987年夏，考古人员在湘北澧阳平原的南部岗地区首次发现鸡公挡旧石器时代遗址，随之又在澧阳平原的西部和北部的外围丘岗区陆续发现了一大批旧石器遗址（地点）。1988年夏，在地处澧阳平原的澧县大坪乡砖厂取土工地采集到数件石片和石核，其地应是1处旧石器地点。自1989年以来，对整个澧阳平原进行了全面而系统的旧石器考古调查，取得了可喜的成绩。先后在澧县澧东乡十里砖厂、涔南乡砖厂、澧阳乡皇山砖厂、车溪乡新民砖厂、城关镇护城砖厂等旧石器遗址（地点）调查采集到若干石制品。

简报分为：一、地貌与地层，二、地点与石制品，三、讨论与结语，共三个部分。有手绘图、照片。

据介绍，4处旧石器时代地点的时代应为旧石器时代晚期。先民似正处于由采集、狩猎向采集、渔猎转化的过程中。

简报称，澧阳平原旧石器地点的发现，对湘北及长江中游旧石器考古有着重要意义，为研究湖南旧石器以及整个华南旧石器文化提供了重要材料。同时，平原区旧石器晚期地点的发现，使湘北成为长江以南和长江中游研究新旧石器时代的更替、原始农业起源最理想的地点之一。

1021.湖南澧县皇山岗旧石器遗址调查

作　者：湖南澧县博物馆　向安强
出　处：《华夏考古》1995 年第 2 期

1989 年夏，考古人员在湖南省澧县澧阳乡皇山机砖厂进行考古调查时，于取土工地发现一批石制品，后经多次调查采集，获石制品若干。1991 年春，又在该砖厂以东约 500 米的县煤炭公司取土现场发现石制品 10 余件。这两个地点相距较近，同处湘北澧阳平原中部的一个红土低岗——皇山岗上，前者在岗西部，后者在岗东边缘，可以将其视为同一遗址。简报分为：一、地理位置与地貌、地层，二、石制品，三、讨论与结语，共三个部分。有手绘图。

据介绍，在两个地点分别采集到 142 件、152 件石制品。以砾石石器为主，占85.2%，石片石器占 9.3%，石核石器占 5.6%。砾石砍研器和石球各约占全部石制品的 24.6% 以上。众多形态鲜明的砾石砍研器和石球，是这批石器的主要代表。简报推断，这批材料的时代为旧石器时代中期，其下限也可能到旧石器时代晚期。

1022.湖南澧县猴儿坡、多宝寺旧石器遗址再调查

作　者：湖南澧县博物馆、湖南澧县文物管理所　向安强
出　处：《江汉考古 》1995 年第 2 期

这两处旧石器时代遗址，发现于 1989 年夏，首次采集的石制品已整理发表于1992 年第 1 期的《江汉考古》上，1990 年、1991 年，考古人员再次对这 2 处遗址进行调查，取得了很大的收获，简报分为：一、猴儿坡遗址石制品；二、多宝寺遗址石制品；三、结语；共三个部分，介绍了这 2 年调查的新材料。

据介绍，此两年调查采集的石器，石料均为就地取材，只见锤击一种制法，未见其他方法。简报推断，这两处遗址的年代，为旧石器时代早期后段。

1023.湖南澧县梦溪八十垱新石器时代早期遗址发掘简报

作　者：湖南省文物考古研究所　裴安平、尹检顺等
出　处：《文物》1996 年第 12 期

八十垱遗址是湖南省 1985 年文物普查时发现的 1 处新石器早期文化遗址。1993年冬，考古人员对八十垱遗址作了第 1 次正式发掘，共开探方 15 个（其中 3 个扩方），总发掘面积 405 平方米。这次发掘的 1 项重要收获是发现了聚落外的围墙和围沟遗迹。

1994 年春，考古人员进行了第 2 次正式发掘。简报分为：一、位置与原始地貌，二、T1 材料介绍，三、围墙和围沟的基本情况，四、结语，共四个部分。配以照片、手绘图，先行介绍 T1 及围墙、围沟等部分内容，其他探方资料及相关内容将在以后的发掘报告中详细报道。

据介绍，遗址位于澧县县城北约 20 公里处的梦溪镇五福村，年代据测定约为距今 7540 ~ 7100 年。陶器颜色以红褐色为主，也有少量灰褐色。器形不规整，口沿凸凹不平。

简报指出，在年代如此久远的彭头山文化时期，人们开始挖凿壕沟，并把土方就近夯筑成墙，而且规模不小，可见当时社会经济已有相当水平，人口数量较多，聚落已初具规模。八十垱遗址的发掘，证实了长江中游有沟有墙的聚落早在 7500 年前就已形成，只是还处于雏形阶段而已；同时，它还为长江中游地区新石器时代早期古城址及文明起源的研究提供了珍贵的资料。

1024.澧县城头山古城址 1997 ~ 1998 年度发掘简报

作　者：湖南省文物考古研究所　何介钧等
出　处：《文物》1999 年第 6 期

城头山澧县县城西北约 12 公里处，行政区为车溪乡南岳村。1978 年澧县文物考古人员发现了这座古城遗址。从 1991 年冬至 1998 年，湖南省文物考古研究所对该遗址进行了 8 次发掘，8 年共揭露 4000 平方米。城头山的发掘曾于 1992 年和 1997 年两次被评为当年度"全国十大考古发现"。简报分为：一、城墙的解剖，二、古稻田的发现，三、祭坛的发掘，四、结语，共四个部分。配以彩照，介绍了 1997 年、1998 年的发掘情况。

据介绍，城头山古城位于澧阳平原西北部一个叫徐家岗的平头岗地南端。1997 年在此发现了古代稻田遗址，1998 年发掘了祭坛。祭坛建造于大溪文化一期，不晚于距今 6000 年，而一直使用到大溪文化二期偏晚，即距今 5800 年左右。至于祭坛祭祀对象是天地神灵还是祖先，或者是墓祭，尚需更多材料才能说明。简报指出，6000 年前城头山古城即出现于洞庭之滨，在这里率先发展起的原始稻作农业是其经济基础，澧县彭头山、八十垱遗址 8000 多年前极为丰富的稻作农业材料的出土和城头山 6500 年前具有一定规模和水平的稻田的发现，是强有力的考古学证据。而 6000 年前的祭坛建筑，论其年代的久远、规模的宏大和内涵的丰富，在中国史前考古中亦属罕见。

1025.湖南安乡县划城岗遗址第二次发掘简报

作　者：湖南省文物考古研究所　尹检顺
出　处：《考古》2001 年第 4 期

划城岗遗址是长江中游地区 1 处极为重要的新石器时代遗址。早在 1979 年，湖南省博物馆就曾作过正式发掘。遗址位于湖南省安乡县安障乡沙湖口村，南距安乡县城约 9 公里，地理位置十分优越。划城岗遗址是洞庭湖区典型的岗台性地貌遗址，为配合当地政府"移民建镇"工程，考古人员对该遗址进行了第二次发掘，实际揭露面积 277 平方米。简报分为：一、文化堆积及遗存分类，二、甲类遗存，三、乙类遗存，四、丙类遗存，五、丁类遗存，六、结语，共六个部分。有手绘图、拓片。

据介绍，甲类遗存以夹砂红褐陶为主，器物造型以圜底和圈足器为大宗，不见三足和平底器。简报认为这些都是洞庭湖地区早于大溪文化的考古遗存特征，与汤家岗早期和丁家岗第一期遗存相若。本次发掘新揭示出的甲类遗存，不仅证实了近年来学术界提出的汤家岗文化划分的合理性，而且还在地层上找到了直接依据，从而进一步表明，洞庭湖地区的大溪文化应该是源于本地区的早期文化遗存的。乙类遗存中大量的叠压打破关系，尤其是 14 座墓葬的出土，为洞庭湖区大溪文化的分期研究增添了新材料。

1026.澧县鸡叫城古城址试掘简报

作　者：湖南省文物考古研究所
出　处：《文物》2002 年第 5 期

鸡叫城位于湖南省澧县城北约 12 公里的湾南乡，在澧阳平原中部，西南距城头山古城址约 15 公里。1978 年，考古工作者首次发现了该城址。随着澧县城头山古城址的揭示和发掘，为了解决鸡叫城的年代问题，1998 年冬，湖南省文物考古研究所对其进行了小规模试掘。在保存较好的西城墙上开挖 1 条东西向探沟（T1 ~ T8），并解剖城中台地，在其南缘开挖 1 条小探沟（T9、T10），2 条探沟的揭露面积达 190 平方米。简报分为：一、城址现状，二、地层堆积，三、出土遗物，四、结语，共四个部分。有照片。

简报介绍，鸡叫城城址平面略呈圆角方形，面积约 15 万平方米，墙外环绕壕沟。出土遗物以陶器为主，有少量石器。此古城在屈家岭文化中期以前即已形成；到屈家岭文化中晚期，开始修筑城墙和护城河；至石家河文化早期，再一次修筑规模更大的城墙。鸡叫城古城的发现，为研究长江中游新石器时代考古学文化提供了新资料。一般认为，屈家岭文化的年代为距今 5500～4500 年，石家河文化的年代为距今 4500～3900 年。

1027.湖南安乡划城岗遗址第二次发掘报告

作　者：湖南省文物考古研究所、常德市文物处、安乡县文物管理所　尹检顺等

出　处：《考古学报》2005 年第 1 期

划城岗遗址是洞庭湖地区 1 处极为重要的新石器时代遗址。早在 1980 年，湖南省博物馆就曾作过正式发掘。1998 年特大洪灾之后，为配合当地政府"平垸泄洪，移民建镇"工程，考古人员于 1999 年 1 月再度就划城岗遗址进行抢救性发掘。发现居址 8 座，灰坑 22 座，窑址 1 座，墓葬 29 座。出土完整及复原器物 300 余件，其中不乏弥足珍贵的文物精品。部分发掘成果已载《考古》2001 年第 4 期。此次为更全面的报告。

简报分为：一、地理环境与古代地貌，二、地层堆积及遗存分类，三、甲类遗存，四、乙类遗存，五、丙类遗存，六、丁类遗存，七、结语，共七个部分。介绍了发掘所获全部资料，有照片、手绘图。

据介绍，此次发掘发现的文化遗存，其年代属汤家岗文化遗存（公元前 4800～前 4500 年）、大溪文化遗存（公元前 4500～前 3300 年）、屈家岭文化遗存（公元前 3300～前 2600 年）、石家河文化遗存（公元前 2600～2000 年）。

简报称，此次发掘的价值至少有以下几点：

其一，证实洞庭湖地区大溪文化是源于本地区的早期文化遗存（即汤家岗文化）。

其二，四类文化遗存的分期和分段，为洞庭湖区新石器中晚期文化的序列再研究补充了新鲜材料。尤其是乙类遗存出土的 14 座墓葬，更对大溪文化的分期研究有所帮助。

其三，汤家岗和大溪文化出土的大量精美彩陶和白陶，为研究洞庭湖地区彩陶和白陶的起源及其演变提供了实物资料，同时在探讨史前人们的装饰手法、工艺水平乃至意识形态领域的宗教艺术、审美情趣、文化崇尚等方面，亦可提供重要信息。

张家界市

益阳市

1028.湖南益阳鹿角山发现新石器时代遗址

作　者：湖南省博物馆　周世荣

出　处：《考古》1965 年第 10 期

1964 年 10 月，益阳市桃花仑命公社红砖厂在鹿角山取土烧砖时发现了石器多件，该厂工人当即写信报告湖南省博物馆。经考古人员调查，发现为新石器时代遗物。调查及试掘概况简单配以照片予以介绍。

据介绍，鹿角山位于益阳市南郊约 2.5 公里，高出水田约 20 米，东邻三里桥小镇，西为桃花仑，南迈黑山庙，北濒濛水而与益阳市遥遥相望。遗址位于山肩的西南面，面积约 60 平方米，现残存文化堆积断续的分为 6 处。考古人员在 1 米 × 2.5 米的探沟内仅发现石器 2 件、陶片约 50 片，其余大部分石器都是收集的。石器有斧、锛、锄、铲、镰、凿、镞和砺石等。器形比较细小，石质除砺石为千枚岩和砂质板岩外，其他全系板岩打磨而成。石器以打制为主，或在刃口略加磨光，通体磨光的不多。陶器以黑砂陶为主，约占总数的 50%，泥质黑陶与泥质褐色陶各占 15%，其余则为泥质红陶、泥质灰陶及少量的夹砂红陶。

简报称，从该遗址出土遗物看来，石器以打制为主，除石镞外，一般器形都比较单纯。陶器种类少，火候低，这些特点与长沙烟墩冲新石器时代遗址出土的文物有些类似。其中黑砂胎之类的炊器（主要是鬵）在浏阳樟树塘下文化层中出土较多。该遗址的时代，简报推断在长沙烟墩冲与浏阳樟树塘遗址之间。

1029.沅江县漉湖石君山遗址

作　者：沅江县图书馆文物组、湖南省博物馆　单先进、邓企华

出　处：《考古》1984 年第 9 期

1976 年 5 月，考古人员前往漉湖芦苇场进行考古调查和试掘，挖宽 1 米、深 2 米的探沟 1 条，发现文化层深达 1.8 米。简报配以手绘图、照片予以介绍。

据介绍，石君山遗址位于沅江县东北角，距县城约 95 公里，与岳阳交界，与汨罗县的磊石山隔湖相望，距湘江出口不远。遗址伸入洞庭湖中心。遗址为椭圆形高地，中部高于四周，探沟就选择在遗址顶部的清顺治十一年（1654 年）所建水仙庙残基

边挖掘。沅江漉湖石君山遗址出土的锥状鼎足及陶缸等与华容石家岗出土的同类器器形相同，鬶、盘、豆等又与平江献冲舵上坪遗址的同类器器形相同，简报推断当属新石器时代晚期的文化遗存。

简报称，遗址地处今洞庭湖的中心地带，地势低洼，常被湖水淹没，而石君山遗址的发现，说明数千年前就有人类在此居住。它的发现，为研究洞庭湖的变迁史和湖南新石器时代文化提供了十分珍贵的资料。

1030.益阳泽群村古遗址调查

作　者：益阳地区博物馆、益阳县博物馆
出　处：《江汉考古》1991 年第 4 期

1985 年冬至 1986 年夏，益阳县文物普查中，发现 170 余处古文化遗址及其墓葬。1989 年 10 月，考古人员对该县茈湖口乡泽群村龙山文化时期遗址进行了复查。简报分为：一、地理环境，二、地层堆积，三、遗迹，四、文化遗物，五、结语，共五个部分。有手绘图。

据介绍，泽群遗址位于益阳县东北部滨湖区茈湖口乡泽群村一个名曰"关山"的小台地上，北距洞庭湖南域万紫湖仅 2 公里，面积约 15000 平方米，发现有墓葬 3 座。其中，2 座情况不明，1 座因遭严重破坏已进行抢救性清理，为长方形土坑竖穴墓，可能属于屈家岭文化晚期或龙山文化早期。

简报称，泽群遗址靠近现代洞庭湖边。过去人们认为这里是一片汪洋，传说为八百里洞庭。此次文物普查在该地发现了 10 多处古文化遗存，这对于进一步了解和研究洞庭湖南部地区的新石器时代文化面貌和文化发展序列以及洞庭湖的地理变迁，都具有十分重要的资料价值和科研意义。

1031.益阳市沙关镇丝茅岭新石器时代遗址调查报告

作　者：益阳市文物管理处　潘茂辉
出　处：《江汉考古》1999 年第 1 期

丝茅岭遗址位于资水北岸约 1.5 公里的平地上，西南距益阳市城区约 10 公里。遗址周围地势开阔，系南洞庭湖平原。由于几千年来的洪水涨落等原因，遗址上面覆盖着约 2 米厚的淤泥，与周围地貌已无高低之分。1987 年村民改修水渠时发现。简报配以拓片、手绘图予以介绍。

据介绍，遗物主要为陶片，全部手制。陶系按数量多少顺序排列为夹砂夹碳陶，夹砂陶，夹碳陶，泥质红陶，泥质白陶。其中胎质坚硬、表皮呈酱褐色、胎呈炭黑色的陶片最具特色，约占60%。夹碳陶片内含稻谷壳、茎、穗、草茎屑和料，结构稍松，质感较轻。通过该遗址与周邻地区同类文化遗存的比较和分析，它的文化内涵有别于周邻地区，是一支具有独立的器物群体的大溪文化时期的地方类型。从其年代来看，部分陶器具有大溪文化早期因素的特点，推测其上限可能相当于大溪文化早期，延续到其中期或略晚。一般认为，大溪文化的年代为距今约6900～5100年。

郴州市

1032.湖南安仁新石器时代遗址试掘简报

作　者：湖南省博物馆　高至喜、张中一
出　处：《考古》1960年第6期

1959年10月上旬，湖南省博物馆收到安仁县安坪司县立三中廖扬名先生寄来了石斧1件，说是该校修操场取土发现的，共出土石器6件。考古人员前往调查，发现遗址7处，采集石器15件和大批陶片。10月下旬，郴州专区文物训练班至安仁实习时，又在何古山发现遗址，并采集了石器和绳纹陶片。12月，该训练班在此进行发掘实习，开探沟2条。1960年1月，考古人员又在何古山开掘探方1个、探沟2条，获得大批遗物。简报分为：一、南坪何古山遗址，二、安坪司遗址，三、结语，共三个部分。有照片。

据介绍，安仁南坪何古山遗址，面积相当大，文化遗存也极丰富，由于只作部分的试掘，故对其文化内涵只有初步了解。出土陶片以夹砂为主，且不限于鬲、鼎等炊器，即纺轮、豆、碗等器也均夹有砂粒。石器中较厚重的斧尚留有打制痕迹未全磨外，其余大多数通体磨光，且形制较小。有段石锛，这里没有发现。根据出土大多为夹砂红陶这一特征来看，它与江西清江营盘里的下层文化大体相同，其时间也应接近。简报推测，此遗址属于新石器时代晚期。

简报称，何古山遗址由于被雨水冲刷，文化堆积受到破坏。地表露出的50多个灰坑，大小不同，分布也密集。这些是否全为灰坑，尚不能确断。清理的H3的底部有一方形竖穴和斜沟，其用途也尚有待再次发掘去解决。

永州市

怀化市

1033.湖南新晃石器时代文化遗存调查

作　者：怀化地区文物工作队、新晃侗族自治县文化局　舒向今

出　处：《考古》1992 年第 3 期

1987 年 4 月初，新晃侗族自治县大湾罗乡文化站在进行文物调查时，在兴隆乡柏树林处发现 1 处古文化遗址。考古人员到该地复查，确认是 1 处新石器时代的遗址。在调查该遗址范围时，意外地在该遗址下层约 2 米深处的土层中，发现 1 件打制石器，接着又在该地层中挖出 1 件打击点清楚、使用痕迹明显的石片砍砸器，经在场的省考古研究所的袁家荣先生鉴定，确认是旧石器时代的两件打制石器。为了扩大战果，怀化地区文物普查队一行 19 人，于 1987 年 5 月 10 ～ 30 日，对该县进行了为期 20 天的文物普查。通过这次普查，发现更新世中晚期的古脊椎动物化石点 1 处、先秦文化遗存 25 处、古窑址 10 处、古城址 1 处、古墓葬 5 处、碑刻 4 块、摩崖石刻 2 处、古建筑 5 处、革命纪念建筑 8 处，并征集和登记了一大批流散文物。这次普查中所发现的石器时代文化遗存，大多是在沅水两岸的第一和第二级阶地上发现的。简报分为：一、旧石器时代文化遗存，二、新石器时代文化遗存，共两个部分。有手绘图。

据介绍，旧石器地点共发现 8 处，即大桥溪、沙田、沙湾、白水滩、长乐坪、曹家溪、新村和十家坪。新晃采集的这批石制品，都是在做砖瓦取土的地点上发现的，有的石器还嵌在断壁上，其地层关系比较清楚。出石器的地层，按断面的土质颜色，大体可分亚黏土和网纹红土 2 个层次。其地质年代，应属晚更新世，相当于旧石器时代晚期。

新石器时代文化遗存在新晃境内只发现 5 处。根据其文化内涵的不同，又可分为早、中、晚三个时期。早期的有姑召溪遗址，中期的有大洞坪和沙子坪遗址，晚期的有百洲滩和柏树林遗址。从采集的标本和遗址的地层关系判断，姑召溪遗址应属于新石器时代早期文化。其相对年代，简报推断应在距今 1 万年左右。大洞坪遗址年代大体和大溪文化相当。百洲滩遗址的年代，应与长江中游的龙山文化同期。

简报称，新晃发现的这批新石器时代遗址，现都未进行发掘。这次普查采集的标本也不多，且陶片大多破碎，完整的陶器不多，现所进行的分期是初步的，不一定准确，其文化属性更难断言。但从已露头的文化因素和整体印象看，其地方特色是明显的。

1034.怀化高坎垅新石器时代遗址

作　者： 湖南省文物考古研究所、怀化地区文物工作队　贺　刚等
出　处： 《考古学报》1992 年第 3 期

　　高坎垅遗址位于湘西怀化县新建乡牛眠口村的小沙河南岸二级台地上，整个遗址表面已辟为农田，受到严重破坏。遗址西距怀化市区 25 公里，东 10 公里为沅水主流，北约 500 米为新建乡政府所在地，南为山坡梯田。其北缘之小沙河是由遗址北面约 200 米许的原大溪河改道而成，东注入沅水。本遗址是怀化地区文物工作队 1981 年文物调查时发现的。1984 年冬，由湖南省文物考古研究所组织人力进行发掘。

　　简报分为：一、地层堆积，二、地层中出土遗物，三、墓葬，四、随葬器物，五、结语，共五个部分。有照片、手绘图。

　　据介绍，遗址共发掘 48 座墓，分为土坑竖穴墓和瓮棺葬两种，均有随葬器物，从 2 件到 24 件不等。简报认为遗址应属屈家岭文化的一处氏族公共墓地。此次发掘的最大意义在于：它意味着屈家岭文化已突破洞庭湖及其西北地区，深入到沅水流域中上游地区。

1035.怀化高坎垅新石器时代遗址调查简报

作　者： 怀化地区文物工作队　舒向今
出　处： 《考古与文物》1993 年第 1 期

　　1983 年秋，怀化区在进行文物普查时，在离怀化城东 25 公里的山区新建乡高坎垅村，发现 1 处新石器时代遗址。随后 3 次到该地进行复查，采集了一些陶片和石器标本。据当地农民反映，1969 年改河道时，在高坎垅地段挖出了很多磨制石器和成堆的陶片，可惜现已不知下落。

　　简报分为：一、遗址的地理位置与地层关系，二、文化遗物，三、结语，共三个部分。有照片、手绘图。

　　据介绍，新建高坎垅遗址位于雪峰山脉的 1 个山谷盆地中，东距沅水 10 公里，西距怀化市 25 公里，北面靠怀铜公路。遗址出土有石器、玉器、陶器等，简报认为属屈家岭文化，是屈家岭文化最靠西南的 1 个遗址，有其地方特色。

　　今有郭伟民先生《城头山遗址与洞庭湖区新石器时代文化》（岳麓书社 2012 年版）一书，可参阅。

1036.湖南怀化发现的旧石器

作　者：怀化地区文物工作队、怀化市文管所
出　处：《考古与文物》1993 年第 2 期

1990 年 8 月，考古人员在对水库淹没区进行文物调查时，发现石器时代以及商周遗址共 10 处，现连同 1987 年发现的 3 处旧石器地点一并介绍。简报分为：一、地理环境，二、地层与文化遗物，三、小结，共三个部分。有手绘图。

据介绍，遗址共发现 13 处旧石器地点，出土和采集了 214 件石器。有其地方特色。时代早至旧石器中期，晚至旧石器晚期。

1037.湖南靖州水酿塘电站淹没区发现的旧石器

作　者：怀化地区文物工作队、靖州县文管所　向开旺、胡　瑜
出　处：《考古》1994 年第 6 期

1991 年 3 月，考古人员对该县水酿塘电站淹没区内的文物进行调查时，发现石器地点 4 处。1992 年 6 月进行复查时，又发现石器地点 18 处。加上 1988 年全省文物普查时发现的 1 处，在该地共发现石器地点 23 处，采集各类石器标本 160 余件。简报分为：一、地理环境，二、地层与文物遗物，三、结语，共三个部分。有手绘图。

据介绍，靖州水酿塘电站淹没区发现的旧石器地点，是迄今为止湘西地区发现石器地点最多的 1 处。有关研究资料表明，湖南省湘、资、沅、澧四条河流在第三纪末、第四纪初形成。四水流域的一级阶地形成的年代为晚更新世晚期。二级阶地的时代为晚更新世早期到中更新世晚期。红色网纹土层形成的时代即在晚更新世早期到中更新世晚期。因此，简报初步推测，彭家溪、小垅垴、大垅垴、窑台上石器地点出自红色网纹土层的石器，时代应为晚更新世早期到中更新世晚期，相当于旧石器时代中期偏晚。另外，在上述地点采集的石器 27 件，亦应是出自网纹土层，其时代应是同时期的。在黄家店等 19 处石器地点采集到的石器 131 件，简报判断其时期在旧石器时代中期偏晚到旧石器时代晚期。出土和采集的 165 件石器，与毗邻的怀化、新晃两地的石器有共同之处。

简报称，迄今为止，沅水流域发现的旧石器地点已达 54 处，经过科学发掘的有芷江县小河口、新晃县长乐坪石器地点。沅水流域所发现的石器资料，吕遵锷教授认为很有地方特点，建议把沅水沿岸发现的旧石器定名为"沅水文化"或"沅阳文化"。湖南省考古研究所袁家荣先生则考虑到这批石器的时间跨度太大，早的可到旧石器中期，晚的到了旧石器时代晚期，因此提出把这批石器暂称之为"沅水文

化类群"。

简报认为，靖州水酿塘的旧石器文化应属"沅水文化类群"。但是，这里的石器地点位于高出河床100米左右的漫坡上，与怀化、新晃、芷江等地出自阶地的情况截然不同，另在选择石料的范围上也相应的大一些，故袁家荣先生认为其文化属性应为"沅水文化类群"的另一支派不是没有道理的。

1038.湖南黔阳高庙遗址发掘简报

作　者：湖南省文物考古研究所　贺　刚、向开旺
出　处：《文物》2000年第4期

高庙遗址位于湖南省怀化市原黔阳县东北约5公里的岔头乡岩城村，分布面积约1.5万平方米。高庙遗址在1986年文物普查时被发现。1991年冬，考古人员对遗址进行了发掘。简报分为：一、文化堆积，二、下部地层遗存，三、上部地层遗存，四、结语，共四个部分。有照片、手绘图。

据介绍，该遗址下部遗存有灰坑4个、火膛1处和居住面、小沟、人祭遗存墓1座等。上部遗存有灰坑2个、居住面、小沟及墓1座。该遗址下层的年代简报测定为距今7400年左右，上层的年代为距今6500～5300年。简报认为，此次发掘证明沅江也是中原文化波及岭南地区的影响途径之一。

1039.湖南辰溪县松溪口贝丘遗址发掘简报

作　者：湖南省文物考古研究所　吴顺东、贺　刚等
出　处：《文物》2001年第6期

松溪口遗址西北距辰溪县城约25公里，在松溪与沅江交汇而成的一级台地上，现地表高出干流水平面约20米，遗址总面积近万平方米。该遗址于1986年文物普查时被发现。1993年12月至次年1月，考古人员进行了发掘。简报分为：一、地层堆积，二、遗迹，三、文化遗物，四、结语，共四个部分。有照片、手绘图。

据介绍，实际发掘面积120平方米。遗物以陶器为主，石器次之。陶器种类有罐、釜、钵、盆、簋、盘等，纹饰流行凤鸟纹、羽翼图案、祭祀场景图案等。该遗址分为早晚两期。早期的年代简报推断为距今7400～7100年，其文化内涵与高庙下层文化近似。晚期的年代简报推断为距今7100～6600年。简报拟将该遗址晚期的晚段遗存另划出来，命名为"松溪口文化"，认为其与高庙下层文化有着承继关系。

1040.湖南怀化市仙人桥旧石器地点的发掘

作　者：怀化市文物事业管理处　向开旺、杨志勇、拂　晓等

出　处：《考古》2005 年第 8 期

仙人桥旧石器地点是 1990 年 8 月在对三角滩电站淹没区内的文物进行调查时发现的。1998 年 10 月，为配合公路建设，考古人员对仙人桥旧石器地点进行抢救性发掘。简报分为：一、地理环境与地层，二、石制品和石料，三、结语，共三个部分。有手绘图等。

简报称，沅水中上游地区调查发现的旧石器地点已达 120 处，其中经过正式发掘的地点 10 处，仙人桥旧石器地点也是其中之一。仙人桥旧石器的加工方法以锤击法为主，少数石片石器可能为锐棱砸击法加工而成，石器剥片多单向，石片砍斫器经第 2 次加工。石核石器所占比重大，器类以砍斫器为主，长身侧刃、端刃、双边刃器常见，出现了薄刃斧等。石器长 8 ～ 18 厘米，重 800 克左右。未经加工的石料约占一半。发掘所揭露的较为可靠的地层关系，为推断其时代提供了依据。简报认为仙人桥遗址的时代应为旧石器时代晚期后段。

1041.湖南洪江市高庙新石器时代遗址

作　者：湖南省文物考古研究所

出　处：《考古》2006 年第 7 期

高庙遗址位于湖南省洪江市安江镇东北约 5 公里的岔头乡岩里村，是 10 余年来在中国南方发掘的最重要的新石器时代遗址之一。1991 年第 1 次发掘的资料公布后，引起了学术界的极大关注。为了更全面了解该遗址的整体情况及其文化内涵，湖南省文物考古研究所在 2004 年和 2005 年又相继进行了 2 次发掘。简报分为：一、地理环境，二、堆积状况及文化特征，三、学术意义，共三个部分。有彩照、手绘图。

据介绍，该遗址是 1 处典型的新石器时代贝丘遗址。下部的高庙文化遗存中发现大型祭祀场所及墓葬、房址等遗迹，出土大量精美白陶器及装饰复杂图案的陶器。高庙上层遗存则发现了较多房址及墓葬，出土大量陶器和石、骨质工具等。高庙上层遗存大致可以分为 3 个时期，年代跨度在距今 6300 ～ 5300 年左右。

简报称，该遗址中出土的特殊遗迹和遗物，不仅为建立沅水中、上游地区的新石器时代考古学文化谱系奠定了坚实基础，而且还涉及史前时期人类的宗教信仰以及中国文明起源等重要课题。发现的 1 处大型祭祀场所，年代距今约 7000 年，分布面积约 1000 平方米。其年代早，规模大，而且可以明确辨认出诸多祭祀设施——主

祭场所、大量祭祀坑，以及与祭祀活动相关的房址、储藏祭品（河螺）的窖穴等，在我国已知史前遗存中是罕见的。

高庙文化遗存的部分陶器上装饰有戳印篦点纹连缀而成的各种复杂图像，制作技艺精湛，构思诡谲。部分图像还被涂上朱红或黑色的矿物颜料，更具有渲染效果。这些图像中的獠牙兽面附有双翅；飞鸟则头戴羽冠，双翅载托太阳或八角星翱翔中天。这类带翅的獠牙兽和载着太阳飞翔的鸟在现实世界并不存在，只是中国上古神话传说中常见的形象，它们显然是此地原始部落奉祀的超自然神灵。

另外，高庙遗址出土的白陶制品、距今约 5800 年的高等级并穴合葬墓以及数十种水、陆动物遗骸，大量植物遗存，对了解当时居民生活方式和生态环境等均具有重要研究价值。

娄底市

湘西州

广东省

1042.广东中部低地区新石器时代遗存

作　　者：广东省博物馆　莫　稚、李始文等
出　　处：《考古学报》1960 年第 2 期

广东的史前遗址过去发现不多。1956 年 7 月，考古人员曾在宝安、东莞 2 县发现遗址 11 处。1956 年 8 月，又在广州市北郊发现了遗址 9 处，并于 1957 年 1 月进行了探掘，1956 年 10 月，考古人员在宝安县西北部进行了考古调查，又发现了遗址 9 处，并于 1957 年 1 月作了探掘，1956 年底至 1957 年初，番禺县龙洞小学老师郭纪勇及学生等，在龙洞一带（紧接广州市北郊的遗址）发现了遗址 17 处，考古人员作了数次的复查，1957 年 3 月，广东省文化局举办了 1 次文物工作干部训练班，并到全区（即原佛山专区除宝安、东莞两县的地区）进行文物普查，发现了遗址 54 处，1958 年 7、8 月，在番禺（已划入广州北部）一带普查，发现了遗址 14 处。此外，1958 年底先后在南海县西樵山又发现了遗址 14 处。简报分为：一、地理形势及遗址分布状况，二、遗址的探掘情况，三、文化遗物，四、结语，共四个部分。配以照片，介绍广东中部低地区除南海宝安县西樵山之外的遗址。

简报指出，出土以印纹软陶为主的遗址，年代大约相当于中原的殷商时期；出土以粗砂陶为主的遗址，年代则更早一些。详见所附"广东中部低地区新石器时代遗址登记表"。

广州市

1043.广州东部发现的旧石器

作　　者：曾祥旺
出　　处：《考古与文物》1998 年第 3 期

1991 年 8 月，考古人员在广州市黄埔区大沙镇的珠江村发现 1 处旧石器地点。

随后几年又在该区的南岗镇亭元村，增城县新塘镇的坭紫村、东华村和白江村等地发现许多新的旧石器地点。迄今为止在广州市东部已发现埋藏有旧石器的地点共 10 处，采集了一批石制品标本。

简报分为：一、地貌和地质概况，二、石制品，三、结语，共三个部分。有手绘图。

据介绍，从这批材料来看，广州东部的旧石器主要有如下特点：

一是石制品的岩性以脉石英和石英岩占绝大多数，其次是砂岩。

二是石器的类型多种，其中尖状器最多，其次是砍砸器和刮削器，薄刃斧属少数。

三是石器中个体硕大的占大多数，小石器数量很少。

简报称，加工石器和制取石片都广泛使用锤击法，其次是砸击法和碰砧法。加工方式大部分向一面加工，一部分采用交互加工、错向加工制成。年代经测定为距今大约 20 万年。简报认为，大部分石器有使用痕迹，说明是就地取材加工使用的。这些石器地点都可能是古人类季节性活动的场所。

深圳市

1044.广东深圳市大黄沙沙丘遗址发掘简报

作　者：深圳博物馆、中山大学人类学系　文本亨、谌世龙等

出　处：《文物》1990 年第 11 期

大黄沙沙丘遗址位于深圳大鹏湾一个小海湾内的沙堤上，行政上属于深圳市宝安县葵涌镇。遗址处于两丘之间，面积近 1 万平方米。南临大海，沿海滩沙层向海面斜坡成陡崖状，系大规模人工取沙所致。东侧有葵涌河自北向南蜿蜒入海，遗址正处于河流入海口西侧。因此处黄沙堆积厚，故名"大黄沙"。1981 年，考古人员曾对此遗址进行过调查。1988 年 5 ～ 6 月，考古人员进行了试掘。为配合大鹏湾码头的建设，1989 年 6 ～ 7 月，考古人员进行了抢救性发掘。

简报分为：一、地层堆积，二、遗迹，三、遗物，四、结语，共四个部分。有照片、拓片、手绘图。

据介绍，遗址出土有陶器，可复原者及整件器仅 10 件；另有石器，共计 93 件。简报推断该遗址的年代为距今 5000 年左右，属新石器时代中期。简报指出，大黄沙沙丘遗址的发掘，为岭南沿海地区新石器时代文化的研究提供了新材料，使我们对这一地区的史前文化有了新的认识。

1045.深圳市大鹏咸头岭沙丘遗址发掘简报

作　者：深圳博物馆、中山大学人类学系　彭全民、黄文明、黄小宏、冯永驱等
出　处：《文物》1990 年第 11 期

　　咸头岭沙丘遗址位于广东省深圳市宝安县大鹏镇咸头岭村，距深圳市 62 公里。1981 年在考古普查中发现了这处遗址。1985 年 5 月 13 日至 6 月 21 日，在现存遗址东面进行第 1 次发掘，发掘新石器时代遗存的同时，清理出青铜时代、汉代、宋代墓葬 7 座。近年村民取沙对遗址破坏严重，考古人员于 1989 年 9 月 22 日至 10 月 6 日进行了第二次发掘。

　　简报分为：一、地层堆积，二、遗迹，三、遗物，四、结语，共四个部分。有照片、拓片、手绘图。

　　据介绍，遗址发掘出房基和零散柱洞等遗迹，出土有陶器、石器等。遗物呈现出较为强烈的地方色彩，特别是陶器上的贝划纹、贝印纹最具特色。简报指出，咸头岭新石器沙丘遗址是目前珠江口沿岸同类型遗址中发掘面积最大的 1 处。

　　年代简报推断为距今约 6000 年。

1046.广东深圳市咸头岭新石器时代遗址

作　者：深圳市文物考古鉴定所、深圳市博物馆　李海荣、刘均雄等
出　处：《考古》2007 年第 7 期

　　咸头岭遗址位于深圳市东南部大鹏街道办事处咸头岭村。该遗址是 1981 年在考古普查中发现的，考古人员于 1985、1989、1997 和 2004 年在遗址的东南部、中部和北部进行过 4 次发掘。2006 年 2 ~ 4 月，又在遗址西北部进行了第 5 次发掘。

　　简报分为：一、遗址概况，二、发掘方法，三、地层堆积，四、主要收获，五、学术意义，共五个部分。有彩照、手绘图。

　　据介绍，该遗址的新石器时代文化遗存可分为 5 个阶段，年代约为距今 7000 ~ 6000 年。发现灶、房基及大面积的红烧土面等遗迹，出土大量陶器及部分石器。咸头岭是珠江三角洲地区 1 处重要的中心性聚落遗址，为探讨本地区新石器时代考古学文化的分期、断代树立了重要标尺，也为沙丘遗址的发掘，提供了经验。

珠海市

1047.广东珠海市淇澳岛沙丘遗址调查

作　者：广东省博物馆、珠海市博物馆　李子文

出　处：《考古》1990 年第 6 期

1984 年秋，在淇澳岛考古调查中发现了后沙湾、东澳湾、亚婆湾和南芒湾 4 处古文化遗址。其后，进行了多次复查，确认其属于先秦时期遗址。简报分为：一、地理环境和遗址概况，二、早期文化遗存，三、晚期文化遗存，四、结语，共四个部分。有手绘图。

简报介绍的 3 处遗址为后沙湾、亚婆湾、南芒湾遗址。依据出土遗物结合地层关系，简报初步将上述 3 处遗址分为早晚两期不同时代和性质的文化遗存。简报指出，沿海地区的沙丘遗址是广东先秦考古的一项重要内容。通过对淇澳岛沙丘遗址的调查，对这类遗址的分布特点、文化内涵及其与相邻地区的关系有了新的认识。但目前工作尚少，材料零散，特别是缺乏科学发掘资料，因而对这类遗址的年代系列和阶段划分的研究还有待于以后更多的工作。

汕头市

1048.广东南澳县象山新石器时代遗址

作　者：南澳县海防史博物馆、中山大学韩江流域考古课题组　曾　骐、柯世伦、
　　　　黄迎涛

出　处：《考古与文物》1995 年第 5 期

南澳岛位于广东省东部、福建省南部的海上交汇处，北回归线穿岛而过。象山位于后宅镇东北部，是一座长约 500 米、宽约 100 米、海拔约 25 米的山丘。地势自东南向西北缓坡伸延，山丘顶部较平，西边地势稍高，终止处是船只出入的渔港。80 年代初期，位于象山中段南坡的南澳中学部分教师在象山顶开荒扩种，多次抬回一些奇形的小石片，有几件后来被证实是燧石质的细小石器。1991 年 6 月，潮汕文化研究中心的几位教授来岛考察东坑仔商周文化遗址的同时，也考察了象山，并在

山坡的一些园地采集了部分燧石质制品，初步估计这些石器标本的年代比较古老。

为了获取更有力的证据，考古人员多次对象山进行调查，1993年2月21～23日，考古人员有针对性地对象山进行考古调查，取得了突破性的进展。前后几次调查共采集石器、石器材料150多件和一片很具特色的原始陶片。简报分为：一、遗址位置和面貌，二、遗址发现缘起，三、地层堆积，四、文化遗物的，五、南澳象山细小石器的特点、性质与年代，共五个部分。有手绘图、照片。

据介绍，象山细小石器以燧石为主要原料，形体细长，一般长、宽不超过3厘米，多用不规则形薄石片加工制成，也有部分长条形、三角形石片。石器的制造工艺以在侧缘打落小石片和进行第二步加工为主。石器不注意形态的规范而表现出很大的随意性，可称之为"象山细小石器类型"。其年代简报推断为距今8000年前后。

简报称，南澳象山细小石器的发现，是目前粤东考古发现的最早的新石器时代人类的文化遗存。"象山人"可以成为这一时空的代名词。它显示出在早于浮滨类型、陈桥类型之前，粤东、闽南就已出现了史前人类文化的交流。这对探索我国东南海岸的史前文化有着重要的意义，为研究南澳地理、地质变化及文化的迁徙、演变也提供了珍贵的资料。

韶关市

1049.广东发现第四纪更新世中期人类头骨化石

作　者：广东省文化局
出　处：《文物》1959年第1期

1958年6月，广东曲江县马坝乡农民挖肥时发现1个零碎的人类头骨化石，正巧省委书记陶铸在此视察，指示保护。经专家清理、试掘，证实为第四纪更新世中期人类头骨化石。简报配以照片予以介绍。

据介绍，此头骨为男性，年代可能在猿人阶段的晚期或古人阶段的早期。共存的动物化石有偶蹄类的野猪、牛、鹿，肉食类的虎、熊等。

1050.广东曲江石峡墓葬发掘简报

作　者：广东省博物馆、曲江县文化局石峡发掘小组
出　处：《文物》1978年第7期

石峡遗址位于广东省曲江县城西南2.5公里"马坝人"洞穴遗址所在的狮头与

狮尾两山之间的峡地，面积约 3 万平方米。遗址为中间隆起、东西倾斜的小山岗，现已辟为梯田。马坝地处粤北丘陵地带，遗址 5 公里内外，群山环抱，中间是一片低平的农田。马坝河由东向西流经遗址北面，在西面的白土圩注入北江。

马坝河两岸及其附近分布着许多洞穴遗址和山岗遗址。石峡遗址是 1972 年发现的，1973 年和 1976 年已发掘 1660 平方米，发现了柱洞、灰、陶窑等遗存，清理墓葬 108 座，共出土遗物 2000 多件，为研究广东地区新石器时代文化的分期与长江中下游新石器时代晚期诸文化的关系、探索我国原始社会的解体提供了重要的实物资料。

据介绍，石峡遗址遗存可分为 3 期，下限在公元前 2500 年左右。在埋葬习俗方面，为东西向排列的长方形土坑墓，墓坑多经火烧。流行迁葬。二次葬时叠放一堆的尸骨置于墓坑的东南隅，残头骨片也在东头。不少尸骨和器物上有红砾土，小孩和成人都是单人葬，不见集体迁葬或合葬。二次葬墓中有 2 套随葬品：1 套是第一次葬墓中迁来的，另 1 套是第二次葬时放置的。有共同的氏族公共墓地。石峡二次葬墓的这些葬俗和葬式，在目前所知的我国新石器时代的墓葬中是罕见的。随葬品方面，随葬石制生产工具的比重很大，有些工具富于地方特色、其他如陶器、玉器等也值得注意。

1051.广东始兴县马市、陆源发现新石器晚期遗址

作　者：王晓华

出　处：《考古》1987 年第 2 期

广东省粤北山区的始兴县，在 1983 年文物普查中，在马市、陆源两区的界河——浈江中游以北的山岗，发现 1 处原始社会新石器晚期的遗址。在地面采集到石器 200 多件以及一批印纹陶片、纺轮、玉环等遗物。

据简报介绍，遗址位于浈江河北岸高出水面约 20 米的大背岭山岗上，在县城东北部，距离县城 14 公里。地面采集到石器计有石锛 53 件、石斧 41 件、石铲（锄）38 件、其他 82 件。有肩有段石器占 41.6%。石料就地取材，以当地产的红砂岩、页岩为主，少量采用天然砾石，由于石质较松软，所以器身特别厚重。陶器以泥质浅灰陶为主，器型有直口平底罐、壶、豆等。

遗址采集的石器多是磨光锛、斧、锄、铲等农业工具，镞较少见，说明人们的经济生产已从采集野生植物和猎取野兽维持生活，转向以锄耕农业为主的原始农业，这正是原始社会晚期的社会特征。年代大约为距今 4000 年。

佛山市

1052.西樵山古代石器

作　者：彭如策、王　维
出　处：《文物》1959 年第 5 期

1958 年 12 月 14 日考古人员对广东南海县西樵山古代石器的性质和分布情况线索进行了调查。在调查中发现遗址 9 处，发现新的遗址 2 处。

简报介绍，西樵山的石器分布在整个山脚四周，以刮削器、尖状器和石片工具为主。大部分石器是用板岩和燧石打制的。在 1 处遗址与石器共存的地层中有夹砂粗陶片和绳纹陶片，并有琢磨双肩石斧数件。其他遗址有磨制石斧发现，但没有陶片。夹砂粗陶片的火候较低，泥质陶片的花纹只有绳纹。根据广东地区遗址中夹砂粗陶片在底层、泥质陶片次之、印纹硬陶在上层的情况，简报推断西樵山石器的年代在旧石器时代晚期至新石器时代早期之间。

1053.广东南海县西樵山遗址的复查

作　者：黄慰文、李春初、王鸿寿、黄玉昆
出　处：《考古》1979 年第 4 期

广东省南海县西樵山石器时代遗址于 1958 年发现，其后发表过 2 份调查报告。1973 年 5 月至 1974 年 4 月，考古人员先后 4 次到这个遗址进行地质、地貌和考古等方面的考察，发现了石器时代的采石场和加工场遗迹以及一批明确的细石器制品。简报分为四个部分予以介绍，有手绘图。

据介绍，西樵山在广州西南约 40 公里，是三角洲平原上的 1 座古火山丘。山体由粗面岩、粗面质火山碎屑岩和石英砂岩构成。以往发现的所谓"生活遗址"，应当是采石者的临时工棚。该遗址的时代，经测定为公元前 2600 年左右。陶器以夹砂绳纹陶为主。简报认为此遗址为 1 处承前（旧石器晚期）启后（发达的新石器）的遗址。简报指出，西樵山遗址的发现，说明华南的新石器文化和本区的旧石器文化存在密切的联系，是从本区的旧石器文化发展来的。但是，这种发展也并非与外界完全隔绝，不同地区之间的文化技术交流同时存在。华北细石器成分在西樵山的出现就是一个证据。

1054.西樵山东麓的细石器

作　者：曾　骐
出　处：《考古与文物》1981 年第 4 期

耸立在珠江三角洲上的广东南海西樵山以盛产石器而著称。从 1958 年开始，因这里陆续发现丰富的打制、磨制石器材料而被确认为 1 处新石器时代的大型石器制造场。1977 年曾在西樵山东麓发现成批的细石器。1977 ～ 1979 年，在旋风岗一带调查采集的细石器材料达 1012 件。简报记述的细石器材料共计 724 件，占野外采集品总数的 71.4%，有手绘图。

据介绍，西樵山细石器文化的年代可以早至新石器时代初期或更早，应是 1 处农业工具、农业加工工具的大规模制造场。此次发现，填补了我国华南地区细石器文化分布的空白，说明在华南地区的原始文化中存在着使用细石器的阶段或类型。西樵山细石器文化的许多内涵类似华北细石器传统，这除了说明各文化之间的时代可能相近外，也说明了我国远古文化发展过程中的共同性和一致性。

1055.1986 ～ 1987 年西樵山发掘简报

作　者：中山大学人类学系　张镇洪
出　处：《文物》1993 年第 9 期

广东省南海县西樵山遗址自 1958 年发现以来，一直受到海内外学者的关注。中山大学和广东省博物馆等单位多次组织调查、发掘，发表过一批报告和论文。研究者们对遗址的性质、时代、文化命名等问题进行探讨，但看法多有分歧。1986 ～ 1987 年，考古人员组织新一轮发掘，地点选在山体面部的锦岩和多石岗以及山坡的富贤牛过坑和山麓的南蛇岗，以期获得能推动上述问题研究的材料。简报分为：一、发掘与收获，二、文化特点，三、年代测定，四、讨论与结论，共四个部分。有照片、手绘图。

据介绍，西樵山遗址为 1 处大型石器制造场所，包括从石料开采、初步加工等一系列工序的遗址，未发现定居遗址。时代距今约在 5000 ～ 4000 年。

江门市

湛江市

茂名市

肇庆市

1056.广东封开黄岩洞洞穴遗址

作　者：宋方义、丘立诚、王令红
出　处：《考古》1983 年第 1 期

黄岩洞位于封开县东北 60 公里的狮子岩孤峰山麓，高出当地河水面 15 米。洞前为一开阔谷地，渔涝河在其前约 500 米处自东北向西南流去。1961 年，在该洞发现过一批石器；1964 年初，又在洞口发掘出两个人类颅骨化石，在洞厅地表采掘到一批打制石器；1978 年 6～7 月，从洞厅的黄褐色堆积中发掘出一批打制石器。简报分为：一、文化堆积，二、遗物，三、结语，共三个部分。有照片、手绘图。

据介绍，黄岩洞遗址自发现以来，截至 1978 年 5 月共发现 122 件石器。这些石器多采用砾石，其中多为粗砂岩，次为石英砂岩，个别为石灰岩、花岗岩和石英岩等。以打制石器为主，磨制石器很少。简报推断为新石器时代早期遗址，具体年代据测定约为距今 12000～10000 年。

1057.广东高要县蚬壳洲发现新石器时代贝丘遗址

作　者：广东省博物馆、高要县文化局　李子文、李　岩
出　处：《考古》1990 年第 6 期

蚬壳洲贝丘遗址位于高要县广利镇西南、龙一乡村北，东距广州约 80 公里，西南距肇庆市 15 公里，地处西江下游的高要盆地。

蚬壳洲原名“向西洲”，为河谷平原上的一处低平台地，高于四周农田约 1.5 米，因当地农民长期在此挖取贝壳（俗称“蚬壳”），故名。遗址遍布于整个台地，周围断崖上暴露出贝壳堆积层，面积达 2 万多平方米。1983 年，考古人员首先发现采集到陶片等遗物。1986 年春，对该遗址进行了复查，初步判断为 1 处新石器时代贝丘遗址。同年 10 月，对该遗址进行了抢救性试掘，试掘面积共 28 平方米。简报分为：一、

地理环境和文化层堆积，二、墓葬，三、遗迹，四、遗物，五、结语，共五个部分。有手绘图。

据介绍，蚬壳洲遗址的试掘，展示了广东新石器时代文化在这一地区的一些重要特征：第一，以可靠的地层关系明确了彩陶圈足盘与夹砂细绳纹陶、磨光双肩石斧的共存关系；第二，在西江下游、珠江三角洲的西部边缘地区发现了与上述遗物同一时期的屈肢葬这一独特葬俗。简报初步认为蚬壳洲遗址时代应当属于新石器时代晚期的较早阶段。同时，广州地理研究所曾对 M3 人骨作了碳十四样品测定，其绝对年代为距今 5130±100 年（树轮校正，编号 KWG～817）。

1058.封开县乌骚岭新石器时代墓葬群发掘简报

作　者：广东省文物考古研究所、封开县博物馆　古运泉等
出　处：《文物》1991 年第 11 期

该遗址位于封开县杏花镇东南约 3 公里的乌骚岭山脊上。20 世纪 80 年代初文物普查时发现，1990 年 3～4 月发掘。简报分为：一、墓葬形制，二、随葬品，三、问题讨论，共三个部分。有照片、手绘图。

据介绍，共清理墓葬 111 座，分布在 150 平方米范围内，十分密集。无随葬品的 26 座，有随葬器的数量也很少，最多 7～8 件而已。石器多为锛、斧，陶器多为鼎。年代简报推断为距今 4600 年至 3000 年前，是 1 处有自己特色的新石器时期遗存。

1059.高要县龙一乡蚬壳洲贝丘遗址

作　者：广东省博物馆、肇庆地区文化局、高要县博物馆　古运泉、李　岩等
出　处：《文物》1991 年第 11 期

蚬壳洲贝丘遗址位于广东肇庆市（原属高要县，后划归肇庆市）鼎湖区广利镇龙一乡村北，西南距肇庆市约 15 公里，东距广州市约 80 公里。西江在遗址以南 250 米处自西向东流入珠江。遗址位于西江河谷平原上的台地之上，高出周围农田 1.5 米左右，面积达 2 万多平方米。1983 年，考古人员在此采集到陶片等遗物。之后，对遗址进行了复查。1986 年 10 月，对遗址进行了抢救性试掘，发现并清理了 3 座屈肢葬墓，出土少量陶片、石器等。1987 年底至 1988 年初，对遗址再次进行了发掘。简报分为：一、地理环境和文化层堆积，二、墓葬，三、遗物，四、结语，共四个部分。配以拓片、照片予以介绍。

据介绍，此次共发掘清理新石器时代墓葬 21 座，主要为屈肢葬。出土了一批

陶质、石质和骨质遗物，与第一次试掘所见遗物无甚差别，唯多孔石刀为本次发掘首见。简报推断遗址属于新石器时代晚期的较早阶段，这墓地应是 1 个氏族的公共墓地。

1060.广东封开簕竹口遗址发掘简报

作　者：广东省文物考古研究所、封开县博物馆　冯孟钦等
出　处：《文物》1998 年第 7 期

簕竹口遗址是 1984 年发现的，其后经多次复查。1995 年 12 月，考古人员对遗址进行了发掘。遗址位于封开县封川镇簕竹管理区办事处北约百米，贺江（西江支流）东岸的台地上，一条小溪在遗址之南与贺江交汇。台地高出河床约 14 米。简报配以照片、拓片、手绘图予以介绍。

据介绍，从出土的大量石器半成品看，簕竹口遗址应为新石器中期以前 1 处石器制作点，距今至少在 6000 年以前。

惠州市

梅州市

汕尾市

河源市

1061.广东紫金县在光顶遗址的试掘

作　者：广东省博物馆　李始文
出　处：《考古》1964 年第 5 期

1960 年 8 月，考古人员对 1956 年文物普查时发现的在光顶遗址进行了试掘。简报分为：一、地理环境和探掘情况，二、文化遗物，共两部分。

据介绍，遗址位于紫金县城东南 1 公里的土岗上，出土石器 47 件、陶器 8 件、陶纺轮 7 件、陶祖 1 件。简报推断为新石器时代晚期遗存。

阳江市

1062.广东阳春独石仔新石器时代洞穴遗址发掘

作　者：邱立诚、宋方义、王令红

出　处：《考古》1982 年第 5 期

1960 年，考古普查时，发现了阳春独石仔洞穴遗址，编为 5 号洞。1964 年和 1973 年，曾先后 2 次对其进行试掘，发现了石器、骨器等遗物，发现了人牙 1 枚、哺乳动物化石 20 种。1978 年，进行了第 3 次发掘，共得遗物 400 余件、动物化石千余件。简报分为：一、地理环境和文化堆积，二、遗物，三、结语，共三个部分。有照片、手绘图。

据介绍，独石仔山位于阳春县城北 30 公里处。独石仔洞穴在山的东麓，高出当地河水面 10 米，是 1 个裂隙溶蚀形成的高 1 米、宽 2 ~ 8 米、深 40 米的山洞。洞穴两端较高，中部稍底，面积约 200 平方米，近几十年已遭人为毁坏。出土有石器、骨器及青年人牙 1 枚。动物化石种属有狲猴、马蹄蝠、鼯鼠、家鼠、板齿鼠、小灵猫、金猫、长尾麝香猫、果子狸、南方猪獾、无颈鬃豪猪、中国黑熊、水獭、豹、犀、獏、野猪、水鹿、麂、水牛等。介壳类有圆田螺、大川蜷、短沟蜷、蚌等。其中犀和獏可能是灭绝的种类，余皆为现生种类。简报推断独石仔遗址早期属旧石器时代晚期，晚期属新石器时代早期之初段。

清远市

1063.英德云岭牛栏洞遗址试掘简报

作　者：金志伟、张镇洪、区坚刚、于宪宝、邝茂盛、易振华、吴基团、陈国胜、莫铁军

出　处：《江汉考古》1998 年第 1 期

牛栏洞遗址位于广东省英德市云岭镇东南约 2 公里的狮子山牛栏洞内。1983 年全国文物普查时发现，1996 年进行了小面积试掘，获取了一批以打制石器为主，包

括少量磨制石器及陶片以及大量兽骨在内的遗物。简报分为：一、地理环境和文化堆积，二、遗迹，三、遗物，四、分期和讨论，共四个部分。有手绘图。

据介绍，牛栏洞遗址的时代跨度较长，包括了旧石器时代末期、中石器时代和新石器时代早期。3 个时期的文化是一脉相承的。牛栏洞遗址从早到晚，经济形态都沿用以渔猎采集为主的方式；狩猎经济存在，但不占主要地位；原始农业是否存在证据不足，但穿孔砾石的存在应引起重视。家畜饲养是否已经开始，其迹象很不清楚，有待进一步的探讨。

1064.广东英德沙口狗了冲古文化遗存调查与试掘

作　者：邱立诚、金志伟、张镇洪、于宪宝、区坚刚
出　处：《江汉考古》1998 年第 1 期

1996 年 10 ~ 11 月，考古人员在英德北部沙口青溪北江东岸进行考古调查时，于狗了冲的小狗山采集到一批打制石器。在小狗山之南、北江岸边的史老墩试掘时，出土一批石器和零星陶片。简报分为：一、小狗山打制石器，二、史老墩石器制作场，三、结语，共三个部分。有手绘图。

据介绍，小狗山打制石器是北江河流阶地首次发现的砾石打制石器，共 9 件，年代可能为旧石器时代中晚期，为研究这一时期该地区洞穴以外的人类文化提供了新资料。史老墩遗址的年代，为距今约 7000 年前的新石器早期，史老墩石器制作场的发现，对于探寻粤北地区北江流域人类进入全新世以来如何从采集渔猎经济逐步转为锄耕农业经济具有重要价值。出土遗物所显示的石器制作技术，是古人类进入新石器时代的重要标志。

简报指出，小狗山打制石器和史老墩新石器早期石器制作场的发现，为研究珠江水系两大支流西江与北江史前文化的分布和辐射关系提供了重要的新材料，进一步证明了这两水系在古文化传播上的桥梁作用。

1065.广东英德宝晶宫的旧石器

作　者：邱立诚、张镇洪、于宪宝
出　处：《江汉考古》1998 年第 1 期

1996 年 5 月间，考古人员对宝晶宫洞穴进行考察时，发现了人工打击石器，其后于 10 月间进行了 1 次小型试掘，出土了一些打制石器。简报分为：一、发现概况，二、出土遗物，三、结语，共三个部分。有手绘图。

据介绍，宝晶宫位于英德市城区（英城镇）南面 7 公里的燕子山东面，附近是一片岩溶谷地。该洞为 1981 年发现，以洞内景观奇异而命名为"宝晶宫"。宝晶宫共有四层溶洞，其中第二层溶洞的面积最大，达 8200 平方米，距当地河水面高程为 57 米。现第二层的洞口是人工开凿的，原来是否有洞口尚未查明。采集到的打制石器有凸刃砍砸器、敲砸器、刮削器等。宝晶宫发现的这批打制石器，虽然数量不多，但仍可看出其打制技术的基本特点是单面单向打击，使用锤击法。均为石核石器，不见石片石器。时代简报推断为距今 10 万年前，属旧石器时代中期。

1066.广东英德九龙礼堂山动物群的发现

作　者：张镇洪、金志伟、区坚刚、于宪宝、易振华

出　处：《江汉考古》1998 年第 1 期

英德九龙礼堂山在英西峰林之中，距九龙镇仅 2 公里。这里发现了 2 个山洞，是在一打石场里发现的，大者约 100 平方米，小者约 5 平方米。2 山洞均在半山腰，位置高度约为 30 米，但都已经遭到不同程度的破坏。这次发掘是一次抢救性发掘。洞穴堆积在发掘前已遭打石工人翻动过。据打石工人反映，开始发现此洞时，已有人入内取走不少化石。此次发掘已是捡人家之所剩，尽管如此，发掘出来的动物化石种属仍然不少，标本亦很不错。

据介绍，从牛栏洞动物群组成中可看到，中、小型食肉类和偶蹄类占多数，啮齿类也颇丰富。林栖型种类占多数，如虎、云豹、黑熊、野猪、金猫、小野猫、大灵猫、狝猴、长臂猿、仓鼠、斑鹿、赤麂等。但这个动物群的另一个特色是喜冻、喜冷的种属颇多，如大熊猫、水獭、布氏田鼠、云豹、貉等。除了分布广外，喜热和喜水的种类不多，只有水獭和水牛两种较为突出，南方常见的水鹿在这里仍未出现，犀牛和巨貘也未见到。此动物群生存的年代，简报推断为距今 4 万～2 万年。

东莞市

1067.广东东莞市蚝岗贝丘遗址调查

作　者：广东省文物考古研究所　李子文

出　处：《考古》1998 年第 6 期

蚝岗遗址位于东莞市郊篁村区，距莞城市区约 5 公里。1990 年初，当地文物

爱好者首先发现该遗址，并采集到彩陶、夹砂陶片等遗物。同年11月，考古人员到该遗址进行调查，确认其为新石器时代贝丘遗址。调查情况简报配以手绘图予以介绍。

据介绍，从调查所得材料看，蚝岗遗址的贝壳种类主要是生息于潮间带的牡蛎、文蛤等，可见当时遗址是处于临近海洋的地理位置。同时，贝壳堆积主要分布于岗丘的东坡和南坡，表明这一带应是遗址居民弃置生活垃圾的场所。简报认为蚝岗遗址及其同类遗存的年代应当早于石峡文化，在广东史前文化发展序列中，属于新石器时代晚期的较早阶段。根据新的材料和研究成果简报初步推断，蚝岗遗址应早于珠海草堂湾第一期而晚于深圳咸头岭遗址，与珠海后沙湾第一期、香港涌浪2B层等遗存的年代基本相同。

1068.广东东莞市圆洲贝丘遗址的发掘

作　者：广东省文物考古研究所、东莞市博物馆　吴海贵
出　处：《考古》2000年第6期

圆洲遗址位于东莞市石排镇东南1公里、沙径村的北面，北距东江4公里多，是一处高出周围田地约4米、面积1万多平方米的小山岗，属于地跨庙边王、下沙2个管理区、由众多小岗组成的龙眼岗中的一个。圆洲遗址是1994年4月发现的，从北坡断面观察，存在较厚的贝壳堆积，遂确认是1处新石器时代贝丘遗址。1998年1～3月考古人员对圆洲遗址进行了发掘，实际揭露面积350平方米，出土一批陶器、石器等遗物。简报分为：一、地层堆积，二、出土遗物，三、结语，共三个部分。有手绘图、拓片。

据介绍，本次发掘未发现遗迹现象。有叠压关系的第一、二两组单位出土陶器的陶质、陶色、纹饰的总体特征相同，没有差异，以饰方格纹、长方格纹、条纹等纹饰的A型釜、小口高领扁条圈足B型罐、浅腹圜底钵、中间粗两端细多饰刻划纹的A型器座、直口或敛口或盆形口的深腹豆为主要器物组合。第三组单位出土的陶器与之相比，迥然有异，以饰绳纹的C型釜、饰云雷曲折组合纹的矮直领折肩圈足B型罐、多饰压印绳纹或麻点纹的亚腰形B型器座、敛口浅腹BⅢ式豆为主要器物组合。

简报称，以上两种不同的文化遗存，虽然不能依据本次发掘的地层关系直接确定孰早孰晚，但是以往的研究成果表明，第一、二组单位文化遗存年代早于第三组单位。

中山市

潮州市

揭阳市

1069.广东普宁虎头埔古窑发掘简报

作　者：广东省博物馆、汕头地区文管站、普宁县博物馆　杨少祥、陈瑞和、
　　　　吴雪彬

出　处：《文物》1984 年第 12 期

1982 年 6 月，考古人员在广太公社绵远大队虎头埔清理陶窑 15 座。简报分为：一、地理环境及陶窑分布情况，二、陶窑结构，三、出土器物，四、陶窑的年代与分期，共四个部分。有照片、手绘图。

据介绍，虎头埔位于普宁县城流沙镇东北约 30 公里，是一个平缓的山岗，高出周围地面 20 ~ 30 米。由于长年累月的雨水冲刷，残断的红烧土窑壁均已露出地表，窑中填土夹杂着大量印纹陶片。周围地表陶片俯拾皆是。出土器物共 2000 余件，主要是陶器和陶片，另外还有作为制陶工具用的鹅卵石等，未发现青铜时代遗物。年代简报推断为新石器时代晚期。

云浮市

广西壮族自治区

1070.1996 年广西石器时代考古调查简报

作　者：中国社会科学院考古研究所广西工作队、广西壮族自治区文物工作队
　　　　傅宪国、李新伟、李　珍
出　处：《考古》1997 年第 10 期

广西壮族自治区位于我国南部，地处云贵高原东南边缘，地势自西北向东南倾斜。广泛分布的溶岩洞穴以及河流两旁的冲积平原为古代居民提供了便利的聚居和生活条件。

为了进一步了解广西地区古代文化的面貌，构建广西地区史前文化发展的基本框架，确立广西在华南及东南亚地区史前文化中的地位，1996 年秋，考古人员选择 12 个市（县）进行了调查。依地域划分，此次调查大致可分为 2 个区：1 是邕、郁、浔江流域；1 是桂北石灰岩地区。调查涉及武鸣、邕宁等 12 个市（县）。其中，贵港、桂平等 7 市（县），在广西 20 世纪 80 年代各市、县文物普查的基础上，进行了比较详细的调查；其余 5 个市（县）则只选择部分遗址进行了调查。工作前后历时月余，共调查遗址 39 处，可初步判定为史前时代的遗址（遗物分布点）计 29 处，其余 10 处为战国—汉代遗址（遗物分布点）。29 处史前遗址，包括河旁台地遗址 8 处、河旁贝丘遗址 4 处、洞穴遗址 13 处、岩厦遗址 1 处及山坡遗址 3 处。简报分为：一、牛粪冲遗址，二、大塘城遗址，三、上塔遗址，四、石咀遗址，五、岭营咀遗址，六、山猪笼遗址，七、南沙湾遗址，八、顶蛳山遗址，九、螺蛳岩遗址，一〇、石脚山遗址，一一、蜡烛山遗址，一二、结语，共十二个部分。介绍有代表性的 11 处遗址，有手绘图，拓片。

据介绍，就遗址的自然形态而言，此次调查所发现的遗址大致可分为洞穴、岩厦、山坡、河旁台地和河旁贝丘五类。简报推测石脚山遗址年代的上限大致与咸头岭一类文化相当，距今约 6000 ~ 5000 年，下限大致晚于距今 4000 年；岩厦遗址，年代不详；河旁台地遗址，其年代应稍晚；河旁贝丘遗址，其年代应较晚；山坡遗址，其年代应与平南石脚山遗址接近，属新石器时代晚期。

南宁市

1071.广西南宁地区新石器时代贝丘遗址

作　　者：广西壮族自治区文物考古训练班、广西壮族自治区文物工作队
出　　处：《考古》1975年第6期

1963年考古人员在南宁地区进行文物普查时，发现了一批新石器时代贝丘遗址，以后又陆续发现，并曾在邕宁长塘、武鸣芭勋、南宁青山、横县西津等处作过试掘。1975年9月，对已发现的遗址作进一步调查，又试掘了南宁豹子头、扶绥江西岸、扶绥敢造等遗址。简报分为五个部分予以介绍，有手绘图等。

据介绍，已发现的贝丘遗址共有145处，一般前临江，后靠山，发现有为数甚多的石、蚌、骨、陶器和大量的动物遗骸。石器制作普遍采用磨制方法，打制石器约占总数的10%。骨器使用切割技术，琢磨较精致。蚌器被大量地制造和使用。陶器皆盘条手制的夹砂粗陶，纹饰以绳纹为主，器型多圜底器。墓葬中屈肢蹲葬很少见。先民应过着已有原始农业，但渔猎和采集经济仍占主导地位的生活。时代简报推断为新石器时期。

1072.广西宾阳发现十万年前的花生化石

作　　者：广西壮族自治区博物馆　彭书琳、周石保
出　　处：《农业考古》1981年第1期

1980年6月，广西宾阳县二轻局壮锦厂陈光华先生在宾阳县邹圩公社白山大队双桥村对门拗拾得花生化石1枚送来博物馆。博物馆作了初步鉴定后又送到中国科学院植物研究所古植物室和广西农学院等有关部门鉴定，也认为是花生化石。考古人员对化石进行了形态观察，反复同现代栽培花生作了比较，并对化石产地进行了初步考察。简报分为：一、花生化石产地的地质地貌，二、花生化石的形态结构，三、花生化石成因的推断，四、小结，共四个部分。有手绘图。

据介绍，此次出土的花生化石在我国或世界上尚属首次。它的发现，为解决花生的原产地、栽培花生的起源和发展，提供了重要的实物资料，也对研究当地的古气候、古地理环境具有一定的科学价值。简报认为，根据我国的文献记载、考古发现以及此次花生化石的出现，中国是花生的原产地之一是毋庸置疑的。

1073.广西隆安大龙潭新石器时代遗址发掘简报

作　者：广西壮族自治区文物工作队　陈远璋、覃彩銮、梁旭达
出　处：《考古》1982 年第 1 期

1978 年秋，隆安县酒厂在大龙潭进行基建时，发现了一些磨光石器。试掘证实这是 1 处范围大、遗物丰富的新石器时代晚期遗址。1979 年 3 月初至 5 月底，对该遗址进行了较大面积的发掘。简报分为四个部分予以介绍，有照片、手绘图。

据介绍，大龙潭遗址位于隆安县东南约 17 公里的大龙潭酒厂之南，遗址范围 5000 平方米。遗址的文化内涵较单纯，出土遗物以石器为主，其中又以磨光石铲为显著特色，其他类型的石器极少。石铲体形硕大者居多，是新石器时代其他原始文化石器所不能比拟的。制作精美的石铲是实用器还是有其他作用，尚待研究。简报认为大龙潭一类石铲遗存应与钦州那丽独料一类山坡遗址有一定的关系，其时代也应大致相近，距今约 4000 ～ 5000 年，同属于新石器时代晚期，即已进入了父系氏族社会发展阶段。

1074.广西邕宁县顶蛳山遗址的发掘

作　者：中国社会科学院考古研究所广西工作队、广西壮族自治区文物工作队、
　　　　南宁市博物馆　傅宪国、李新伟、李　珍、张　龙、陈　超
出　处：《考古》1998 年第 11 期

遗址位于邕宁县蒲庙镇新新行政村九碗坡自然村东北约 1 公里的顶蛳山上，北距县城约 3 公里，坐落在邕江支流八尺江右岸第一阶地，地处八尺江与清水泉交汇处的三角嘴南端，南依低矮绵延的丘陵。遗址现存面积约 5000 平方米。1994 年，考古人员曾对该遗址进行调查。1996 年秋，对该遗址进行了复查。1997 年 4 ～ 7 月，对该遗址进行了为期 4 个月的发掘，揭露面积 500 平方米。此次发掘共发现墓葬 149 座，获得了大量地层关系明确的文化和自然遗物，包括陶片、石器、骨器和蚌器等生活用具、生产工具以及水、陆生动物遗骸。简报分为：一、地层堆积，二、第一期文化遗存，三、第二期文化遗存，四、第三期文化遗存，五、第四期文化遗存，六、结语，共六个部分。有手绘图、拓片。

据介绍，顶蛳山遗址第一期属新石器时代早期遗存，其年代距今 1 万年左右。根据所出遗物的特征推测，第二期、第三期的年代应在距今 8000 ～ 7000 年左右。顶蛳山遗址第四期应早于石脚山遗址，年代在距今 6000 年左右。

简报称，顶蛳山遗址的发掘与研究，对认识广西地区史前文化的特征和内涵，

构建该地区史前文化的基本框架和序列，确立广西在中国史前文化中的地位，探讨广西在华南与东南亚地区史前文化交流中的作用，以及研究史前时期广西的自然环境及其变迁和人与自然环境间的互动关系等，都具有十分重要的意义。

1075.广西横县江口新石器时代遗址的发掘

作　者：广西壮族自治区文物工作队　梁旭达

出　处：《考古》2000 年第 1 期

江口新石器时代贝丘遗址，位于广西横县百合镇江口村西南约 2 公里处，西南距横县县城约 16 公里。该遗址是 1987 年在广西全区进行大规模文物普查时发现的，当时在遗址的表层发现了较多的软体动物介壳、石器和陶片。1995 年 10 月，广西文物工作队曾在该遗址西北面试掘了 2 个 5 米 ×5 米的探方。1996 年 10 月，考古人员对该遗址进行了较大面积的发掘。简报分为：一、遗址概况和地层堆积，二、遗迹，三、出土遗物，四、结语，共四个部分。有手绘图。

据介绍，该遗址的文化堆积按土色、土质的不同，可分为三层，各层应视为同一时期的文化遗存，只是时间上略有先后。由于种种原因，广西新石器时代文化遗存的年代发展序列迄今尚未形成统一的划分标准，根据目前所掌握的资料，广西新石器时代文化遗存早、中、晚三个发展阶段的文化特征（具体体现在石器制作技术和陶器方面）还是比较明显的。简报指出，江口遗址的相对年代应比桂林甑皮岩、柳州鲤鱼嘴等遗址要晚，而与横县西津、扶绥敢造等一类贝丘遗址大体相当，同属新石器时代中期。

1076.广西南宁市豹子头贝丘遗址的发掘

作　者：中国社会科学院考古研究所广西工作队、广西壮族自治区文物工作队、南宁市博物馆　张　龙

出　处：《考古》2003 年第 10 期

豹子头遗址位于南宁市东南郊柳沙园艺场那贝村西南约 2 公里的邕江左岸一级阶地上，遗址以螺壳为主要堆积，现存范围南北长约 100 米、东西宽约 50 米。1964 年考古调查时发现。1973 年 9 月，考古人员对遗址进行了试掘，发掘面积 64 平方米，出土了陶、石、骨、蚌器等。1997 年 11 ～ 12 月，为了进一步了解该遗址的堆积状况和文化内涵，进行了为期 2 个月的发掘，发掘清理面积近 200 平方米。简报分为：一、发掘概况及地层堆积，二、早期文化遗存，三、晚期文化遗存，四、结语，共四个部分。有手绘图、拓片。

据介绍，发掘表明，豹子头遗址受后期人为或自然力的破坏极为严重，这种大范围、深层次的扰乱，致使遗址的原生文化堆积所剩无几。豹子头遗址与顶蛳山遗址的第二、三期文化堆积的文化面貌总体上是基本一致的，应该属于同一个文化类型。简报认为：豹子头遗址文化遗存应归入顶蛳山文化的范畴，其年代约在距今8000～7000年，属广西地区新石器时代中期；从出土文化遗物特征分析，豹子头遗址早、晚期文化遗存分别相当于顶蛳山遗址第二、三期文化遗存，代表了新石器时代中期的早、晚两个发展阶段。

简报称，对豹子头遗址的发掘，不仅了解了该遗址的地层堆积状况及文化内涵，明确了遗址的文化归属，而且遗址中大量文化遗物的出土及原始制陶遗迹的发现，极大地丰富了顶蛳山文化的内涵，对贝丘遗址特别是顶蛳山文化的进一步深入研究具有十分重要的意义。

柳州市

1077.广西柳城发现新石器

作　者：韩康信
出　处：《考古》1964 年第 11 期

1963 年 12 月中旬，考古人员于柳城县长槽公社长槽村、盘龙村和洛满区的黑岩山脚下，采集到 3 件新石器：1 件是通体磨光的扁平有肩石锛，双肩呈钝角，肩宽短于器身，凸刃；1 件是通体磨光的石斧；另 1 件是扁平有肩石斧。12 月下旬，又在社冲公社公店村距社冲小学约百米远的柳江右岸采集到新石器，残整共 40 余件，有斧、锛、磨石、敲砸器和打制砍斫器等，斧锛类最多。它们散布在面积约 1300 平方米的耕地里，由于农民垦荒而暴露于地表。由于石器只散布在一片面积不大的阶地上，且原料、磨石、半成品和制成品同时并存，简报推测这一地点有可能是新石器时代 1处修治石器的场所。

1078.广西柳江发现新石器

作　者：覃　俊、卢成英
出　处：《考古》1965 年第 6 期

1959 ～ 1963 年，考古人员在广西柳江县境长蛇岭附近，先后采集到几件新石器时代遗物。简报配以手绘图予以介绍。

据介绍，1959 年在距拉堡镇 2 公里的长蛇岭南麓的莲塘村，发现 1 件有肩石锛，刃宽 6.6 厘米、厚 0.8 厘米。1960 年 8 月，又在距莲塘村约 800 米处，采集到梯形石锛和钻孔石珠各 1 件。1963 年 2 月，在距洛满圩 8 公里的梨乡屯发现 1 件石锛。梨乡屯位于长蛇岭北麓，石器是在山脚下采集的。锛长 12.8 厘米，刃宽 5 厘米，厚 2 厘米。此外，在柳江还发现过 1 件有肩有段石锛，长 6.3 厘米，刃宽 5.7 厘米，厚 1 厘米。以上石器都是在地面上采集的，尚未发现文化堆积层。

1079.广西柳州新石器时代遗址调查与试掘

作　者：柳州市博物馆　黄云忠、叶浓新、陈国康

出　处：《考古》1983 年第 7 期

1979 年 10～11 月，考古人员对柳州市境内柳江两岸进行了 1 次考古调查。发现了一批新石器时代文化遗存。同年 12 月，对采集到石器数量较多的兰家村、鹿谷岭和响水 3 个地点进行了试掘。通过试掘，三个地点都发现了石器和夹砂陶片共存的文化层。简报分为：一、兰家村遗址，二、鹿谷岭遗址，三、响水遗址，四、曾家村、独静村地点，五、结语，共五个部分。有手绘图。

这次调查发现石器的地点共 17 处，全部分布在柳江两岸的一级台地上，位置一般都在一些小河或小冲沟与柳江的汇合处。目前，除了 3 个试掘点在文化层中发现有夹砂陶片和石器共存外，其他地点仅采集到石器。这些石器，在器形和制作方法上有一些共同的特点，个别地点也有一些明显相异之处。

据介绍，文化遗物方面，一些地点打制石器还占有一定的比例，其中以用长条形或三角形的砾石作单向打击而成的砍砸器为最多。磨光石器类型较少，有相当部分仅磨光刃部即成。器型主要有石斧、石锛。陶片的火候较低，陶质粗糙，以饰粗绳纹为主，均为手制。在曾家村、独静村地点中，数量较多的大型打制网坠在别的遗址中少见或未见。上述遗址的时代，简报推断为新石器时代早期。

1080.柳州市大龙潭鲤鱼嘴新石器时代贝丘遗址

作　者：柳州市博物馆、广西壮族自治区文物工作队　何乃汉、黄云忠、
　　　　刘　文

出　处：《考古》1983 年第 9 期

1980 年 1 月，考古人员在柳州市郊大龙潭调查摩崖石刻时，发现附近的 1 个山

下岩厦处有很多螺蛳壳堆积，并从地表上采集到少量的夹砂陶片，后又采集到一些陶片、砺石等遗物，证实为1处新石器时代贝丘遗址。同年10～11月，对该遗址进行了发掘。简报分为：一、地理环境与发掘情况，二、地层堆积与遗迹，三、出土遗物，四、结语，共四个部分。有拓片、手绘图。

据介绍，大龙潭位于柳州市南郊，距市区约1.5公里，距柳江河约3公里。遗址在大龙潭东北约10米的龙潭山南名为"鲤鱼嘴"的山下岩厦处。遗址遗存可分为两期。遗址的第一期文化，以打制石器为主，种类主要有砍砸器和刮削器。此外，还出土相当数量的燧石小石核、石片。这是广西发现的新石器时代遗址中从未发现过的。磨光石器数量很少，仅1件刃部磨光的石斧。陶片的数量也很少，主要是夹砂绳纹陶。年代简报推断为新石器早期。发现的人体骨骼与住地同在一处，均无明显墓坑和随葬品，埋葬无一定方向，葬式主要有仰身屈肢和俯身屈肢。可见当时的埋葬制度还比较原始。鲤鱼嘴遗址的第二期文化，打制石器仍占一定的比例，但磨制石器数量有所增加，而且磨制技术也较进步。陶器除有一定数量的夹砂粗陶外，已有较多火候较高的泥质陶，饰有少量划纹、弦纹等。还使用了蚌质工具。大量的动物骨骼尚未石化。简报推断应属新石器时代中期。

桂林市

1081.广西桂林甑皮岩洞穴遗址的试掘

作　者：广西壮族自治区文物工作队、桂林市革命委员会文物管理委员会
巫惠民、阳吉昌

出　处：《考古》1976年第3期

1965年夏，考古人员对桂林市郊进行了文物普查。在普查中发现了60余处洞穴遗址。南郊独山甑皮岩就是这次发现的1处内涵比较丰富的新石器时代遗址。1973年6～9月考古人员对其进行了试掘。简报分为五个部分予以介绍，有手绘图。

据介绍，独山在桂林市南郊，距市中心约9公里，位于桂阳公路的西侧，是1座高约60米的浅灰色块状石灰岩孤山。甑皮岩洞穴遗址在该山的西南麓，高8米，宽13米多，洞内面积约200平方米。出土有石器、陶片、动物骨骼等。石器打制的多，打制方法简单。陶器多为手制，火候低。先民应以渔猎和采集经济为主。少量的农业工具如石杵等的出土，说明已经有了原始的农耕。简报初步推断甑皮岩遗址的年代为新石器时代晚期中较早的类型。

简报称，甑皮岩遗址中出土 10 多具人骨，葬式分屈肢蹲葬、侧身屈肢葬和二次葬 3 种。这些墓葬分布密集，没有发现葬具和埋藏坑。绝大部分没有发现随葬品，只是在 1 座墓中发现蚌刀 2 把。多属集体合葬。葬法原始，尤其是屈肢蹲葬，比较特殊。在南宁地区贝丘遗址中也发现这类墓葬，似乎具有地区的特点。二次葬中发现两具母子同葬。

1082.广西资源县晓锦新石器时代遗址发掘简报

作　者：广西壮族自治区文物工作队、资源县文物管理所　何安益、彭长林、
　　　　刘资民、宁永勤等
出　处：《考古》2004 年第 3 期

晓锦遗址位于广西北面越城岭西麓资源县延东乡晓锦村后龙山山坡的一级阶地上，为低山丘陵地形。该遗址于 1997 年 12 月调查时被发现，并被确认为是 1 处重要的新石器时代文化遗址。1998 年 10 ~ 11 月，广西壮族自治区文物工作队会同资源县文物管理所对其进行了第一次发掘，1999 年 10 月至 2000 年 1 月进行了第 2 次发掘，2001 年 12 月至 2002 年 1 月进行了第 3 次发掘，2002 年 8 ~ 10 月进行了第 4 次发掘。

简报分为：一、地层堆积，二、第一期文化遗存，三、第二期文化遗存，四、第三期文化遗存，五、结语，共五个部分。有照片、手绘图。

简报称，晓锦遗址是桂北地区 1 处重要的新石器时代山坡遗址，文化堆积可分为 3 期：第一、二期文化遗存属于新石器时代中期至晚期；第三期文化遗存属新石器时代末期，最后阶段可能已进入商周时期。简报认为，以晓锦遗址第一、二期遗存为代表的资江上游一带的同类遗存，可命名为"晓锦文化"。

晓锦遗址第一期出土有石斧、石锛，只发现有柱洞而没有发现居住面及用火遗迹，这表明当时人们可能居住着背靠山坡的半干栏式房子，主要从事采集、狩猎的经济生活。通过对文化堆积所取土样的孢粉测定，孢粉中含有禾本科成分，因此当时人类可能开始通过种植水稻来补充食物来源。

晓锦遗址第二期发现较多的细长粒炭化稻米、炭化果核、石器工具以及柱洞遗迹等，说明当时人们依然居住着半干栏式房子，经济生活除采集和狩猎外，已开始农业耕作并掌握种植水稻的方法，所生产粮食比较富足且略有剩余。

晓锦遗址第三期所出土的炭化稻米颗粒饱满，表明当时人们不但懂得种植水稻，而且懂得育种。根据所发现的大量柱洞和灰坑，了解到当时人们的居住环境大有改善，除了在山坡修建半干栏式房子外，还平整地面修建圆形或方形的干栏式房子，并且在房子旁边开挖水沟排水。

梧州市

北海市

崇左市

来宾市

贺州市

玉林市

百色市

1083.广西新州打制石器地点的调查

作　者：广西文物工作队　覃圣敏、覃彩銮、梁旭达

出　处：《考古》1983 年第 10 期

1979 年 6 月，考古人员在新州进行了野外调查，发现了 2 个打制石器地点，并作了小规模试掘。简报分为：一、地理位置和地层，二、文化遗物，三、结语，共三个部分。有照片、手绘图。

据介绍，新州位于百色盆地中段的右江北岸，西距田阳县城 18 公里，东距田东县城 14 公里。石器地点位于右江两岸。简报称，新州石器属于旧石器。有如下特点：

一是多以砾石石核制成，个体硕大，器身上保留较多的砾石面。

二是加工方法主要是锤击法，少数为碰砧法。加工时以单向打击为主，部分交

互扣击，制作粗糙。经第二步加工者较少，采用直接打击法。

三是打击台面为砾石面或石片疤，没有"修理台面"。主要是进行垂直打击。

四是绝大部分有使用痕迹。

1084.广西百色地区新石器时代文化遗存

作　者：广西壮族自治区文物工作队　何乃汉、覃彩銮

出　处：《考古》1986 年第 7 期

1982 年 5 ～ 7 月，考古人员对百色地区 12 个县进行了一次文物普查，发现了一批文物。简报分为：一、地理概况，二、遗址与遗物，三、几点初步认识，共三个部分。配以照片、手绘图，先行介绍发现的新石器时代文化遗存。

据介绍，这次调查发现的新石器时代文化遗存，主要分布在百色、田阳、德保、隆林四县的石灰岩洞穴之中和右江河岸的一级阶地上。另外，在田东、田阳、田林、德保、靖西、百色等县，还发现了一些零星的石器散布地点。新石器时代遗址共 9 处，其中洞穴遗址 7 处、中地遗址 1 处、贝丘遗址 1 处，石器散布地点 18 处。年代简报推断最晚的也是新石器时代晚期。

简报称，百色地区新石器时代遗址，无论时代早晚，发现的石器工具中均缺乏农业用具，较多的是旧石器时代普遍存在的砍砸和刮削工具。遗物中还有不少的动物骨骼。这表明当时人们的经济生活仍是以渔猎、采集为主。

1085.牛坪坡旧石器材料的发现和初步研究

作　者：曾祥旺

出　处：《考古与文物》1995 年第 4 期

牛坪坡旧石器地点，是考古人员于 1986 年 8 月调查发现的。为了弄清楚出土石制品的层位和时代，从 1975 年至 1991 年的十余年中，考古人员又多次前往该处工作。从目前掌握的材料来看，在牛坪坡的地层堆积中，埋藏有十分丰富的旧石器材料，说明遗址是旧石器时代初期后一阶段的重要文化遗址之一。简报分为：一、地貌和地质概况，二、石制品，三、结语，共三个部分。有手绘图。

据介绍，牛坪坡位于广西百色地区田东县林逢乡桓河村坡算屯的南部，距该村屯约 1 公里。牛坪坡出土的石器，大多数都可用在砍砸和挖掘方面的生产劳动中，其中有利于切割植物根系的带小刃的扁尖尖状器、手斧、砍砸器等，都是植物性食物为主、动物性食物为辅的原始居民常用的工具。简报认为，从现有材料来看，牛

坪坡所在的古右江第四级阶地形成于中更新世的中期，在人类历史上相当于旧石器时代的初期后一阶段。

1086.广西田阳县新洞村发现四件大石铲

作　者：田阳县博物馆　明　标、志　柏、利　群
出　处：《考古》1996 年第 8 期

1991 年秋田阳县坡洪镇新洞村农民在责任田挖水晶矿时，发现 4 件大石铲。简报配图予以介绍。

据介绍，4 件石铲兼用打制、磨制、凿法制造，简报推断为新石器时代晚期遗物。

1087.广西百色市百谷屯发现的旧石器

作　者：曾祥旺
出　处：《考古与文物》1996 年第 6 期

1975 年 8 月，考古人员在广西壮族自治区百色市进行旧石器调查时，在百色市城区东南约 12 公里的百谷屯附近古河流阶地上，发现 7 处旧石器地点。其中在第二级阶地、第三级阶地、第四级阶地各发现 1 处，第五级阶地发现 4 处。从 1981 年至 1901 年的 10 年时间内，考古人员曾多次前往该处工作，先后在第五级阶地开挖的 4 个探坑都在砖红色的网纹红土层出土有石制品。简报分为：一、地貌和地质概况，二、石制品，三、结语，共三个部分。介绍调查发现的情况和对第五级阶地出土的石制品，进行初步研究的结果，有手绘图。

据介绍，百谷屯第五级阶地出土的石制品有如下几个特点：原材料全部是砾石；岩性以砂岩为主，其次是硅质岩，再次是石英岩、变质岩和砾岩等；石核上的打击台面，大部分是利用砾石面为台面，其次是石片疤和断面，未见经过修理的台面；加工石器和打击石片都广泛采用碰砧法，其次是砸击法和锤击法；大多数石器的个体都很粗大，重量在 1000 克以上的大型石器约占石器总数的 65% 以上，其中最大的一件重达 9687 克。简报推断，百谷屯第五级阶地出产的石器不是人类历史上最早的生产工具，可能是旧石器时代初期后一段的文化遗存。在百谷屯附近的一处第四级阶地的旧石器地点，和石制品同出一枚笔架山小猪的臼齿化石。这种动物化石常见于早更新世和中更新世地层。百谷屯第五级阶地形成的地质年代应早于出产小猪牙齿化石的第四级阶地。

简报称，近几年来，中国社会科学院考古研究所实验室和中山大学地理系实验

室协助对古右江各级古河流阶地都作过年代测定。其中用热释光方法测得的年代数据是，第二级阶地距今 19 万年，第三级阶地距今 40 ~ 33 万年，第四级阶地距今 50 万 ~ 46 万年，第五级阶地大约距今 61 万年。从第二级阶地至第五级阶地的原生堆积都原地埋藏有旧石器来看，自中更新世之初至晚更新世的几十万年中，右江河谷地区一直有人类广泛活动，类似的情况在国内外都属罕见。

1088.广西百色市革新桥新石器时代遗址

作　　者：广西壮族自治区文物工作队　谢光茂、林　强、彭长林
出　　处：《考古》2003 年第 12 期

革新桥新石器时代遗址位于百色市百色镇东笋村百林屯东南约 300 米的台地上，东北距百色市约 10 公里，于 2002 年 4 月发现，面积约为 5000 平方米。2002 年 10 月为配合基本建设，考古人员对革新桥新石器时代遗址进行抢救性发掘，历时 100 余天。简报分为：一、地层堆积，二、遗迹，三、出土遗物，四、遗址的年代与意义，共四个部分。有彩照。

根据出土遗物和墓葬材料，简报初步推测该遗址的年代为新石器时代中晚期，最早可能达到距今 6000 ~ 7000 年左右。准确年代待测年结果出来后才能确定。简报称，革新桥遗址的发掘不仅对了解遗址所在地区当时人们的生产活动、经济生活、生存与环境以及其与周边地区古代文化的关系具有很重要的学术意义，而且为研究史前石器制作技术与工艺也提供了珍贵的实物资料。

河池市

钦州市

1089.广西钦州独料新石器时代遗址

作　　者：广西壮族自治区文物工作队、钦州县文化馆　于凤芝、方一中
出　　处：《考古》1982 年第 1 期

独料新石器时代遗址，位于钦州县那丽公社独料村西侧的禾塘岭上。遗址高出周围稻田约 40 米。简报配以手绘图等予以介绍。

据介绍，1964 年当地农民在该岭扩建晒谷坪时，发现许多陶片、石器及火烧过的橄榄核、木炭渣。考古人员于 1976 年先后两次到现场调查，采集了石器。1977 年 8 月，在该遗址进行试掘。1978 年 4 月对遗址进行了历时 2 个多月的正式发掘，发现有灰坑、灰沟、柱洞等遗址和石器、陶片、果核等大量遗物。

简报称，遗址出土的生产工具中，有相当数量的石斧、石锛，适用于砍伐开垦，清除杂草；石犁、石锄、石铲、石刀和石镰，适用于疏松土壤、耕耘播种以及收割；石磨盘、磨棒和石杵应为谷物加工工具。看来当时的农业已有一定的水平，成为当时的主要生产部门。大量的砺石，说明了因为垦荒种植需要经常修磨、更新生产工具。而石镞、石弹丸及各种果核的出土，说明当时除主要经营农业外，也从事一定的狩猎和采集作为经济生活的补充来源。简报指出，这是广西首次发现的 1 处以农业为主的新石器时代晚期遗址。时代据测定为距今 4700 ~ 4500 年左右。

1090.广西灵山县新石器时代遗址调查简报

作　者：玉永琏
出　处：《考古》1993 年第 12 期

灵山县地处桂南地区。1960 年 4 月，我国著名的考古学家贾兰坡教授率领考古工作者到灵山县进行洞穴调查，在县城东北 2.5 公里马鞍山下的东胜岩、葡地岩和城西 4 公里石背山下的洪窟洞 3 个洞穴，发现了旧石器晚期的人骨化石；在县城东北 33 公里石塘乡钟秀山的滑岩洞发现了新石器早期的人类骨骼。考古人员先后发现了元屋岭、翠壁峰、三海岩、马鞍山、龙武山等处的新石器时代遗址烟墩、陆屋、旧州、太平等乡镇的 20 多个地点发现了一批新石器及原始陶片。至今全县已发现了新石器散布地点 30 多处。简报分为：一、元屋岭遗址，二、马鞍山遗址，三、三海岩遗址，四、翠壁峰遗址，五、龙武山遗址，六、结语，共六个部分。有手绘图。

据介绍，5 处遗址均为洞穴遗址，反映出远古时期人类对于洞穴的依赖。采集与渔猎生活仍占重要地位。从遗物看，灵山县应经历了新石器时代早、中、晚三个阶段。

1091.浦北出土新石器时代玉铲

作　者：邓　兰
出　处：《文物》1994 年第 9 期

1989 年 9 月，广西浦北县乐民乡六蓬山村一农民在村前的六蓬山东南向挖石头时，在距地表 0.7 米深处挖出玉铲 1 把，当即报交县博物馆。简报配以照片予以介绍。

据介绍，玉铲通体磨制，表面光润，其色较杂，非青非绿；质坚硬，用刀和玻璃刻划均无痕迹，硬度可能在 7 摩氏度以上；敲击时，声响悦耳，故铲的质地可能为玉质；呈长舌形，有纽，有肩。

简报称，玉铲出土时是由一石块压住平放在一平台地上．其用途应是祭祀用的礼器，而非实用的生产工具。玉铲的时代简报推断为新石器时代晚期。

防城港市

1092.广东东兴新石器时代贝丘遗址

作　者：广东省博物馆　莫　稚、陈智亮
出　处：《考古》1961 年第 12 期

1958 年春，考古人员到合浦、东兴一带进行考古调查，在东兴各族自治县的江平圩河岸拾到 1 件打制石器，并在石角村的亚菩山拾到两件磨制石器。1959 年 6 ~ 8 月，在东兴各族自治县进行文物普查，于石角村的亚菩山、马兰基村的马兰咀山、大围基村的杯较山发现了 3 处遗址，遗存有大量的打制石器、磨制石器、骨蚌器和夹砂粗陶片等。由于当时调查对堆积层次了解不够，而有些打制石器又极像旧石器时代的手斧，曾一度认为遗址的下层堆积属于旧石器时代。为了进一步弄清这些遗址的地层关系和文化性质，中国科学院古脊椎动物与古人类研究所等单位组成了一个调查队，到上述 3 个遗址作了 4 天的观察和采集，并在亚菩山和马兰咀山 2 地作了试掘，发现的材料非常丰富。简报分为：一、调查经过，二、地理形势和遗址状况，三、遗物，四、结语，共四个部分。有照片。

东兴各族自治县在广东的最西部，境内多山，以十万大山为主干，北面地势颇高，山峦不绝，以沉积岩最发达，多为砂岩、灰岩、泥质页岩，仅在河流两岸有较平坦的谷地，临海地势卑洼。东兴的 3 处遗址均位于临海地带的山岗。

据介绍，发现的 3 处遗址具有共同的文化特征，它们代表着华南沿海一带的一种新发现的新石器时代文化。东兴贝丘遗址包括有打制石器、磨制石器、骨蚌器和陶器等类，其中以打制石器为最普遍的生产工具。出土的磨制石器和陶器碎片，代表这一文化最为进步的工具和用器的制作技术，表明它已跨入了新石器时代。打制石器数量多，而且成为主要的生产工具。其打制技术，像手斧类的石器仍保留着旧石器时代的一些特点。磨制石器较少，而且粗糙。人和动物骨骼已具有轻微程度的石化。陶器虽为夹砂粗陶，但与一般粗砂陶或印纹软陶遗址有所不同。

简报认为，这一遗址的年代不会太晚。虽然如此，但如果与南海西樵山的文化遗存比较，似乎西樵山的年代比东兴贝丘遗址要稍早一些。东兴贝丘遗址的经济生活水平，要比西樵山为高。当然，要作深入分析，还须进一步研究。

贵港市

1093.广西桂平县石器时代文化遗存

作　　者：何乃汉、陈小波

出　　处：《考古》1987 年第 11 期

桂平县位于广西的东南部，境内多属丘陵地带：西面和北面是著名的大藤峡和紫荆山地区，崇山峻岭，地势较高；东面和南面较为低缓；西南有些零星的石灰岩分布。县内主要河流有黔江、郁江和浔江。黔江与郁江在县城的三角咀相汇，相汇后的河段即为浔江。考古人员在 1980 年 5 ~ 7 月和 1983 年 5 ~ 8 月的两次文物普查中，发现了一批石器时代文物，特别是新石器时代的文物较为丰富。这些文物，主要分布在郁江和浔江两岸的台地上。在台地附近的山坡上和石灰岩洞穴中，也有一些发现。黔江两岸则发现很少。石器时代文化遗存计有：时代较早的打击石器地点 1 处，新石器时代遗址 8 处，新石器时代遗物散布地点 32 处。简报分为八个部分予以介绍，有手绘图。

简报择要介绍了牛骨坑、牛尾岩、下湾、大塘城、上塔、下庙、庙前冲、石碑岭、龙门滩等遗址。其中石碑岭等 6 处土岭的下湾打击石器地点，上限不会超过旧石器时代早期，下限不会晚于新石器早期。分布于浔江两岸台地上的遗址和地点，如大塘城、庙前冲、下庙、龙门滩、望步、那禾冲等，其文化遗物以打制石器为主，与少量磨制石器和夹砂陶片共存。打制石器原料全部采自河滩砾石。值得重视的是，这些遗址和遗物将是我国目前分布在河旁台地上的时代最早的一批新石器时代文化遗存。上塔、长冲根和牛骨坑遗址的文化遗物，如打制石器、磨制石器和陶片，虽与上述新石器时代早期遗址发现的也很相似，但打制石器的比例已相对减少，磨制石器的比例相对增加。因此，它们的时代似应较晚，应属新石器时代中期。牛尾岩洞穴贝丘遗址，因其堆积疏松，无胶结现象，螺壳和动物骨骼没有石化，还出土通体磨光的双肩石斧和有慢轮痕迹的陶器口沿，这表明它的时代最晚，应属新石器时代晚期。分布于黔江河岸的城都石器地点，也发现有通体磨光的双肩石斧，似也应属这个时期。

1094.广西贵港市上江口新石器时代遗址的发掘

作　　者：广西壮族自治区博物馆、贵港市文物管理所　陈　文
出　　处：《华夏考古》2008 年第 1 期

该遗址位于广西贵港市上江口村郁江边。1996 年发掘，可分两期，约为新石器时代中期、晚期。发掘证明了一期遗存早于二期遗存。前者出细长、厚体的石器，陶片以夹粗砂的红褐陶、红陶为主，胎较厚，饰绳纹，可见罐、釜类；后者出宽短、薄体的石器，陶片以夹砂红褐陶为主，新出胎薄的夹细砂黑陶和泥质红褐陶，除素面外，有拍印曲折纹等，有鼎、甑等。二期新出双肩石器和南传的陶鼎，文化面貌有了变化。

简报分为：一、地层堆积，二、第一期文化遗存，三、第二期文化遗存，四、收获，共四个部分。有手绘图。

据介绍，此遗址一、二期之间或还有缺环。岭南地区的新石器时代早中期文化的炊具都是釜、罐类，不见陶鼎。到新石器时代晚期陶鼎才作为一种外来炊具从岭北传到岭南地区，从广西平南石脚山遗址到灵山县的新石器时代晚期遗址、从广东石峡遗址到封开乌骚岭遗址等都出陶鼎就是证明。因而，至少晚期外来因素已输入或影响到郁江流域的本地文化。

海南省

1095.广东海南岛原始文化遗址

作　者：广东省博物馆　莫　稚等
出　处：《考古学报》1960 年第 2 期

1957 年 7～8 月，考古人员到海南岛进行文物普查，在文昌、琼东、陵水、崖县、昌感、儋县、临高、那大、定安、屯昌、琼中、白沙、东方、乐东、保亭、通什等县市内，发现了原始文化遗址 135 处，并在通什、琼中、定安、屯昌等地的遗址进行了探掘，得到了丰富的石器和陶片。

简报分为：一、地理形势与遗址分布，二、遗址的探掘及其文化内涵，三、文化遗物，四、结语，共四个部分。有手绘图。

据介绍，海南岛地势西南高东北平，黎母山岭在本岛中部，大小河流由中部山岭四面流入海中。河流两岸及沿海地带多为冲积地。遗址大多分布在上述各县市的河旁、沿海港湾的山岗台地和沙丘上。

简报指出，海南岛的原始文化遗址，与广东大陆及东南沿海地区是同属一个文化系统的，只是由于海峡之隔，其时间上显得比大陆为晚，但仍有较大的区别。特别表现在陶器上面，这里的夹砂粗陶发现比较普遍，几乎每 1 处遗址中均有，而广东大陆有的遗址就未出夹砂粗陶；这里的几何印纹软陶和硬陶俱不发达，花纹也比较简单，那种夔纹、雷纹和几种花纹组合的陶片，都未曾发现。这些情况，也许说明了海南岛地区的原始文化，由于交通、交换受到一些限制，故发展较慢，而原始社会的解体，也比大陆要迟缓。从出土文化遗物所表现的特征来看，石器中的斧、锛、铲、犁等都为农业生产的工具，说明当时先民的经济活动主要是农业；而石制和陶制的网坠大量的发现，且形式多种，可见当时捕鱼是取得生活资料的重要手段。

海口市

三亚市

1096.海南省清理三亚落笔洞遗址

作　者：郝思德

出　处：《文物》1994 年第 5 期

考古人员于 1993 年 10 ~ 11 月，对三亚落笔洞遗址进行第二期抢救性清理，发掘面积 30 平方米。出土了包括人牙化石、打击石制品、骨角制品及较多的哺乳动物化石在内的文化遗物，螺、蜗牛化石多达 4 万余个，还发现一批灰烬、炭屑、烧石、烧骨等。其中人牙化石属晚期智人。经初步分析，遗址当处在旧石器时代末期至新石器时代早期的衔接阶段。

三沙市

重庆市

1097.川东长江沿岸新石器时代遗址调查简报

作　者：四川省博物馆　袁明森

出　处：《考古》1959 年第 8 期

1957 年 3 月，考古人员沿长江沿岸长寿、活陵、巫山等 8 个县进行调查，发现 2 处较大的新石器时代遗址。简报分为：一、忠县瑬井沟遗址，二、巫山大昌坝遗址，三、其他遗址，四、结语，共四个部分。有照片、手绘图。

据介绍，忠县瑬井沟河是长江北岸一条小支流。遗址位于忠县东云乡境内，西距县城约 2.5 公里，出土有石器、陶器、人骨、兽骨等。人骨为 1 个人的头骨，经鉴定为 1 个 29 至 32 岁蒙古人种女性。巫山遗址位于大宁河边的大昌西坝双捻塘，出土有石器、陶器、人骨、兽骨等。除了上述两处较大遗址外，还发现有 29 处小遗址。计忠县有复兴乡水坪村、顺溪乡漕子坪、坪山乡永兴场、漕溪乡翁家塘 4 处；万县有凤安乡涪溪口、武陵乡黄金村、大溪乡滩脑、小岭乡窑嘴、万县市巨鱼沱、翠屏乡密溪沟、太龙乡学堂村（青龙嘴）、黄柏乡棺木溪 8 处；云阳有余家嘴、竹溪乡人漕子、凤鸣乡四旗口（大石河）、水磨乡中漕口、普安乡新津口、故陵镇帽盒岭、高平乡罐口子、龙洞乡潘家沱 8 处；奉节有安坪乡西王沟、对县乡九流子、草堂乡黄泥湾 3 处；巫山有大溪乡兰溪沟、南陵乡耳室窝（牪牛滩）、龙王台南齐坝 3 处。这些地点的遗物以石器最多，有斧、锛、锄等。简报认为，从忠县到巫山长 360 公里的长江沿岸，新石器时代遗址是很多的。

1098.忠县瑬井沟新石器时代遗址试掘简况

作　者：忠县试掘工作组

出　处：《文物》1959 年第 11 期

1959 年 7 ~ 8 月，考古人员试掘了忠县瑬井沟新石器时代遗址。这次试掘是在 1957 年四川省博物馆文物工作队的川东调查及 1958 年长江三峡水库文物调查队调查资料的基础上进行的。这次试掘工作主要是在瑬井沟西面汪家院子及何家院子两处遗址。

简报介绍，试掘中出土的磨制石器有斧、锛、凿、矛、环等，除完整石器外，还有许多石片；陶器有红陶、灰陶、黑陶3类，以红陶最多，灰陶次之，黑陶最少；骨器有卜骨、骨锥、骨笄等；铜器有箭镞1件。

简报根据此次试掘初步了解的情况推断，这里是川东长江沿岸的一处新石器时代晚期遗址。

1099.四川巫山大溪新石器时代遗址发掘记略

作　者：四川长江流域文物保护委员会文物考古队　沈仲常、袁明森

出　处：《文物》1961年第11期

考古人员于1959年7～8月及11～12月曾2次在巫山大溪作发掘工作，2次共发掘墓葬74座。简报分为"遗址部分""墓葬部分""小结"共三个部分予以介绍，有照片、手绘图。

据介绍，大溪遗址位于瞿塘峡东口长江南岸。74座墓葬包括仰身直肢葬、仰身屈肢葬等4种葬式。随葬品有红陶、细泥灰陶、细泥黑陶、彩陶、石器、骨器、玉器、蚌器、象牙圈、猪牙饰等。先民除了经营原始农业外，渔业也很重要，已有了纺织业，随葬品有的没有，有的多至58件，已出现贫富差别。

1100.巫山大溪遗址第三次发掘

作　者：四川省博物馆　范桂杰、胡昌钰等

出　处：《考古学报》1981年第4期

四川巫山大溪遗址位于夔峡东口、长江南岸的三级台地上，上距奉节县城15公里，下距巫山县城45公里。1958年7～8月、11～12月，曾先后2次进行发掘，清理新石器时代墓葬75座。1975年10月至次年1月，四川省博物馆、万县市文化馆、巫山县文化馆进行第3次发掘，清理墓葬133座（M76～M208，续接上2次发掘墓葬编号）。简报分为：一、墓葬，二、文化层出土遗物，三、结语，共三个部分。介绍了第3次发掘的情况，有照片、手绘图。

据介绍，大溪遗址除表土层外，文化层堆积按土质、土色和包含物的不同，分为上、下两层。上层为浅褐色，含砂较多，并夹有鱼骨渣，文化遗物有陶、石，骨器等。陶器以细泥红陶最多，黑陶、灰陶次之，还有少量的彩陶和夹砂红陶，器型有碗、豆、盘、罐、鼎足、器座等。石制工具有斧、刀、盘状器、砺石等，陶制工具有纺轮，骨制

工具有锥、凿，装饰品有璜、坠饰等。在这一层发现墓葬64座，葬式以仰身直肢葬为主，屈肢葬次之，随葬品以陶器为主。下层为深褐色，质地较上层紧密，含鱼骨渣少于上层。陶器以夹砂陶为主，有少量细泥红陶，器型有豆、釜等。石制工具以锄、斧为主，骨制工具有锥，陶质工具只有纺轮。下层发现墓葬69座，以屈肢葬为主，直肢葬次之，随葬品以石制工具为主。简报初步认为，大溪文化分为连续发展的两个阶段，即早期的母系氏族公社的繁荣阶段和晚期的父系氏族公社的萌芽阶段。

简报认为，大溪遗址的发掘，是我国长江流域新石器时代考古的重大发现。屈家岭文化，就是在大溪文化基础上发展起来的。

1101.四川嘉陵江中下游新石器时代遗址调查

作　　者：重庆市博物馆　管维良、陈丽琼
出　　处：《考古》1983年第6期

嘉陵江是长江上游的主要支流之一，在重庆注入长江。嘉陵江中下游过去没有作过考古工作。1979年春，进行了第1次普查工作，经过1月多的田野调查，行程1500公里，走过10个县、市，94个公社，发现并搜集历史水文资料10余处，古代文化遗址11处（其中新石器时代5处，战国到秦汉遗址6处，汉代烧砖窑炉4处，唐代古瓷窑1处），查看古建筑、摩岩题刻10处，对沿江古墓葬进行了一些探索。简报分为6个部分，先行介绍了5处新石器时代遗址（阆中县1处，南部县2处，南充县、市各1处），有手绘图。

据介绍，这5处新石器时代遗址采集的石器，有耜、铲、锄、斧、砍砸器等，都是用于砍伐农耕的生产工具，仅石球刮削器与狩猎有关。陶器的种类与中原北方、长江中下游等的农业部落相近。由此可见，这些遗址的先民们过着以农耕为主、渔猎为辅的经济生活。简报认为遗址应属新石器时代范畴之内的一种地方文化，与陕西龙山文化和大溪文化有着较密切的联系和往来，也受它们一定的影响，其时间应大致相近，皆在殷周之前。

1102.重庆九龙坡区发现新、旧石器时代遗物

作　　者：董晏明
出　　处：《文物》1989年第6期

九龙坡区是重庆市的近郊区，区境横跨长江南北两岸，南岸沿江线长19公里多，北岸沿江线长28公里左右。在1980年12月至1987年6月期间，区文化馆先后在

本区的花溪乡麒龙村芦溪沟处、新屋村柏村凼处、建新村叶子溪处、道角村水瀛口至倒马坝处、九龙乡柏坪村龙凤溪至滩子口处、上游村上下鱼鳅浩处、八桥乡民乐村滑石滩处、建胜乡民胜村兰家石坝处、建路村麻丫子至吊耳嘴处，发现原始人类遗存的大量新石器工具。在各处优选采集了各类型石器工具计275件，其中有打制石器工具220件，磨制石器工具55件。简报配以照片予以介绍。

据介绍，石器工具类型有耜、锄、斧、锛、锤、矛、刀、凿、网坠、尖状器、刮削器、砍砸器等。同时在龙凤溪、上鱼鳅浩、麻丫子处，发现夹砂红陶、夹砂灰陶绳纹陶片10余件。另外，1983年，在九龙乡大捻村的马王场地带，还发现了大量的旧石器，计有尖状器、刮削器、砍砸器、石核等600余件，收存在九龙坡区和重庆市博物馆。简报推断这批石器属旧石器时代晚期的遗物，距今约2万年。

简报称，大量的新石器工具及绳纹陶片的发现，证明当地长江南北两岸的台地上，在5000～6000年前便有人在此定居从事渔猎及农牧生产劳动，繁衍生息了。九龙坡区境内原始人类活动所遗留下来的遗物，为四川地区新、旧石器时代的研究，提供了极为珍贵的实物资料。

1103.重庆九龙坡区发现新、旧石器时代遗物

作　者：重庆九龙坡区文化馆　董晏明
出　处：《四川文物》1989年第6期

九龙坡区是重庆市的近郊区，区境横跨长江南北两岸，南岸沿江线长19公里多，北岸沿江线长28公里左右。在1980年12月至1987年6月期间，考古人员先后在本区的花溪乡麒龙村芦溪沟处、新屋村柏村凼处、建新村叶子溪处、道角村水瀛口至倒马坝处、九龙乡柏坪村龙凤溪至滩子口处、上游村上下鱼鳅浩处、八桥乡民乐村滑石滩处、建胜乡民胜村兰家石坝处、建路村麻丫子至吊耳嘴处，发现原始人类遗存的大量新石器工具。

简报称，在各处优选采集了各类型石器工具计275件，其中有打制石器工具220件，磨制石器工具55件。石器工具类型有石耜、石锄、石斧、石锛、石锤、石矛、石刀、石凿、石网坠、尖状器、刮削器、砍砸器等。同时在龙凤溪、上鱼鳅浩、麻丫子处，发现夹砂红陶、夹砂灰陶绳纹陶片10余件。证明早在5000～6000年前，先民已在此繁衍生息了。1983年，九龙乡大捻村的马王场地带还发现了大量的旧石器，计有尖状器、刮削器、砍砸器、石核等600余件，属于旧石器时代晚期的遗物，距今约2万年。

1104.重庆市长江河段新石器时代遗址调查与试掘

作　者：重庆市博物馆　申世放
出　处：《考古》1992 年第 12 期

重庆地处嘉陵江与长江的交汇处，是西南地区经济中心和工业重镇。1980 年 10 月中旬，博物馆文物考古人员对重庆市属长江河段进行考古调查。共发现新石器时代遗址 22 处，其中巴县 7 处、长寿 3 处、江津县 1 处、江北区 5 处、南岸区 3 处、江北县 4 处，加上涪陵地区的 3 处，共计 25 处。另有石器采集点 14 处。这些遗址，有的残存不多，亟待清理发掘；有的保存较好，文化层暴露十分清楚，暴露的遗物有石器、陶片、红烧土、灰烬等。为了初步了解这些遗址的文化性质和年代，对其中江津县王爷庙遗址进行试掘，为研究本地区新石器时代文化提供一定的依据。简报分为：一、王爷庙遗址，二、千溪沟遗址，三、涪陵镇安河咀遗址，四、江北洛碛文家湾遗址，五、江北县观音阁遗址，六、江北区羊坎滩遗址，七、洺陵蔺市东场口遗址，八、结语，共八个部分。有手绘图、拓片。

据介绍，这批遗址与中原地区的黄河流域、长江中下游农业部落的原始文化遗址大同小异，表明它们属于中原文化范畴之内，但也有不可忽视的地方特点。由分析可以看出：重庆新石器时代的文化，是具有强烈的地方性的原始文化。根据有段石锛、锯齿形石镰、三角形石镞等，器物的组合与纹饰的丰富等，它的时代简报估计在距今 4000 年左右。

简报称，过去我们对重庆地区的石器时代文化毫无了解，通过这次调查，至少可知早在 4000 年前就有古老的民族在这里生息繁衍了，更重要的是填补了长江流域重庆地区新石器时代文化遗址在中国古文化分布上的空白。

1105.四川巫山县魏家梁子遗址的发掘

作　者：中国社会科学院考古研究所长江三峡考古工作队　吴耀利、刘国祥
出　处：《考古》1996 年第 8 期

魏家梁子遗址在 1992 年由省地县三组文物考古部门进行的三峡水库淹没区文物普查工作中首次发现，1993 年冬季进行了发掘。简报分为五个部分予以介绍，有手绘图、照片。

据介绍，魏家梁子遗址位于巫山县大宁河下游左岸，南距县城约 7.5 公里，隶属巫峡镇早阳乡早阳村委会二社的魏家梁子村。发现有残居住址、灶坑、柱洞和墓葬等遗迹，出土一批陶器和石器及鱼、猪、鹿骨骼等遗物。据测定，初步估计魏家梁子文化遗存的年代可能在公元前 2700～前 2000 年之间。

1106.重庆市巫山县锁龙遗址 1997 年发掘简报

作　者：成都市文物考古研究所　李明斌、陈　剑等

出　处：《考古》2006 年第 3 期

锁龙遗址位于重庆市巫山县曲尺乡锁龙村一组，东距巫山县城约 25 公里，西距奉节县城约 15 公里。锁龙遗址 1992 年考古调查时发现。1993 年，对其进行了复查，并采集有陶器和石器等古代文化遗物。1997 年 11 ～ 12 月进行了发掘。简报分为：一、地层堆积，二、遗迹，三、遗物，四、结语，共四个部分。有手绘图。

遗址南高北低，向长江缓慢倾斜，海拔高度 158 ～ 197 米。遗址被两条冲沟分割为三个相对独立的地理小单元，自西向东依次是：大坟园——地貌呈斜坡状台地，向北一直延伸至长江一级阶地；老坟园——海拔相对较高的小台地，其下较陡的坡地连接长江一级阶地；灯盏窝——面积较大的低洼冲沟，因其地貌下凹、状如灯盏而得名，中心部位是一块面积较大的台地。

据介绍，锁龙遗址出土遗物丰富，以陶器为主，有一定数量的打制石器和磨制石器，还有少量动植物遗存。清理遗迹 1 处，可能为房址。初步推断其年代为公元前 2600 ～前 2000 年。

简报指出，锁龙遗址是峡江地区 1 处重要的新石器时代遗址，出土遗物丰富，为研究本地区史前考古学文化的面貌、自然环境的利用、经济生活状况及其与同时期考古学文化之间的关系提供了十分宝贵的材料。它的发现对于峡江地区史前考古学文化的研究具有较高价值。

1107.重庆奉节县老关庙新石器时代遗址土坑墓的发掘

作　者：吉林大学边疆考古研究中心、重庆市文物考古所、奉节县白帝城文物
　　　　管理所　赵宾福、邹厚曦、雷庭军等

出　处：《考古》2006 年第 8 期

老关庙遗址位于重庆市奉节县境内，地处瞿塘峡西口，在长江北岸，东为老关庙，西为白帝城。据说在 20 世纪 50 年代，遗址上还保留有 1 座旧时代修建的关帝庙，当地人称为"老关庙"，遗址因此而得名。简报称，老关庙遗址是 1993 年 12 月调查发现的。1993 ～ 1994 年，考古人员先后对该遗址进行过 2 次小规模发掘，1995 年又进行了 1 次较大规模的发掘。1996 年 12 月和 1997 年 1 月，老关庙遗址的施工现场又清理出 3 座属于新石器时代的土坑墓。简报分为：一、墓葬形制，二、随葬遗物，三、结语，共三个部分。介绍了相关情况，有手绘图。

据介绍，3 墓均为长方形土坑竖穴墓，共出土随葬遗物 5 件，其中石器 1 件，陶器 4 件。简报推断，M2 属仰韶文化晚期，M1、M4 属龙山文化早期，约为公元前 3500～前 2500 年。

1108.重庆奉节藕塘新石器时代遗址

作　者：山西大学考古学系、重庆市文化局、奉节县白帝城文管所　赵　杰、
　　　　宋艳花

出　处：《考古与文物》2009 年第 5 期

藕塘遗址位于奉节县安坪乡藕塘村北，是 1 处新石器时代早期遗址，2006 年进行了发掘。简报分为：一、石制品，二、陶制品，三、结语，共三个部分。有手绘图。

据介绍，遗址共出土石制品计 147 件，陶器主要为各类陶片，制作手法原始。时代简报推断为前仰韶时期。

1109.重庆市北碚区大土遗址新石器时代遗存发掘简报

作　者：重庆市文化遗产研究院、北碚区文物管理所　白九江、许高民

出　处：《四川文物》2013 年第 2 期

2008 年，考古人员在大土遗址发掘出了一批包括新石器时代、唐宋、明清时期的遗存，该遗址是嘉陵江中下游地区经过考古发掘的为数不多的遗址之一，其中的新石器时代文化遗存与三峡地区同类遗存较接近，性质应属于玉溪坪文化。大土遗址新石器遗存为嘉陵江中下游地区新石器文化的研究提供了新的考古资料。简报分为：一、概况，二、地层堆积，三、新石器时代遗存，四、结语，共四个部分。有手绘图。

据介绍，大土遗址位于重庆市北碚区澄江镇吴粟溪村二社至炭坝村二社，地处嘉陵江右岸坡地之上，于 2005 年发现。该遗址的时代，简报推断为距今 4800 年左右。

1110.重庆丰都玉溪遗址北部新石器时代遗存 2004 年度发掘简报

作　者：重庆市文化遗产研究院、丰都县文物管理所　白九江、邹后曦、代玉彪

出　处：《江汉考古》2013 年第 3 期

2004 年玉溪遗址北部五个探方发掘的新石器遗存，其文化内涵包含了玉溪下层

文化、玉溪上层文化、玉溪坪文化 3 个阶段，以玉溪下层文化遗存堆积最为深厚，出土遗物最为丰富。

简报分为：一、遗址概况和发掘经过，二、地层堆积，三、玉溪下层文化遗存，四、玉溪上层文化遗存，五、玉溪坪文化遗存，六、结语，共六个部分。有手绘图。

据介绍，玉溪遗址位于重庆市丰都县高家镇金刚村二社。1992 年发现，1993、1994 年进行过复查，1994 年进行过试掘，2003 年进行发掘，遗物有陶器、陶片、石器等。年代经测定为距今 7844～6350 年，属大溪文化范畴。遗址的发掘为研究当地新石器时代偏早时的历史，提供了实物资料。

四川省

成都市

1111.四川省新津县修觉山首次发现新石器时代石器

作　者：四川省新津县工具厂　汤玉玖
出　处：《文物》1982 年第 4 期

1981 年 7 月中旬，新津县县志编纂办公室普查文物时，在修觉山修觉寺杜甫诗碑附近土层内发现 1 个石锛。简报对此予以介绍。

简报介绍，石锛为单面刃，打磨光滑，两头略小，中间略大。8 月 4 日又在通往修觉山的路旁"北观音"附近的土层内发现 1 个石斧，周围有许多绳纹夹砂粗陶片。此石斧两面均有刃口，较为光滑。这两件石器经有关人员鉴定为新石器时代的器物。

1112.新津县首次发现新石器时代有孔石斧

作　者：汤玉玖
出　处：《四川文物》1984 年第 3 期

1983 年 12 月，在新津县铁溪乡顺南河边发现了一些绳纹夹砂粗灰陶碎片、绳纹夹砂粗红陶碎片以及 1 件有孔石斧。简报配以照片予以介绍。

据介绍，石斧通体长 9.8 厘米，上端宽 3.8 厘米，刃口部分宽 5.8 厘米，刃口已残缺，孔大 1.2 厘米，应为新石器时代石斧。它的发现扩充了四川省新石器时代人类的分布活动范围。

成都文物考古研究院等编《川西北高原史前考古发现与研究》（科学出版社 2018 年版），可参阅。

1113.四川新津县宝墩遗址调查与试掘

作　者：成都市文物考古工作队、四川联合大学考古教研室、新津县文管所
　　　　王　毅、江章华、李明斌、卢　丁
出　处：《考古》1997 年第 1 期

新津县位于成都市区西南 38 公里。宝墩遗址位于新津县城西北约 5 公里的龙马乡宝墩村，该遗址以前习称"龙马古城"，当地老百姓传说为"孟获城"。从 20 世纪 50 年代开始，即陆续对该遗址作过一些调查，但收获甚微。为了弄清该遗址的分布范围、文化堆积状况、时代和文化性质，1995 年 11 月，考古人员对该遗址进行了 1 次较为详细的调查，并在调查基础上作了小范围的试掘，试掘面积 133 平方米。调查及试掘时间为 1995 年 11 月 17 日 ～ 12 月 31 日。同时，还在附近进行了地面调查，在余林盘、石埂子、真武观等地采集到一定数量的陶片和少量石器。根据钻探了解到的情况，在第六层下又发现房屋基址，由于揭露面积所限，仅暴露房址的一角，最后决定回填，留待以后作正式发掘。通过调查、钻探，初步确认该遗址面积约在 50 万平方米，同时证实了土垣为人工夯筑的城墙；根据地面城墙保存状况看，该城的面积约为 25 万平方米。简报分为：一、地层堆积，二、遗迹，三、出土遗物，四、采集遗物，五、结语，共五个部分。有手绘图、拓片。

据介绍，该遗址面积较大，保存完好。遗址的文化面貌独特，与三星堆遗址二期以后的文化面貌迥异，其时代应与三星堆一期和绵阳边堆山遗址较为接近。三星堆一期的碳测数据为距今 4700 ～ 4070 年，绵阳边堆山遗址的碳测数据为距今 4900 ～ 4000 年，汉源狮子山所发现类似遗存的碳测数据也在距今 4500 ～ 4000 年左右，三处相关遗存的碳测数据都较接近，因此宝墩遗址的年代简报推断大约也在上述年代范围之内，是川西平原早于三星堆文化（指三星堆遗址二期以后为代表的文化）的一种新的早期文化遗存。

简报称，像这样时代早、面积大、保存有夯土城墙的古遗址在四川地区尚属首次发现，对建立四川早期文化的序列具有重要价值。夯筑城墙遗址是在该遗址原始聚落基础上发展起来的，这对研究长江上游早期文明的形成具有重要的学术价值。

1114.四川省郫县古城遗址调查与试掘

作　者：成都市文物考古工作队、郫县博物馆　蒋　成、颜劲松等
出　处：《文物》1999 年第 1 期

郫县距成都市区西北约 22 公里，位于成都平原的中心，地势由西北向东南倾斜。

属岷江支流的青白江、走马、柏条、徐堰等河流纵贯全境。古城遗址位于郫县县城北约8公里的三道堰镇古城村和梓路村,其北去3.2公里为青白江,南距2.5公里有柏条河。遗址区地面存有一周较完整的城垣,呈长方形,土筑,夯层可见。约长620米,宽490米,面积约30.4万平方米。其中北垣约宽8~30米、高1~2.8米,西垣约宽16~40米、高1.1~3.8米,南垣约宽8~35米、高1~5米,东垣约宽16~35米、高0.8~2.6米。在东垣北段有一缺口,宽约12.5米。1985年成都市人民政府将古城遗址公布为成都市重点文物保护单位。1996年11月对该遗址进行了一次较为详细的调查、钻探,并在此基础上作了小规模的试掘。简报分为:一、地层堆积,二、遗迹,三、遗物,四、结语,共四个部分。有照片、拓片、手绘图。

据介绍,通过对郫县古城遗址的调查和试掘,获取了比较丰富的实物资料,对该遗址的文化堆积情况和文化面貌有了初步的认识。古城遗址出土遗物以陶器为主,另有一定数量的石器。陶器以喇叭口高领罐、宽沿平底尊、壶、盆、绳纹花边罐、窄沿罐、盘口圈足尊、浅盘豆等为代表。石器为磨制的斧、锛、凿等。房屋均为木骨泥墙建筑。遗址当属宝墩文化范畴。宝墩文化的年代大约距今4000年。

1115.四川都江堰市芒城遗址调查与试掘

作　者:成都市文物考古工作队、都江堰市文物局　颜劲松、江章华、樊拓宇
出　处:《考古》1999年第7期

都江堰市位于成都市区西北52公里处。芒城遗址位于都江堰市区南约12公里的青城乡芒城村。遗址区地面存有明显的土垣,其断面夯层可见,应为人工夯筑而成,据推测外圈东西宽约300米,南北长约350米,整个城址的面积约为10.5万平方米。1989年和1990年考古人员曾2次对芒城遗址作过调查,但收效甚微,为了进一步弄清该遗址的时代、文化性质、堆积情况及分布范围,1996年11月,在调查的基础上先后进行了两次试掘。第一次试掘时间为1996年11月5日~11月15日,第二次试掘是对第一次试掘工作的补充,时间为1997年3月14日~4月1日,两次试掘面积共200平方米,出土了较为丰富的文化遗物及遗迹,为初步研究该遗址的文化面貌、性质、年代及其他相关问题提供了可靠的实物资料。简报分为:一、地层堆积,二、遗迹,三、遗物,四、结语,共四个部分。有手绘图、拓片。

据介绍,通过调查和试掘发现芒城遗址的文化堆积较薄,灰坑大多较浅,出土遗物以陶器为主,皆残破,另外有一定数量的石器。简报通过对相关地层及遗迹所出陶器的比较研究,发现无论是陶系、纹饰、器物群还是器物形态都较为一致,没

有太大的变化，简报认为该遗址延续的时间不长，应属同一考古学文化的同一时期。综合考虑，简报推断城垣的年代应与遗址中宝墩文化时期堆积基本相当。

1116.大邑县韩场乡三墩村发现穿孔石斧

作　者：汤玉玖

出　处：《四川文物》2001 年第 1 期

大邑县韩场乡三墩村一带，有着丰富的古代遗存。1997 年 4 月，考古人员在此发现穿孔石锛。简报配以照片予以介绍。

据介绍，此穿孔石锛为青石质，长 7 厘米，单面刃口，弧刃。与之伴出的有石器、烧焦兽骨、陶片等，应属宝墩文化遗存。

1117.四川崇州市双河史前城址试掘简报

作　者：成都市文物考古工作队　蒋　成、李明斌

出　处：《考古》2002 年第 11 期

双河遗址位于四川省崇州市城关（崇阳镇）以北 16 公里处，在成都平原西缘。该遗址于 1996 年春考古调查时发现，后经复查并联系成都平原其他几处史前遗址的情况，初步认为是 1 处以古城为明显特征的史前遗址。为了进一步了解遗址的文化面貌、文化性质、年代及其与成都平原同类遗址的关系，1997 年秋，对双河遗址进行了一次较为详细的钻探，并在此基础上进行了试掘。

田野工作从 1997 年 10 月 8 日至 11 月 10 日，历时 34 天。调查和钻探结果表明，双河遗址现存城垣平面大致呈长方形，保存有北、东、南 3 面城垣，西垣不存，东垣保存较好，较为完整。3 面城垣都分成内、外两圈，中间为壕沟，整个城垣的平面形状可复原为"回"字形。城垣外侧没有发现古代文化堆积，因此遗址的面积应与城垣所围面积大致相当，为 11 万平方米。保存的城垣一般高出现今地表 2 ～ 3 米，顶宽约 18 ～ 30 米。公路以西的地方地势比遗址低约 2 米，经钻探，这里为纯净的沙层，没有发现古代的文化堆积。简报分为：一、前言，二、地层堆积，三、遗迹，四、出土遗物，五、结语，共五个部分。有手绘图、拓片。

据介绍，本次试掘工作未对城垣进行解剖，结合同类遗址进行分析，双河遗址城垣的始建年代应与城垣内发掘的遗存属同一个大的时期。由于没有碳十四测年数据，根据以城垣为主要特征的遗址形态及器物组合，类比成都平原地区的相关遗址，简报初步推断其年代在距今 4500 ～ 4000 年左右。至于详细的年代学判定，还有待

进一步的工作。

简报称，双河遗址中城址西垣不存的原因，简报结合钻探情况分析，认为存在两种可能：第一，城址西侧原就以河作为防御屏障，即当时未修建土垣；第二，原先先筑有土垣，后来由于河流改道，冲毁西垣，并完全破坏了附近的文化堆积。

1118.成都市西郊金沙村龙山时代遗址试掘

作　者：成都市文物考古工作队、成都市文物考古研究所　李明斌
出　处：《华夏考古》2002 年第 3 期

金沙遗址位于成都市西郊的青羊区苏坡乡金沙村五组，其南紧邻金沙汽车站和清江公路。1999 年 6 月，考古人员为配合房地产开发项目，对该遗址进行了勘探与发掘，发现了龙山文化遗存。简报分为：一、地层堆积，二、遗迹，三、遗物，四、结语，共四个部分。有拓片、手绘图。

据介绍，遗址计发现灰坑 1 个，出土陶片 1115 片。遗址时代，简报推断应在龙山文化后期，大致距今 4200 ～ 4000 年。

1119.成都市新都区忠义遗址发掘简报

作　者：成都文物考古研究所、新都区文物管理所　王　波、陈云洪
出　处：《四川文物》2009 年第 3 期

2007 年 11 月底，考古人员对成都市新都区斑竹园镇"竹园丽都"撤迁安置小区工地的考古勘探中，发现 1 处新石器时代晚期遗址。为弄清遗址文化内涵及性质，成都文物考古研究所、新都区文物管理所联合发掘小组于 2007 年 12 月 17 日至 2008 年 1 月 16 日对该工地进行了抢救性清理发掘，此次发掘面积 450 平方米。忠义遗址发现的遗迹有灰坑、墓葬和房址 3 类，并出土大量的陶片及少量磨制石器。陶片以素面居多，可辨器形主要有绳纹花边口沿罐、敞口圈足尊、喇叭口高领罐、宽沿平底尊等，这些器形均为宝墩文化的典型器物，其文化内涵当属宝墩文化范畴。通过器物的类型学分析对比，简报推断该遗址的相对年代在宝墩文化二、三期之间。简报分为：一、遗址概况，二、地层堆积，三、遗迹，四、出土遗物，五、结语，共五个部分。有手绘图。

简报称，M1 葬式为仰身直肢，两前臂横放于腹部。这种双臂交错横抱的形式，在宝墩文化墓葬中还尚未发现，而在晚于宝墩文化的十二桥文化则十分流行，成都金沙遗址也发现有较多此种葬式的墓葬。两者间是否有渊源关系，鉴于材料的局限，

还难以定论。遗址的发现，为成都平原地区宝墩文化的发展演变和宝墩文化的聚落研究，提供了新的线索。

自贡市

攀枝花市

1120.攀枝花市发现旧石器时代晚期洞穴遗址

作　者：晏德忠
出　处：《四川文物》1989 年第 6 期

考古人员在仁和区民政乡进行文物普查工作时，该乡小学向在铮等人报告了把关河村回龙湾溶洞内外拾到打制的砾石砍砸器、动物化石、钻孔石器等情况。经过几次踏考和有关专家认定，这是 1 处有重要研究价值的旧石器时代晚期洞穴遗址。简报配以照片予以介绍。

据介绍，回龙湾洞穴遗址位于金沙江北岸支流把关河畔山腰上，为高出河面 300 米、海拔 1500 米的石灰岩洞穴。洞口正东西向。洞深 12 米，洞内宽处 4.5 米，窄处 2 米，平面、剖面约成三角形，面积在 35 平方米左右。经试掘，发现有细石器及动物化石等。其时代，简报推断为距今 18000 ～ 10000 年。

泸州市

1121.古蔺发现人类化石

作　者：胡世勋
出　处：《四川文物》1993 年第 3 期

考古人员在川南古蔺县境内海拔 850 多米的沉积岩中 1 个堆积洞穴内发现古人类化石和 20 余种哺乳动物化石。

据介绍，这次发现的哺乳动物化石，经西北大学地质系教授初步鉴定有大熊猫、剑齿象、中国貘、中国犀、杨氏水牛、羚牛、水鹿、柯氏熊、角鹿、鬣狗、竹鼠等

10余种。重庆自然博物馆两名专家发现有古人类牙齿化石10颗，其中1颗牙化石连在一截长约2厘米的牙床化石上。专家们认为这些化石的地质年代为新生代第四纪更新世中晚期，距今至少有1万年到100万年的历史。这些古人类、大熊猫—剑齿象动物群化石的发现，对研究古蔺和川南地区的古地理、古地质、古地貌、古气候和古哺乳动物的演变，古人类活动和历史发展等系列问题，都提供了依据，具有十分重要的科学价值。

德阳市

1122.四川广汉市三星堆遗址仁胜村土坑墓

作　者：四川省文物考古研究所、三星堆遗址工作站　陈德安、雷　雨等
出　处：《考古》2004年第10期

1997年11月13日，广汉市三星镇仁胜村砖厂在三星堆遗址西面Dg区取土时，于距地表1.27米深处挖出象牙1根。考古人员赶赴现场调查处理。从断壁上的迹象初步判断，出土象牙处是1座墓葬，象牙是墓内的随葬物，并于次日对该墓（M1）进行了清理，随后又抢救清理了M2～M4、M6。根据墓葬暴露的密集程度，推测这里可能是1处墓葬区，还需继续在砖厂拟取土的范围内进行有计划的抢救发掘。于1998年1月2日至6月26日对部分拟取土区域的墓葬进行了抢救性发掘。简报分为：一、地理位置、环境，二、地层堆积，三、墓葬形制，四、出土遗物，五、结语。共五个部分。有彩照、手绘图。

据介绍，仁胜村墓葬群位于三星堆遗址西城墙以西，东距西城墙约550米，西距龙家院子150米，南距肖家院子约50米，北距2号支渠约400米。20世纪70年代，仁胜村在冲沟东面台地上建一砖瓦窑，烧砖取土时偶有玉石器出土。1998年1～6月，对仁胜村墓葬群的发掘，发现墓葬分长方形土坑墓和狭长形土坑墓2种，其中长方形土坑墓有的在一端或两端筑有熟土二层台。随葬器物有陶器、玉锥形器和涡旋状玉器等。墓葬时代相当于二里头文化二期至四期。

简报称，这批土坑墓埋葬现象十分特殊，墓坑底部均经过夯打，长方形竖穴土坑墓坑壁也经过拍打。此种情况，显然不能简单地看成是为了墓坑的坚固或美观而进行的再加工处理。特别是长方形竖穴土坑墓的墓底遍布一层呈油腻状的黏稠、细腻的有机物腐殖质。人骨或零乱不全，或严重腐朽，仅存模糊的朽痕，甚至残存的人骨陷入墓底夯面中，人骨与墓坑同时被夯砸的迹象十分明显。这种对人骨的特殊

处置方式，也许和某种宗教礼仪活动有一定关系。

简报还指出，仁胜村土坑墓出土的这批玉石器，其形制风格较为特殊，在成都平原的商代玉石器中不见类似踪迹，这也是目前已知在成都平原出土时代最早的一批玉石器。出土的三件玉锥形器和良渚文化的玉锥形器相似。良渚文化在杭州湾和环太湖地区，存在的年代为距今5000～4000年左右。之后，良渚文化的某些因素除滞留在殷墟商文化中外，同时也见于成都平原的三星堆和金沙遗址中。在长江中游地区石家河文化晚期遗存肖家屋脊、成都南郊十街坊出土的骨锥形器，也具有良渚玉锥形器的风格。这或许说明，在龙山末期至二里头时期，良渚中游文化因素进入了成都平原，并较长时期滞留在三星堆、金沙等具有地方政治中心性质的遗址中。

1123.四川什邡桂圆桥新石器时代遗址发掘简报

作　者：四川省文物考古研究院、德阳市博物馆、什邡市博物馆　万　娇、
　　　　雷　雨等

出　处：《文物》2013年第9期

桂圆桥遗址位于四川省什邡市东郊回澜镇玉皇村二、三组，分布面积近3万平方米，中部有一条古河道。2009年4月，在什邡市第3次全国文物普查中发现。2009年5～7月，考古人员对遗址进行了勘探和小规模抢救性试掘。2000年7～8月，四川省文物考古研究院联合德阳市博物馆和什邡市博物馆，对遗址进行了大规模抢救性发掘。发掘面积共计2953平方米，可分为南区、北区和西区3个部分。遗址包括新石器、商、西周、汉、晋和宋6个时期的文化遗存，文化层主要分布于古河床西岸，平均厚度约0.6米，最厚处约1.2米。简报分为四个部分对新石器时代晚期遗存发掘情况进行了介绍，配有手绘图多幅。

桂圆桥遗址遗迹类型丰富、数量较多，包括房址3座、灰坑78个、积石坑10个、墓葬2座、窑址2座、沟16条及井1口。遗址出土遗物较多，早期主要为陶器，石器数量较少。发现有较多的燧石，但打制痕迹不清晰，另有极少量的石叶。石器多为磨制，器型主要为斧和锛。陶器分为3期介绍，此不具引。

简报指出桂圆桥遗址是目前成都平原发现最早的新石器时代晚期遗址，其新石器时代晚期文化可以分为3期。其中以H20为代表的第一期遗存，早于三星堆一期（宝墩）文化。桂圆桥遗址早期堆积虽然不够丰富，但遗迹间的打破关系已足以建立起陶器的发展序列，并确立年代框架，而这将促进四川地区新石器时代晚期文化的研究。

简报认为，桂圆桥遗址的发掘极大地丰富了对成都平原新石器时代晚期文化的认识，并将促进对成都平原文化交流及三星堆文化（三星堆遗址二至四期）来源的研究。

绵阳市

1124.四川绵阳市边堆山新石器时代遗址调查简报

作　者：中国社会科学院考古研究所四川工作队　郑岩葵、叶茂林
出　处：《考古》1990 年第 4 期

1988 年秋季，考古人员在四川绵阳和广元两市的部分县区，进行了 1 次考古选点调查。调查中，在绵阳市边堆山发现了 1 处分布范围较大、遗物丰富的古文化遗址。简报分为：一、遗址地理概况，二、采集遗物，三、结语，共三个部分。有手绘图、拓片。

据介绍，这次复查采集发现了一大批原始文化陶片和石器，确认了边堆山古文化遗址的属性，发现和确认了该遗址文化新的主要分布区域和择地特点。边堆山原始文化遗址的相对年代，据对其文化内涵的初步分析推断，当在新石器时代范围内，其绝对年代或相当于中原地区的龙山文化早期阶段甚至还要更早，并较之四川境内业已发现的其他属于当地土著文化系统（大溪文化除外）的新石器时代文化遗址在具体年代上大略偏早。

1125.四川江油市大水洞新石器时代遗址发掘简报

作　者：四川省文物考古研究院、绵阳市博物馆、江油市文物管理所　胡昌钰、
　　　　任　江、张　敏、李　晓
出　处：《四川文物》2006 年第 6 期

2005 年 4 月，考古人员对四川江油大水洞新石器时代遗址进行了考古发掘，清理用火遗迹 2 处，发现陶片、石器、石坯、砺石、骨器、蚌饰等遗物。该遗址时代大体在公元前 5000 年左右。简报分为：一、自然面貌与地理位置，二、探方与地层堆积，三、遗址，四、遗物，五、结语，共五个部分。有拓片、照片、手绘图。

据介绍，大水洞遗址位于江油市西北的大康镇早丰村，遗物有陶、石、骨、蚌器等。大水洞遗址所出的陶片，无论是陶质、陶色，还是纹饰、器形，都与茂县沙乌都遗存、

茂县下关子遗址、绵阳市边堆山遗址、新津县宝墩遗址所出的陶片相类似，反映出这是一条始自茂县，东向经岷山断层谷，顺涪江汉支流土门河、通口河再沿涪江而下，经绵阳，进入成都平原的古文化传播路线。这条始于茂县，经北川，至绵阳的路线成为历史时期的重要交通通道，唐代称为"松岭关道（威蕃栅道）"，宋代称为"陇东道（石泉军路）"，明代称为"茂州小东路"。直至今日，北茂公路仍沿该古道而建。简报称，大水洞遗址对于研究古羌人进入成都平原的路线以及古蜀文明的形成，均有重要意义。

1126.四川北川县烟云洞旧石器时代遗址发掘简报

作　者：四川省文物考古研究院、绵阳市博物馆、北川县文物管理所　胡昌钰、
　　　　任　江
出　处：《四川文物》2006 年第 6 期

2005 年考古人员对北川县烟云洞旧石器时代遗址进行了考古发掘，清理了火塘、灰坑、灰烬遗迹等，发现石器、石叶等石制工具及较多哺乳动物化石。另还发现清理了明清时期的灶、池、坑等遗迹。简报分为：一、自然面貌与地理位置，二、地层堆积情况，三、遗迹及层位关系，四、人工制品，五、化石，六、结语，共六个部分。有手绘图、照片。

据介绍，烟云洞旧石器时代遗址出土的哺乳动物化石年代应该在更新世晚期。简报由此推断，该遗址的年代距今约 3 ～ 2 万年。

简报称，此次发掘出土的石器标本数量极少，不便于与同时期其他遗址或地点出土的器物进行对比研究。但该遗址清理出的更新世晚期火塘和灰坑在四川地区还是第 1 次发现；用火遗迹在四川省境内是继汉源富林遗址之后的第 2 次发现。上述这些新发现为四川地区旧石器时代考古研究提供了一批重要资料。

广元市

1127.四川广元市中子铺细石器遗存

作　者：中国社会科学院考古研究所四川工作队　王仁湘
出　处：《考古》1991 年第 4 期

在川北重镇广元市近郊，近年陆续发现并发掘了几处新石器时代遗址，出土了

一批独具特征的文化遗物。1990 年春，考古人员又在广元境内的中子铺，发现并确认了一处细石器遗存，采集到大量重要文化遗物，从而将川北地区的史前考古研究又向前推进了关键的一步。中子铺的细石器遗存仅限于地面的调查，采集标本却有近 1000 件之多。

简报分为：一、地理环境与地层概况，二、遗物，三、结语，共三个部分。有手绘图等。

据介绍，中子铺位于广元市东北约 50 公里，为乡政府所在地。在一个约 60 米高的山丘上可采集到细石器、磨制石器。简报称，在很长时期内，细石器都被认为是北方草原的特有的游牧文化，对它的起源地，存在着一些不同的看法。从 20 世纪 30 年代的欧洲起源论，到 40 年代的西伯利亚起源说，又有 70 年代的蒙古起源论等，这些都是国外学者的结论。我国学者 70 年代提出华北起源说，认为华北为起源中心，由黄河流域传播开去，并影响到我国广阔地区及东北亚洲、西北美洲一带。学术界基本接受了这种认识，但是南部中国的材料比较缺乏，还不能完全支持这个说法。中子铺的发现，使我们相信黄河秦岭以南地区，也分布有丰富的细石器遗存，是否有起源中心或次中心，还有待更多的发现来论证。

1128. 四川广元市张家坡新石器时代遗址的调查与试掘

作　者：中国社会科学院考古研究所四川工作队、四川省广元市文物管理所
　　　　郑若葵、王仁湘

出　处：《考古》1991 年第 9 期

1988 年秋，考古人员在四川广元市部分县区进行了 1 次考古调查，在广元市区西南河西办事处八一村 6 组的农田中发现了张家坡遗址。1989 年 4 月，在对张家坡遗址进一步调查和钻探之后，认定这是 1 处重要的新石器时代遗址，随即进行了小规模的试掘。

简报分为：一、遗址地理简况与地层堆积，二、文化遗物，三、结语，共三个部分。有手绘图。

据介绍，从所获文化遗物分析，张家坡遗址石器种类比较齐全，主要有斧、锛、刀、凿等。大部分石器为磨制，也见到少量打制石器和石坯。石器形制规整，磨工精细，石质也较为坚硬。陶器色泽不匀，火候不高，纹饰也比较简单，以绳纹为多见，主要器型有罐、钵、盘、碗等，以平底器多见。尽管遗址文化面貌并不十分清晰，但可以肯定这是 1 处新石器时代遗存。绝对年代尚待测定。

1129.广元市鲁家坟新石器时代遗址调查记

作　者：郑若葵、唐志工
出　处：《四川文物》1992 年第 3 期

　　鲁家坟遗址，坐落在嘉陵江上游支流南河北岸的一级台地上，高出南河河面约 15 米，系今广元市东部东坝新城区鲁家坟村辖地，南距南河水道约 1.45 公里。遗址是在 1989 年考古调查中发现的，当地机砖厂取土造成很大破坏。

　　简报分为：一、地层堆积，二、采集文化遗物，三、结语，共三个部分。有手绘图。

　　据介绍，采集遗物有石器 4 件，器型有锛、砍砸器、尖状器和刮削器 4 种。陶片 100 余件，其确切年代当属新石器时代晚期，年代的下限约相当于中原龙山文化的中、晚期。文化与大溪文化不同，年代上应与大溪文化相近或略晚，应是四川当地土著文化。

1130.四川广元市古文化遗址调查

作　者：广元市文管所　唐志工
出　处：《考古》1997 年 5 期

　　广元市位于四川省北部边缘，北邻陕西省，境内以山地和丘陵为主，嘉陵江纵贯其间。自 1988 年秋至 1990 年秋，考古人员在市辖境的嘉陵江两岸及其支流附近的低丘和台地发育的河谷地带进行了多次考古调查，共发现 7 处古遗址和 5 个石器采集点。其中 3 处古遗址和 5 个石器采集点，简报配以手绘图予以介绍。

　　据介绍，3 处遗址为东山坪遗址、转运站遗址、邓家坪遗址；5 个石器采集点为：老田坝、狸猫坪、元宝梁、碑窝窝、汽车站。转运站、老田坝、狸猫坪、元宝梁和东山坪等分布于白龙江流域；邓家坪、碑窝窝、汽车站、坪上等分布于嘉陵江流域。标本主要采自地表或冲沟两侧。简报认为：东山坪遗址虽见打制石器 1 件，但陶片器形和纹饰具战国稍早的特征；转运站采集的陶片特征与本地区战国中晚期船棺葬中出土的陶器相似（见四川省博物馆：《四川船棺葬发掘报告》，文物出版社 1960 年版）；元宝梁、狸猫坪 2 个地点的年代可能早于东山坪遗址；碑窝窝、汽车站、坪上和邓家坪、鲁家坟林、老田坝遗址的年代应为新石器时代。

　　简报称，这些地点的发现填补了该地区新石器文化遗存的空白，并为进一步寻找遗址提供了重要线索。

遂宁市

内江市

乐山市

南充市

宜宾市

1131.四川宜宾南部首次发现新石器时代遗物

作　　者：四川大学历史系考古实习队

出　　处：《考古与文物》1984年第4期

考古人员于1981年9～11月，在四川宜宾地区南部的宜宾县、高县、筠连县和宜宾市等7个县、市境内进行了考古普查，发现了新石器时代文化遗物采集点11处。

简报分为：一、宜宾县，二、宜宾市，三、筠连县，四、高县，五、结语，共五个部分。有手绘图。

据介绍，在宜宾县境内的岷江、金沙江流域两岸的河滩和台地上发现5处文物采集点，采集到磨制石器8件、打制石器6件和若干陶片。1949年前，有人曾在宜宾市郊发现过石器。这次在市郊普查时，采集到2件磨制石斧和1件打制石斧。筠连县的采集点在巡司公社巡司河东岸1个山洞中。高县的采集点：1在龙洞公社太原大队一山洞中，1在水红公社砖瓦厂。

简报称，这是岷江流域第1次发现新石器时代遗物。

1132.岷江下游宜宾河段再次发现新石器时代遗物

作　者：魏　宁、廖　明、赵川荣、孙智彬
出　处：《四川文物》1989 年第 3 期

1987 年 3 月底至 4 月初，考古人员对岷江下游宜宾县和宜宾市境内的部分河段进行了考古调查，除复查了 1981 年发现的 5 处新石器时代文化遗物采集点外，又新发现了新石器时代文化遗物采集点 3 处和古遗址 2 处。简报分为：一、采集点，二、古遗址，三、结语，共三个部分。有手绘图。

据介绍，这次调查，共采集石器 29 件、陶片若干。部分遗物可能是被水冲至沙滩，但也不排除盛产砾石的河滩是古人制作石器的场所的可能性。

广安市

达州市

眉山市

雅安市

1133.四川省汉源县大树公社狮子山发现新石器时代遗址

作　者：刘磐石、魏达议
出　处：《文物》1974 年第 5 期

1972 年 10 月，考古人员前往发掘富林镇旧石器时代文化遗址。工作结束后，在附近进行了调查，发现了狮子山新石器时代遗址。遗址位于汉源县大树堡村南不远处。简报配以手绘图、照片予以介绍。

据介绍，采集到的文化遗物主要是陶片和石器。石器分打制石器和磨制石器两种。打制石器一类与富林镇旧石器时代遗址出土的石器有相似的地方，另一类是用板岩打制的，发现有完整的石斧 1 件。磨制石器，共 6 件，器型有石斧、石锛、石刀。

石斧和石刀均为灰色板岩质。

根据采集到的文化遗物判断,狮子山文化遗址的时代,简报推断属于新石器时代,确切的文化面貌有待进一步发掘。

1134.四川汉源大地头新石器时代遗址

作　者：四川省文物考古研究院、雅安市文物管理所、汉源县文物管理所
　　　　郭　富、胡昌钰等

出　处：《文物》2006 年第 2 期

大地头遗址位于四川省雅安市汉源县城西南 3 公里,在大渡河南岸、花果山北麓的坡地上。1991 年首次发现该遗址,2004 年 4 ~ 6 月,考古人员对该遗址进行了考古发掘。简报分为:一、地层堆积,二、遗迹,三、出土器物,四、结语,共四个部分。有手绘图等。

据介绍,遗址共发现基址 13 处、灰坑 2 个、陶窑 1 座。出土陶器、石器、角器等。简报初步推断,该遗址的年代为距今 4000 年左右。从出土的陶器和石器来看,当时的经济以农业为主,辅以渔猎和采集。在该遗址发现了新石器时代晚期的石构排房基址,这在四川地区尚属首次发现,为研究大渡河中游地区当时的生产力发展提供了新资料。

1135.四川汉源县麦坪新石器时代遗址 2007 年的发掘

作　者：四川省文物考古研究院、雅安市文物管理所、汉源县文物管理所
　　　　刘化石、刘志岩等

出　处：《考古》2008 年第 7 期

麦坪遗址位于四川省汉源县大树镇麦坪村,遗址总面积约为 10 万平方米。此区域在 20 世纪 50 年代以来历经多次大规模的围河造田、开山改土等基本建设活动,对遗址造成较为严重的破坏,现存地表已被辟为梯田。考古人员于 2001 年首次对该遗址进行了试掘,发现较丰富的新石器时代遗存。为配合瀑布沟水库的建设,2006年对遗址进行了正式发掘,并于 2007 年继续对该遗址进行了 2 次考古发掘。简报分为:一、地层堆积,二、遗迹,三、出土遗物,四、初步认识,共四个部分。介绍了 2007 年的发掘情况,有彩照、手绘图。

据介绍,2007 年对麦坪遗址的大规模发掘,发现房址 30 余座、灰坑 100 余座、墓葬 8 座,出土大量石器和陶器等。简报指出,麦坪遗址的发掘成果较为丰富。

年代应属新石器时代晚期，即距今约 5000 ～ 4500 年。其陶器虽与周边同时期的其他文化在某些方面存在相似性，但整体风格明显有别于周边同时期文化，具有强烈的地域特征，表现出一种独特的文化面貌。麦坪遗址是 1 处较大型的史前聚落，房址分布密集。所清理的 F8 有附属建筑、F26 为三室房屋、F4 残存有垒筑的墙体，这些都是四川地区史前考古较为罕见的发现。它的发掘，对研究大渡河流域乃至整个四川地区的新石器时代文化、探讨当地的环境变迁及人类生活方式具有重要的价值。

简报称，麦坪遗址地处横断山区大渡河中游相对较为平缓的河谷地带，这个区域地理位置相对封闭，但又是以成都平原为中心的四川盆地与川西南及云贵地区之间交往的必经之地，也是历史上由黄河上游甘青地区经川西高原南下进入云贵地区的文化走廊、民族走廊的重要组成部分。对这一区域史前遗址的考古发掘和研究，将有利于对横断山区史前文化的交流及史前人群迁徙等重要课题进行深入探讨。

巴中市

资阳市

1136.四川资阳等县石器时代文化

作　者：四川省文物管理委员会
出　处：《考古》1983 年第 6 期

1973 ～ 1980 年，考古人员在资阳、资中、简阳、乐至、遂宁、蓬溪、安岳等县，以沱江、涪江的支流为重点，进行了多次考古调查，以期发现古人类化石、旧石器时代文化遗物和解决资阳人头骨化石时代问题的新线索。前后共调查了 7 个县 38 个地点。在资阳沱江支流蒙溪河的石虾子、丁家堰、沙嘴、迴龙桥等处的干涸河床上和安岳县龙台区水电站附近、向水公社背后河床边、黄鳝溪等处采集到 47 件打制的石制品和 7 件磨制石器及哺乳动物化石。简报配以手绘图予以介绍。

据介绍，考古人员在石虾子、沙嘴等地采集到石片 30 件、石器 10 件，在黄鳝溪采集到砍伐器 7 件。前者与铜梁文化、富林文化遗物差异较大，后者与铜梁文化相近。以上均属旧石器时期遗物。考古人员还在蒙溪河的石虾子、迴龙桥、沙嘴的干涸河床上采集到 7 件新石器时代的生产工具。其原料全部是砾石，有石斧 5 件、石锄 1 件、石锛 1 件。

1137.四川资阳鲤鱼桥旧石器地点发掘报告

作　者：北京大学历史系考古教研室、四川省博物馆　吕遵谔、黄蕴平、范桂杰、胡昌钰等

出　处：《考古学报》1983 年第 3 期

1973 年夏天，考古人员以资阳县为中心，在资阳、资中、简阳、乐至、蓬溪、遂宁等县进行考古调查。在调查期间，于沱江流域获得不少实物资料。1980 年 12 月至 1981 年 1 月上旬，考古人员进行了发掘。发掘工作于 1980 年 12 月 13 日开始，到 1981 年 1 月 8 日结束，历时 26 天，获得哺乳动物化石、打制石器和大量乌木、树叶和种子标本，同时取得了完整的地层资料。由于两次发掘的距离很近，动物化石、打制石器和乌木都出于直接覆于基岩上唯一的黑灰色粉砂黏土层内，应属同一时代。简报将 1973 年试掘和 1980 年发掘的资料统一整理，分为：一、前言，二、鲤鱼桥附近的地质地貌，三、地层和时代，四、文化遗物，五、问题讨论，六、结语，共六个部分。有照片、手绘图。

据介绍，鲤鱼桥位于公社所在地东约 2 公里，该遗址属旧石器时代文化。简报讨论了气候、植物、石制品、乌木等问题。

阿坝州

1138.四川汶川县姜维城新石器时代遗址发掘简报

作　者：四川省文物考古研究所、阿坝州文物管理所、汶川县文化体育局　黄家祥等

出　处：《考古》2006 年第 11 期

汶川县位于四川省西北部的岷江东岸，距成都市约 160 公里，距都江堰市约 90 公里。姜维城遗址地处汶川县城所在地威州镇北姜维山的半山腰缓坡地上，当地人称"古城坪"，属双河村一组，紧邻威州师范学校。姜维城遗址的考古工作开始于 20 世纪 30 ～ 40 年代，在调查中曾发现石器、彩陶片等。20 世纪 60 年代初期，四川大学历史系考古专业在岷江上游的理县、汶川等地进行田野考古实习时，在该遗

址采集到彩陶片、石器、网坠等遗物。20世纪80年代中期，四川开展全省文物普查时在这里也采集到早期陶片和石器等。2000年5～7月，考古人员对姜维城遗址进行全面调查和初步发掘。简报分为：一、地层堆积，二、出土遗存，三、结语，共三个部分。有手绘图。

据介绍，此次发掘发现灰坑、柱洞等遗迹，出土大量陶片及石、骨、角器等遗物，其中包括部分彩陶。该遗址的发掘，对研究岷江上游地区的新石器时代文化面貌、该地区5000年前史前人类的生活环境和迁徙过程，以及长江和黄河上游古代文化的交流等都具有重要意义。

1139.四川马尔康县哈休遗址调查简报

作　者：阿坝藏族羌族自治州文物管理所、四川省文物考古研究院、成都文物考
　　　　古研究所、马尔康县文化体育局　陈　剑、陈学志、范永刚、杨　昕
出　处：《四川文物》2007年第4期

哈休遗址是大渡河流域重要的史前考古遗址之一。近年来陆续开展了多次调查工作，发现了完整的新石器时期原生地层，包含物丰富，采集到石器、玉器、陶器、兽骨等若干遗物，其中包括变体鸟纹彩陶器、齿叶纹彩陶盆等。初步判定哈休遗址年代为距今5300～4700，与仰韶晚期文化、马家窑类型文化有较大的关联。简报分为：一、前言，二、地层堆积，三、采集器物，四、结束语，共四个部分。有拓片、手绘图。

据介绍，哈休遗址位于四川省阿坝藏族羌族自治州马尔康县沙尔宗乡西北约1500米的哈休村一组。简报认为哈休遗址应是大渡河上游地区的一种包含较多仰韶晚期文化和马家窑类型文化因素的新石器时代地方文化类型，对建立川西北高原乃至四川地区的较为完备的新石器时代文化类型体系、探讨黄河上游与长江上游新石器文化的交流互动关系等问题，提供了较为丰富的实物资料。

1140.四川茂县白水寨和沙乌都遗址 2006 年调查简报

作　者：成都文物考古研究所、阿坝藏族羌族自治州文物管理所、茂县羌族博
　　　　物馆　蒋　成、陈　剑、陈学志、蔡　清、范永刚
出　处：《四川文物》2007年第6期

白水寨遗址发现于2000年，沙乌都遗址发现于2002年，2006进行复查时已发现有盗掘等破坏行为。简报分为：一、白水寨遗址，二、沙乌都遗址，三、结束语，

共三个部分。有拓片、照片、手绘图。

据介绍，白水寨位于阿坝州茂县南新镇，沙乌都位于茂县凤仪镇。白水寨和沙乌都遗址的年代属于龙山时代早期，目前可以将其文化遗存分为前后2段：第1段以白水寨遗址为主体遗存，与营盘山遗址上层部分地层单位出土陶片相似，沙乌都遗址北区的部分遗存可归入本段；第2段以沙乌都遗址南区堆积为代表。白水寨及沙乌都遗址的发现有助于了解四川盆地西北缘龙山时代遗存的内涵及演变情况，为探讨川西北高原与四川盆地之间新石器文化的关系提供了重要的实物资料。

1141.四川茂县下关子遗址试掘简报

作　者：成都文物考古研究所、阿坝藏族羌族自治州文物管理所、茂县羌族博物馆　蒋　成、陈　剑、陈学志、蔡　清、范永刚

出　处：《四川文物》2008年第2期

2007年，考古人员对位于阿坝州茂县光明乡蹄溪村四组和中心村一组的下关子遗址进行了试掘。简报分为：一、前言，二、地层堆积，三、出土遗物，四、初步认识，共四个部分。有照片、拓片、手绘图。

据介绍，下关子遗址出土遗物包括陶器、石器、骨器等。陶质有夹砂、泥质，颜色有黑褐、灰褐、灰、黑皮陶等。纹饰有绳纹、附加堆纹、戳印纹、齿状花边口沿和绳纹花边口沿装饰、瓦棱纹、交错绳纹、乳钉纹等。陶器以手制为主，部分经过慢轮修整加工，多数见刮抹痕迹。器多平底和假圈足，其中罐最多，有侈口、鼓腹、长颈鼓腹、敛口、直口诸种，另有喇叭口壶形器、陶臼等。石器分打制和磨制，器型有刀、穿孔石刀、锛、斧、切割器、砍砸器、尖状器、盘状器等。骨器见有笄。与绵阳边堆山、江油大水洞等遗址的文化面貌基本一致，也与宝墩文化的某些因素相似，属于四川盆地的龙山时代考古学文化，年代距今约4800～4500年。遗址面积较大，简报认为应属河谷台地型聚落遗址，是龙山时代四川盆地西北缘地区的1处中心聚落。

1142.四川金川县刘家寨遗址调查简报

作　者：四川省文物考古研究院、阿坝藏族羌族自治州文物管理所、金川县文化体育局、壤塘县文化体育局　李　俊、陈学志、范永刚

出　处：《四川文物》2012年第5期

2010年3月，考古工作者在四川金川县发现了刘家寨遗址，采集到石器和陶器。

该遗址与大伊里遗址、哈休遗址等同为大渡河上游河源区的新石器时代晚期遗址。该发现为研究此区域新石器时代文化提供了新的依据。简报分为：一、前言，二、采集遗物，三、结语，共三个部分。有手绘图、照片。

据介绍，刘家寨遗址位于四川省阿坝藏族羌族自治州金川县二嘎里乡二嘎里村刘家寨，地处绰斯甲河北岸的一级台地之上。2003年3月在考古调查和勘探时被首次发现，遗址面积37500平方米。哈休遗址三组不同文化因素的典型器物在刘家寨遗址中均有发现，两遗址应该同属一个考古学文化类型。哈休遗址的年代在距今5500～4700年，刘家寨遗址的年代简报推断应该与其相当。

简报称，刘家寨遗址同大伊里遗址、哈休遗址、孔龙村遗址、白赊村遗址、沙耳尼遗址等组成了大渡河上游流域河源区的新石器时代晚期遗址群。它的发现，为进一步探讨大渡河上游新石器时代晚期文化丰富了实物材料，同时为大渡河上游文化哈休类型的确立提供了新的依据。

甘孜州

1143.四川乡城县卡心坝遗址调查简报

作　者：四川省文物考古研究院、甘孜藏族自治州文化局　万　娇、郭　富、刘玉兵

出　处：《四川文物》2013年第5期

2008年9月，康巴藏区民族考古综合考察团在四川甘孜州乡城县洞松乡木因村卡心坝采集到早期陶片。根据出土陶片判断，该遗址年代当在距今4000年前或更早。卡心坝遗址为金沙江上游四川境内发现的首个新石器时代晚期遗址。简报配以手绘图予以介绍。

据介绍，卡心坝遗址位于金沙江二级支流硕曲河二级阶地上，属四川甘孜藏族自治州乡城县洞松乡木因村。2008年9月30日，考古人员在复查甘孜州乡城县洞松乡木因村石棺葬墓地时，意外地在其旁卡心坝当地村民矮围墙内的庄稼地里采集到早期陶片。考察团以此为线索，在卡心坝展开拉网式调查，又采集到数十片同类陶片，并在遗址边缘试掘。经测量，卡心坝遗址面积约2万平方米。共采集陶片42片，其中夹砂褐陶25片，夹砂红陶17片，部分红褐陶经渗透成深褐色。

简报称，卡心坝遗址是金沙江上游四川境内发现的首个新石器时代晚期遗址，为揭露本地区早期文化面貌、逐步确认四川横断山脉山区考古学文化序列编年以及

研究横断山脉早期民族迁徙提供了重要的参考，为寻找横断山山脉早期遗址提供了一定的经验和线索。

凉山州

1144.四川凉山彝族自治州喜德县的新石器时代遗址

作　者：王恒杰
出　处：《考古》1979 年第 1 期

1965 年春，考古人员先后在四川省凉山彝族自治州喜德县向荣区拉克乡四合村、光明乡瓦木村发现 2 处新石器时代遗址。两乡都位于县西孙水河两岸。孙水河为金沙江支流，从越嶲入县，至冕宁入安宁河，再入金沙江。孙水河穿过喜德的坝子和山脚时，沿河两岸形成阶状台地。四合、瓦木两遗址就在河左岸山脚的阶状台地上。简报配以照片、手绘图予以介绍。

据介绍，遗址发现 5 个石棺墓，采集到石磨棒、石刀、石锛、石斧及陶片等。简报认为这些遗物都属于新石器时代。就遗物特征看，主要是农业和狩猎工具，已相对定居。新石器时代遗址在凉山地区还是初见。这一地区长期以来一直是彝族居住，直到 1949 年，彝族群众还不会烧制陶器。所以发现这些遗物对研究这一地区的历史和附近地区各族古代先民的活动，是具有一定价值的。

1145.四川西昌礼州新石器时代遗址

作　者：礼州遗址联合考古发掘队　赵殿增等
出　处：《考古学报》1980 年第 4 期

礼州遗址位于西昌县北 25 公里，是 1974 年秋四川省西昌县礼州中学在校旁平整土地时发现的。此后，对该遗址曾先后进行 3 次发掘：1974 年 11 ～ 12 月第 1 次发掘，1976 年 2 ～ 3 月第 2 次发掘，1976 年 10 月进行第 3 次发掘。

据介绍，第 1 次发掘地点（A 区）是礼州中学校园北面的一个土台，当地百姓称为"王家包包"，土台四周已被挖平，仅存东西长 14 米、南北宽 10 米的一个椭圆形土台。第 2 次发掘地点（B 区）在礼州中学校园西北部的果园中。第 3 次发掘仍在 B 区。3 次发掘揭露面积共计 362 平方米。除发掘有新石器时代的遗迹、遗物外，还清理了汉代土坑墓 5 座（见《考古》1980 年第 5 期）以及残大石墓 1 座等。

这是 1949 年以来西昌地区第 1 次考古发掘。简报认为，礼州遗址属新石器时代文化，先民应处于原始社会晚期的历史阶段，出土器物与云南省元谋大墩子新石器文化遗址出土器物有相似之处。四川和云南两省考古人员座谈时认为，此两处应属一个文化类型。

1146.四川普格县新石器时代遗址调查简报

作　　者：凉山彝族自治州博物馆、普格县文化馆　刘世旭、秦应远
出　　处：《考古与文物》1982 年第 5 期

普格县位于川西南的大凉山区，海拔高度平均在 2000 米以上。县内主要河流有普格河（又称"则水河"）和西洛河（又称"黑水河"），两河在县城附近交汇后，南流注入金沙江。

1980 年 12 月，考古人员在上述河流沿岸调查，发现新石器时代遗址 4 处、石器采集点 6 处，获得石器 50 件、陶片一批。简报分为五个部分予以介绍，有手绘图、照片。

据介绍，通过这次调查，在普格县两河流域发现了一批新石器时代晚期的遗址，其文化特征仅与西昌礼州遗址、云南元谋大墩子遗址相同或相近。数年前，川、滇 2 省的部分考古工作者曾经提出："以元谋大墩子遗址和西昌礼州遗址为代表的新石器文化，似属我国长江上游，即金沙江流域的一处典型文化。"据此，简报把它暂称为"大墩子—礼州文化类型"。由于普格地区在地域上正好介于安宁河与金沙江之间，而出土器物又与礼州遗址相似，因而把上述遗址划归这一文化类型，简报认为是可行的。此外，在这次调查中，还获得了一些礼州遗址没有出现过的新器形。这一情况是值得注意的。

1147.四川盐源县轿顶山发现新石器时代遗址

作　　者：四川凉山彝族自治州博物馆、四川盐源县文化馆　邹　麟、刘世超
出　　处：《考古》1984 年第 9 期

轿顶山位于盐源县东北约 9 公里，属甘海公社三大队第五生产队。该山系盐源小盆地边缘山系的小山，山势不高，坡缓，东南与盆地相接，山下白鸡河由北向南流去。遗址位于该山的东南坡地上。1980 年 11 月，考古人员在盐源县历史调查中，对该遗址进行了初步调查，采集到一些遗物，简报配以手绘图予以介绍。

据介绍，遗址表面因水土流失严重，已暴露出不少陶片。从残陶片的露面分布

情况来看，遗址面积约数千平方米。地面除陶片外，石器也易捡到，多为小型器物。出土遗物有陶器、石器 24 件。另据百姓反映，遗址山坡后曾有许多墓葬。经调查，简报推测可能为氏族公共墓地。

该遗址位于白鸡河湾的轿顶山东南缓坡上，背风向阳，与一般新石器时代遗址分布规律一致。从遗址的遗迹及遗物来看，简报推断似属新石器时代晚期。绝对年代的确定尚需对遗址中的木炭标本进行年代测定。遗址和遗物，为了解该地区的新石器时代文化提供了具体的实物资料。

1148.四川西昌市横栏山新石器时代遗址调查

作　者：西昌市文物管理所　张正宁
出　处：《考古》1998 年第 2 期

1987 年，四川西昌市文物管理所进行文物普查时，在西昌市大兴乡横栏山半山坡上发现 1 处新石器时代遗址，简称"横栏山遗址"。这是西昌境内继 1974 年发现礼州新石器时代遗址后，又发现的 1 处新石器时代的重要遗址。

简报分为：一、地理环境及地层情况，二、采集遗物，三、几点认识，共三个部分。有手绘图。

据介绍，横栏山遗址所出的石器梯形斧、锛、新月形刀、柳叶形箭镞，陶器敞口平底罐、敛口钵、高领盘口瓶和带流壶均是该遗址的典型器物。该遗址的陶器制作，普遍采用轮制。根据遗物中新月形石刀、石网坠、石箭镞的出现，简报认为横栏山遗址的先民应是一支以农业为主，兼及捕鱼和狩猎的定居的氏族部落。横栏山遗址在礼州遗址和大石墓文化之间，或许起着承前启后的作用。

简报称，横栏山遗址的发现，为研究金沙江流域原始文化遗存增添了新材料，丰富了大墩子—礼州文化类型的内容。

1149.四川德昌县毛家坎新石器时代遗址发掘简报

作　者：四川省文物考古研究院、凉山彝族自治州博物馆　刘化石
出　处：《四川文物》2007 年第 1 期

为配合西攀高速公路的建设，2004 年发掘的毛家坎遗址出土有大量的石器和陶器。出土器物特征不见于周边的同时期遗址，在本地的晚期文化中目前也找不到与其相关联的因素，是新石器时期的一种新的文化因素。在攀西地区目前发现的早期文化中也是较早的一种文化类型。

简报分为：一、布方及典型地层情况介绍，二、遗迹，三、遗物，四、结语，共四个部分。有手绘图。

据介绍，德昌县位于四川省西南部，汉为邛都县地。毛家坎遗址位于安宁河东岸的台地雨季级阶地上，2003 年 6 月考古调查中发现并命名，2004 年 5 ～ 6 月正式发掘。从此次的发掘情况看，该遗址的埋藏较浅、文化堆积较薄，较大程度地受到了近现代人类活动的扰动。遗址内出土石器以小型的磨制石器为主。简报推测此处居民的经济形态应是处于一种农耕经济的初级发展阶段。

贵州省

1150.贵州清镇、平坝发现的石器

作　者：贵州省博物馆　李衍垣
出　处：《考古》1965年第4期

　　清镇和平坝，为贵州省发现古墓最多的两县，历年来，陆续发掘了历代墓葬100余座。1956年在金家大坪清理古墓时，在附近发现了3处遗址。1957年又在平坝平庄采集到1件石器。为了进一步了解两县古文化的面貌，考古人员于1963年3月27日～6月28日在清镇、平坝作考古普查。在工作中，复查了营盘、赖坟包和金家大坪3处汉代遗址，发现有古墓的地点共22处、石器地点11处。简报配以手绘图予以介绍。

　　据介绍，这次调查虽在11处地点发现石器，但均未发现有关遗址。石器多发现于山间河谷边的居民点附近，平原地区反而少见。石器多系农民生产时在山坡或耕地中偶然获得的。清镇跳灯河沿岸的河边寨在发现石斧的山间坡地上，尚残留少量的方格印纹碎陶片。离河边寨约700米的中咀，虽未发现石器，但陶片略多一些。陶质松脆，羼砂、火候低，有褐色和红褐色两种，这种印纹方格陶的陶质和风格都不同于汉墓中的方格印纹陶罐，不知是否与石器为同时期的遗物。这次调查共发现石器15件，全部都系磨光石器，刃部锋利，石质坚硬，磨制技术较佳。可分斧、锛、凿3类。

　　简报未提及遗址、遗物的时代，只得暂定为新石器时代。

贵阳市

六盘水市

安顺市

铜仁市

毕节市

1151.贵州威宁中河发现新石器时代遗物

作　者：贵州省博物馆
出　处：《文物》1973 年第 1 期

1972 年 1 月，考古人员在威宁县中河一带进行调查时，在坝子北端河流转弯附近的山崖水沟里（当地称为"大河湾"）发现了大量的陶片、螺蛳壳、木炭和红烧土等物。进而至崖顶台地进行了观察，也发现了同类型的文化遗物，说明水沟里的文化遗物是由坡顶上冲积下来的。简报配以照片等予以介绍。

据介绍，采集到陶纺轮、陶饼、磨光石斧等，年代为新石器时期。

黔西南州

黔东南州

1152.贵州榕江发现石器

作　者：宋先世
出　处：《考古》1986 年第 10 期

1982 年 6 月，榕江县古州镇板寨砖瓦厂在取土制砖时，于距地表 1.5 米深的黏土层中出土一批石器。1985 年该地又发现同样器物，并采集到细方格纹泥质红陶片。简报配以手绘图予以介绍。

据调查，历年来当地曾多次出土陶器，可惜均被视为不祥之物砸碎后扔掉，未能保存下来。现仅存征集的石器共 8 件，磨制，器型有斧、镞、矛、穿孔残器 4 种。石器具有两个较明显的特点：一是石质软，多系粉砂质，用手一蹭即掉粉尘；一是体形薄，器物最厚的才 1.2 厘米，其他则只有几毫米。在整个黔省，这还是首见。简报未提及这批遗物的具体时代。

黔南州

云南省

1153.云南发现的有段石锛

作　　者：葛季芳

出　　处：《考古》1978 年第 1 期

有段石锛是我国东南地区新石器时代文化的重要特征之一。其已发现的地点，有福建、广东、江西、浙江、江苏、安徽、台湾、香港等地，而华北、东北、西北、西南地区比较少见。10 多年来，云南的新石器时代遗址里陆续有发现，但过去都将它误认为是一般石锛和有肩石锛；有的遗址经调查，虽发现了有段石锛，也没有及时给予报道。云南发现的有段石锛，简报配以手绘图、照片予以介绍。

据介绍，云南发现有段石锛的遗址有江川关咀山遗址、祥云清华洞遗址、安宁王家滩遗址、鲁甸马厂遗址和晋宁石寨山遗址。

昆明市

1154.云南滇池东岸新石器时代遗址调查记

作　　者：黄展岳、赵学谦

出　　处：《考古》1959 年第 4 期

考古人员于 1958 年 1 月，在滇池东岸进行了考古调查。简报配以照片、手绘图予以介绍。

据介绍，滇池区域的新石器时代遗迹大多分布在东岸。西岸层峦叠嶂，是游览胜地。东岸是一片平坝，风景优美，土地肥沃，盛产稻米，古文化遗址也很多。考古人员从昆明沿昆玉公路到达晋宁，在这一段 40 公里长的湖滨地带，约略调查了一下，就发现了新石器时代遗址 9 处，计有海源寺、官渡、石碑村、乌龙铺、石子河、安江、象山、石寨山和河泊所。其中除象山距滇池较远（约 4 公里）外，都临近滇池。这些遗址有两个显著的特点：即普遍存在大量螺壳堆积层和一种为数众多的手制泥质红陶器。先民应过着渔猎生活，但也从事农业生产。

1155.云南滇池周围新石器时代遗址调查简报

作　者：云南省文物工作队
出　处：《考古》1961 年第 1 期

1960 年 4 月，云南省文物工作队第 4 次发掘了晋宁石寨山古墓群。5 月间，赴滇池周围作了考古调查。考古人员由昆明出发，经官渡、呈贡、晋宁、昆阳、海口和安宁 6 个中心点，重点调查了新石器时代遗址，同时也调查了其他各时代的遗址、遗迹和墓葬。简报分为：一、遗址的分布情况，二、采集的遗物，三、几点认识，共三个部分。介绍新石器时代遗址方面的工作，有手绘图、拓片、照片。

据介绍，滇池周围约 300 平方公里范围，有着大大小小的平地，滇池周围先后共发现新石器时代遗址 14 处，简报附有"滇池周围新石器时代遗址登记表"。调查所采集的遗物与以往所得基本相同，也有些新标本，其中以陶片为主，石器次之。简报断定滇池周围的新石器时代遗址基本上属同一系统，仅时间早晚而已。

简报称，滇池周围的新石器时代文化与洱海区和昭通区的新石器时代文化可能没有直接相承关系。时间上，它早于石寨山的西汉墓群是没有问题的，因此也就早于洱海区。关于当时人们的住屋及墓葬，在这次调查中未能发现线索。

1156.云南宜良的旧石器

作　者：云南省博物馆
出　处：《考古》1961 年第 12 期

1961 年 1 月底，考古人员在云南宜良县境内调查新生代地层和脊椎动物化石时，发现了一批打制石器，遂于 3 月中旬又组织了一个调查小组，前往该地进行了 1 个星期的调查。此次调查的结果除原来发现的 3 处地点以外，又在附近发现了新地点 4 处，并获得了更加丰富的材料，同时对附近的地质地貌也作了进一步的观察。简报分为三个部分予以介绍，有手绘图。

据介绍，宜良发现的打制石器都是由地面上采集的，前后两次调查都未发现原生地层。第三级阶地上的堆积物受侵蚀最剧，石器分布丰富，最有可能是原来埋藏石器的地层。从石器的质料和大小来看，同第二级阶地的砾石较为接近而有别于第三级阶地者，简报认为似乎提供了一种印象：古代人类是利用当时的河滩、现在的第二级阶地上的砾石打制石器的。

第三级阶地和第二级阶地上所采集的石器，简报认为它们都是同时的遗物。至于它们的时代，基本上同意裴文中、周明镇两先生的意见，认为属于旧石器时期。

简报称，宜良旧石器是在云南省首次发现的旧石器时代文化遗物。石器地点的密集分布和文化遗物的丰富，充分证实了在很早以前就有古代人类在这一带活动。宜良旧石器的发现，填补了云南地区旧石器文化分布的空白，为研究这一地区的历史和民族来源问题提供了宝贵资料。

1157.云南禄劝县营盘山新石器时代洞穴遗址调查

作　者：白肇禧

出　处：《考古》1993 年第 3 期

禄劝县位于滇中高原北部。1984 ～ 1985 年文物普查中，于崇德乡营盘山上，发现了 1 处遗物丰富的古文化洞穴遗址。1989 年 7 月中旬，对该遗址进行了考古复查。简报分为：一、洞穴遗址概况，二、采集遗物，三、结语，共三个部分。有手绘图等。

据介绍，洞穴遗址坐落在崇德乡板桥村后营盘山半坡上，海拔高度约 1740 米，前距板桥村 90 米，北距崇德街子约 3 公里，西北距禄劝县城约 13 公里。在洞口西北侧的平缓山坡上散布着许多陶片，还发现有不少烧土块，面积约 5000 平方米。此洞穴系石灰岩溶洞，洞前有一高出洞底 0.9 米、宽约 3 米的小平台。洞口呈三角形，洞长约 70 米。整个洞穴由于附近开山炸石震动和溶蚀，造成严重坍塌而被分隔成四个相通困难的地厅，最宽处 21 米，最高处约 17 米。循洞进入约 14 米折向左进入第二地厅，折向右可进入第三地厅和须爬行才能进入的第四地厅。整个洞穴除第一地厅干燥能见光线外，余皆潮湿黑暗。主要遗物有石器和陶器两类及少量蚌刀、小海贝、螺壳、兽牙等。简报怀疑此处先民原系洞海一带的新石器时代文化，由于某种原因向内陆迁徙，最后定居于滇北地区，在滇池地区和元谋大墩子类型的新石器时期，缓慢地发展而形成了自己的特点。该遗址的时代，简报推断为新石器时代晚期。

1158.金沙江中游地区两处新石器时代石棺葬的发掘

作　者：昆明市博物馆、禄劝县文物管理所、凉山州博物馆、会理县文物管理所
　　　　梁　银、唐　翔、唐　亮等

出　处：《考古》2007 年第 11 期

金沙江是长江的上游，从北向南贯穿横断山区，流域内古代文化遗存十分丰富。但由于金沙江地处川滇两省交界处，多年来在这一地区开展的田野考古工作很少。

近年来，考古人员加强了金沙江流域的考古调查工作，经过一段时间的工作，已取得了一定的成果。其中较为重要的是对地处金沙江南北两岸两处石棺葬群的发掘，即云南省禄劝县阿巧乡营盘包石棺葬群和四川省会理县新安乡小营盘石棺葬群。简报分为：一、营盘包石棺葬群，二、小营盘石棺葬群，三、结语，共三个部分。有手绘图。

简报称，石棺葬是我国西南地区分布较为广泛的一种考古学文化遗存，在岷江上游、雅砻江中下游、滇西地区、大渡河中游、金沙江中游都有分布。但根据近年来的发现和初步研究，西南地区不同区域的石棺葬在时代和文化性质上都存在较大的差异。金沙江中游及大渡河中游地区的石棺葬可能属于一个文化系统，而岷江上游、雅砻江中下游和滇西地区的石棺葬则属于另一个文化系统。禄劝县营盘包与会理县小营盘石棺葬群，墓中均未出土铜器，陶器数量少而且较粗糙。上述两个系统的石棺葬在出土器物的种类、器形特征、器物组合上都有明显的区别，在时代上也有早晚之分。岷江上游、雅砻江中下游和滇西地区的石棺葬中出土的遗物较丰富，除以双耳平底罐为主的陶器群外，还有较多铜器，典型器物包括"山"字格剑、镯等。晚期的石棺葬还出土一些和汉代钱币，其时代可以准确地判定在战国至西汉之间。金沙江中游地区的石棺葬则表现出更多的原始性。会理县小营盘和禄劝县营盘包这两处石棺葬的时代为新石器时代晚期。

另外，禄劝县营盘包石棺葬群与会理县小营盘石棺葬群之间也存在一定差别，主要表现在葬式上。两者虽然都流行仰身直肢葬，但小营盘石棺葬群中颇具特色的割头葬俗不见于营盘包石棺葬群。小营盘石棺葬群出土的陶器比营盘包石棺葬群的陶器更具原始性，初步判断前者的时代应略早。

曲靖市

1159.云南曲靖发现炭化古稻

作　者：云南省博物馆、曲靖地区文管所　李昆声、李保伦
出　处：《农业考古》1983 年第 2 期

1982 年 11 月初，在曲靖县珠街公社三源大队洞穴内发现炭化古稻谷。简报配以照片予以介绍。

据介绍，洞穴位于董家村北 200 米一处山腰处，当地人称"马槽洞"。洞内 21 米处发现大面积炭化稻谷，经鉴定为人工栽培稻粳稻，应属新石器时代，距今 4000 年左右。

1160.云南宣威县尖角洞新石器遗址调查

作　者：曲靖地区文物管理所、宣威县文物普查办公室　李保伦
出　处：《考古》1986 年第 1 期

1983 年 7 ～ 9 月，文物普查时在宣威县格宜区启文乡的尖角洞内发现新石器时代遗物。1984 年 4 月初，考古人员对尖角洞进行了进一步考察，采集了部分遗物，证明确实是 1 个新石器时代洞穴遗址。简报分为：一、地理位置与地层堆积，二、文化遗物，三、结语，共三个部分。有手绘图。

据介绍，宣威县地处乌蒙山腹地，由于横断山的不同走向，形成山与山之间的若干小坝子。距宣威县城东北 42 公里的格宜坝子，长 7.5 公里，最宽处约 3.5 公里。尖角洞位于格宜坝子西南端的小红山上，距格宜区政府驻地约 1.5 公里。洞口位于小红山腰部以上，距山脚 140 米，海拔高度约 1984 米。尖角洞（又名"三角岩洞"，因洞口呈三角形而得名）洞口朝南。洞前有一平台，约 350 平方米，越过平台，上约 2 米的一道台阶，即进入洞内。洞口最宽处 6 米，高约 8 米，洞深在 1 公里左右，呈斜坡形向内延伸。整个山洞高大、宽敞，洞内最宽处 30 米，最高处为 15 米。由于洞顶崩落和人为的破坏，扰乱特别严重。遗物有火塘灰坑、打制石器、磨制石器、陶器，陶片从洞口到洞内随处都可捡到。先民应该在此生活了很长时间。简报指出，宣威县尖角洞遗址是滇东北地区迄今发现的唯一一处新石器时代洞穴遗址，时代应为新石器时代中期略晚。

玉溪市

1161.云南澄江县学山遗址试掘简报

作　者：吉林大学边疆考古研究中心、云南省文物考古研究所、玉溪市文物管理所、澄江县文物管理所　吴　敬、蒋志龙、冯恩学等
出　处：《考古》2010 年第 10 期

学山在云南省中部，北距昆明市约 60 公里，位于澄江县右所镇旧城村北部边缘，东南与金莲山相望，原为澄江旧城文庙黉学所在地，故名"学山"。学山山顶较为平坦，北坡为陡峭的断崖，东、南、西三坡山顶以下为三级台地，目前是旧城村村民的耕地。2008 年 10 月至 2009 年 4 月，对金莲山古墓群进行了第 2 次大规模的发掘，共清理墓葬 260 多座。2009 年 2 ～ 4 月，对距金莲山不足百米的学山进行了全方位的考古

勘探，了解到学山上分布着一定数量的灰坑等遗迹。这是1个面积在1.5万余平方米的聚落，保存相当完整。简报分为：一、地层关系，二、遗迹和遗物，三、结语，共三个部分。有彩照、手绘图。

简报指出，石寨山文化墓葬出土的铜鼓上常有大型的祭祀场面。这些画面所反映的遗址目前尚未发现。学山遗址的勘探为进一步提示石寨山文化的大型聚落提供了契机。从试掘的情况来看，该聚落应是与金莲山墓地基本同时的石寨山文化遗址，且很可能是该墓地部分墓主的生活区和工作区。遗址的发掘为研究边疆地区家庭手工业作坊的兴起提供了实物资料。

保山市

1162.云南腾冲县发现石器

作　　者：崔海亭
出　　处：《考古》1982 年第 4 期

1979 年初，考古人员参加云南腾冲县遥感实验的野外考察时偶然在县北部的明光河（又名"母龙河"，龙川江上源一支）二级阶地上发现 1 件经过磨制的石器。简报配以照片、手绘图予以介绍。

据介绍，石器呈长三角状，系选取天然长形砾石加工而成，最大长度 14.93 厘米，上部宽 6.53 厘米，尖端宽约 1.30 厘米。宽的一头已断掉，断口倾斜，断面较新鲜，无磨损；尖的一头有磨损痕迹。石器背腹两面有明显不同：背面为较光滑的麻面，略凸起，有两条平行斜列的钉头刻痕；腹面为磨平面，十分光滑，两侧有打制的痕迹。从形状看，似为石锄。由于磨制较粗糙，它的时代应比大理州发现的细石器要早。值得注意的是，背面两条刻痕着力的方向与石锄刨土的方向相反，可能不是在使用过程中造成的，或许是原来砾石上的天然擦痕。

1163.云南保山塘子沟旧石器时代遗址发掘简报

作　　者：云南省博物馆、保山地区文管所、保山市博物馆
出　　处：《考古与文物》1989 年第 6 期

塘子沟旧石器时代遗址于 1975 年发掘，为云南省旧石器遗存最丰富的 1 个遗址。共获材料 2300 余件，其中有人类化石 7 件、石器 400 件、动物化石 1800 件等。

1164.云南龙陵县新石器时代遗址调查

作　　者：龙陵县文物管理所　　王锦麟

出　　处：《考古》1992 年第 4 期

龙陵县位于云南省西部，南隔怒江与缅甸相邻。1986 年冬季，龙陵县文物普查小组先后在龙陵县范围内进行了 1 次全面的考古调查，发现史前遗址 8 处、文物采集点 30 处。1987 年冬季至 1988 年春季，保山地区文管所又 2 次派专人配合县文管所对其中的船口坝、大花石、马鞍山、烧炭田坡、豆地坪 5 处史前文化遗址进行了重点复查。

简报分为：一、船口坝遗址，二、大花石遗址，三、马鞍山遗址，四、烧炭田坡遗址，五、豆地坪遗址，六、结语，共六个部分。有手绘图。

据介绍，这次调查基本上弄清了龙陵县的原始社会文化遗址及采集点的分布情况、文化面貌、文化序列及其相互之间的关系。从船口坝等五处遗址的情况来看，有四个方面的特点：

第一，怒江西岸、龙川江南岸的遗址多在立体气候带的高山下，峡谷边，一般是"夏处高山，冬居深谷"的部落群体，文化层较薄。

第二，船口坝、大花石两遗址的代表性器物为大批打制的有肩石斧、靴形石斧，伴出一批砍砸器、刮削器，形体较大。

第三，马鞍山遗址的器物证明马鞍山遗址有其独特的文化特点。

第四，烧炭田坡、豆地坪遗址，石器以磨制梯形、条形斧锛和长方形、月形无孔石刀为典型器物。陶系以夹砂黑陶为主，质较粗糙疏脆，器型多罐、盆、钵、碗等组合方式，纹饰素面居多。类似于云南省洱海区域白羊村类型。一般认为，白羊村遗址的年代为距今 4000 年左右。

1165.云南保山二台坡新石器时代遗址调查

作　　者：保山市博物馆　　罗　睿

出　　处：《考古》1992 年第 9 期

1987 年 1 月，考古人员对 1981 年文物普查时发现的属怒江水系的二台坡新石器遗址再次进行了调查，采集到石器、陶片等遗物，为研究怒江、澜沧江、金沙江地区的原始文化提供了新的实物资料。简报分为：一、遗址位置，二、采集遗物，共两个部分。有手绘图。

据介绍，二台坡新石器遗址位于云南省保山市怒江东岸的蒲缥区。遗址就在盆地的西面二级山坡上，与蒲缥河垂直高度约 200 米，是云南已发现的位置较高的盆地新石器遗址之一。由于长期受雨水冲刷，遗址地带形成 3 条山水沟，从沟的剖面可以见到 30 ~ 70 厘米厚的文化层，地表散落着很多石斧、石锛、砺石，文化层内含有较多的木炭、陶片、石器等。遗物分布的范围从坡顶至坡脚长达 150 余米，宽约 100 米。此次采集的石器、陶器遗物共 151 件。

简报称，二台坡新石器时代遗址属盆地山坡型遗址，位置较高。所见遗物有穿孔石刀、平底陶足和支足，纹饰有刻划纹和拍印两种。石器和陶器的制作技术也比较接近，年代应大致相当。石斧、石锛大小相差很大，虽为同类，但用途似有区别。石环在该地区发现较少。

昭通市

丽江市

普洱市

1166.云南孟连老鹰山的新石器时代岩穴遗址

作　者：马长舟
出　处：《考古》1963 年第 10 期

孟连老鹰山新石器时代岩穴遗址，系 1962 年冬由中国历史博物馆民族文物工作组发现，之后考古人员组进行了清理。清理工作从 1963 年 1 月 2 日开始，至 6 日结束。简报配以照片予以介绍。

据介绍，出土的生产工具有石器、陶器，生活用具只有陶器，且无完整者。未见兽骨、骨器。简报称，孟连老鹰山新石器时代岩穴遗址的发现与清理，在孟连地区尚系首次。遗址的自然环境和出土遗物反映了当时的经济类型可能是以渔业为主的。陶器有其地方色彩，在纹饰等方面与云南境内其他地区新石器时代遗址出土的有所不同。

今有吉学平等《云南史前文化史》(广西师范大学出版社 2020 年版) 一书，可参阅。

临沧市

1167.云南云县曼干遗址的发掘

作　　者：云南省博物馆　戴宗品等
出　　处：《考古》2004 年第 8 期

曼干遗址位于云南省临沧地区云县栗树乡小曼干村南，这里是滇西横断山系纵谷区，山高谷深，坡陡坝少，交通十分闭塞。为配合澜沧江大朝山电站水库的建设，1998 年 8 ～ 9 月，云南省文物考古研究所及临沧地区文物管理所等单位对曼干遗址进行了发掘。简报分为：一、地层堆积，二、遗迹，三、结语，共三个部分。有手绘图。

据介绍，遗址发现有沟、柱洞、灰坑等遗迹，出土石器、陶器等遗物。年代应为距今约 4000 年的新石器时代中晚期。

简报指出，曼干遗址是澜沧江中上游 1 处重要的新石器时代遗址，对其进行的发掘，使我们对该遗址的文化面貌有了比较清楚的认识。曼干遗址的遗迹发现较少，有零散的柱洞分布，说明当时聚落仅分布着一些简单的建筑物。在聚落内外有排水沟顺地势分布，用以解决聚落的排水、饮水问题。从出土石器看，当时采集、狩猎仍为谋生的主要手段。

文山州

1168.云南麻栗坡县小河洞新石器时代洞穴遗址

作　　者：云南省博物馆文物工作队　张兴永、邱宣充
出　　处：《考古》1983 年第 12 期

1975 年 3 月，考古人员在麻栗坡县城区小河洞内发现新石器时代遗物。同年 7 月，对小河洞堆积物进行清理，发现是 1 个新石器时代洞穴遗址。这是滇东南广大地区首次发现的新石器时代遗址。简报分为：一、洞穴地质，二、文化遗物和遗迹，三、结语，共三个部分。有手绘图。

据介绍，小河洞位于麻栗坡县城畴阳河西岸约 150 米处的小河边上，洞口高出畴阳河约 6 米。出土的遗物有石器 11 件（其中 3 件为采集）、陶片 303 片和弹丸 1

枚。遗迹有红烧土居住火塘。从遗址所反映的社会经济形态看，先民显然已经定居，农业生产应占一定地位，然而从出土大量兽骨、螺蛳以及鱼形石饰看，采集、渔猎经济仍占重要的地位。从小河洞遗址文化内涵，可以明显看出其与两粤地区的新石器文化具有共同的特征。小河洞出土石器，以磨制石器为主，未见打制石器。时代简报推断为新石器时代晚期偏早。

红河州

1169.云南个旧市倘甸新石器时代遗址

作　者：红河州文管所、个旧市博物馆　朱云生
出　处：《考古》1996 年第 5 期

倘甸新石器时代遗址南距个旧市 20 多公里，西距倘甸村 1.5 公里。1990 年以来在遗址中陆续发现石斧、石壁等遗物。1993 年春，考古人员对其作了详细调查并进行了试掘。简报分为：一、地层堆积，二、遗迹和遗物，三、结语，共三个部分。有手绘图。

据介绍，遗迹有灰坑 2 个，遗物有陶器、石器等。从发现的遗物看，地方特色较浓，如陶器器表绝大部分为素面，有少数饰绳纹和方格纹，红陶较多。石器中弧肩石斧、梯形石斧、长条形石斧等是代表性器类。时代简报推断为新石器时代中晚期。

西双版纳州

1170.云南景洪附近的新石器时代遗址

作　者：宋北麟
出　处：《考古》1965 年第 11 期

1962 年 8～9 月，考古人员在云南省西双版纳傣族自治州搜集民族文物的过程中，曾经于自治州首府所在地——景洪附近，发现了几处新石器时代遗址，包括曼蚌囡、曼运、曼景兰和曼听四处。简报配以照片予以介绍。

据介绍，这些遗址皆位于澜沧江西岸的第二层台地上，地势稍高，靠近水源，文化堆积很厚，最厚的地方达 2 米左右，并且有一定的层次关系。出土遗物也较丰富，

有石器、陶器、骨器和贝壳等。除以上4处遗址外，考古人员还在宣慰街、景德和勐罕等地采集到一些石器，在景洪还采集到1件铜斧。

景洪附近的新石器时代遗址，与云南其他地区的新石器时代文化不尽相同，但与孟连、勐腊等地遗址相近。

楚雄州

1171.元谋大墩子新石器时代遗址

作　者：云南省博物馆
出　处：《考古学报》1977年第1期

元谋地处金沙江南岸的成昆铁路沿线，系滇中高原最低的盆地。自古以来，人类就在这里劳动、生息、繁衍。近年来，考古人员在元谋盆地进行了多次考古调查，并选定大墩子遗址作为主要发掘地点。大墩子遗址西距元谋县城4.5公里，属元马公社丙华大队下马应登生产队，南距"元谋猿人"产地——大那乌村仅4公里。1972年2~4月，考古人员在大墩子作了两次试掘。简报分为：一、主要收获，二、地层堆积，三、建筑遗存，四、墓葬，五、出土遗物，六、结语，共六个部分。有照片、手绘图。

据介绍，共发掘墓葬37座，其中竖穴土坑墓19座、瓮棺葬17座、圆坑墓1座。前者埋成人，后二者埋幼童。出土遗物有陶器、石器、骨器、角器、牙器、蚌器以及大量兽骨。其中石器约占69.5%，骨器约占18.7%，蚌器约占11.8%。大墩子遗址，应属新石器时代，是我国新石器时代考古的重要发现。

1172.云南禄丰新石器时代遗址

作　者：举　芳
出　处：《考古》1983年第7期

禄丰县位于昆明西100公里左右，是古文化遗存较多的1个县。1976~1977年的文物考古调查中，又发现了新石器时代遗址。这些新石器时代遗址主要分布在禄丰县城附近以及县城西北90余公里的大田村等地。简报分为：一、禄丰县城郊附近遗址，二、黑井公社遗址，共两个部分。有照片。

据介绍，县城附近遗址有北厂麻粟坡、赵家村、岔河、小街、秀良村等地。黑井公社位于县城西北 90 余公里处,有大田、三河、丁家村 3 处遗址。遗物中比较多的是石锛。这批遗址的时代,简报认为与元谋大墩子遗址相似,属新石器时代遗址。

1173.云南永仁永定镇石板墓清理简报

作　者:楚雄彝族自治州文管所、云南省博物馆文物队　马长舟等
出　处:《文物》1986 年第 7 期

永定镇是永仁县的县城。1982 年秋,在镇南 500 米的菜园子村发现了石板墓群,同年进行了发掘。简报配以照片、手绘图予以介绍。

据介绍,石板墓群位于村东南 500 米永定河拐角。这里原是 1 个小山包,四周平缓,当地群众称它为"磨盘地"。由于历年取土,山包已铲平,墓葬也因此遭到破坏。目前,磨盘地的中心已无墓葬,保存的墓葬以北部边沿分布较为密集,墓间距离最小的仅30 厘米;东、西、南 3 面的墓葬只残留一部分。这次清理了石板墓 30 座,限于篇幅,简报只重点介绍了 2 座保存较完好的墓。出土遗物有陶器、石器等。时代简报推断为新石器时代。

1174.云南禄丰发现新石器时代遗址

作　者:王正举
出　处:《考古》1991 年第 3 期

禄丰县位于云南省楚雄彝族自治州东部,穿山过谷流入南海。1982 ~ 1986 年的文物普查中,在县城仁兴区的罗茨河东岸第二、三级台地上,发现新石器时代遗址。简报配图予以介绍。

据介绍,金山区南河合地遗址发现的新石器时代遗址包括岔河村的长地青、杉老棵、毛草洼、背阴洼,下板桥村的赶牛路,金山中学的方家洼,官场乡的黄土坡。遗物有石器、陶器、陶片。有趣的是这些遗址所见石锛与福建县石山、台湾园山贝丘遗址所见石锛同类型,年代也应均为新石器晚期。

1175.云南南华县孙家屯墓地发掘简报

作　者:云南省文物考古研究所　杨　帆
出　处:《考古》2001 年第 12 期

1996 年 1 月,为配合楚雄至大理公路的建设,考古人员对公路沿线进行了细

致的勘察。孙家屯墓地就是在这次勘察中发现的。1996 年 2 月底，对公路征地的墓地中部进行了抢救性发掘。当时，公路建设已将墓地破坏约 500 平方米。

简报分为：一、地理位置及概况，二、墓葬形制，三、随葬器物，四、结语，共四个部分。有手绘图。

据介绍，由于墓坑均开挖在风化碎石土层里，墓口范围较模糊，较少的打破关系也难以把握，加之绝大多数陶器火候太低、破碎严重，修复并能辨器形的仅是少数；简报未对该批墓葬进行分期，也不能十分肯定其组合关系，但掌握了一定的规律。随葬品较多的墓葬一般多罐类和壶类，在随葬品总数中也以罐类和壶类占绝大多数。简报推断，南华孙家屯墓地的年代为新石器时代晚期。

1176.云南永仁菜园子、磨盘地遗址 2001 年发掘报告

作　者：云南省文物考古研究所、中国社会科学院考古研究所云南工作队、成都市文物考古研究所、楚雄州博物馆、永仁县文化馆　戴宗品、周志涛、古　方等

出　处：《考古学报》2003 年第 2 期

永仁县位于云南省西北部楚雄彝族自治州境内，以金沙江为界，与四川省攀枝花市相邻。这里属于金沙江河谷地区，山高谷深，地貌复杂多样，气候干热，热量多年平均积温达 5934℃，居全国第二。菜园子遗址位于县城对面永定河南岸二级台地上。1981 年夏，永仁县气象站在菜园子建房时挖出许多石器、陶器及建筑遗迹，考古人员对遗址进行了调查。1983 年夏季，气象站再次修建宿舍而破坏部分文化遗存。1983 年，对菜园子遗址进行了第 1 次发掘。菜园子遗址东南 200 米左右的永定河级台地称为"磨盘地"，这里也有新石器时代遗存分布，是为磨盘地遗址。1982 年 10 月，考古人员在磨盘地遗址清理石板墓 30 座。1997 年 10 月，又清理石板墓 8 座。2001 年，考古人员对菜园子、磨盘地两处进行了抢救性发掘。

简报分为：一、前言，二、菜园子遗址文化遗存，三、磨盘地遗址文化遗存，四、结语，共四个部分。介绍了这两处遗址的发掘情况，有照片、拓片、手绘图。

据介绍，菜园子、磨盘地都为滇西北地区最重要的新石器时代遗址。菜园子遗址的年代，简报称距今 4290±135 年。磨盘地遗址的年代，简报称距今 3400 年左右。两处遗址文化面貌基本相似，但也有一定差别。至于磨盘地石棺墓的年代，显然比遗址要晚，具体年代待考。

大理州

1177.云南宾川白羊村遗址

作　者：云南省博物馆　阚　勇等
出　处：《考古学报》1981 年第 3 期

宾川盆地位于洱海之东、金沙江之南的宾居河沿岸。1972 年春，东风公社白羊村百姓在改土时发现白羊村遗址。白羊村遗址于 1973 年 11 月至 1974 年 1 月发掘。简报分为：一、地层堆积，二、遗迹，三、墓葬，四、出土遗物，五、余论，共五个部分。有照片、手绘图。

据介绍，共发现房址 11 处、火塘 14 处、窖穴 40 处、墓葬 34 座。墓葬中有 24 座为竖穴土坑墓，幼童瓮棺葬 9 座，成人瓮棺葬 1 座。出土遗物 516 件，包括陶器、石器、谷物、果核、动物骨骼等。先民似处在母系氏族由盛转衰、父系氏族已经萌芽的历史阶段。

1178.云南永平新光遗址发掘报告

作　者：云南省文物考古研究所、大理州文物管理所、永平县文物管理所　戴宗品等
出　处：《考古学报》2002 年第 2 期

新光遗址位于云南省永平县县城东部，现博南路西段，海拔 1600 余米，是滇西地区的 1 处高原山间盆地。发源于盆地边缘的银江河由北向南从盆地中间缓缓流过，汇入澜沧江。遗址即位于河边台地上。本区域的考古工作始于 20 世纪 30 年代后期。1938 年吴金鼎先生等在大理开展调查、试掘工作。20 世纪 70 年代以来，滇西地区开展了较多的田野考古工作。新光遗址发现于 1993 年 5 月。永平县县城向东扩建时，发现大量石器、陶片。省、州、县文管部门均派员作了调查，确认是一处新石器时代遗址，并以城东新光街命名，于 1993 年 12 月 14 日开始发掘，至 1994 年 3 月 31 日结束田野发掘工作。简报分为：一、地层堆积，二、文化遗存，三、遗址分期，四、结语，共四个部分。有照片、拓片、手绘图。

新光遗址经过第一阶段的发掘，取得了较大收获。出土遗物所反映的文化面貌和特点，表明这是 1 处全新的新石器时代文化遗存，其具体表现为：

其一，新光遗址发现的遗迹不多，有半地穴式房屋、地面起建的干栏式建筑、火塘、

灰坑、沟等。半地穴式房屋仅两座，大致为圆角方形，平底，内有较大的柱洞，房屋内有明显的踩踏面。地面起建的干栏式建筑，只能根据柱洞加以推测，但因多次重建，柱洞分布都较乱而难以看出其布局结构，尚可清晰辨认的是一些小柱洞，多作整齐排列，应为当时房屋的篱墙遗迹。由于以草木作顶的房屋易燃，因此整个聚落经常遭受火灾的威胁，地层中常夹一些灰烬、烧土的小薄层即是证据，这也正是大量柱洞杂乱的原因。由于遗址所处为山脚的缓坡地带，故还建有较大的排水沟（G3），以避免流水对聚落的毁坏。一些圆形而底部有石块的坑，是当时较大的柱洞的遗迹。

其二，新光遗址出土的遗物，石器和陶器很有特点。石斧、刀、锥等不多，而大量出土锛、矛和镞，尤其是各种中、小型锛，占了出土石器的大部分。绝大部分石器都相当规整，有些锛应当作斧使用，而微型锛当作为切割工具使用。矛也有使用擦痕，多且杂乱，大多与矛锋方向平行，如果装的是短柄，可作剑或匕来使用。石镞的数量相当多，种类也颇复杂，其中一种作截尖树叶形的镞很有特点。砺石分粗、细砂两种，各个可供磨砺的部位均留有磨痕。石磨盘、棒都是选用天然卵石加以利用，并留下磨痕，但数量不多，说明需要脱壳或磨碎的谷物、果实不多。或许说明当时狩猎、采集生活仍占主体。

其三，新光遗址的陶器全部为手制，采用烧制，火候较高，并且有相当数量的磨光陶，虽是手制器，但制作多数很精美，有着独特风格。

另外，采集到的碳化稻标本，经云南省农科院程侃声教授鉴定是稻谷类。又经江苏省农业科学院张陵华先生鉴定，认为"从植物蛋白石的形状来看，应当是粳型稻"。

新光遗址的年代，简报推断为距今约 4000 ～ 3700 年。

1179.云南剑川县海门口遗址

作　者：云南省文物考古研究所、大理州文物管理所、剑川县文物管理所
　　　　闵　锐等

出　处：《考古》2009 年第 7 期

剑川县位于云南省西北部，在大理白族自治州北部，地处横断山脉中段，东邻鹤庆县，南接洱源县，西与兰坪县、云龙县相接，北邻丽江。海门口遗址位于剑川坝子南部甸南镇海门口村西北约 1 公里处的剑湖出水口南部。剑湖以前的出水口在今海门口村北约 300 米处，其北面原是沼泽地，无明显的河道，俗称"小海子"。"小海子"出口处才是海尾河的起点。1957 年，当地政府在施工中发现了大量古代木桩，出土石器、骨器、铜器以及较多动物骨骼。考古人员进行了局部的发掘，由此发现了海门口遗址。1978 年进行了 2 次发掘，2000 年又进行了第 3 次发掘。

简报分为：一、遗址概况，二、前两次发掘的基本情况，三、第三次发掘的基本情况，四、第四次发掘的学术意义，共四个部分。有彩照等。

据介绍，该遗址的史前文化遗存可分为三期，第一期属新石器时代晚期，第二、三期分别属于铜器时代早期和中期。该遗址的发掘和研究，对认识青藏高原东部地区史前的文化交流和族群迁徙具有重要价值。出土的铜器和铸铜石范以及 1979 年《中国冶金史》编写组专家的研究结果，均证明这里是云贵高原最早的青铜时代遗址。

德宏州

怒江州

迪庆州

西藏自治区

1180.西藏高原多格则与扎布地点的旧石器——兼论高原古环境对石器文化分布的影响

作　者：刘泽纯、王富葆、蒋赞初、秦　浩、吴建民
出　处：《考古》1986 年第 4 期

从 20 世纪 50 年代末期以来，在西藏高原地表发现许多石器文化材料，其中大部分是细石器，有 36 处，旧石器地点有 4 个。在海拔高度达到 5200 米的地方找到石器，并在广大的藏北高寒区发现比较多的石器文化，在世界上是罕见的。简报配以照片予以介绍。

简报重点介绍的两个石器地点均分布在藏北高原，遗物也是采自阶地面上。一是那曲（即黑河）地区申扎县多格则公社地点，海拔高度约 4830 米。二是阿里地区日土县扎布公社地点，海拔高度约 4400 米。两遗址石制品共有 102 件，是目前在西藏高原发现的石器材料中相对比较多的地点。简报认为，西藏高原，在旧石器时代后期，随着古气候转暖，古人类活动的范围曾大为扩展；在新冰期到来后，人类生活的地区有所缩小。

拉萨市

1181.拉萨曲贡村遗址调查试掘简报

作　者：西藏文管会文物普查队　张建林、更　堆
出　处：《文物》1985 年第 9 期

1984 年 11 月，西藏文管会文物普查队在拉萨市北郊曲贡村附近发现 1 处新石器时代文化遗址，采集到一些打制石器和陶片，并对遗址进行了试掘。发现窖穴 1 座、灰坑 2 座，出土大量打制石器、石片、陶片和少量骨器、磨制石器。简报分为：一、遗址概况，二、文化层、遗迹，三、出土遗物，四、结语，共四个部分。有手绘图、照片。

昌都地区

1183.西藏昌都卡若遗址试掘简报

作　者：西藏自治区文物管理委员会
出　处：《文物》1979 年第 9 期

卡若遗址位于西藏昌都城东南约 12 公里的加卡区卡若村，是 1 处新石器时代遗址。1977 年夏天，昌都水泥厂工人在施工时发现了遗址。考古人员立即赴现场清理，采集到了石器、骨器、蚌器和陶片等，还发现了红烧土堆积和灰烬层。遗址地处澜沧江西岸第二、三级台地上，海拔约 3100 米，东靠澜沧江，南临卡若水，北依土岳山，西面是一片平地。1978 年 5 月 22 日至 8 月 23 日，考古人员对遗址进行了试掘，共揭露面积 230 平方米，发现 5 座房屋基址和 1 条面铺石块的路，出土遗物有陶、石、骨器等。考古人员还初步钻探了遗址的范围，得知遗址总面积为 1 万平方米，一半已被破坏，还有 5000 平方米保存较好。简报分为"地层堆积""遗迹""出土遗物""结语"共四个部分。有手绘图、照片。

简报指出，该遗址文化可分为早、晚两期，早期为第三、四层文化堆积，晚期为第二层文化堆积。经测定，遗址的绝对年代为距今 4000 年以上。

1184.西藏小恩达新石器时代遗址试掘简报

作　者：西藏文管会文物普查队　陈建彬
出　处：《考古与文物》1990 年第 1 期

1986 年 8 月 23 日~9 月 7 日，考古人员在小恩达遗址进行了调查和试掘工作，发现较完整的房屋遗迹 3 座、灰坑 1 处、窖穴 5 处，出土了大量的打制石器、细石器、磨制石器、骨器、陶片等。简报分为：一、地理位置及概况，二、文化堆积，三、遗迹，四、遗物，五、结语，共五个部分。有手绘图。

据介绍，小恩达遗址位于西藏昌都县北 5 公里的昂曲河东岸，东距小恩达乡 800 米，遗址分布在小恩达小学一带的第一、二级台地上。遗址发现于 1980 年 5 月，当地农民在此搞农田基建时，发现了石棺葬、瓮棺葬、陶器、骨器、石器等遗物。后来此地建了小学，加之黑昌公路从中穿过，致使遗址遭到严重破坏。简报认为这是 1 处卡若文化遗址，年代经测定为距今 4200~4000 年。简报称，小恩达遗址的发现，扩大了西藏地区新石器时代遗址的分布范围，为研究西藏早期和黄河流域等地的文化联合，为探讨藏族的起源、健全和完善卡若文化的类型和序列，提供了十分珍贵的资料。

山南地区

1185.西藏乃东县发现新石器时代遗存

作　者：西藏文管会文物普查队　张建林、旦　扎等
出　处：《文物》1985 年第 9 期

1984 年 7 月，考古人员在乃东县进行普查时，先后从亚堆区曲德公社四队、温区门中公社钦巴村征集到磨制石器 3 件、磨制玉器 1 件，并根据百姓提供的线索，在钦巴村找到 1 处小范围的新石器时代遗址。简报配以手绘图、照片予以介绍。

据介绍，遗址位于温河谷地的钦巴村，南距乃东县 10 公里。遗址分布在村北山坡上，估计部分压在村北部的民居下。未发现统一的文化层，散见灰坑 5 处。灰坑均遭破坏，暴露出灰层、木炭、烧骨等，其中有一断崖边的灰坑因取土已被严重破坏，仅残存底部的一部分。征集到的器物有石锛 2 件、玉锛 1 件、石斧 1 件。

简报称，钦巴村遗址的发现和征集到的几件磨制石、玉器，证明在远古时期，藏族的先民就曾经繁衍生息在这里。乃东征集的磨制石、玉器和钦巴村遗址的发现，为我们提供了在西藏找寻新石器时代文化遗存的一个重要线索。

1186.西藏贡嘎县昌果沟新石器时代遗址

作　者：中国社会科学院考古研究所西藏工作队、西藏自治区文物管理委员会
　　　　刘景芝、赵慧民
出　处：《考古》1999 年第 4 期

1994 年夏，考古人员在西藏贡嘎县昌果沟新石器时代文化遗址进行调查和发掘。该遗址是于 1991 年文物普查时发现的，进行过复查。通过这次再调查和发掘，不仅获得了一批新的重要材料，而且对这一遗址有了进一步的了解。

简报分为：一、地理概况，二、文化遗物，三、文化特征及其年代，四、与西藏其他新石器时代遗址的比较，共四个部分。有手绘图、拓片。

据介绍，随着西藏考古事业的发展，越来越多的新石器时代文化遗址被发现。

它们主要分布在雅鲁藏布江和澜沧江的河谷地带。分布于雅鲁藏布江河谷地带的遗址或地点有拉萨市郊的曲贡，贡嘎县的昌果沟，林芝县的云星、居木和墨脱县的几处地点等。分布于澜沧江河谷地带的遗址有昌都县的卡若和小恩达。经发掘的遗址有曲贡、昌果沟、卡若和小恩达4处，其他遗址或地点也曾作过详细的调查和研究。简报称，这为对这些遗址或地点作些文化面貌上的对比提供了可能。

日喀则地区

1187.西藏仲巴县城北石器地点

作　者：西藏自治区文管会文物普查队　李永宪、霍　巍
出　处：《考古》1994年第7期

1990年夏季，在对日喀则地区进行的全面文物普查中，考古人员于雅鲁藏布江上游流域的仲巴县境内调查发现了多处石器地点并获得一批石制品。简报是对其中位于县城北侧1处石器地点进行初步整理的结果。

简报分为：一、地理及地貌概况，二、石制品，三、工艺特征，四、结语，共四个部分。有手绘图。

据介绍，仲巴县位于西藏自治区西南隅，行政区划属日喀则地区，是该地区最西部的1个县，其西、北面与藏西的阿里地区接壤，南与尼泊尔毗邻。20世纪70年代曾在仲巴县以西的阿里地区普兰县发现过石器遗存。与西藏高原已发现的多数石器地点相同，仲巴县城北地点遗物中不见陶器（片）、骨器、磨制石器及较大型的打制石器等，遗存较单纯，为西藏高原常见的"无陶石器地点"。简报推测，该地点石制品在技术类型上的两种工艺因素是一脉相承的，即以楔形石核（间接法）和锥状石核、石叶（直接法）为代表的细石器技术是直接产生于条形长石片的工艺技术之中，从而决定了该地点石器工业的性质——具有原始特征的细石器工艺传统。在目前发现的整个西藏地区的细石器遗存中，从工艺类型学上推断，仲巴县城北地点的细石器遗存代表了高原细石器工业发展序列中的初期阶段。因此在理论上它应是相对早于西藏细石器遗存中代表成熟和进步类型的卡若遗址出土物。即仲巴县城北细石器遗存的年代下限应不晚于距今4000年左右，准确的年代判定尚待进一步的研究工作。

那曲地区

1188.藏北申扎、双湖的旧石器和细石器

作　者：安志敏、尹泽生、李炳元

出　处：《考古》1979 年第 6 期

1976 年，考古人员在藏北高原进行多学科综合科学考察时，分别在申扎境内的珠洛勒、卢令和双湖境内的玛尼、绥绍拉等 5 处地点采集石片石器 14 件和细石器156 件，并对石器地点及其周围地区的自然环境进行了考察。另外，还收集到当地干部和牧民在申扎境内色林错和格仁错一带的 11 处地点、双湖境内的 2 处地点所采集的细石器 19 件以及有关石器地点的基本资料。简报分为四个部分介绍了这些石器地点的自然环境和石器资料整理、研究的初步结果。

据介绍，关于西藏高原的石器时代遗存的认识，过去是一片空白，这里曾被认为是荒芜的、不适于古代人类居住的地区，但这个神话终于被科学事实所粉碎。1949 年以来，在定日发现了旧石器，在黑河、聂拉木发现了中石器或稍晚的细石器。至于新石器时代遗物，在林芝、墨竹和昌都一带也有一些发现。此次又在藏北申扎、双湖一带以及阿里地区发现了旧石器和大批细石器。这些事实充分说明西藏高原和我国其他地区一样，亘古以来就有先民劳动、生息、繁衍在这块土地之上，创造了优秀的古代文化。简报还认为藏北的旧石器与华北一带旧石器遗址有其内在的联系。

阿里地区

林芝地区

1189.西藏自治区林芝县发现的新石器时代遗址

作　者：王恒杰

出　处：《考古》1975 年第 5 期

1974 年 11 月至 1975 年 2 月，考古人员先后在林芝县的云星、红光、居木、加

拉马和拉萨市郊的纳金等地，发现了新石器时代遗址、墓葬和文化遗物。简报只介绍遗址和文化遗物，墓葬及其出土情况另行专文报告。有手绘图。

据介绍，遗址主要位于雅鲁藏布江以北、尼洋河以东。遗物有石器、陶片等。简报称，从这次发现的石刀、盘状器、凿、网坠和陶器等生产工具和用具，可以肯定先民正是过着原始的经济生活。这批遗物的主人应同古羌族有关系。

1190.西藏墨脱县马尼翁发现磨制石锛

作　　者：新　安
出　　处：《考古》1975 年第 5 期

1973 年 4 月在距马尼翁卫生所约 300 米的小溪旁修路时，发现 1 件磨制石锛。简报配以手绘图予以介绍。

据介绍，石锛有使用过的痕迹。西藏在考古学上，过去一向是空白地区，但已有了一些发现，例如那曲县（黑河）、聂拉木县等地出土的细石器。最近在林芝县也发现了新石器时代遗址。墨脱和林芝两县同属于雅鲁藏布江流域，因此，墨脱县发现的磨制石锛，当与林芝县的新石器文化有着密切联系。以上的一些发现，可能代表着不同时期或不同系统的文化遗存，证明了从很早的古代起，已有先民劳动、生息、繁衍在西藏高原上。

1191.西藏墨脱县又发现一批新石器时代遗物

作　　者：尚　坚、江　华、兆　林
出　　处：《考古》1978 年第 2 期

1976 年 7 ～ 9 月，考古人员在墨脱县进行民族考察期间，从门巴族和珞巴族百姓处收集了 16 件石器，都是他们在开荒种地时拾到的。这些石器都发现在墨脱县境内雅鲁藏布江两岸的河谷台地上，有个别发现石器的地方，还发现有手制绳纹陶片。发现石器的地点，简报配以手绘图予以介绍。

据介绍，发现石器地点的有达木公社卡布村、墨脱公社墨脱村、背崩公社背崩村、背崩公社格林村、地东公社地东村、地东公社西让村。简报称，这些新石器地点的发现，说明很早以前墨脱就有人类居住。这次在墨脱多处发现了新石器时代遗物，对了解西藏自治区的新石器文化是有价值的，为研究其与中原地区文化的关系，提供了宝贵的资料。

陕西省

1192.浐灞两河沿岸的古文化遗址

作　　者：张彦煌

出　　处：《考古》1961 年第 11 期

　　1957 年春，中国科学院考古研究所对浐灞两河沿岸地区进行了一次调查。自 4 月 4 日起，至 7 月 3 日止，历时共 91 天。除发现了仰韶、龙山和西周遗址 37 处外，还对米家崖遗址作了详细的复查，共采集了石、陶、骨器、蚌器等标本 7 箱。简报分为：一、遗址，二、房屋遗址，三、文化遗物，四、结语，共四个部分。有手绘图、照片。

　　据介绍，这次发现和复查的 38 处遗址，都位于河流沿岸的第二台地上。其中 14 处，分布在地势平坦的灞河东岸；其余 24 处则分布在浐河两岸。这些遗址，是属于仰韶、龙山和西周 3 个不同历史阶段的遗存。

　　在上述遗址中，都有厚薄不等的灰层发现。至于房屋建筑的遗迹，共发现 7 处。文化遗物有仰韶文化遗物、龙山文化遗物。遗址都位于靠近河流的台地上，而且以中游的分布较为密集。这一地区的仰韶文化古代居民还有着与半坡遗址不同的几种建筑元素——姜石面、砂土混合面、白灰面。在浍湖镇仰韶文化遗址的 2 处姜石面房屋遗迹中：1 处是两层草拌泥及姜石面，而另 1 处则为三层。简报认为它们是属于同一文化而且为时极短的先后相叠。这种现象，当是由于旧址破坏后重铺新面而形成的。

　　简报附有"浐灞两河沿岸古文化遗址登记表"。

1193.汉江上游的几处新石器时代遗址

作　　者：陕西省考古研究所　魏京武、孙　中

出　　处：《考古与文物》1980 年第 2 期

　　汉江发源于陕西省宁强县燔冢山，流经汉中、安康两地区，由白河县入湖北境。1959 年考古人员曾对汉中、安康两地区进行考古调查，发现了一批新石器时代及周、汉等时代的遗址，填补了这一地区考古资料的空白。为了更进一步摸清陕南新石器时代文化的情况。考古人员于 1979 年 11 月 1 ~ 23 日对安康、汉中两地区的几处新

石器时代遗址进行了调查和复查，并采集了一批标本。简报配以照片予以介绍。

简报介绍了肖家坝遗址、红庙村遗址、李家村遗址等 7 处重点遗址。认为仰韶文化遍布陕南，从富饶的汉中、安康盆地，到秦岭、大巴山区，都有仰韶文化先民们活动的遗迹。仰韶文化在关中、豫西、晋南的几个主要类型——半坡（早期）类型、庙底沟类型在陕南都有发现。因此，可以说陕南的仰韶文化基本上和关中的仰韶文化相同。简报还提到，作为豫北、冀南仰韶文化后岗类型的典型器物之一——红顶碗，在陕南也有发现，是很值得引起注意的。

1194.临潼白家和渭南白庙遗址的调查

作　者：西安半坡博物馆　高　强
出　处：《考古》1983 年第 3 期

简报配以手绘图，介绍了临潼县城北约 25 公里的白家遗址和渭南县城南约 15 公里的渭南白庙遗址。遗物有石器、骨器、陶器。应为与仰韶文化半坡类型相关，而又具有自身地域特点的遗址。

1195.咸阳市、高陵县古遗址调查简报

作　者：咸阳地区咸高文物普查队　孙德润、李绥成、马建熙
出　处：《考古与文物》1984 年第 1 期

1980 年考古人员在咸阳、高陵两地文物普查中，复查了仰韶文化遗址 2 处，西周遗址 1 处；同时又新发现仰韶文化遗址 7 处，客省庄二期和西周遗址各 2 处。简报配以手绘图，重点介绍了灰堆坡、马南、马家湾、柏家嘴和尹家 5 处遗址，其他各遗址见附表。

据介绍，调查的 9 处仰韶文化遗址，皆属晚期，有半坡和庙底沟两种类型。渭河流域的新石器时代遗址，过去发现的多分布在其支流附近的台地上，在主流沿岸很少发现。咸、高两县的 10 处新石器时代遗址，有 9 处皆分布在渭河北岸的台地上。其中柏家嘴、聂家沟、胡家沟、石何杨和任家嘴 5 处遗址，皆远离今渭河 1～2 公里。这 9 处遗址中，除马南、尹家两处外，其他 7 处遗址皆面积小，文化层薄，遗物也不丰富。考古发掘证明渭河在新石器时代就南北摆动，其范围在南北 8 公里之间。新石器时代的人，随着渭河的变迁而迁徙较频，所以遗址皆面积小，遗址、遗物也不丰富。如灰堆坡遗址周围地势平坦，地面上见不到有明显的古河道和古湖泊的遗迹。据新石器时代遗址分布的规律，这里当时可能有条古河道，早已被掩埋了。

1196.渭水流域仰韶文化遗址调查

作　者：中国社会科学院考古研究所渭水考古调查发掘队　刘随盛
出　处：《考古》1991 年第 11 期

渭水流域是我国古代文化的重要发祥地之一，地下文物非常丰富。1959 年 3 月 13 日至 6 月 1 日，考古人员在渭水流域及其主要支流，作了一次规模较大的考古调查。先后调查了从渭水中游到上游的陕西邠县、长武、旬邑、乾县、永寿、礼泉、咸阳、兴平、周至、眉县、武功、扶风、岐山、凤翔、宝鸡以及甘肃天水、武山、甘谷、陇西、渭源等县、市内的 220 处遗址。这次调查工作的部分成果，已在《考古》1959 年 11 期作了简要报道。之后由于种种原因，当年调查过的不少遗址遭到严重破坏，有的甚至荡然无存，给渭水流域考古造成了不必要的损失。为弥补这一损失，考古人员重新对这批调查资料，作了系统整理。简报分为：一、北首岭下层文化类型遗址，二、半坡类型文化遗址，三、庙底沟类型文化遗址，四、半坡晚期类型遗址，五、结语，共五个部分。有照片。

据介绍，在陕西境内的渭水流域，仰韶文化遗址极为稠密，内涵也十分丰富。在调查中共发现 95 处。这些遗址，主要分布在渭水北岸及其支流——泾河、汭河、漠谷河、漆水河、雍河（后河、沣河）、横水河、霸王河、黑河两岸的第一、二阶台地，渭水与其支流交汇处的三角地带和一面依山（或原）、三面临水的高地。在这 95 处遗址中，纯仰韶文化者 58 处，仰韶文化与龙山文化共存者 12 处，仰韶文化与西周文化共存者 20 处，仰韶文化与龙山文化、西周文化共存者 5 处。其中属于北首岭下层文化类型的 1 处（即眉县上第二坡遗址，与庙底沟类型遗址共存，统计遗址时计算在庙底沟类型遗址内），属于半坡类型者 17 处，属于庙底沟类型者 48 处，属于半坡晚期类型（西王村类型）者 28 处。另有 2 处遗址，因陶片太少、又很破碎，属于何种类型，尚难确定。

1197.陕西渭水流域龙山文化遗址调查

作　者：中国社会科学院考古研究所渭水考古调查发掘队　刘随盛
出　处：《考古》1992 年第 12 期

1959 年春，发掘队在陕西境内的渭水流域进行考古调查，收获极为丰富，所以有关材料拟分作仰韶文化、龙山文化、周代文化 3 部分加以报道。本次主要介绍陕西境内的龙山文化遗址部分。简报分为：一、庙底沟Ⅱ期文化类型遗址，二、客肖庄Ⅱ期文化类型遗址，三、结语，共三个部分。有手绘图、照片。

据介绍，调查结果表明，陕西境内渭水流域的龙山文化遗址分布是比较稠密的，仅次于仰韶文化遗址。属于庙底沟Ⅱ期文化类型的遗址，虽然只发现 10 处，但这一类型的文化还是很有特点的。

这次调查共发现客省庄Ⅱ期文化遗址 18 处。它们所出陶器的陶质虽然也有夹砂红陶、泥质红陶、夹砂灰陶和泥质灰陶，但从数量上看，红陶比庙底沟Ⅱ期中的 10 处所出的明显要多。

通过考古调查，了解到渭水流域分布的新石器时代遗址相当密集。近几十年来通过有选择的发掘，把它们的文化面貌及其内涵相对地也揭示得比较清楚，但同时也提出一些问题，如庙底沟Ⅱ期文化浒西庄类型和客省庄Ⅱ期文化之间究竟存在不存在衔接的关系，客省庄Ⅱ期文化自身的分期及其与齐家文化之间究竟又是什么样的关系，等等。这些问题都有待作更多的发掘和研究工作方能解决。在渭水流域发现的属于这一阶段文化的 30 余处遗址，无疑是今后要解决上述学术问题需进行发掘的重要对象。

简报称，这次调查的 45 处遗址，都分布在陕西境内的渭水中下游地区，这对了解渭水流域这两种文化的分布情况，对研究该地区的龙山时代人类的活动情况，是不可缺少的资料。

西安市

1198.蓝田猿人的发现

作　者：林　生

出　处：《考古》1964 年第 5 期

1963 年 7 月 19 日，中国科学院古脊椎动物与古人类研究所的一个工作队，在陕西省蓝田县涑湖镇陈家窝村附近厚约 30 米的红色土层的近底部的地层中，发现了 1 个猿人的下颌骨。这一发现具有重大的古人类学与考古学的意义。简报配以照片予以介绍。

据吴汝康先生的研究，这个下颌骨属于 1 个老年的女性猿人。时代与北京猿人相当。

1199.陕西临潼康桥义和村新石器时代遗址调查记

作　者：李仰松

出　处：《考古》1965 年第 9 期

康桥义和村新石器时代遗址是 1964 年春发现的（见《文物》1964 年 5 期），简报配以手绘图，介绍了该遗址出土遗物。

据介绍，义和村位于康桥镇之西约 2 公里，遗址在村东北约 100 米的一块高地上，南边有石川河由西向东流过，西边有一条干涸的水沟。遗址高出河床约 20 米，地面比较平坦。高地断崖的四周均暴露有灰土，随处都有古代坑穴的痕迹。内涵有大量的陶器残片以及古代人们遗弃的兽骨、螺壳等。遗物散布的面积约 10 万平方米。遗址里有大量的陶器残片，多数为泥质红（橙黄色）陶、夹砂灰陶，还发现泥质白色陶等。陶器多素面，也有饰细绳纹、横篮纹和附加堆纹的陶片。残器中能辨出器形的有平沿敞口盆（有的在沿面上绘红彩曲折纹）、平沿罐、叠唇罐（瓮）、红陶钵、喇叭口状束腰瓶、带流盆和扁足鼎等。采集的生产工具不多，有石网坠、石刀、石锥等。装饰品有陶环。遗物与西安半坡村仰韶文化的同类陶器非常相近。这个遗址的发现对于了解这种文化类型的分布情况以及探讨陕西地区仰韶文化的下限都提供了新的资料。

1200.1971 年半坡遗址发掘简报

作　者：西安半坡博物馆
出　处：《考古》1973 年第 3 期

半坡仰韶文化遗址是 1953 年发现的，面积约 5 万平方米。1954～1957 年，考古人员在这里曾作过 5 次发掘，发掘面积达 1 万平方米。为了测定半坡遗址的绝对年代，在 1971 年冬，考古人员选择半坡遗址西南部进行了将近 1 个月的发掘，共开探沟 3 条，计 46 平方米，发掘到一批木炭、兽骨、螺蛳壳等标本，同出的还有一些陶、石、骨器等文化遗物。简报配以手绘图予以介绍。

据介绍，此次发掘的主要目的是采集标本，测定时代。最后测定的年代为公元前 4000 年左右。

1201.1972 年春临潼姜寨遗址发掘简报

作　者：西安半坡博物馆、临潼县文化馆
出　处：《考古》1973 年第 3 期

姜寨遗址位于骊山脚下、临潼县城北 1 公里许的临河畔上。遗址西长 310 米，南北宽 180 米，面积约为 55000 平方米。1972 年 4 月下旬至 5 月中旬，考古人员对该遗址进行了正式发掘，发现和清理了墓葬 45 座、陶窑 1 座。出土遗物有石、骨、陶、蚌等生产工具和生活用具共 300 多件，还有骨珠 8721 颗。简报分为：一、地层，二、遗迹，三、墓葬，四、出土遗物，五、结语，共五个部分。有手绘图。

据介绍，在出土的遗物中，陶器的绝大多数从形制、质地、纹饰观察，与半坡遗址所出陶器基本相同，故姜寨遗址应属于仰韶文化半坡类型。这次发掘的重要收获是清理了 45 座墓葬，姜寨遗址墓葬本身显示有早晚关系，如 M7 压在 M32 之上就是 1 例，有的墓深入黄土（M18），有的墓则全埋在灰土之内，如 M30、M21 和 M12 等。尽管如此，但从其出土遗物看，明显是属于同一时代的文化系统。随葬品中绝大多数是生活用具，和半坡遗址墓葬墓本相同；不同处则是半坡墓葬成人和小孩异地而葬，而姜寨墓葬则是小孩、大人葬于 1 个共同的墓地，作土坑的小孩墓均有随葬品。姜寨遗址从地理上说距半坡遗址仅 15 公里，可以看出姜寨、半坡的文化关系是非常密切的。

1202.陕西临潼姜寨遗址第二、三次发掘的主要收获

作　者：西安半坡博物馆、临潼县文化馆、姜寨遗址发掘队
出　处：《考古》1975 年第 5 期

1972 年春，考古人员曾对姜寨遗址仰韶文化遗存的墓葬区进行了发掘，简报载《考古》1973 年第 3 期。1972 年秋和 1973 年春又对该遗址居住区作了 2 次发掘。这两次发掘，共发现仰韶文化房址 17 座、窖穴 65 个、壕沟 2 条、墓葬 67 座，龙山文化窖穴 9 个、墓葬 1 座，以及文化遗物 1000 多件。简报分为：一、地层，二、仰韶文化，三、龙山文化，四、结语，共四个部分。有手绘图等。

据介绍，通过对姜寨遗址第二、三次的发掘，又获得了不少新资料。如仰韶文化中发现了保存较好的大房子，这对研究氏族社会的生活和原始建筑提供了珍贵资料。一号壕沟介于居住区和墓葬区之间，为我们进一步了解仰韶文化村落的布局提供了重要依据。关于居住区的房子布局，还有待继续发掘。姜寨遗址仰韶文化遗存的特点，从出土遗迹、遗物来看，应属于半坡类型。姜寨遗址龙山文化遗存的特点与客省庄第二期文化基本相同，其相对年代亦应相当。

1203.临潼姜寨遗址第四至十一次发掘纪要

作　者：西安半坡博物馆、临潼县文化馆　巩启明、王志俊、张瑞岭
出　处：《考古与文物》1980 年第 3 期

1972 年至 1973 年春，考古人员曾对姜寨遗址进行了 3 次发掘，其主要收获是发现了仰韶文化的墓葬区及布局较完整的居住区。墓地和居住地之间有一条壕沟将二者隔开。居住地内发现的房屋，门均朝西开。同时也发现了一些客省庄第二期文化

的零星遗迹。为了进一步了解姜寨遗址的文化内涵及整个原始村落布局，于 1973 年秋至 1979 年底对该遗址又作了 8 次较大规模的发掘。这 8 次发掘发现了一大批不同时期的重要遗迹，计有房址 120 多座、灶坑 300 多个、窖穴 400 多个、土坑墓 300 多座、瓮棺葬 240 多座、壕沟 2 条、陶窑 4 座、圈栏 3 座及柱洞数千个，出土遗物达 1 万多件。简报分为：一、地层与分期，二、第一期文化遗存，三、第二期文化遗存，四、第三期文化遗存，五、第四期文化遗存，六、第五期文化遗存，七、结语，共七个部分。有手绘图、照片等。

据介绍，姜寨遗址自 1972 年至 1979 年，经历了 8 年 11 次的科学发掘。发掘面积之大、收获之丰富，是我国新石器时代考古发掘中所仅见的。简报称，主要收获有三点：

第一点，这里新石器时代中晚期原始文化的发展序列是：仰韶文化半坡类型—史家类型—庙底沟类型—半坡晚期类型及客省庄第二期文化。第一至四期之间延续发展时间较长，第四、五期之间当有间断性的缺环。

第二点，第一期文化遗存中，由大批房屋建筑基址、壕沟、墓地及广场等重要遗迹所构成的基本完整的原始村落布局，为研究仰韶文化早期的社会性质、社会组织、先民生产和生活情景以及家庭、婚姻制度等都提供了宝贵资料，具有相当重要的意义。

第三点，姜寨遗址各期的重要遗迹如房屋、地窖及墓葬等，特征都很明显，时间较早的比较原始，较晚的比较进步，如：房屋营造技术由地穴（或称"居穴"），到半地穴，到地面上起筑，直至分间房屋的出现；房屋墙壁和居住面的处理由用草泥到白灰面的应用；窖穴由容积较小到容积较大等，可以清楚地看出我国原始社会仰韶文化各种技术缓慢而连续的发展过程。1 万多件各期重要的文化遗物，如大批的石器、骨器及陶器，尤其是别致美观的彩陶器等都是我们远古祖先智慧的结晶。这些实物为我们研究建筑史、工具史、制陶史、工艺美术史等提供了重要资料，而陶器上的刻划符号为研究我国汉字的起源和发展提供了证据。

1204.陕西临潼白家村新石器时代遗址发掘简报

作　者：中国社会科学院考古研究所陕西六队　王仁湘、吴耀利、吴加安
出　处：《考古》1984 年第 11 期

白家村新石器时代遗址，位于渭河北岸的临潼县油槐公社白家大队，1956 年由黄河水库考古队调查发现。1974 年曾对该遗址进行了调查和试掘，确定为新石器时代老官台文化堆积。1981 年秋考古人员对该遗址作了进一步复查，发现这个遗址文

化堆积单纯，保存较好。1982 年 10～12 月、1983 年 4～6 月，进行了 2 次正式发掘，揭露面积 1000 多平方米，发掘出灰坑 35 个、房址 2 座、墓葬 17 座和大量的陶器、骨器、石器和蚌器等遗物。简报分为：一、遗址概况和地层堆积，二、遗迹，三、遗物，四、结语，共四个部分。有手绘图、照片。

据介绍，遗址西南距临潼县城 26 公里，东南离渭南县城 9 公里。两次发掘的遗物在 400 件以上，其中包括陶器、石器、骨角器、蚌器等。

白家村遗址是 1 处内涵单纯、文化遗物较为丰富的新石器时代较早时期的文化遗存，它的特征十分鲜明。陶器以夹砂红褐陶和夹砂灰褐陶为主，陶色多不纯正。生产工具有石器、骨器、蚌器和用残陶片加工的饼状器。遗迹发现房址 2 座，保存不甚理想，大体可定为半地穴式房子，均为圆形建筑。这种房子同大地湾发现的房子基本相同，它们是目前渭河流域早于仰韶文化遗存中为数不多的居室遗存。墓葬均为竖穴土坑墓，未见使用葬具的痕迹。多数是单人仰身葬，少数为屈肢葬。骨架保存不好。多数墓未见随葬品，少部分墓随葬有石铲或陶器，其中 M5 是随葬品最多的 1 座墓，计有陶器 5 件和石铲 1 件。

简报称，值得注意的是，白家村遗址的文化特征，与渭南白庙、北刘遗址下层、商县紫荆遗址下层和甘肃秦安大地湾下层基本相同。白家村遗址的主要器物群，也是这些遗址中的常见物，所有这些相同或相近的因素，表现出它们之间文化面貌的一致性，说明它们是属于同一种性质的文化遗存。这种文化遗存是分布在渭水流域的独具特征的新石器时代文化。

北刘遗址、大地湾遗址和紫荆遗址的地层关系都证明这类遗存早于仰韶文化半坡类型和庙底沟类型。北刘下层测定的碳十四年代为距今 6960±120 年(ZK-918-0)；大地湾一期测定的碳十四年代数据有 4 个，最早的 1 个距今 7150±90 年(BK-80025)，最晚的 1 个距今 6730±90 年(BK-80007)，该数据校正后的年代为距今 7350±115 年。白家村遗址的文化性质与它们大体相同，其年代不会晚于距今 7000 年。简报认为从白家村遗址本身来看，分布面积大，文化层堆积较好，具有分期的可能性，但大量的资料尚待整理。

1205.临潼任留出土的新石器时代陶器

作　者：马咏钟
出　处：《文博》1986 年第 3 期

1985 年 8 月下旬，临潼县任留乡原头村村民杨小利，向陕西省博物馆送交了一批新石器时代的陶器，言称是在本村外取土时所出。具体出土情况不详。这批陶器有钵、罐、尖底瓶、葫芦瓶、盂等5类共计11件。简报配以手绘图予以介绍。

据介绍，这批陶器多为红陶，有细泥红陶、粗砂红陶、泥质红陶等。

1206.陕西渭水流域新石器时代遗址调查

作　者：中国社会科学院考古所陕西六队　马洪路

出　处：《考古》1987年第9期

陕西省渭水流域的新石器时代文化遗存十分丰富。我们对渭水流域仰韶文化的半坡类型已经比较熟悉，但对继之而起的庙底沟类型所知尚少。对秦岭南北庙底沟类型的分布范围、内涵特点及其向龙山文化的转变过程的认识，一直若明若暗。考古人员于1986年春天对渭水流域以庙底沟类型为主的新石器时代文化遗址进行了比较广泛的调查，并于秋季初步发掘了蓝田县泄湖镇遗址。简报配以手绘图等予以介绍。

据介绍，仰韶文化庙底沟类型，主要分布于豫西、晋南和陕西关中地区，即以华山为核心，包括中条山周围、子午岭以南和秦岭以北的广大范围，在豫中、汉水上游和陇山东麓也有少许发现。渭水流域已发现20余处，基本上都在眉县以东的渭河中下游平原及渭河支流两岸。简报介绍的几处仰韶文化遗址，仍然分属于半坡和庙底沟两种类型。其中值得注意的是庙底沟类型遗址所表现的特点与潼关以西同类遗存的区别。从泄湖遗址发掘的情况看，这种区别有时间早晚所显示的不同特点，更主要的则是地域不同所反映的差异。

1207.陕西临潼康家遗址发掘简报

作　者：陕西省考古研究所康家考古队　阎毓民、秦小丽

出　处：《考古与文物》1988年第5、6期合刊

康家遗址位于临潼县东北30多公里的相桥镇境内。1973年当地农民平整土地时发现。自1981年秋季起，考古人员曾进行过4次试掘，确定为与客省庄二期文化同时的龙山文化遗址。1985年进行正式发掘，1985年10～12月揭露了约230平方米，发掘出房址42座、灰坑10座、陶窑1座、石灰窑2座、墓葬2座和一批陶器、骨角器、石器、蚌器等遗物计230多件以及一些汉墓。简报分为：一、遗址概况和地层堆积，二、遗迹，三、遗物，四、结语，共四个部分。有手绘图、照片。

据介绍，康家遗址，是1949年以来陕西发现的1处规模较大的龙山文化聚落遗址。这次仅在230平方米范围内，就发掘出了40多座房址，还有灰坑、陶窑、墓葬、

石灰窑等遗迹，这在龙山文化遗址中是较为罕见的。房址多为半地穴式，平面呈圆角长方形，门道多朝南，房内中心偏北处设灶。白灰面已被大量使用，而且延续时间较长。对遗址的试掘和发掘，对我们了解陕西龙山文化晚期村落房址的布局、房子的结构、建筑程序和氏族社会的家庭组织都有很大帮助。

1208.陕西长安花楼子客省庄二期文化遗址发掘

作　者：郑洪春、穆海亭
出　处：《考古与文物》1988 年第 5、6 合刊

花楼子客省庄二期文化遗址，位于花园村西潏河故道的南岸。东距花园村约 500 米，南距斗门镇约 700 米，西、北两边均为潏河故道堤岸，原来是比较高阜的。

1970 年，斗门公社平整土地，遗址遭到了很大程度的破坏。1984 年，当地村民又在遗址南北两端大量取土，严重地威胁遗址，考古人员遂进行了抢救性的发掘，清理了 1 座西周大型建筑基址。简报分为：一、地层堆积，二、文化遗迹，三、文化遗物，四、兽骨刻辞，五、结语，共五个部分。有手绘图。

据介绍，遗址计发现客省庄二期文化房址遗存，出土陶片 15664 片，其中有白陶片；出土与殷墟卜辞相差无几的兽骨刻辞 19 件，已整理 12 件。

简报称，特别值得提出的是，在客省庄二期文化遗址中出土了一批原始骨刻文字和符号。这批骨刻的原始文字或符号，分别刻划在兽的肋骨、骨片、骨笄、骨锥、骨梭、动物牙齿之上。小若粟米，大若豌豆，字体结构严谨，笔划繁复重叠，刀法朴拙。有的刻划细若蚊足，但刚劲有力，笔划清晰，字迹清楚，十分精美。简报指出，我国文字的产生经历了一个漫长的发展过程。在仰韶文化时期，西安半坡、临潼、姜寨、山东大汶口文化就出现了陶器上的刻划符号。李学勤先生认为"超出了刻划符号的范围"。郭沫若先生称其为"中国文字的起源"。而处于仰韶文化时期的陶文或符号，与相当成熟、体系完整的殷墟甲骨文之间的客省庄二期文化原始文字的出现，应是符合文字产生和发展规律的。这批材料，对于研究我国文字起源具有重大意义。

1209.陕西蓝田泄湖新石器时代遗址发掘简报

作　者：中国社会科学院考古研究所陕西六队　袁　靖
出　处：《考古》1989 年第 6 期

1986 年春，考古人员对陕西渭水流域以庙底沟类型为主的新石器时代遗址进行了比较广泛的调查，得知蓝田县泄湖遗址有较丰富的仰韶文化、龙山文化、商周、

战国时期堆积。为了进一步搞清渭水流域东部庙底沟类型的内涵特征，决定发掘泄湖遗址。1986 年 10 月上旬至 11 月下旬、1987 年 4 月上旬至 5 月下旬，2 次对该遗址进行了正式发掘。简报分为：一、地层堆积，二、遗迹，三、出土遗物，四、小结，共四个部分。有手绘图。

据介绍，泄湖遗址的新石器时代文化层堆积较厚，包含有各个不同时期的文化遗迹和遗物，这对于我们进一步认识渭水流域新石器时代的文化发展序列、特征，尤其是搞清楚庙底沟类型的内涵等都有帮助。有关史家类型的命名，考古界意见颇不一致。这次发掘结果，确实证明有这样一种类型的文化层存在。泄湖遗址的庙底沟类型堆积层较厚。属于庙底沟类型典型特征的器物，这里基本上齐全。这为我们进一步对庙底沟类型进行分期提供了有益的启示。

简报称，迄今为止，一般把夯筑地面最早出现的时间归入龙山文化时代，现在泄湖遗址 T4F5 的发掘结果证明，夯筑地面的技术在仰韶文化西王村类型中已经存在。这个发现为探讨中国建筑史中夯筑地面技术最早出现于何时提供了有价值的材料。

1210.陕西省临潼县康家遗址 1987 年发掘简报

作　者：陕西省考古研究所康家考古队　秦小丽、阎毓民、王小庆
出　处：《考古与文物》1992 年第 4 期

康家遗址位于临潼县东北约 30 公里的渭河北岸，南距渭河 4.5 公里，属相桥乡新李村。本遗址面积大，总计约 19 万平方米，1985、1987 年曾进行了 2 次发掘。1987 年的发掘面积约 500 平方米。清理房址 102 座、灰坑 31 座、墓葬 11 座、石灰坑 7 座、兽区坑 3 座。同时出土了大量的陶器、石器、骨角器、卜骨及少量玉饰等。经过整理，修复完整陶器 95 件、石器 180 件、骨器 202 件、卜骨 20 块、角器 7 件、玉饰 4 件、石祖 1 件。简报分为：一、地层堆积，二、遗迹，三、遗物，四、结语，共四个部分。有手绘图。

据介绍，简报认为此遗址是客省庄文化东部类型的代表，不妨称之为"康家类型"。年代经测定约为距今 4700 ～ 4500 年。

1211.陕西临潼县骊山西麓的新石器时代遗址

作　者：临潼县文管会
出　处：《考古》1996 年第 12 期

临潼县位于陕西省西安市东 30 公里处，骊山横贯该县南部。1987 年秦东陵工作

队进行调查时，在骊山西麓的冲积扇形山坡上发现了部分原始文化遗存。1988年文物普查中又对该地区进行了详细调查。两次调查共发现4处新石器时代遗址。

简报分为：一、李家沟遗址，二、马斜遗址，三、井深沟遗址，四、范家村遗址，共四个部分。有手绘图等。

据介绍，遗址出土有陶器、石器、骨器等。骊山西麓几处新石器时代遗址的发现，为我们研究骊山一带古人类生活提供了重要资料。

1212.陕西临潼零口遗址第二期遗存发掘简报

作　者：陕西省考古研究所　周春茂、阎毓民
出　处：《考古与文物》1999年第6期

零口遗址，位于陕西省临潼县零口镇零口村的东北部，西南距临潼县城18公里，东北距渭南市14公里，南依秦岭北麓的黄土台塬，北向渭河冲积的关中平原。正在修建的西潼高速公路在遗址北边擦过，遗址被定为公路的取土场之一。为配合高速公路的建设工程，从1994年10月至1995年12月，考古人员对遗址进行了抢救性发掘。

简报将遗址的主体遗存分为四期：第一期为白家村文化遗存；第二期是零口文化遗存；第三、四期分别为仰韶文化半坡类型和西王村类型遗存。

简报分为：一、基本概况和地层堆积，二、遗迹，三、遗物，四、结语，共四个部分。介绍了第二期遗存的发掘收获，有手绘图、照片。

据介绍，零口二期遗存的房子平面呈圆角长方形，为半地穴式建筑。墓葬为单人仰身直肢一次葬，有的有墓坑，有的葬于灰坑边缘，均无随葬品。陶器分为泥质和夹砂陶质，石器中有少量的打制石器。零口二期遗存的陶器，与已被确认的白家村文化和仰韶文化的陶器均有一定的差异。简报认为它当属于白家村文化和仰韶文化之外的另一种考古学文化，简报建议将此类遗存单独定名，命名为"零口文化"。再以地区性特征差异，划分成不同类型。

简报称，此次发掘，没有发现白家村文化单独的文化堆积层，仅发现了1座属白家村文化的灰坑。但在实际发掘工作中，发现在零口文化的诸多单位中，白家村文化的遗物与零口文化的遗物有共存现象，这种现象的成因尚待进一步探讨。简报同时也提醒考古工作者，在以后类似的发掘过程中，这种现象应引起足够的注意。

1213.户县兆伦新石器时代遗址调查简报

作　者：姜宝莲、秦建明、梁小青
出　处：《文博》2000 年第 6 期

1995 年，西安文物保护修复中心考古人员在调查户县兆伦村汉代铸钱遗址的同时，在兆伦村西砖厂发现了 1 处面积较大、内涵丰富的新石器时代遗址。简报分为：一、地理环境，二、遗迹，三、遗物，四、结语，共四个部分。有手绘图。

据介绍，遗址发现于陕西省户县大王镇兆伦村西，东距兆伦村约 100 米。其地处于关中盆地的渭水南岸，这里分布着一条长达数公里的东西向缓丘，当地俗称眉坞岭，遗址即分布在高地之上。在兆伦砖厂取土的断面上，可以见到多处暴露的灰坑及 1 座陶窑遗址。出土和采集的遗物多为陶器，也有一些石器及蚌器。从该遗址所发现和出土的遗迹遗物来看，简报认为主要是 1 处新石器时代仰韶文化庙底沟类型的遗址。同时，在遗物中也发现有少量的客省庄二期文化的因素。

简报称，兆伦新石器时代遗址所出土的壁虎堆塑是一件不可多得的艺术佳品。在该遗址发现类型较多的陶环，说明在这一时期陶环是较为流行的，是这一时期重要的文化因素，应该对其进行深入研究。

1214.陕西临潼零口遗址 M21 发掘简报

作　者：陕西省考古研究所　周春茂
出　处：《考古与文物》2005 年第 3 期

陕西西安临潼区零口村遗址零口村文化墓葬中的 M21，以其骨骼所受到的严重损伤，引起了广泛关注。简报分为：一、概况，二、遗物，三、骨骼损伤，四、颅骨的形态观察和颅面类型，五、颅骨比较分析，六、讨论与结语，共六个部分。有手绘图。

据介绍，零口村遗址发现零口村文化的墓葬共有 5 座。女性 4 座（M7、M21、M22、M23），墓主年龄为 15 ～ 22 岁；男性 1 座（M20），墓主年龄 27 ～ 29 岁。

M21 发现于 T13 第⑧层层表，长方竖穴土坑墓，墓圹为中部略外张的不规则圆角长方形。M21 墓主是一个 16 岁左右的女性，距今 7300 ～ 7270 年。其颅骨的综合特征比较接近东亚蒙古人种的颅骨。与新石器时代 12 个比较组的比较及聚类图显示，M21 与陕西华县组最为接近，其次与半坡组较为接近，与宝鸡组、姜寨Ⅱ组也相对较为接近，他们相聚成一类群。石固组、大汶口组、野店组、西夏侯组四组相聚成另一类群。河姆渡组、甑皮岩组、河宕组、昙石山组先后相聚成第 3 个类群。这 3 个类群分别代表中国新石器时代黄河中游地区、黄河下游地区和华南地区的女性人类的类群。

M21 的骨骼至少有 35 处严重的损伤，发现的致伤骨器有骨叉、骨笋各 8 件，骨镞 2 件，共 18 件。这些损伤表明 MZ1 是被直接暴力行为致死的，乱箭射杀是其主要方式之一。简报认为这种现象在国内外墓葬资料中极为罕见，云南元谋大墩子遗址墓葬骨架中发现有射入体骨的石镞，部分墓主人也被认为是中箭身亡。M21 的主人为什么会受到如此残酷的暴力对待？简报称，目前还不能准确判断其死因究竟属于哪种，这是史前时期留给我们值得今后进一步研究探索的疑案之一。

1215.陕西临潼零口北牛遗址发掘简报

作　　者：陕西省考古研究所、西安市临潼区文化局

出　　处：《考古与文物》2006 年第 3 期

为配合西延铁路复线扩能工程，考古人员对此段工程沿线进行考古调查，并对北牛遗址进行了发掘清理。简报分为：一、遗址概况，二、地层堆积与文化遗迹，三、出土遗物，四、结语，共四个部分。有手绘图。

据介绍，北牛遗址位于西安市临潼区零口镇北牛村，是 1963 年文物普查时发现的新石器时代遗址，1983 年公布为县级文物保护单位。遗迹有房址、陶窑、灰坑、窖穴。出土遗物中陶器为大宗，另有石器、骨器。简报认为此处遗址最丰富的遗存属龙山文化晚期。

1216.西安鱼化寨遗址仰韶文化土坑墓发掘简报

作　　者：西安市文物保护考古研究所　张翔宇、翟霖林

出　　处：《考古与文物》2011 年第 6 期

鱼化寨遗址位于西安市雁塔区鱼化寨街道鱼化寨村西北侧、皂河西岸的二级台地上。2004 年为配合西安外事学院北校区建设，考古人员进行了发掘。发现了一批包括老官台文化、仰韶文化和龙山文化的史前时期遗存，其中以仰韶文化遗存最为丰富。发现的遗迹有房址 107 座、灰坑 255 座、壕沟 2 条、墓葬 137 座，出土了大量的陶器、石器和骨角器。在这些遗迹中，发现仰韶文化时期的墓葬共 137 座，其中土坑墓 14 座，瓮棺葬墓 123 座。此简报仅对发掘的仰韶文化土坑墓作介绍，分为：一、遗址概况，二、墓葬形制，三、出土器物，四、结语，共四个部分。有照片、手绘图。

据介绍，遗址共发掘 14 座土坑墓，包括灰坑葬墓 1 座、竖穴土坑墓 13 座。出土器物 72 件，包括陶器 41 件、石器 5 件、骨珠 26 件。其中 M1、M6 为仰韶文化晚期墓葬，其他属仰韶文化早期墓葬。简报称，早期墓的墓坑长度不超过 1.4 米，宽度不超过 0.68

米，人骨的尺寸则更小。可初步判定，这些墓的主人均为未成年人。未成年人的土坑墓与瓮棺葬墓在聚落的居住区分布，也正是仰韶文化早期墓葬制度的一个特点。

1217.陕西高陵杨官寨遗址发掘简报

作　者：陕西省考古研究院　王炜林、张　伟、张鹏程、郭小宁、袁　明、马明志
出　处：《考古与文物》2011 年第 6 期

高陵属西安市辖县，杨官寨遗址行政区划属高陵县姬家乡杨官寨村，2003 年进行考古调查时首次发现该遗址。发掘区以产业园东西二路为界，分为南、北 2 区。南区的发掘工作已于 2006 年底结束，累计发掘面积 5615 平方米，发现仰韶时期各类房址 27 座、灰坑 496 个、陶窑 8 座、瓮棺葬 9 座，出土陶器 5273 件、石器 353 件、骨器 303 件、蚌器 16 件。北区的发掘始于 2006 年，目前发掘总面积已达 12063 平方米，共发现仰韶文化时期各类房址 30 座、灰坑 379 座、陶窑 13 座、瓮棺葬 34 座。此外，遗址中还发现有汉、唐、明、清等时期的少量遗存。简报主要介绍遗址内的仰韶时期遗存。简报分为：一、地层堆积，二、庙底沟文化遗存，三、半坡四期文化遗存，四、结语，共四个部分。有照片、手绘图。

据介绍，杨官寨遗址的仰韶时期遗存可以粗略地划分为庙底沟文化和半坡四期文化两个阶段。

庙底沟文化遗存主要为聚落环沟、灰坑。出土的动物纹饰彩陶、镂空人面饰陶器、联体釜灶、巨型陶祖少见。遗址北部发现的庙底沟文化环壕的聚落，使杨官寨遗址成为国内目前所知庙底沟时期唯一一个发现有完整环壕的聚落遗址，这显示出杨官寨遗址在庙底沟文化时期的聚落群中具有特殊的地位。简报猜测这一庙底沟文化聚落可能是一较大区域内的中心。

半坡四期文化遗存主要分布于遗址南区和北区的南部，共发现房址、灰坑、陶窑等遗迹单位 500 多个。这一时期最重要的收获是在发掘区南端一道东西走向的断崖上发现了成排分布的房址、陶窑。遗址中出土的陶轮、浮雕人面饰陶器及大批量成组出土的尖底瓶则在同期遗址中少见。

1218.陕西高陵县马家湾遗址发掘简报

作　者：陕西省考古研究院
出　处：《考古与文物》2011 年第 6 期

马家湾遗址南邻渭河，北界泾水，西接梁村塬，向东不远即为泾渭汇流处，位

于渭河北岸二级阶地，行政区划属陕西省西安市高陵县泾渭工业园。2004年，考古人员进行了考古发掘，共揭露面积近15000平方米，清理了一批新石器时代的房址、灰坑和战国至唐代墓葬147座。简报分为：一、地层堆积及遗迹分布，二、遗迹，三、遗物，四、结语，共四个部分。有照片、手绘图。

据介绍，本次发掘共清理龙山时代疑似窑洞的房址5座，陶窑1座，灰坑4个。从各遗迹单位的出土物判断，这些遗迹均属同一时期同一文化的遗存。遗物主要为陶器，制作技术已相当成熟。简报称，马家湾遗址的发掘，出土了一批客省庄二期文化的遗迹和遗物，特别是其中房址的发现为进一步认识客省庄二期文化的内涵提供了新的资料。该遗址位于关中中部的泾渭交汇处，新的发现对于进一步探讨客省庄二期文化的时空分布及区域性特征有一定的学术意义。

1219.西安鱼化寨遗址发掘简报

作　　者：西安市文物保护考古研究院
出　　处：《考古与文物》2012年第5期

鱼化寨遗址位于西安市雁塔区鱼化寨街道鱼化寨村西北侧、皂河西岸的二级台地上。2002～2004年进行了发掘，获得了一批丰富的仰韶文化遗存。可分为半坡类型、庙底沟类型、半坡晚期类型3个时期。其中半坡类型又可划分为三段，其第一段遗存为此次发掘的重要收获之一。鱼化寨遗址的发掘，为关中地区仰韶文化研究提供了丰富的资料。简报分为：一、地层堆积，二、仰韶文化早期遗存，三、仰韶文化中期遗存，四、仰韶文化晚期遗存，五、结语，共五个部分。有手绘图。

据介绍，此遗址早期遗存相当于半坡早期，中期遗存相当于庙底沟类型，晚期遗存相当于半坡晚期。其中早期遗存，拓展了我们对仰韶文化早期发展阶段的认识。

1220.西安鱼化寨遗址仰韶文化瓮棺葬墓发掘简报

作　　者：西安市文物保护考古所
出　　处：《文博》2012年第1期

鱼化寨遗址位于西安市雁塔区鱼化寨街道鱼化寨村西北侧，皂河西岸的二级台地上，今西安外事学院北校区西北部。2002年10月～2004年11月，为配合西安外事学院北校区建设，考古人员对遗址进行了全面勘探和重点发掘。发现了一批包括老官台文化、仰韶文化和龙山文化的史前时期遗存，其中以仰韶文化遗存最为丰富，发现的遗迹有房址107座、灰坑255座、壕沟2条、墓葬137座，出土了大量的陶器、石器和骨角器。在这些遗迹中，仰韶文化时期的墓葬共发现137座，其中土坑墓14座、瓮棺葬墓123座。简报分为：一、遗址概况，二、墓葬形制，三、出土器物，四、结语，共四个部分。有手绘图。

据介绍，发掘的123座瓮棺葬墓，墓坑全部为竖穴土坑，依据墓坑的形制，可分为圆形（椭圆形）筒状、圆形（椭圆形）锅底状、圆形袋状、方形锅底状、不规则形共五种；依据葬具的形制，可分为瓮钵组合、瓮盆组合、瓮瓶组合、瓮瓮组合、3瓮（2瓮合葬，并加盖1瓮）组合、单瓮共6种；依据随葬摆放情况，可分为竖置、斜置、横置共3种；依据随葬品的情况，可分为有随葬品与无随葬品2种。出土器物共261件，依质地可分为陶、石2种；以陶器为主，共248件。器类有瓮、钵、盆、罐、瓶、锉、圆陶片共7种。其中陶瓮126件。简报推断这批瓮棺葬的年代为仰韶文化早期，仅W3这1座为仰韶文化晚期。

简报称，这批瓮棺葬墓位于遗址的南部。该区域属仰韶文化早期聚落的居住区，与同期的房址等遗迹混合分布。瓮棺中保存的人骨，绝大多数比较纤细，尺寸也比较小。虽然人骨鉴定工作尚未结束，我们仍可初步判定，墓主人应以未成年人为主，仅W08等极少数墓葬为成年人。未成年人的瓮棺葬墓在聚落的居住区及边缘分布，也正反映了仰韶文化早期墓葬制度的特点。

同刊同期有翟霖林先生《鱼化寨遗址仰韶文化瓮棺葬墓的几个问题》一文，可参阅。

1221.陕西蓝田新街遗址发掘简报

作　者：陕西省考古研究院
出　处：《考古与文物》2014年第4期

新街遗址位于陕西省西安市蓝田县华胥镇卞家寨村西南、灞河东岸二级台塬之上。2009年8月～2010年6月，因配合西安至商洛高速公路的建设，考古人员对该遗址进行了抢救性考古发掘。实际发掘面积共计约6000平方米，获得了一批包括新石器时代、商代和汉代的重要遗存，以史前时期的仰韶文化遗存和龙山时代遗存为遗址主体。其中仰韶文化遗存共清理房址3座、窑址6座、灰坑346个、灰沟31条，龙山时代遗存共清理陶窑3座、灰坑54个及灰沟1条。简报分为：一、地层堆积，二、仰韶文化第一期遗存，三、仰韶文化第二期遗存，四、龙山时代遗存，五、结语，共五个部分，有彩照、手绘图。

据介绍，仰韶文化和庙底沟二期文化遗存中仰韶文化遗存可分为前后相继的两期，面貌均属于仰韶晚期的范畴。新街遗址的发掘，是目前本地区仰韶晚期遗存规模较大的一次发现。简报称，此次发掘为进一步探讨该时期文化面貌、聚落形态和文化交流等问题提供了新资料。

铜川市

1222.铜川前峁新石器时代遗址调查简报

作　者：尚友德
出　处：《考古与文物》1983 年第 2 期

1980 年冬，铜川矿务局在前峁苹果园挖水沟时，挖出了人骨和陶片，考古人员前往调查，发现该处为新石器时代的遗址，所挖水沟处为其墓葬区。简报配以手绘图予以介绍。

据介绍，前峁遗址位于铜川市以北、王家河煤矿之南，西距王家河村约 500 米。发现 3 座单人墓葬，从骨架辨出为头南脚北，仰身直肢葬。考古人员采集了一些标本，主要是陶器，多为泥质红陶、夹砂红陶、灰陶片和彩陶片，能复原的器物仅 3 件，属仰韶文化遗物。简报指出，仰韶文化遗址出土器物上的雕塑，常见的为不完整的人物塑像，饰有壁虎图形的仅见于庙底沟出土的陶瓶，而前峁遗址出土的人首壁虎身的动物塑形双耳罐，则是较为罕见的。它为我们研究原始雕塑艺术、风俗信仰、图腾崇拜等，提供了宝贵的实物资料。

1223.铜川李家沟新石器时代遗址发掘报告

作　者：西安半坡博物馆　张瑞岭、高　强
出　处：《考古与文物》1984 年第 1 期

铜川市地处陕西"北山"南缘。北山，泛指陕北黄土高原与关中盆地过渡地带的一系列东西向的、以石灰岩为主的丘陵山脉。过去有人曾在这一带作过地质调查，发现有零星的打制石器。1973 年冬，考古人员在黄堡地区进行考古调查时，发现李家沟、吕家崖、瓦窑沟及狼嘴 4 处新石器时代遗址。李家沟在铜川市南约 10 公里，其西南约 2 公里即为黄堡镇，即古耀州瓷产地。1976 ～ 1977 年进行发掘。清理的遗迹有房屋 15 座、灶坑 27 座、窖穴 10 个、瓮棺葬 26 座、土坑墓 3 座，出土了不少的生产工具和生活用具。简报分为六个部分予以介绍，有手绘图。

简报称，遗址可分三期。一期属仰韶文化半坡类型。二期属庙底沟类型，彩绘

陶器多。这次发现的 3 座墓葬，均属于第二期文化遗存，埋葬方式有别于关中地区仰韶文化的墓葬。其显著特征之一，是成人墓葬中，均随葬有大型陶瓮，死者下肢均置于瓮内，个别的还将头部置于瓮内。类似这种葬式的仰韶文化墓葬，目前在关中地区尚未见到，其含义尚需进一步探讨。第二期文化的房屋 F1，建筑形式比较特殊，这种"前堂后室"的结构，目前尚属首次发现。这对于研究仰韶文化的房屋建筑，增添了新的材料。第三期相当于半坡晚期。第三期出土的一件泥质红陶残陶祖，对于深入研究仰韶文化晚期的社会性质，提供了极其重要的资料。

1224.陕西铜川吕家崖新石器时代遗址试掘简报

作　　者：陕西省考古研究所、西北大学文博学院文博教研室　王小庆、于志勇
出　　处：《考古与文物》1993 年第 6 期

吕家崖新石器时代遗址，位于铜川市黄堡镇吕家崖村西南部、漆水河右岸的二级阶地上，东距黄堡镇 1 公里。吕家崖遗址发现于 20 世纪 50 年代，1972 年冬对此遗址进行过普查。1974 年冬，吕家崖村村民在平整土地、修建苗床暖房时，在遗址东北部发现了一批陶器、石器等遗物及一些遗迹。依据这一线索，考古人员对遗址进行了调查，并对出土的遗物进行了初步的分析。1990 年 8 ～ 10 月，考古人员对吕家崖遗址进行了试掘。发掘清理房屋遗址 1 座、墓葬 12 座、放置陶器小坑 2 个、圆形空坑 2 个；出土遗物有石器、骨器、陶器，完整及可复原完整者 20 余件。简报分为：一、地层堆积情况，二、出土文物，三、结语，共三个部分。有手绘图。

据介绍，此次发掘的房屋与姜寨遗址一、二期房屋基本相同，墓葬以二次葬为主。遗物数量、种类均较贫乏，但仍对这一地区仰韶文化的研究提供了一批资料。

宝鸡市

1225.陕西宝鸡新石器时代遗址发掘纪要

作　　者：考古所宝鸡发掘队
出　　处：《考古》1959 年第 5 期

宝鸡新石器时代遗址在 1949 年后由宝鸡市文化局发现。1958 年 8 月，为配合陇海线复线建设，考古人员进行了发掘。简报分为：一、居住房屋，二、残窑，三、生产工具和生活用具，四、埋葬习俗，五、结束语，共五个部分。有照片。

据介绍，遗址位于宝鸡市东北金陵河西岸市第四中学校园内。共发现房屋10座、陶窑2座、墓葬403座（其中唐墓17座）。出土生产工具、生活用具1000余件。简报认为此处是仰韶文化时期1处氏族公共墓地。有随葬品的墓中，随葬品少的有1件，多的有10多件，一般是4～5件，贫富差距还不大。

1226.宝鸡新石器时代遗址第二、三次发掘的主要收获

作　者：考古研究所渭水调查发掘队　赵学谦、关甲堃、白　萍、张长源等
出　处：《考古》1960年第2期

1959年的发掘工作是在1958年发掘的基础上进行的。第2次和第3次的发掘，先后工作了4个多月，发掘面积为700平方米，发现较完整的房屋15间，墓葬16座，骨、石、陶质小件器物400余件。简报分为：一、地层概述，二、建筑遗迹，三、墓葬，四、文化遗物，五、小结，共五个部分。有照片。

据介绍，通过1959年两次的发掘，进一步掌握了这个遗址的分布规律及遗址与葬地的关系。房屋与墓葬有一定的距离，房屋的排列、门道的方向都是有一定规律的。南北房屋的遥相对望和排列有序，也说明了当时村落的布局是有一定的规律的。

墓葬已发掘400多座，有随葬器物的墓近三分之一。这些墓都有成套、成组的随葬陶器出土，为研究当时的埋葬制度和由陶器形制的变化来分析他们时代的早晚提供了一些资料。经鉴定，在47具人骨中，有3具系女性，1具介乎女性和男性间（暂定为女性），其余43具均属男性。他们的年龄为20～47岁，一般在30岁左右即死亡。这说明了人死后是男女分别埋葬的（有几座合葬墓都属男性）。简报推断宝鸡第四中学的遗址和葬地与半坡有颇多相似之处，与庙底沟的遗址比较则大不相同。

1227.一九七七年宝鸡北首岭遗址发掘简报

作　者：中国社会科学院考古研究所宝鸡工作队　刘随盛、杨国忠、梁星彭
出　处：《考古》1979年第2期

宝鸡北首岭仰韶文化遗址曾于1958～1960年作过3个年度的发掘。情况已在《考古》1959年第5期和1960年第2期作了简要报道。在以前的发掘工作中，考古人员发现北首岭遗址存在一种比半坡类型更早的遗存。不过，由于以前的发掘大多挖到房址就停了下来，未挖到生土，所以对于此种遗存只有很零碎的一些认识。为

此又于 1977 年 10 ～ 12 月对该遗址进行了 2 个月的发掘，发现房屋 7 座、窖穴 13 个、墓葬 20 座、各种生产工具和生活用具 300 余件。简报分为五个部分予以介绍，有手绘图、照片。

据介绍，此次发掘大大丰富了对关中地区仰韶文化的认识。北首岭仰韶文化遗存可分三层。上层年代经测定为距今约 5850 ～ 5650 年，属仰韶文化晚期。中层经测定为距今约 7000 ～ 6500 年，为仰韶文化半坡类型。下层经测定为距今 7000 年左右，比仰韶文化半坡类型为早，但在文化内涵方面，又显然与半坡类型有密切联系，这就为探索半坡类型的来源提供了重要线索，这是本次发掘的一大收获。

简报称，20 座墓葬的发现是这次发掘的另一重要收获。这批墓葬在以前发掘的墓区的东北，距离较远，当为另外的墓区。这批墓都有墓圹，往往有席子、木板等葬具的遗痕，随葬品又都比较丰富多彩。墓葬中，成束骨镞作为随葬品，这在过去是少见的；大批颜料的发现，更是不可多得；榧螺的出土，说明当时可能已经开始了原始的交换。所有这些，都是研究原始社会物质文化、经济生活的宝贵材料。这次发现的路土以及房屋对研究当时建筑布局和氏族社会生活情景有一定的作用。发掘发现，发掘的几座房屋的门都是朝着位在中间的路土面的。因此，中央的路土或许会是当时进行娱乐、祭祀等活动的公共场所。

1228.宝鸡发现辛店文化陶器

作　者：刘宝爱

出　处：《考古》1985 年第 9 期

宝鸡市博物馆，征集到一批有明确出土地点的辛店文明陶器。如于宝鸡市南 5 公里的金河公社出土陶鬲、陶罐各 3 件，宝鸡市郊区渭水南岸石嘴头出土的陶鬲 1 件，宝鸡市西 20 公里晁峪出土的陶罐 3 件。

简报称，这些陶器在陶质、器形、纹饰等方面，均与甘肃永靖县姬家川出土的辛店文化陶器相似，至少可证明宝鸡与辛店文化之间有着明确的关系。

1229.扶风发现新石器时代大型袋足瓮

作　者：卞　吉

出　处：《文博》1986 年第 1 期

1985 年 4 ～ 5 月，扶风县揉谷乡太子藏村农民在村西附近取土时，于地表以下约 1 米深处，发现两件相距不远、形制相似的袋足瓮。其中 1 件为敛口、平沿、尖唇，筒腹微鼓，圜底，下有三乳状袋足。除沿部光素外，全身满布细绳纹。全器通高68厘米，口径32厘米，系夹砂红陶质，泥条盘筑制成，器内壁凹凸不平，袋足是全器做好后接上的，现藏陕西省博物馆。另1件出土时已残。简报配以照片予以介绍。

据介绍，如此大型之袋足瓮，在关中地区出土似属少见，但在陕西、内蒙古、山西3省交界的黄河流域却发现很多。扶风这件出土时，据老乡反映，周围并无其他遗物，因此，简报认为也有可能是作为瓮棺葬埋入的。瓮棺葬在仰韶文化半坡遗址中发现很多，曾被认为是母系氏族社会特有的葬俗，但几处流行瓮棺葬的遗存时代显然不是很早，其与仰韶文化瓮棺葬的关系值得研究。

简报称，此类以袋足瓮为典型特征的文化遗存的相对年代既然晚于客省庄二期文化，很可能已属于先周文化的范畴，搞清其渊源、发展、去向、范围等方面的问题，对于解决客省庄二期文化和西周文化之间缺环有举足轻重的作用。

简报指出，从这一点上来说，扶风袋足瓮的发现所提供的新线索尤为珍贵。

1230.陕西扶风县案板遗址第二次发掘

作　者：西北大学历史系考古专业　王世和、王建新、张宏彦

出　处：《考古》1987年第10期

案板遗址位于陕西省关中西部地区的扶风县城东约4公里的城关镇案板村和下河村之间，坐落在美阳河和沣河交汇处的黄土台地上。遗址面积较大，文化堆积较厚，内涵丰富，有"十里灰山"之称。1984年进行了第1次发掘，发现有房基、灰坑，出土了大量的陶器、石器和骨角器。1985年，又进行了第2次发掘，发现灰坑17个，出土陶器、石器、骨角器等。简报配以手绘图予以介绍。

据介绍，第2次发掘所获得的资料进一步表明，案板第三期文化遗存与主要分布于以晋、豫、陕3省交界处为中心地区的庙底沟第二期文化虽有联系，但差别明显。与案板第三期文化遗存基本相同的遗址，主要分布在关中西部地区的雍水上游及沣河、漆水河两岸。案板第三期文化（简报中称之为"案板龙山文化"）可能代表了一种与庙底沟二期文化大体处于同一发展阶段而主要分布于关中西部地区的新的文化类型。

简报称，这次发掘的资料还表明，案板第三期文化与分布在甘肃东部的常山下层文化遗存有着密切的关系，很可能是客省庄第二期文化的来源。同时又似乎与关中西部和甘肃东部的仰韶文化晚期遗存是一脉相承的。

1231.宝鸡石嘴头东区发掘报告

作　者：西北大学历史系考古专业 82 级实习队　戴彤心、王维坤、张　洲等

出　处：《考古学报》1987 年第 2 期

石嘴头位于宝鸡市渭滨区石坝河乡东面的台地上，北临渭河，与宝鸡市区遥遥相望，东濒茵香河，南倚石鼓山。西宝公路由石嘴头上崖和石鼓山间东西穿过，距离宝鸡市区约 6 公里。1980 年以前，宝鸡市博物馆、宝鸡市渭滨区文化馆在石嘴头断崖上和石嘴头制砖厂、宝鸡县第二制砖厂附近，曾收集到许多仰韶文化至秦汉时期的文化遗物。1980 ～ 1981 年，宝鸡市文化局文物考古短训班对石嘴头遗址进行了重点调查。1984 年 11 月至 1985 年 3 月中旬，对石嘴头遗址又进行了多次复查。1985 年 3 月 27 日至 7 月 17 日进行了首次发掘。

简报分为：一、地理位置和自然环境，二、地层堆积、文化遗变和遗物，三、结语，共三个部分。有照片、手绘图。

据介绍，发现有灰坑、房基、墓葬等遗迹，陶器等遗物。随葬陶器大多为实用品。该遗址为 1 处新石器时代遗址。

1232.宝鸡市福临堡遗址 1984 年发掘简报

作　者：陕西省考古研究所宝鸡工作站、陕西省宝鸡市考古队

出　处：《考古与文物》1987 年第 5 期

福临堡村位于宝鸡市西郊，为仰韶文化主要分布区，为陕西省第一批重点文物保护单位之一，1984 年进行了发掘。清理灰坑 98 个、房址 4 座、陶窑 10 座，出土大量文化遗物。简报分为五个部分，有手绘图。

据介绍，有 3 期仰韶文化遗存，为同一文化不同阶段。第一期应属庙底沟类型早期。福临堡第二期遗存，既不同于一期，又不同于三期，既不便归入一期为代表的庙底沟类型，又不宜归入三期为代表的仰韶晚期遗存，在文化面貌上有一定的特殊性，应是仰韶文化的一个新类型，可暂称为"福临堡第二期类型"。这类遗存在其他仰韶遗址中均有零星发现，前因数量太少被归入别的类型，现在都可以分出来。

简报认为，福临堡第二期类型的发现，为仰韶文化中晚期过渡找到了一个中间环节，这是福临堡遗存发掘主要的收获，也是近年仰韶文化考古的一个重要收获。

1233.陕西扶风县案板遗址第三、四次发掘

作　者：西北大学历史系考古专业实习队　王世和、王建新、张宏彦、钱跃鹏
出　处：《考古与文物》1988 年第 5、6 合刊

案板遗址位于扶风县城东约 4 公里处的案板村附近。该遗址面积较大，堆积厚，文化内涵丰富。1984 和 1985 年两次发掘，简报分见《西北大学学报》1985 年第 2 期和《考古》1987 年第 10 期。1986、1988 年，又进行了第 3、第 4 次发掘。简报分为"地层堆积和遗迹打破关系""结语"等几个部分，有手绘图等。

据介绍，计发现仰韶文化灰坑 17 个、灰沟 1 条，龙山文化早期灰坑 27 个、陶窑 1 座。复原陶器 120 余件。

简报称，新的发掘资料表明，案板遗址第一、二、三期文化间的承袭发展关系是比较清楚的，这对于探索关中西部地区仰韶文化诸类型间的关系、仰韶文化的发展去向、客省庄二期文化的来源以及关中西部地区新石器时代文化发展序列等重要课题，均有重要意义。

简报指出，共发现 11 种植物的灰像，其中可确认为农作物的有粟、黍、稻 3 种。稻的发现，在渭水流域的新石器时代考古中尚属首次，这对于研究关中地区原始农业的情况具有重要意义。1987 年，还对历年发掘所获的动物骨骼进行了鉴定和研究，共发现有 16 个属种的动物，其中野生动物有竹鼠、中华鼢鼠、豪猪、野猪、斑鹿、牛、羊、豺、貉、龟、鸟以及双壳类、腹足类等，可以肯定为家畜的有猪和狗两种。牛和羊是否为家畜，尚不能确定，此外还可能有鸡。动物骨骼的研究，为探讨当时人类的生存环境以及饲养家畜和狩猎情况也提供了重要资料。

1234.陕西陇县出土马家窑文化彩陶罐

作　者：陇县图博馆　肖　琦
出　处：《考古与文物》1990 年第 5 期

1986 年 5 月 12 日，陕西陇县牙科乡磨儿原村村民在挖土时，发现 1 件彩陶罐，随即交与县图博馆收藏。简报配以照片予以介绍。

据介绍，该罐为泥质橙红色，小口微侈，窄沿略下卷，细颈、圆肩、鼓腹、平底；饰黑彩，颈部中间除留一道底色外，全部涂黑，肩部画有四个圆形网纹，下腹饰斜方格网纹；口径 9 厘米，腹径 19 厘米，底径 8 厘米，颈高 4.5 厘米，高 22 厘米。从整体上看，具有马家窑文化半山类型彩陶的主要装饰纹样，所以简报推断为半山时期的遗物。

简报称，这次出土的陶罐是早于齐家文化的甘青文化的遗存，这在陕西境内还是首次发现，对研究马家窑文化的分布发展、齐家文化与马家窑文化的关系及其与陕西龙山文化的关系都提供了重要的资料。

1235.陕西省宝鸡市福临堡遗址 1985 年发掘简报

作　者：陕西省考古研究所宝鸡工作站、宝鸡市考古工作队　张天恩
出　处：《考古》1992 年第 8 期

继 1984 年对福临堡仰韶遗址的第 1 次发掘之后，为了进一步了解遗址的内涵，1985 年考古人员再次进行了发掘，位置在第 1 次发掘点东南 160 米，处于遗址中部偏南，实际发掘面积 521 平方米，发现了一批属于庙底沟类型、福临堡二期类型和西王村类型的房子、灰坑、陶窑等遗迹和较多的陶器、石器、骨角器等遗物。另外，还发掘了仰韶早期的墓葬 45 座、清代的墓葬 1 座。仰韶时期遗存和墓葬简报分为：一、地层概况和典型打破关系，二、墓葬，三、遗址，四、结语，共四个部分。有手绘图、照片。

据介绍，福临堡遗址的第 2 次发掘，进一步说明这里的仰韶文化遗存可以区分为庙底沟类型、福临堡二期类型和西王村类型，再次取得了福临堡二期类型晚于庙底沟类型、早于西王村类型的地层依据，并以其明确的地层关系、特点显著的器物群，区别于仰韶文化的其他类型，证明仰韶文化的发展序列中确实有这一类型的存在。这次发掘发现的典型叠压和打破关系，还显示了遗址内的庙底沟类型和西王村类型本身，也有早晚的差别。结合第一次发掘和其他地点的情况，简报暂将这里的西王村类型遗存分为早、晚两段。

简报称，福临堡的仰韶墓葬，据出土物可知不属于遗址所分的三期，而是仰韶早期半坡类型的墓葬，说明遗址内应有相当于这一时期的遗存，但先后两次发掘遗址的西部和南部，均未发现，说明与墓葬相当的半坡类型遗存可能分布在遗址的东北部分。晚期地层堆积中，T25 和 T40 的第二层分别发现石祖和陶祖各 1 件，这对探讨仰韶时期特别是西王村类型的社会性质，具有较重要的意义。

1236.陕西宝鸡北首岭又发现仰韶文化墓葬

作　者：啸　鸣、田仁孝
出　处：《考古》1994 年第 3 期

宝鸡北首岭是 1 处内涵丰富、保存较好的仰韶文化聚落遗址。20 世纪 50 年代至

70 年代，中国社会科学院考古研究所对其进行了两次规模较大的发掘，获得了重要的文物考古资料。简报仅将近年来遗址内陆续发现的墓葬和遗物作简要介绍。

据介绍，1987 年春，龙泉中学在平整操场时，即先后发现了 3 座墓葬。考古人员赶到现场时，墓全被挖完，仅 1 座墓内的随葬品尚可指认清楚，出土瓶、罐、盂各 1 件，墓葬编号补 M1。其余 2 墓组合已搞混，遗物按采集品编号。3 座墓的位置在原第Ⅵ发掘区西南约 150 米处。另外在附近还征集到碗、瓮各 1 件。

1989 年 8、9 月，北首岭文管所修建文物库房，再次发现墓葬，考古人员进行了清理。在原第Ⅵ发掘区 T25 内、M87 西南约 0.7 米处发现墓葬 1 座。距地表深约 1 米，未发现墓圹，为一单人仰身直肢葬，骨架保存较差。随葬品摆放在盆骨左侧，1 件陶钵置于左侧盆骨之上。计有钵、罐各 2 件，壶 1 件。该墓编号为补 M2。

在原第Ⅵ发掘区 T61 内、M340 西 1 米处，发现墓葬 1 座，编号补 M3。仰身直肢葬，头向北。腿骨侧出土罐、壶、钵等随葬陶器 4 件，其中壶口沿及领部残。并在附近挖出尖底瓶、陶罐、小陶碗各 1 件，陶钵 2 件。均未发现骨架。全部遗物均是陶器，有钵、碗、罐、尖底瓶、壶、盂、瓮 7 类，共 24 件。据原报告可知，原Ⅴ式鼓腹小平底罐、Ⅲ式瓶、Ⅶ式壶、Ⅵ式碗等均是北首岭晚期墓葬常见器物，Ⅰ、Ⅱ式钵早、中、晚均有发现。因此，几座墓葬和采：2 号碗、Ⅲ式罐等器物，均属北首岭晚期陶器，即半坡类型晚期或史家类型的遗物和墓葬。Ⅰ式瓶与原报告Ⅰ式瓶相似。Ⅰ式瓮、Ⅰ式瓶、Ⅴ式碗均在北首岭中期墓葬中常见，可知采：7 号瓶、采：1 号碗、采：5 号瓮等属北首岭仰韶中期，即半坡类型的遗物。补 M2：3 号陶壶造型美观独特。补 M1：3 号盂也较特别，形似陶釜，庙底沟类型的折腹陶釜似与其有某些关系，均未见于北首岭原发掘中，也未见于其他地点的仰韶遗址中。因此，这两件器物为仰韶文化的遗物，又增添了新的形式。

1237. 案板遗址仰韶时期大型房址的发掘——陕西扶风案板遗址第六次发掘纪要

作　者：西北大学文博学院考古专业　张宏彦等
出　处：《文物》1996 年第 6 期

坐落在陕西省扶风县城之南、沣河与美阳河交汇处黄土台塬上的案板遗址，自 1984 年至 1991 年，先后进行了五次发掘。在 1991 年的第 5 次发掘中，曾有仰韶时期大型房屋墙基显露。为了全面揭露这座大型房址，1993 年 5～7 月，考古人员对该遗址进行了第 6 次发掘，发掘面积约 500 平方米。共清理案板一期灰坑 10 座，案板二期灰坑 8 座、房址 2 座，周代灰坑 10 座、小型墓葬 26 座，汉代单室砖墓 1

座。其中重要的收获之一是清理了 1 座较为完整的仰韶时期大型房屋基址（编号为
93FAGNF3）。简报分为：一、地层堆积，二、大型房基的结构与布局，三、F3 年
代与性质的讨论，共三个部分。配以照片、手绘图。

据介绍，F3 是 1 座由主室和前廊构成的结构较为复杂的大型房屋，建筑面积达
165.2 平方米。虽然主室内居住面由于遭受后期的破坏，原来是否有灶或其他设施已
不可知，但这样大型的类似殿堂式的建筑，显然不是一般民居建筑。从其位置来看，
位于整个遗址中心最高处，居高临下，坐北朝南。因此，F3 应是聚落居民日常活动
的中心所在，或许是用于集会、议事、祭祀及举行某种重要仪式的场所。其年代，
简报推断为仰韶文化晚期前一阶段，大约在这一阶段末期，F3 由于某种原因倒塌。

1238.宝鸡出土百万年前河龟化石

作　者：王东玉
出　处：《文博》1997 年第 5 期

两枚约百万年前的河龟化石最近在宝鸡市出土，引起文物考古界的极大关注。
简报配以照片予以介绍。

据介绍，4 月 24 日下午 3 时许，在市区经二路街道改造工程施工的西安铁路一
公司人员，在地下 14 米深处挖出 1 大 1 小 2 枚河龟化石，其中大的长 25 厘米、宽
23 厘米、周长 77 厘米，重 8.24 公斤，龟壳、内脏已全部钙化。经鉴定，此龟属新
生代第四纪更新中期遗物，相当于旧石器时代初期，距今约 100 万～ 50 万年。它对
我国古生物以及宝鸡的水文、地质、古气候研究，均有极高的价值。据悉，这种化
石在西北地区尚属首次发现。

1239.陕西麟游县蔡家河遗址龙山遗存发掘报告

作　者：北京大学考古学系、宝鸡市考古工作队　张天恩、雷兴山、田仁孝
出　处：《考古与文物》2000 年第 6 期

陕西省麟游县位于关中西部的北缘，西南距宝鸡市约 60 公里，北与甘肃省灵台
县接壤。境内多低山，河沟纵横其间。古文化遗址一般分布在近河流的山峁之上，
大多呈缓坡，被称作"塬"。

蔡家河遗址位于县城西约 4 公里的蔡家河村西侧、漆水河与蔡家河交汇于塬顶部，
东西约 500 米，南北约 400 米，地势北高南低，现地貌为多级梯田。断崖上普遍可
见大小不等的灰坑。地表及断面上多能采到新石器时代及商周时期的陶片、石器等。

南隔漆水河的肖力塬遗址，亦为一源头（原视此为蔡家河遗址的一部分），南北350米，东西约200米。主要可见龙山时期的遗存，断崖上多处存有白灰面房子的遗迹，但也出土过商周之际的青铜戈等。东隔蔡家河与后坪遗址相望，此地曾发现过青铜器窖藏。在蔡家河以东2公里的漆水河南岸塬上，也发现有1处新石器时代的遗址。可见这里在新石器晚期至商周时代，曾出现过1处聚落群。

1991年和1992年3～6月，在此进行了2次发掘，揭露面积为150平方米。除获得了一批商代文化遗存外，也发掘出一部分龙山时期的遗存，包含有庙底沟二期文化和客省庄二期文化。此次发掘还在肖力塬清理了1个客省庄二期文化的灰坑。

商代文化遗存将另文报道，本报告仅介绍包括龙山时代的文化遗存。简报分为：一、文化层堆积，二、庙底沟二期文化遗存，三、客省庄二期文化遗存，四、结语，共四个部分。有手绘图、拓片。

据介绍，蔡家河遗址和浒西庄、案板遗址的相同点是主要的，表明它们同属一类文化；不同点是次要的，可能是由地域和时间的差别所造成，也可能是发掘数量的不足所致。浒西庄类型和案板三期文化都进行过分期工作，蔡家河遗址该时期遗存的年代，简报参照前两者推断：蔡家河遗址的龙山早期遗存属于关中西部庙底沟二期文化时期的最晚阶段，极可能是向客省庄二期文化的过渡阶段之遗存，比一般所认为的庙底沟二期文化要晚，而略早于客省庄二期文化。蔡家河龙山晚期遗存的器物特征，与客省庄二期文化多较相同或相近，与双庵类型相似性更多，其年代简报认为应当与客省庄二期文化基本一致。客省庄二期文化的碳十四测年下限或许已经进入夏的纪年，H29可能属于关中西部夏代前期的文化遗存。

简报称，蔡家河遗址客省庄二期文化双庵类型遗存的发现，使我们清楚地认识到麟游地区属于双庵类型的分布区，扩大了对双庵类型范围的认识。以蔡家河H29为代表的客省庄文化最晚遗存的发现，为这一方面的研究注入了新的活力。

1240.宝鸡晁峪出土石器

作　者：阎　瑜

出　处：《文博》2003年第1期

陕西省宝鸡县晁峪镇晁峪村出土了2件新石器时代文物：1件玉铲，1件石铲，同时出土的还有绳纹夹砂红陶片。简报配以照片予以介绍。

据介绍，玉铲长14.5厘米，质地为白玉，坚硬，作工细腻光滑，柄部有钻孔时留下的痕迹，铲刃薄；石铲长12.4厘米，青石质，坚硬，表面打磨得非常光滑，铲柄部有穿孔。

简报称，根据与 2 件文物同出的绳纹夹砂红陶残片的鉴定结果，此 2 件器物应为新石器时代磨制石器，这为研究本地区先民生活及生产状况，提供了实物资料。

1241.陕西扶风案板遗址（下河区）发掘简报

作　者：宝鸡市考古工作队

出　处：《考古与文物》2003 年第 5 期

案板遗址位于陕西省扶风县城东约 4 公里处，是关中西部重要的新石器时代遗存之一，面积达 70 万平方米，文化堆积较厚，内涵丰富。绛法汤高速公路是经过绛帐连接汤峪森林公园与法门寺的旅游专用公路。为配合公路建设，1997 的 8 ～ 10 月，考古人员在绛法汤公路下河段对属于案板遗址保护区范围内的文化遗存进行了抢救性清理发掘，发掘点位于城关镇下河村东北约 300 米处、西宝公路北侧的美阳河与沣河交会的西北台塬上。简报分为：一、地层堆积和遗迹打破关系，二、第一期文化遗存，三、第二期文化遗存，四、第三期文化遗存，五、第四期文化遗存，六、结语，共六个部分。有手绘图。

据介绍，案板遗址根据出土的器物及遗迹现象，可分四期。出土的遗物中，白陶和石壁比较典型。简报认为，案板遗址是关中西部面积较大、文化堆积较厚、文化内涵丰富、考古工作做得最多的一处新石器时代晚期文化遗存。自 1984 年发掘以来，考古研究工作一直未停顿过。本次发掘无疑为丰富案板遗址的文化内涵、进一步弄清文化发展序列提供了十分重要的资料。简报还简单介绍了征集的陶器 4 件。

1242.陕西宝鸡市关桃园遗址发掘简报

作　者：陕西省考古研究所、宝鸡市考古工作队

出　处：《考古与文物》2006 年第 3 期

关桃园是陕西省宝鸡市西部深山区的一个小村，属陈仓区（原宝鸡县，2004 改制）拓石镇，东距宝鸡市 83 公里，西距甘肃天水市 110 公里。关桃园遗址的文化内涵主要是新石器时代文化，1982 年被确定为县级文物保护单位。2001 年，因宝兰铁路二线要从遗址上通过，考古人员对该遗址进行了较大规模的发掘，发现了极为丰富的前仰韶时期文化堆积，另外还发现一些明代的小墓。简报分为：一、地层情况，二、前仰韶时期文化遗存，三、仰韶文化遗存，四、周代文化遗存，五、结语，共五个部分。有照片、手绘图。

据介绍，共发现 5 座半地穴式前仰韶时期文化房址及 140 个灰坑、7 座墓葬，发

现有陶器等遗物。发现仰韶文化时期房址 3 座、陶窑 6 座、灰坑 64 个，遗物有陶器、石器、骨器。周代文化遗存有灰坑 40 个、房址 2 座（残）、墓葬 3 座。

简报称，关桃园遗址发掘的最大收获，在于前仰韶时期遗址的大面积揭露，这为探索我国新石器文化起源等重大问题，提供了宝贵的实物资料。

1243.宝鸡石嘴头遗址 1999 年发掘简报

作　者：陕西省考古研究院、西北大学文博学院
出　处：《考古与文物》2008 年第 2 期

石嘴头遗址位于宝鸡市东南 6 公里的渭河南岸，东、南两面临茵香河。1984 年，考古人员在此调查时曾发现陶鬲。1985 年，西北大学 1982 级考古专业为教学实习再次调查并进行第 1 次发掘。1999 年 3 ～ 7 月，为配合 310 国道宝鸡段的建设，进行了第 2 次发掘。1999 年的发掘依据相对位置将遗址分为东、西 2 区，2 区内因分别有隆起的台地，故又称"东台地"和"西台地"。实际发掘面积不足 1500 平方米，此外在东台地和西台地还抢救性清理了 4 个灰坑（H1 ～ H4）、4 座汉墓及 1 座唐墓。此次发掘共发现仰韶文化晚期灰坑 25 个，龙山时代早期灰坑 1 个，龙山时代晚期灰坑 16 个，历史时期墓葬 16 座。简报分为：一、地理位置及发掘经过，二、地层堆积及遗存情况，三、仰韶文化中期遗存，四、仰韶文化晚期遗存，五、龙山文化早期遗存，六、龙山文化晚期遗存，七、结语，共七个部分。重点介绍新石器时代遗存，有手绘图。

据介绍，石嘴头遗址在以往的调查和发掘中所获绝大多数都属龙山时代晚期遗存，1999 年第 2 次发掘时则发现较多仰韶时期的遗存，说明这里作为古代人类的居住地曾连续使用了较长时间。依据地层关系及陶器的特征，石嘴头遗址的新石器时代遗存，简报将之分为四期并推断：第一期属仰韶中期遗存，第二期属仰韶晚期遗存，第三期暂归入龙山时代早期，第四期属龙山时代晚期。

简报称，1999 年石嘴头遗址的第 2 次发掘不但丰富了石嘴头遗址的文化内涵，而且在对上述问题的认识上都具有重要意义。

1244.2005 年陕西扶风美阳河流域考古调查

作　者：周原考古队　徐良高、唐锦琼、宋江宁、付仲杨等
出　处：《考古学报》2010 年第 2 期

2002 年秋，考古人员对七星河流域进行了系统的区域调查。2005 年，为全面了

解周原地区周代以前古代遗址的分布状况及人地关系的演变，又对美阳河流域进行了系统的调查。美阳河位于陕西省扶风县东部，属沣水支流。美阳河西侧为七星河，东侧为漆水河。发源于岐山南麓，有 2 条主要支流：1 支为主流，由岐山流出，径直向南，称作"美阳河"；另 1 支发源于黄土台塬上的吕宅附近，呈东北—西南流向，称"太川河"。2 条支流在信义合成 1 支，向下流入沣河。美阳河流经的区域在扶风县境内，包括南阳、黄堆、建和、法门、天度、召公、太白和城关等乡镇。调查范围的西界以与七星河之间的分水岭为界，南至沣水南岸台塬，东至与漆水河的分水岭，北至山脚下。考古人员共发现了 26 处遗址。

简报分为：一、前言，二、主要考古发现，三、初步认识，共三个部分。有彩照、手绘图。

简报称，这次调查发现的遗址按时代早晚呈阶段性分布。在前仰韶时代和仰韶时代早期，美阳河地区未出现人类活动的遗迹。直至仰韶中晚期到龙山早期，才出现了 11 个小的遗址点。进入龙山时代（相当于双庵文化时期），几乎没有发现任何遗存。美阳河在夏商时期仍是空白，直到西周时期才有所改变，出现吕宅、大陈等西周遗址，并延续使用到春秋时期（强西遗址）。至汉代，全流域有现代村落的地方大部分都有遗存分布。简报认为，这或许是因为夏商时期美阳河地区水面更大，不适合居住。

1245.宝鸡发现龙山文化时期建筑构件

作　者：宝鸡市考古研究所　刘军社等
出　处：《文物》2011 年第 3 期

2009 年 9 月 26 日，宝鸡市文物普查队在宝鸡市陈仓区桥镇村发现距今 4000 年前的龙山文化时期的筒瓦、板瓦、槽形瓦等。简报配以彩照予以介绍。

据介绍，桥镇遗址位于桥镇村东北约 10 米处的台塬上。发现文化层 1 处、灰坑 1 座（H1）、陶窑 1 座（Y1）、房址 2 座（F1、F2）。该遗址面积大，内涵丰富。龙山文化时期的筒瓦、板瓦、槽形瓦的发现，把我国建筑用瓦的历史提前了近千年，为研究黄河流域新石器时代龙山文化提供了极为重要的实物资料。

今有王军等著《陕西古建筑》（中国建筑工业出版社 2015 年版）一书，附有"陕西古建筑地点及年代索引"，可参阅。

咸阳市

1246.陕西邠县下孟村仰韶文化遗址续掘简报

作　者：陕西省社会科学院考古研究所泾水队　李诗桂
出　处：《考古》1962 年第 6 期

在 1959 年，考古人员曾对下孟村仰韶文化遗址作了第 1 次发掘，发现不少遗迹和遗物。为了搞清该遗址的内涵，在 1959 年工作的基础上，1960 年和 1961 年 4～11 月又进行了 2 次发掘。

简报分为：一、遗迹，二、地层的叠压情况，共两个部分。有手绘图、照片。

据介绍，发现的遗迹有较完整的房子 4 座、灰坑 103 个、陶窑 5 座、瓮棺葬 8 座。出土有陶器、陶片等遗物。似可分为不同阶段。早期的属半坡类型，晚期的与庙底沟类型相关。

1247.陕西武功发现新石器时代遗址

作　者：西安半坡博物馆、武功县文化馆
出　处：《考古》1975 年第 2 期

游凤遗址在武功县旧县城西北约 10 公里，南距游凤村约 1 公里。遗址范围东西长约 300 米，南北宽约 400 米。在遗址东、南部的断崖上，暴露有墓葬、窖穴和房屋遗迹。在遗址表面散布有较多的陶片，多为泥质红陶、夹砂红陶，泥质灰陶和夹砂灰陶次之，泥质磨光黑陶极少。纹饰有绳纹、线纹、划纹、篮纹、弦纹、带状和鸡冠状附加堆饰等，也有彩陶片。陶片能辨出器形的有钵、罐、盆、瓶等。石器有斧、锛、刀等。简报配以照片、手绘图予以介绍。

据介绍，此次发掘的 1 个重要发现是陶屋模型，对了解仰韶文化房屋形状等提供了参考。从遗物看，这里既有庙底沟类型遗物，也有半坡类型遗物。简报指出，仰韶文化两种类型的遗物共存于 1 个遗址内的情况，在陕西关中地区、渭河流域都有发现，如邠县下孟村、临潼县关山、崖底赵等遗址。对游凤遗址的调查，为解决仰韶文化的有关问题提供了新的线索。

1248.1981～1982年陕西武功县赵家来遗址发掘的主要收获

作　　者：中国社会科学院考古研究所武功发掘队　梁星彭

出　　处：《考古》1983年第7期

武功县观音堂公社王家窑大队赵家来村位于武功镇南3.5公里，处在漆水河东岸第一台地上。村东紧靠着1个比河滩高出约80米的黄土台塬。前几年，农民在这个台塬上修了几级梯田。1980年，考古人员曾到这里作过多次调查，发现在黄土台塬西坡的梯田上分布有不少仰韶文化至春秋时期的古代文化遗存，其中以庙底沟二期文化与客省庄二期文化遗存最为丰富。于1981～1982年对该遗址进行了发掘。简报分为四个部分予以介绍，有手绘图。

据介绍，此次发掘的最大收获是从考古学上证实客省庄二期文化晚于庙底沟二期文化。另一重要收获是，发现了较为丰富的客省庄二期文化居住遗迹，特别是发现了夯土墙建筑，为研究当时的村落建筑状况提供了重要资料。

1249.陕西龙山文化遗址出土小麦（秆）

作　　者：中国社会科学院考古研究所　黄石林

出　　处：《农业考古》1991年第1期

1982年，考古人员对陕西武功赵家来遗址进行了发掘。赵家来是武功县的一个小村，位于漆水河东岸台地上。发掘区就在村东的坡塬上。这里发现了属于客省庄龙山文化的居住院落建筑群。房址自北向南排列着，门均向西，出门即进入院落地面。院落西部有南北向的院落夯土墙，中部又有东西向的院落夯土墙，把院落分为南、北2个小院。这种院落建筑，在我国距今4400～4000年的龙山文化中尚属首见。目前，经考古发掘出土的小麦遗存，只有陕西武功赵家来龙山文化房址中的小麦秆，是为我国迄今最早的栽培小麦作物的遗痕。它不仅是关中地区，也是黄河流域的首次发现。简报指出，龙山小麦的发现，填补了我国考古学上长期留下的一个空白。它说明了我国早在龙山时代已经在关中平原上栽培小麦作物，标志着当时农业生产已经达到了一个新的水平，这为古代中国农业经济的发展奠定了基础。

今有裴安平、张文绪先生《史前稻作研究文集》（科学出版社2009年版）一书，可参阅。

1250.礼泉县烽火村发现新石器时代遗址

作　者：梁晓青、姜宝莲、晋　保
出　处：《考古与文物》1995 年第 6 期

1995 年 5 月，陕西省考古工程协会、省文保中心文物调查研究室一行，在对泾河流域进行考古调查时，于礼泉县烽火乡烽火村西发现 1 处面积很大且内涵丰富的仰韶文化半坡类型的遗址。简报配以手绘图予以介绍。

据介绍，遗址位于礼泉县烽火乡烽火村西 400 米、泾河与泔河交汇口以南 2.5 公里处的二级台地上，总面积约 30 万平方米。断面上暴露出来的人类活动遗迹仅见灰坑和红烧土多处，内涵极为丰富。在遗址东北角地面上采集的标本可辨出器形的就有钵、盆、罐、尖底瓶、葫芦瓶等，因破损严重，均难以复原。另还有通体磨光、有明显使用痕迹的石斧、舌形大石器等。

简报称，这次调查所发现的舌状大石器，表面分布有较密集的打击白点。简报分析这件石器最初可能是当砧用，后经改制，现器形似犁头，刃部有使用痕迹。从现存形状和磨损情况看，可能为耕作的农具。遗址中采集到的圆形小陶片，均采用泥质红陶器物的腹部残片打制而成，断弧度大小不一，取圆规整。该物在前仰韶及其他仰韶遗址中也时有发现，其出土量少则十几片，多则几十上百不等，但究其用途，却众说纷纭。简报分析提出可能为计数器具。但要确定用途，简报认为还需做大量工作。

1251.渭北三原、长武等地考古调查

作　者：王世和、钱耀鹏
出　处：《考古与文物》1996 年第 1 期

20 世纪 80 年代以来，在陕西关中西部地区识别出 1 种以扶风县案板遗址第三期等为代表的、早于客省庄二期文化的龙山时代早期遗存。其文化面貌与分布在晋豫陕相邻地区的庙底沟二期文化、陇东一带的常山下层文化等既有联系，同时又存在着明显的差异。为了搞清案板三期类遗存的分布范围及与常山下层类遗存的大致界限，1991 年 3 月下旬至 4 月初、1993 年 3 月中旬，在以往文物普查的基础上，考古人员先后两次考察了关中西部渭北地区的古文化遗存，同时还对相关的一些古文化遗址进行了实地勘察，获得了一批实物资料，为进一步认识该地区的古文化类型提供了重要线索。简报分为：一、各遗址调查概况，二、各遗址文化性质的认识，三、调查主要收获与意义，共三个部分。有照片。

据介绍，在两次考察中，经实地调查的遗址计有 13 处。发现有仰韶文化，龙山时代早、晚期及周文化遗存，发现并确认了常山下层类遗存在关中西部部分地区的存在和案板三期遗存的分布范围。本次调查结果对于认识关中中西部地区客省庄二期类和双庵类两种龙山时代晚期遗存的关系提供了重要线索。

1252.陕西旬邑下魏洛遗址发掘简报

作　者：西北大学文化遗产与考古学研究中心、陕西省考古研究所、旬邑县博
　　　　物馆　陈洪海、刘瑞俊、陈　靓、张永超等
出　处：《文物》2006 年第 9 期

下魏洛遗址位于陕西省旬邑县赤道乡下魏洛村南的黄土台地上。2003 年砖瓦场在此取土时发现 1 座随葬 19 件青铜器的西周墓，抢救清理时调查发现，这是 1 处包含新石器时代、西周、汉、唐遗存的大型遗址。考古人员于 2004 年 4～8 月进行了发掘。

简报分为：一、房屋基址，二、窑址，三、灰坑，四、结语，共四个部分。有照片、手绘图。

据介绍，清理出龙山时期的房址 16 座、陶窑 10 组 15 座和灰坑 90 多个等重要遗迹，出土了大量陶、石、骨质器物。下魏洛遗址地处关中西北部陕甘交界处，综合比较庙底沟二期、客省庄二期、常山下层文化和齐家文化的特点，可知该遗址的发掘对于我国新石器时代东西部文化交流与人群迁徙等问题的研究具有重要意义。

1253.陕西乾县河里范遗址发掘简报

作　者：陕西省考古研究院、咸阳市文物考古研究所　田亚岐、杨岐黄、苏庆元、
　　　　杨新文
出　处：《考古与文物》2010 年第 1 期

河里范村隶属于陕西省乾县灵源乡，西距乾县县城约 15 公里。遗址位于河里范村西北、泾水支流泔河南岸二级台地上。该遗址是 1981 年文物普查时发现的。经此次重新调查确认，现存遗址南北长约 150 米，东西宽约 85 米，总面积约 1.2 万平方米。2005 年为配合高速公路建设进行了发掘。

简报分为：一、地层堆积及遗迹打破关系，二、第一期文化遗存，三、第二期文化遗存，四、第三期文化遗存，五、结语，共五个部分。有手绘图。

据介绍，从三期遗存的文化特征来看，泔河流域在新石器时代，至少仰韶中晚期到龙山早期这段时间内，与渭水中下游地区同期的文化无论从整体的陶系、

器型、器类还是具体到每类陶器的器形、纹饰都基本接近；而与泾水上游同期遗存在仰韶晚期时差别就开始明显。此次发掘，为研究当地仰韶文化、龙山文化提供了新的资料。

渭南市

1254.陕西朝邑大荔沙苑地区的石器时代遗存

作　者：中国科学院考古研究所　安志敏、吴汝祚
出　处：《考古学报》1957年第3期

陕西省大荔县、朝邑县交界的沙苑地区，现为一片沙丘，而在远古时期，这里应是水草丰茂之地。1955年、1956年，考古人员在此采集到石片、石器3000多件。简报分为三个部分予以介绍。

据介绍，沙苑地区的石器应属细石器文化，与仰韶文化、龙山文化有很大区别，带有自身的特点。先民在当时应仍以狩猎经济为主，故而不同于周边以农业经济为主的新石器文化。

1255.陕西华县柳子镇第二次发掘的主要收获

作　者：黄河水库考古队华县队
出　处：《考古》1959年第11期

柳子镇第1次考古发掘简报已发表。1959年3～5月，考古人员又进行了第2次发掘。

简报分为：一、南台地工区文化堆积与分期，二、南台地工区仰韶文化遗存，三、龙山文化遗存，四、元君庙墓区，共四个部分。有手绘图。

据介绍，在南台地、元君庙2个工地共发现仰韶文化灰坑117个、陶窑12座、墓葬38座，龙山文化灰坑11个、房子1座、墓葬1座。元君庙M429墓主为2个女性小孩：1为6～7岁，1为10～15岁。后者前额染有红色，不知何物。出土有骨珠785颗等，值得注意。

今有秦小丽先生《中国古代装饰品研究》(陕西师范大学出版社2010年版)一书，可参阅。

1256.陕西华阴横阵发掘简报

作　　者：黄河水库考古工作队陕西分队　　李遇春
出　　处：《考古》1960 年第 9 期

横阵在华阴敷水镇西南约 1.5 公里。遗址位于横阵村西面台地上。从 1958 年到 1959 年，考古人员共作了 3 次发掘。横阵遗址的文化堆积比较复杂，包括仰韶文化、龙山文化、战国及汉代 4 个时期的堆积。发掘的重点是新石器时代的仰韶文化和龙山文化遗存。简报分为：一、仰韶文化，二、龙山文化，三、结语，共三个部分。有照片。

据介绍，仰韶文化的重要发现有仰韶墓葬群。这种集体埋葬坑（大坑套小坑）还是首次发现。另外，在仰韶居住遗址内发现窑址和窖穴、生产工具和生活用具。这些资料可以充分反映仰韶人们的氏族生产和生活状况。龙山文化的重大收获是首次发现男女合葬墓，据检测男约 35 岁，女约 40 岁。这对研究当时的埋葬习俗及探讨龙山时期氏族社会性质均有价值。

1257.陕西渭南史家新石器时代遗址

作　　者：西安半坡博物馆、渭南县文化馆　　巩启明
出　　处：《考古》1978 年第 1 期

史家遗址位于渭南县南约 15 公里的湭河西岸。湭河源于秦岭北麓，由南向北注入渭河。湭河两岸为秦岭余脉形成的渭南东西 2 塬、在整个湭河川道中形成了少数几个河边台地。史家遗址就坐落在这样的台地上。遗址现存面积约 2 万平方米。史家遗址是 1973 年在湭河流域进行考古调查时发现的。1976 年春为了配合当地农田基本建设，对该遗址的墓葬区进行了发掘，加扩方面积共约 250 平方米。发现和清理了窖穴 4 个、墓葬 43 座，出土遗物有陶、石、骨、角质的生产工具和生活用具等。简报分为：一、遗址概况，二、墓葬，三、出土遗物，四、小结，共四个部分。有手绘图、照片。

据介绍，史家遗址是一个典型的单一文化内涵的遗址。考古人员发掘史家遗址的同时，在临潼姜寨遗址的继续发掘中，发现了大批的多人二次合葬墓直接叠压在半坡类型墓葬之上，简报从而认识到史家遗址是晚于半坡类型的一种新的文化类型。姜寨遗址同类地层中出土的一批彩陶，既具有半坡类型的直线、三角及鱼纹的特征，又具有庙底沟类型的弧线、圆点及鸟纹的特征，所以，简报推断史家遗址的遗存可能是介于半坡类型与庙底沟类型之间的一种文化遗存。

简报称，通过对史家遗址的发掘，发现了一种独具特征的文化遗存，为进一步研究中原地区的仰韶文化增添了新的资料。

1258.华县、渭南古代遗址调查与试掘

作　者：北京大学考古教研室华县报告编写组　张忠培等
出　处：《考古学报》1980年第3期

华县、渭南位于渭河下游。两县境内的渭河北岸地势平坦；南岸傍峻峭的秦岭北坡，经历年河水冲刷，形成阶梯式台地。为配合水库建设工程，考古人员于1955年冬和1956年春，对水库区进行了普查，在台地发现了不少古遗址。1958年9月，考古人员在泉护村、元君庙进行了较大规模的发掘。同年12月，发掘工作告一段落。为了解古遗址的类型与分布，组成3个小组，在华县、渭南再度进行了调查，并在虫陈村、南沙村、郭老村、涨村和白庙村等地进行了试掘。通过初步整理，认识到泉护村、元君庙2处仰韶文化遗存的文化面貌有着较大的区别，探讨了泉护村仰韶遗址的分期，初步明确了泉护第二期文化是继泉护仰韶文化之后发展起来的一种文化遗存。1959年4月，复查了华县境内的古遗址，并试掘了南沙村、虫陈村和老官台等遗址。1961年夏，对调查与试掘资料重新进行了整理，并编写了这份简报。简报分为：一、序言，二、遗址，三、结语。共三个部分，简报称，对华县的调查比较全面，对渭南只在少数地点作了些工作。工作重点放在东周以前时期，尤其是新石器时代。本报告依年代次序，主要介绍几处经过试掘的重要遗址。

简报称，这次调查和试掘的26处古文化遗址，基本上反映了华县、渭南两地考古文化发展的几个重要阶段。

老官台文化的发现，是这次工作的重要收获。元君庙、白庙村、白刘庄、横阵、半坡、绛帐西村、斗鸡台沟东区、北首岭、下孟村及李家村、何家湾诸遗址，均包含了老官台文化遗存。元君庙半坡类型墓葬填土中存在着老官台文化陶片，是老官台文化的年代早于半坡类型的地层证据。因此，可认为老官台文化的分布地区基本上和半坡类型的分布地区相吻合，年代上老官台文化则早于半坡类型。老官台文化很可能是半坡类型的前身。但目前还没有发现由前者转变为后者的中间环节，它们的继承关系还有待今后进一步探索。至于近年来在河北、河南发现的以磁山和裴李岗为代表的文化遗存，和老官台文化虽有许多相似之处，其区别却也是显而易见的。磁山的遗存和裴李岗的比较接近，壶、罐也和老官台的不同，且老官台没有磁山所特有的盂、支座一类器皿，纹饰、器表也有区别。简报认为，磁山、裴李岗和老官台是年代相近的不同的考古文化。

华县的涨村、南寨、白沙村、老崾村、元君庙和渭南的郭老村、史家村，都属于半坡类型。同时期的居址和墓地邻近，是半坡类型的一个特点。

属于仰韶文化庙底沟类型的，华县有泉护村、雍家湾、虫陈村、梓里、井家堡、西寨、阎家崖及泽口，渭南有白庙村、蒋家村及白刘庄。这些遗址的文化特征比较接近，而和庙底沟遗址相比却存在一些较重要的区别。

华县泉护村、太平庄、骞家窑、虫陈村、梓里、龙家湾、王家庄、大王村和泽口，则有龙山文化遗存。其中泉护村西台地、虫陈村属庙底沟二期文化。泉护村南台地的年代较早，是一新发现的遗存，简报称为"泉护二期文化"。对多数年代较晚的遗址的文化特征缺乏具体分析，这里一并暂借用"龙山文化"名之。一般看来，它们既和客省庄二期文化不同，又区别于王湾三期文化。

南沙村的两种遗存，性质是不同的。上层属二里岗上层；下层还有待研究，但和分布于伊洛地区的同时期遗存则有区别。泉护村、骞家窑、虫陈村、井家堡、西寨及郭村多半是西周时期的遗存。

简报指出，老官台文化堆积最薄，内涵也较贫乏；半坡类型堆积较厚，遗迹也比较集中；庙底沟类型堆积一般不厚，遗迹在遗址中的分布比较疏散，所占面积却较大；龙山文化则以文化堆积较厚和多层的白灰面居址为特点。关于遗址的面积，小的数万、大的达到数十万平方米，多数是在 10 万平方米以上。

1259.渭南北刘新石器时代早期遗址调查与试掘简报

作　　者：西安半坡博物馆、渭南县文管会、渭南地区文管会　张瑞岭、周春茂、左忠诚

出　　处：《考古与文物》1982 年第 4 期

北刘遗址在渭南县南约 16 公里的河西公社北刘村西南，面积约 8 万平方米。1958 年曾作过调查。1979 年和 1980 年秋复查并进行了试掘，发掘面积共计 235 平方米，获得了一批新石器时代早期器物群及一组与仰韶文化地层叠压关系的证据。简报分为：一、遗址概况，二、地层，三、遗址，四、遗物，五、结语，共五个部分。

据介绍，北刘上层出土的敛口重唇瓶、卷沿曲腹盆、曲腹钵、陶灶、鸡冠耳陶缸、陶罐等，都是典型的庙底沟类型器物；圆点、勾叶、弧线三角等是庙底沟类型彩陶上常见的图案。从而，简报肯定北刘上层是仰韶文化庙底沟类型遗存的堆积，北刘下层遗存也是早于仰韶文化各类型的一种新的新石器时代早期遗存。在渭河流域的 3 个经科学发掘的新石器时代早期遗址内,北刘下层是属于年代最早的 1 个遗址文化层。

简报称，这对于认识渭河流域的新石器时代早期文化遗存的面貌和发展以及演变的过程提供了重要的资料。

1260.陕西庞崖马陵两遗址的出土文物

作　者：临潼县博物馆
出　处：《考古》1984 年第 1 期

1980 年 8 月，陕西省文物事业管理局在渭南地区开展了文物普查试点工作。考古人员对分布在全县范围内的 19 处仰韶、龙山文化遗址和其他文化性质的古遗址、古墓葬等，作了比较深入的了解，并征集、采集了一些文物和标本。这里仅就庞崖、马陵 2 个遗址的收获作介绍。简报分为：一、庞崖遗址，二、马陵遗址，三、结语，共三个部分。有手绘图。

庞崖遗址，位于临潼县东 12.5 公里的纸李公社庞崖村南、骊山北麓。戏水自南而北出山后即折转向西北流入渭水。遗址正好坐落在戏水转折处的北岸。

据介绍，综观出土的器物和标本，可以看出两遗址都属仰韶文化的遗存。对比之下，庞崖遗址内涵比较单纯，马陵遗址内涵较丰富。庞崖遗址出土的器物，其造型、纹饰、彩绘都明显地有着半坡类型早期的特征，故简报肯定庞崖遗址是属于仰韶文化半坡早期类型的新石器时代遗址。马陵遗址出土的器物，从其造型、纹饰、彩绘等方面看，包含了仰韶文化的四个类型：半坡类型、史家类型、庙底沟类型和半坡晚期类型。

简报称，两遗址提供的实物资料是可贵的。尤其是马陵遗址，它基本上包括了仰韶文化的四个类型。对它的科学发掘，对于探讨这一时期的文化性质、各个阶段的相互关系和发展，都会起到一定的积极作用。

1261.陕西华阴南城子遗址的发掘

作　者：中国社会科学院考古研究所陕西工作队　李遇春
出　处：《考古》1984 年第 6 期

南城子在华阴县敷水镇南面，距华阴县城西 15 公里，南面为秦岭山脉，北面临渭河，村西有华金公路。遗址位于南城子村西约 300 米的台地上，总面积约为 21 万平方米。简报分为：一、地层堆积，二、仰韶文化遗迹与遗物，三、结语，共三个部分。有手绘图、照片。

据介绍，南城子遗址的地层堆积，包括仰韶文化、战国、汉代 3 个时期的文化遗存。

简报重点介绍了仰韶文化遗存。遗迹有灰坑 14 个，其中椭圆形灰坑 7 个、圆形灰坑 5 个、不规则形灰坑 2 个。遗物有生产工具 46 件，质料有石制、骨制和陶制，生活用具仅有陶器 1 种。从遗址发现的生产工具看，南城子仰韶文化居民以从事农业生产为主，但渔猎生产也占有一定的地位。常见的陶器器型有罐、灶、釜、盆、碗、尖底瓶等，和庙底沟仰韶文化陶器相似，应属庙底沟类型。

简形罐是新出现的器型，还有磨制的石镰及动物图案的彩陶，在庙底沟均不见，这是地区的差异。简报称，通过发掘，对南城子仰韶文化庙底沟类型有了进一步的认识，为探讨庙底沟类型提供了新的资料。

1262.陕西大荔育红河村旧石器地点

作　者：中国科学院古脊椎动物与古人类研究所　高　星
出　处：《考古学报》1990 年第 2 期

陕西大荔地区的古人类文化，自 1978 年发现 1 具较完整的早期智人头骨化石后，引起各方关注。考古人员进行过多次调查，在大荔县和蒲城县一带发现旧石器文化地点近 20 处，并于 1979 年和 1980 年分别对解放村和卿避村等地点进行正式发掘，取得了可喜的成果。为了进一步探讨这一地区的旧石器文化，1987 年 10～11 月，考古人员再次到该地工作，又发现几处新地点，并在育红河村北的 1 个地点（野外编号 87008），作了发掘，出土了丰富的石制品和少量动物化石。简报分为：一、地理位置和地层概况，二、动物化石，三、石制品，四、结语，共四个部分。有照片、手绘图。

据介绍，这次发掘的地点，在著名的大荔人地点东北约 10 公里处，南距育红河村小学 250 米，北距洛河 300 米。石制品与华北同时代的旧石器文化相比略显粗糙、古朴。简报推断其年代为距今 17330±500 年，属旧石器时代晚期。

1263.陕西合阳吴家营仰韶文化遗址清理简报

作　者：陕西省考古研究所配合基建考古队　姜　捷、邢福来
出　处：《考古与文物》1990 年第 6 期

吴家营遗址位于合阳县城西南约 5 公里的金水沟南边台地上，台地高出沟底约 110 米。台地的西、北、东 3 面临沟，略呈三角形，遗址现存面积近万平方米。

吴家营遗址是 1988 年夏季文物普查时在金水沟大桥南端基建工地上发现的。为配合基建，于同年 11 月至次年 1 月，对该遗址进行了为期 3 个月的抢救性清理发掘，

总发掘面积约 1000 平方米，发现和清理了灰沟 3 条、灰坑 15 个、墓葬 5 座，出土遗物有骨器等。简报分为：一、遗址概况，二、遗迹，三、出土遗物，四、小结，共四个部分。有手绘图、照片。

据介绍，吴家营遗址是 1 处较为单纯的古文化遗址。从出土的器物和彩陶花纹、墓葬器物组合进行类比，简报推断吴家营遗址应属于史家类型范畴，其相对年代也与史家、姜寨二期相当。简报称，这次清理发掘所见的灰沟、墓葬、灰坑以及倒塌的陶窑等现象表明，吴家营遗址无疑是一处居住地。

1264.记韩城矿区黄土地层中发现的几件旧石器

作　　者：阎嘉祺、徐抗学

出　　处：《考古与文物》1993 年第 2 期

1989 年 9 ~ 10 月，考古人员到韩城矿区进行调查时，在矿区象山煤矿的横山上部黄土地层中发现了一些旧石器。韩城矿区在韩城市境内西北部，地形上为低山区。韩城市处于关中平原的东北边缘，以黄河为界与山西相邻。象山煤矿距市区城关约 3 公里。简报配以手绘图予以介绍。

据介绍，旧石器时期遗物系因施工发现，共采集到 10 多件标本。简报重点介绍了其中的 5 件，认为其年代大致相当于更新世时期。

1265.陕西大荔县发现的早期旧石器文化遗存

作　　者：陕西省考古研究所、大荔县文管会　周春茂

出　　处：《考古与文物》1994 年第 1 期

自从大荔人头骨化石发现以来，考古人员曾在大荔人化石地点附近作过多次野外调查。到现在为止，除大荔人化石地点外，新发现的旧石器地点至少有 19 处，其中部分地点是对大荔人化石地点第 2 次发掘时发现的。在调查中曾于甜水沟底部灰白色砂砾层中发现 1 件石英岩石片和燧石刮削器，在育红村东洛河Ⅲ级阶地底部灰白色砂砾层中发现 5 件具有人工打击痕迹的石块。前者野外编号为 DT18，后者野外编号为 DY15（陕西省考古研究所野外编号），是大荔、蒲城洛河两岸旧石器地点群中的 2 个地点。1986 年 11 月至 1987 年 3 月，对这两个地点进行正式发掘。甜水沟的 DT18 地点开 2 米 ×30 米探沟 1 条，育红村东的 DY15 地点开 2 米 ×10 米探沟 1 条，获得了较多的石器和少量动物化石。简报分为：一、地理位置和地层概况，二、哺乳动物化石，三、石器，四、结语，共四个部分。有手绘图。

据介绍，这批石器分别出自甜水沟 DT18 地点和 DY15 地点的 2 个文化层。由于这 2 个地点的文化层的层位相当而时代相同，但甜水沟石器数量多，且有较多的动物化石伴出，简报把这 2 个地点的更新世早期旧石器文化遗存统称为"甜水沟文化遗存"。甜水沟的旧石器文化是我国早期旧石器文化中的重要一员，其地质时代，简报推断为更新世早期。

1266.陕西华县梓里遗址发掘纪要

作　者：西北大学考古学专业 1977 级华县梓里实习队　张宏彦等
出　处：《文物》2010 年第 10 期

梓里遗址位于陕西华县杏林镇西南的梓里村附近，20 世纪 50 年代北京大学考古调查时发现。1980 年西北大学考古专业进行了复查。1980 年 10 ～ 12 月，西北大学 1977 级考古班在该遗址进行了考古发掘实习，发现了前仰韶时期的陶片、仰韶时期的墓地和龙山时期的灰坑等。简报分为：一、前言，二、遗址发掘区及遗迹分布概况，三、前仰韶时期遗存，四、仰韶时期遗存，五、龙山时期遗存，六、结语，共六个部分。有手绘图等。

据介绍，前仰韶文化遗存，应属老官台文化早期。仰韶时期遗存，应属仰韶文化早期。龙山时期遗存，应属客省庄二期文化。

1267.陕西白水县下河遗址仰韶文化遗址发掘简报

作　者：陕西省考古研究院、白水县文物旅游局
出　处：《考古》2011 年第 12 期

下河遗址位于陕西省白水县西固乡下河西村，1986 年全国文物普查时发现。自 2003 年起，考古人员对遗址进行了多次调查和发掘。2010 年，在以往工作的基础上，对下河遗址西南部断崖处暴露的建筑基址进行了考古发掘，发现仰韶文化时代大型房址 3 座、灰坑 42 个、踩踏面 2 处和金代墓葬 1 座。简报分为：一、地层堆积，二、仰韶时期遗存，三、结语，共三个部分。有彩照、手绘图。

据介绍，此次发掘主要收获为 3 座 300 平米以上的大型房址。3 座房址，有内、外两层墙体，使用料礓石烧制的白灰铺设地面。房址内出土遗物以陶器为主，另有石器、骨器和蚌器。这 3 座房址的用途，有待研究。此次发掘，对于研究仰韶时期的建筑技术以及人类聚落、经济生活等具有重要意义。

1268.陕西华阴兴乐坊遗址发掘简报

作　　者：陕西省考古研究院、渭南市文物保护考古研究所　胡松梅、杨岐黄
出　　处：《考古与文物》2011 年第 6 期

兴乐坊村隶属于陕西省华阴市桃下镇，该遗址是第 3 次文物普查新发现的文物点。为配合潼西高速公路改扩建工程的建设，考古人员于 2009 年 3 ～ 7 月对遗址进行了发掘，发掘面积约 1000 平方米，共清理庙底沟时期灰坑 52 个、窑址 3 座、瓮棺葬 1 座、汉及明清时期墓葬 3 座。

简报分为：一、地层堆积及遗迹打破关系，二、第一期文化遗存，三、第二期文化遗存，四、结语，共四个部分。先行介绍庙底沟时期遗存，有手绘图。

据介绍，第一期遗迹有陶窑和灰坑两类，其中灰坑 25 个，多为不规则或椭圆形，口大底小或筒状，少量为袋状坑，年代相当于庙底沟类型中期。第二期遗迹有灰坑 27 个，墓葬有 1 座瓮棺葬、1 座竖穴土坑墓，年代属庙底沟类型中期晚段。简报指出，兴乐坊遗址的发现与发掘丰富了关中东部地区庙底沟文化遗存的材料，为该时期的文化面貌、聚落形态、生态环境、生计方式等问题的研究增添了新资料。尤其是墓葬的发现，为今后庙底沟时期遗址墓葬区的找寻提供了新的线索。

1269.陕西省白水县南山峁遗址 F2 调查简报

作　　者：陕西省考古研究院、白水县文物旅游局　王炜林等
出　　处：《考古与文物》2012 年第 5 期

南山峁遗址位于陕西省白水县城关镇南山头村南的河谷坡地，西南面向白水河。2012 年，在进行白水河流域考古调查时，在该地发现有仰韶、龙山、西周、战国等各时期遗存，其中比较重要的是 1 处房址遗址（F2）。简报配以手绘图予以介绍。

据介绍，F2 为半地穴式，位于坡地中下部，距河床 35 米，被梯田破坏，剖面可见残长 10 米，残高 0.5 米。地面为厚 2 厘米的灰黑色烧结面，其下铺厚 8 厘米的草拌泥，以下为生土。在房址填土内采集有盆、罐等残片。房址的西部叠压打破 H1。H1 内填土为浅灰色，夹杂有草拌泥、灰烬和烧土块，采集有盆、钵、罐等残片。简报推断其年代约在半坡文化时期。

1270.陕西潼关南寨子遗址发掘简报

作　　者：陕西省考古研究院　王炜林、郭小宁、马　驰
出　　处：《考古与文物》2011 年第 6 期

南寨子遗址位于潼关县城东南约 0.6 公里处的台塬上，发现于 20 世纪 80 年代的陕西省第 3 次文物普查。因西气东输二线管道工程建设，2010 年 6 ～ 9 月进行了考古调查和发掘。在调查的同时，还用无人机对其进行了航拍和地面测绘。考古发掘工作在南、北 2 个区域进行，共发掘 692 平方米。其中南区发掘面积 492.5 平方米，发现灰坑 22 个、瓮棺葬 5 个、宋墓 1 座、汉代陶窑 1 座；北区发掘面积 201 平方米，发现灰坑 17 个、墓葬 4 座、瓮棺葬 1 个。

简报分为：一、地层堆积，二、半坡文化遗存，三、庙底沟文化遗存，四、结语，共四个部分。有手绘图。

据介绍，从调查和发掘资料看，南寨子遗址的堆积以庙底沟时期遗存为主，同时在遗址北部还发现了少许半坡文化的墓葬。南寨子是迄今发现的关中东部最大的 1 个庙底沟文化时期的遗址，从空间分布上看，其东部有西坡、庙底沟，西边有泉护村等重要遗址。

简报指出，这个庙底沟时期特大型聚落的发现，对了解关中东部及豫西地区庙底沟文化的社会组织、聚落形态等具有重要意义。

1271.陕西省蒲城县马坡遗址 H1 发掘简报

作　　者：陕西省考古研究院、蒲城县文物旅游局
出　　处：《考古与文物》2014 年第 1 期

马坡遗址位于蒲城县罕井镇境内洛河支流白水河南岸的山梁上，考古人员对 H1 进行了发掘，出土了一批重要遗物。

简报分为：一、地层与遗迹；二、遗物；三、结语，共三个部分。有彩照、手绘图。

据介绍，马坡 H1 出土陶器有罐、釜、盆、斝、盂、豆、鼎等，其中以罐、釜、盆、斝为主要组合。这一陶器组合不同于垣曲古城东关遗址中庙底沟二期文化罐、盆、鼎、釜灶、斝的组合，也不同于案板三期的陶器组合，体现出独特的文化面貌，简报认为应为庙底沟二期文化的一个地方变体。

延安市

1272.陕西子长县栾家坪遗址试掘简报

作　者： 中国社会科学院考古研究所陕西六队　吴耀利
出　处：《考古》1991 年第 9 期

栾家坪遗址位于陕北延安地区北部的子长县县城西北 8 公里处的秀延河畔。遗址在秀延河北岸约 0.5 公里的第二级阶地上，属栾家坪乡栾家坪村。乡政府门前是公路，背后即为遗址所在的黄土台地，当地俗名"龙岗寺台"。1987 年文物普查时发现，1988 年 5 月进行了试掘。简报分为：一、地层堆积，二、文化遗物，三、结语，共三个部分。有手绘图。

据介绍，发现遗物有石器、陶器、陶片，包括仰韶文化的彩陶、龙山文化的灰陶及细石器。值得注意的是，栾家坪的仰韶和龙山遗存之间存在着较为密切的联系。譬如，它们都有整齐的篮纹，形式也基本相同；都常见在夹砂罐的颈部饰一周至二周附加堆纹的陶器，只不过仰韶的是橙黄陶，龙山的是灰陶。这些特征似乎表现了它们之间的传统关系。简报指出，此次发现对研究关中地区同陕北黄土高原的早期龙山文化之间的关系以及陕北同北方草原地区之间的文化联系，都具有重要的意义。

1273.陕西宜川县龙王辿旧石器时代遗址

作　者： 中国社会科学院考古研究所、陕西省考古研究所　尹申平、王小庆等
出　处：《考古》2007 年第 7 期

考古人员从 2003 年 4 月在陕西地区开始进行旧石器时代晚期遗址的考古学调查，以遗存堆积丰富、保存相对较好的陕西省延安市宜川县壶口镇龙王辿遗址作为工作的重点，并于 2005 年 9 ~ 11 月和 2006 年 5 ~ 7 月、9 ~ 11 月对该遗址的第一地点进行了发掘。简报分为：一、地理位置与自然环境，二、地层堆积状况与工作方法，三、遗迹与遗物，四、学术意义，共四个部分。有彩照、手绘图。

据介绍，龙王辿遗址第 1 地点位于龙王辿村北约 580 米处，西南距宜川县城的直线距离约 30 公里。该地点地处黄河西岸的二级阶地，坐落于源自壶口镇高柏乡的惠落沟河与黄河交汇处三角地带的黄土台地上，遗址地表高出现代的黄河河床 30 米，

海拔高度为483米。在此发现20余处用火遗迹，出土2万余件石制品及一些动物骨骼，年代应为距今约20000～15000年。此次发掘，对了解黄河中游地区细石器文化的谱系、更新世末期人类的生业形态和自然环境变迁，研究旧石器时代向新石器时代的过渡等具有重要意义。

简报称，通过对出土石器的加工技法、形制特征等进行初步观察，可以看出其文化内涵具有典型的中国华北细石器工业传统的特征：石器原料以燧石和石英为主，在制作技术上直接法和间接法并用，具有十分成熟的间接打制和压制修整技术。与这些细石器文化遗存共存的还有一些尖状器、砍砸器、锤、砧、砺石、磨盘等大型打制石器和磨制石器。该遗址发现的磨制石铲，是我国旧石器时代考古工作的一项重要收获，这应是当时国内发现年代最早的磨制石器之一。

简报指出，距今15000年前后，是旧石器时代向新石器时代过渡的开始时期。从这一时期开始，全球范围内的自然环境发生了剧烈变化，气候明显变暖，最后一次冰期逐渐结束，由寒冷干燥的末次冰期进入温暖湿润的冰后期。人类文化的重大变化也与自然环境的大变化几乎同时出现。在黄河中游地区发现并发掘的属于这一阶段的遗址不是很多，像龙王辿遗址第一地点这样文化遗物丰富、地层堆积完整且为原地埋藏的则十分少见。

1274.陕西黄陵县黄帝陵扩建工程发掘简报

作　者：陕西省考古研究院　张鹏程、邵安定
出　处：《考古与文物》2011年第6期

黄陵县地处黄土高原腹地，境内桥山相传为中华始祖黄帝陵墓所在，该县因而得名。2002年为配合黄帝陵博物馆扩建，考古人员于2002年底至2003年初对扩建区域开展了考古工作。经发掘，发现3个仰韶时代灰坑和1座汉墓，同时对桥山还进行了考古调查。简报分为：一、地层堆积，二、遗迹，三、遗物，四、小结，共四个部分。有手绘图。

据介绍，遗迹主要为灰坑3个，遗物为陶器及少量石器。简报称，仰韶时代多被认为与古史传说的黄帝时期相当。《史记·五帝本纪》载黄帝葬桥山。桥山所在多有争论，本次发掘虽然说明黄陵县桥山分布有庙底沟文化遗址，但这并不能解决有关争论。庙底沟文化拥有一个巨大的文化传播范围，这暗示着当时可能存在着一个保持文化面貌稳定的中心。从考古学来说，黄帝的传说未必要投射到具体的考古学文化上，但是将庙底沟文化与古史传说相对照，可以认为这两者能够在一定程度上折射出古代曾经存在过的社会和文化变迁。

汉中市

1275.陕西西乡李家村新石器时代遗址

作　者：陕西分院考古研究所　廖彩樑
出　处：《考古》1961 年第 7 期

西乡县位于陕西省南部，隔镇巴县与四川相邻。其中部地势平坦，四面环山，成一东西长约 10 公里、南北宽 5 公里的小盆地。盆地中央有一牧马河，由西向东经城南折向东北与泾洋河相汇合流入汉江。遗址位于牧马河南岸第一台地。发掘工作从 1960 年 3 月中旬开始，截至 9 月底，先后在渠的东西两岸开掘探方 25 个、探沟 1 条，面积共计 645 平方米。除出土遗物外，还发现灰坑、柱洞、墓葬及红烧土等。简报分为：一、地层堆积，二、遗迹，三、墓葬，四、文化遗物，五、结语，共五个部分。有手绘图、照片。

据介绍，发掘发现灰坑 25 个、柱洞 1 个、墓葬 3 座，墓葬均为小孩墓；出土遗物有陶器、石器，还有几块残骨，不能辨其形状。简报推断，这个遗址可能晚于仰韶文化，大体相当于江汉地区屈家岭文化时期。

1276.陕西西乡李家村新石器时代遗址一九六一年发掘简报

作　者：陕西省社会科学院考古研究所汉水队　魏京武
出　处：《考古》1962 年第 6 期

西乡县李家村新石器时代遗址在 1960 年 3 ~ 9 月进行了第 1 次发掘，1961 年 5 ~ 11 月进行了第 2 次发掘。这次发掘在新开水渠之西岸、1960 年发掘探方之南，总发掘面积 490 平方米。发现遗迹有房子残迹 1 处、陶窑 1 座、成人墓葬 1 座、灰坑 15 个及其他遗迹。出土遗物有陶器及石器等。简报分为：一、地层，二、遗迹，三、遗物，四、小结，共四个部分。有手绘图、拓片。

据介绍，该遗址的典型陶器——圈足钵和三足器，据已知材料，在渭河流域的一些仰韶文化遗址中都有发现，如宝鸡北首岭、邠县下孟村、华县柳子镇等地。有的窖穴如 H7 在下孟村、北首岭也有发现同类遗迹。在李家村遗址中也有仰韶文化的圆底钵、夹砂粗陶罐的陶片发现。因此，简报认为李家村遗址的文化与渭河流域的仰韶文化有极密切的关系。但该遗址中绝未发现过彩陶。

1277.陕西汉中专区考古调查简报

作　者：陕西省社会科学院考古研究所汉水队　廖彩樑、马建熙

出　处：《考古》1962 年第 6 期

陕西境内的汉水流域包括汉中、安康 2 个专区，位于陕西省南部，通称"陕南"。1959 年考古人员对陕西境内的汉水流域古文化遗址进行了 1 次调查，同时对陕西境内的嘉陵江上游也作了调查。调查分 2 个阶段进行：第 1 阶段从 1959 年 3 月 8 日至 6 月 11 日，集中调查了安康专区；第 2 阶段从 9 月 9 日至 11 月 12 日，集中调查了汉中专区。安康专区的材料已发表于《考古》1960 年第 3 期。汉中专区的新石器时代遗址发现较多，而周、汉遗址所出遗物又与关中大体相同，故此次只概括地报道汉中专区（包括嘉陵江上游和汉水上游）的新石器时代遗址。简报分为：一、嘉陵江上游的新石器时代遗址，二、汉水上游的新石器时代遗址，三、小结，共三个部分。有手绘图、照片。

据介绍，这两次调查的 54 处遗址（包括安康汉中专区），大都分布于河两岸的阶地上，多数位于河的东岸，坐北朝南的很少。这很可能是依地势而居的缘故。

汉中专区的新石器时代遗址，和早先已报道过的安康专区的新石器时代遗址合在一起观察，可以看出陕南的新石器时代遗址的陶器，其制作基本上是手制的，有的用连接法或泥条盘筑法制成（尖底器最为显著），也有少数器物的器口有慢轮加修的痕迹。根据器形来看，一类属仰韶文化系统，另一类恐代表时间较晚的遗存。属仰韶文化类型的则与关中地区邠县下孟村、华县柳子镇相近，而彩陶纹饰的母题又与河南庙底沟仰韶文化相同。五里坪等遗址中的石器与上述仰韶文化遗址相同，陶器中除夹砂红陶居多、灰陶增多、彩陶较少外，纹饰上出现几种新的纹饰，如印有横行或竖行用小圆点组成的线条纹、几道横行锥刺纹中间印一组指甲状纹的纹样。这些纹饰在上述仰韶文化遗址所出的陶器中是不见的。

简报附有陕南古文化遗址表。

1278.陕西城固县莲花池新石器时代遗址

作　者：唐金裕、王寿芝

出　处：《考古》1977 年第 5 期

莲花池新石器时代遗址，是在 1973 年 7 月城固县普查文物时发现的，1976 年 11 月进行了试掘。简报配以照片、手绘图予以介绍。

据介绍，遗址位于城固县莲花公社廉家庄大队第四生产队，西距县城约 1.5 公

里，东北距离渭水河 0.5 公里。遗址所在略高出周围的地面 0.5 ~ 1 米，在东西长约 300 米、南北宽约 600 米的范围内，均有陶片或红烧土发现。当地人在深翻地时，常有石斧、石凿、残陶器出土。此次共发现灰坑 2 个，出土有石斧、石锄、石凿、石杵、石球及陶纺轮、陶瓮、陶罐、陶钵、陶缸等。简报认为这是 1 处仰韶文化遗址。但遗物中的石锄、圭形凿和外红内黑的陶片，在黄河流域的仰韶文化遗址中是不多见的。

1279.陕西汉中地区梁山龙岗首次发现旧石器

作　　者：西安矿业学院地质系　　阎嘉祺
出　　处：《考古与文物》1980 年第 4 期

1980 年 6 月下旬，考古人员在龙岗一带捡得石器数件、打制石片数件。据此线索，从 7 月 12 日到 20 日又再次去梁山调查，计得石器 58 件、石片和石核近 150 件。此批石器，打制特点清楚，使用痕迹也十分明显，但总地说来加工比较简单，器形也属原始，应属于旧石器范畴，其地质时代则可能属于中更新世到晚更新世的阶段。简报分为四个部分予以介绍，有手绘图。

据介绍，龙岗位于汉中市之西约 8 公里、南郑县之北约 7 公里。简报认为龙岗的旧石器应归入旧石器时代的早中期，而不晚于晚期，和蓝田中更新世的旧石器要更接近一些。简报最后补充说，此文发排后，又得到采集的石器 300 多件，有新的发现。

1280.汉中地区新石器时代遗址调查简报

作　　者：唐金裕
出　　处：《考古与文物》1981 年第 1 期

汉中地区考古人员曾于 1973 ~ 1978 年对全区文物和古遗址进行了普查。此后，又对几个位于平坝地区的县作了重点调查。共调查新石器时代遗址 12 处。其中莲花池遗址、仓台、红庙村、江湾等遗址已报道过，不再赘述。简报配以手绘图等，着重介绍几处尚未报道的遗址，并对李家村等几个遗址新发现的重要资料作一补充。

据介绍，汉江上游的汉中地区，就目前来说，在新石器时代已存在着 2 种不同的文化，前者属于仰韶文化，后者属于李家村文化。简报通过比对，提出黄河中下游与长江中上游的新石器时代文化的发展和相互影响，是值得瞩目的问题。

1281.陕西西乡何家湾新石器时代遗址首次发掘

作　者：陕西省考古研究所汉水考古队　魏京武、杨亚长
出　处：《考古与文物》1981 年第 4 期

西乡县位于陕西省南部汉江上游，南为大巴山，北依秦岭。县城附近为汉江支流牧马河和泾洋河冲积的东西长约 15 公里、南北宽约 10 公里的山间盆地。何家湾遗址位于盆地东部边沿，属西乡县板桥公社三合生产队何家湾生产队。总面积约 4.5 万平方米。何家湾遗址是 1959 年发现的，其后又作过多次复查。1980 年进行了首次发掘，发现和清理了残居住面 7 处、灶坑 1 个、窖穴 115 个、墓葬 25 座，出土遗物有石器、骨器、陶器等生产和生活用具 600 多件。至本简报发表，发掘工作仍在继续进行。简报分为：一、地层，二、遗迹，三、墓葬，四、遗物，五、结语，共五个部分。有手绘图。

据介绍，何家湾遗址是目前陕南汉江上游发现的新石器时代文化遗址中保存较好、文化层堆积较厚、出土遗物较丰富的 1 个遗址。首次发掘证明，该遗址至少包含李家村文化和仰韶文化两个考古学文化。李家村文化虽然出土物较少，但在地层关系上被叠压于仰韶文化层之下，从而证实了李家村文化是早于仰韶文化的一种文化遗存。仰韶文化与关中地区面貌基本相同，但又具有一定地方特色。

简报称，汉江属于长江水系，其上游地区的新石器时代，早期是李家村文化，中期是仰韶文化，晚期是龙山文化。仰韶文化主要有半坡类型和庙底沟类型。其文化发展序列为：李家村文化—仰韶文化（半坡类型—庙底沟类型）—龙山文化。西乡何家湾新石器时代遗址的发掘，为探索汉江上游地区新石器时代遗址的文化发展序列和文化分期以及与周围地区诸原始文化的关系提供了新的资料。

1282.陕西西乡红岩坝遗址的调查和试掘

作　者：陕西省考古研究所汉水考古队　杨亚长、魏京武
出　处：《考古与文物》1982 年第 6 期

西乡县红岩坝村属板桥公社三合大队第一生产队，在县城东北约 6 公里，西距何家潭村 0.5 公里，东南距古城村 0.5 公里。遗址位于村西 300 多米处的一个黄土岗上，高出现河床 30 多米。简报分为：一、地层堆积，二、第三层出土遗物，三、第二层出土遗物，四、结语，共四个部分。有手绘图。

简报称，红岩坝遗址为龙山文化遗存。过去汉江上游地区新石器时代考古工作做得很少，尤其对龙山文化遗址的了解几乎是空白，而近年来的考古调查和发掘及红岩坝遗址的调查试掘，基本上填补了这个空白，为汉江上游地区新石器时代考古研究工作提供

了新的资料。简报指出，目前可以排列出汉江上游地区新石器时代诸文化类型的早晚发展序列：李家村文化—仰韶文化（半坡类型—庙底沟类型）—龙山文化。显然，在这个发展序列中还有缺环需要填补，还有许多问题尚需进一步探讨，但总的发展线索是清楚的。

1283.陕西南郑龙岗寺发现的旧石器

作　者：陕西省考古研究所汉水考古队　尹申平
出　处：《考古与文物》1985 年第 6 期

1985 年春，考古人员在汉水上游南郑县梁山地区开展工作，于梁山东南 6 公里龙岗寺爱国大队砖厂取土处发现了 1 处旧石器文化地点，编号梁山 85001。简报分为：一、地貌与地层，二、文化遗物，三、结语，共三个部分。有手绘图。

简报称，与以往认定的中国旧石器文化中石片石器始终占主要成分相比较，梁山旧石器文化最具典型意义的是石器组成成分中以砾石石器为主，虽然伴出有石片石器，但从整个旧石器时代文化发展序列来观察，砾石石器居于主要地位无疑构成了梁山旧石器的一个不容忽视的特点。从现有资料分析，有理由认为中国旧石器初期文化更有可能是多元的（或称之为多系统的），它们在各自的发展中互有传承，并始终保持自己的特征。

榆林市

1284.陕西绥德小官道龙山文化遗址的发掘

作　者：陕西省考古所陕北考古队
出　处：《考古与文物》1983 年第 5 期

遗址发现于 1982 年，当年发掘。发现有窖穴 2 个、房屋遗址 12 座，均为半地下式；发掘有陶器、石器、骨器等。为龙山文化时颇有地域特点的遗存。

1285.陕西靖边县安子梁、榆林县白兴庄等遗址调查简报

作　者：吕智荣
出　处：《考古》1984 年第 2 期

1984 年下半年，考古队对陕北的靖边县安子梁、横山县木浴沟、榆林县白兴庄

及韩城县新村遗址进行了考古调查。简报分为：一、安子梁遗址，二、木浴沟遗址，三、白兴庄遗址，四、新村遗址，五、结语，共五个部分。有照片。

据介绍，安子梁的陶器虽然以灰陶为主，但红陶占有相当比例（包括红褐陶），而木浴沟、白兴庄遗存中红陶极少。纹饰方面，安子梁遗存中的方格纹少于木浴沟、白兴庄的遗存，而印迹较深的斜形绳纹在木浴沟、白兴庄遗存中极少见。器类方面，安子梁遗存中的钵、豆、杯、饰斜绳纹的红褐陶瓮罐在木浴沟、白兴庄遗存不见；木浴沟遗存中的卷沿盆、罐又在安子梁遗存中不见。根据该地区其他遗址的调查资料对比分析，白兴庄遗存中应含有 2 种文化遗存，文化类型涉及仰韶、龙山文化等。简报称，在鄂尔多斯以南的陕北地区，考古工作至今做得很少，这一地区存在哪些原始文化，目前仍不清楚。安子梁、木浴沟古文化遗存，在陕北地区为初次发现，可说是一重要收获，为我们今后进一步开展发掘和研究工作提供了新资料。

1286.靖边县收藏的一批新石器时代遗物

作　者：赵世林

出　处：《文博》1986 年第 3 期

陕西省靖边县文化馆收藏了一批新石器时代不同类型的石器和陶器。它们大部分是文物工作者在全县范围内进行田野考古调查中采集获得的，其中也有一部分是当地群众捐献给文化馆的。简报分为：一、石器，二、陶器，共分两部分。有手绘图。

据介绍，遗物计有有孔石斧、有孔石刀、小口陶罐、红陶盆、大口陶罐、斝、单耳陶罐等。

1287.陕西神木县石峁遗址发现细石器

作　者：吕智荣

出　处：《文博》1989 年第 2 期

石峁遗址是 1976 年调查发现的，1981 年 8 月进行了调查试掘。1986 年 4 月，在神木县大柳塔乡上柳塔遗址中首次发现了石叶、石镞、刮削器、尖状器、石核等细石器。这座遗址的陶器文化遗存有斝、盉、三足瓮、折肩缸等，其形制与石峁龙山文化的陶器相似，二者当是同一古文化遗存。但是，在石峁遗址的调查和试掘报道中，没有提到遗址中与陶器还共存有细石器遗存。这类古文化是否有细石器，搞清这一问题对于研究它的文化面貌和经济形态有重要的意义。简报配以手绘图予以介绍。

据介绍，采集文化遗物有陶器残片、磨制石器、打制石器和细石器，其中采集的细石器最为丰富，计有40多件。另外，还在农民家里征集了4件石器、1件玉器。据当事人说，这几件石器是出土于1个破陶器旁边。据此我们推测，这几件石器当是1座瓮棺葬的随葬品。据说村里的人近几年来取土或耕地时还不断地挖出石器、房基等。这次复查遗址采集和征集的文化遗物共计50余件。

简报称，在石峁遗址中采集到的细石器，进一步证实该类龙山文化遗存中确实有细石器，说明它是该类龙山文化的特征之一。从目前已报道的资料看，石峁一类龙山文化有半地穴式白灰居住面的房子和窖穴，这表明该古文化先民是定居的；磨制石器斧、锛、凿、刀等生产工具的出土，则说明该古文化先民的经济生产是以农业为主的；然而细石器在遗址中的大量发现，又表明他们当时的牧猎经济生产是相当发达的，在整个经济生产中占有一定的地位。

1288.神木县新石器时代遗址调查简报

作　者：艾有力
出　处：《考古与文物》1990年第5期

神木县位于榆林地区北部，地处鄂尔多斯高原黄河之滨。毛乌素沙漠贯穿其西北部。长期的风沙侵蚀和严重的水土流失，使遗址地表破坏较甚、遗迹外露，加之修造梯田的人为破坏，文化层扰乱。遗址内可清晰地辨出黑灰色或蓝灰色土壤，与其周围的黄沙、黄土形成迥然不同的土质。鉴于该县地域辽阔，人烟稀少，沙海阻隔，调查仅沿交通较便利的几处遗址进行。调查开始于1983年，1987年为配合神府朱罗纪煤田的开发、搞好矿区内的文物保护，又作了进一步调查，并对其他文物点也进行了调查。简报配以手绘图、照片，介绍了新华、滴水崖、四卜树、刘家石畔4处遗址。

据介绍，这些遗址大多分布在长城沿线和毛乌素沙漠的边沿。从遗址内出土物可以推断，史前时期神木一带人口稠密，有较集中的原始群落。新华村、滴水崖、四卜树，刘家石畔遗址显系同一类型的文化遗存，各遗址都具有龙山文化的特征，应属于龙山文化。不过，各遗址延续的时间长短有别，四卜树属于仰韶文化、龙山文化两种不同的文化，而滴水崖、新华村、刘家石畔，则属于龙山文化。

简报称，以上4处遗址多临近水源，背风向阳。调查这些遗址对研究工作来说，仅仅是一个起步，目前还没有揭示出确切的地层叠压关系，它们的文化序列尚不能排列。陕西、山西、内蒙古新石器时代文化的相互影响与发展的问题，未引起足够重视。

1289.陕北神府煤田考古调查简报

作　者：吕智荣

出　处：《文博》1997 年第 5 期

为了配合神府煤田的开发建设，保护煤田区域内的古文化遗存，1986 年 4 月，考古人员对煤田开发中心区进行了首次考古调查工作。这次工作主要在神木县城北窟野河上游的乌兰木伦河和考考乌素河流域进行，4 月 11 日开始，21 日结束，共调查古文化遗址 14 座，其中新石器时代遗址 12 座、汉代遗址 1 座，元明时代遗址 1 座。简报配以手绘图等予以介绍。

据介绍，这次调查发现的几座新石器时代文化遗址中，有仰韶文化遗址 1 座，龙山文化遗址 9 座，含有仰韶、龙山文化遗存的遗址 1 座，含有龙山文化遗存和东周时代文化遗存的遗址 1 座。简报重点介绍了高村、上柳塔、刘石桥畔遗址，以及汉代遗址前鸡遗址等，其他遗址以表格形式反映。

简报称，窟野河是陕北地区主要河流之一，1949 年以来未在其流域进行过考古调查工作，这次工作尚为首次。这次调查虽然仅限于神木县以北的窟野河的乌兰木伦和考考乌素河两支系，面积不大，发现的遗址不算多，但发现的仰韶、龙山文化遗址均是在该水系初次发现，为了解这一地区存在过的古文化面貌和为今后进一步的工作提供了基础资料。

1290.陕西神木县寨峁遗址发掘简报

作　者：陕西省考古研究所

出　处：《考古与文物》2002 年第 3 期

寨峁遗址位于神木县店塔乡寨峁村，坐落在窟野河与其支系考考乌素河交汇处的三角形阶地上，南距神木县城约 16 公里，距店塔乡约 1 公里。寨峁村（旧村）位于遗址的北部，遗址东侧是窟野河，西、南两面是考考乌素河。阶地东、西、南 3 面是陡峭的石崖，高出河床 100 余米。阶地上地势南低北高，但起伏不大，较为平坦。

该遗址东西宽 250 余米，南北长 700 余米，总面积 17 万余平方米。在遗址的中南部有一道东西向的石墙，将遗址分割成南北两部分。经勘查，石墙以北文化堆积层很薄，面积也不大，几乎无发掘的价值。石墙南部地势比北部宽阔平坦，文化堆积丰厚，深达 3 米左右，当是该遗址的中心区。遗址是 1986 年调查发现的，1991 年作了试掘，1993 年进行了正式发掘。这次发掘是在石墙以南进行的。发掘前将南部遗址划分为 A、B、C、D 四个区，发掘点主要在 A、C 两区，在 B、D 两区仅开了 2 条探沟，发掘面积 700 余平方米，发现遗迹有房子、窖穴、墓葬，出土遗物有陶、石、骨器等。

简报分为：一、文化堆积与分期，二、第一期文化遗存，三、第二期文化遗存，四、第三期文化遗存，五、结语，共五个部分。有手绘图。

据介绍，从寨峁一期的遗迹、遗物看，文化面貌和特征与内蒙古阿善文化基本相似，寨峁一期遗存应属于阿善文化郑则峁类型。阿善文化郑则峁类型的时代大约在距今 4800 年。简报推断，寨峁一期遗存的时代也当与郑则峁类型相同。寨峁二期简报推断距今大约 4200 年，其下限似早于朱开沟一段，距今在 4000 年前后。

简报称，从这类遗存的文化面貌和特征看，它与相邻的客省庄二期文化，龙山文化陶寺类型，河南龙山文化三里桥类型、王油坊类型虽有某些相同因素，但是，其自身独有的风格和特点是明显和主要的。简报认为它代表的应是一个独立的古文化。这类遗存在陕北和鄂尔多斯地区多有发现，并有考古学者提出了"前套文化""北方文化""大口二期文化"等名称。但因提名条件有些不妥，未在学术界达成共识。鉴于此，简报提出将寨峁二期遗存称为"寨峁文化"，作为该地区这类遗存的代表。

1291.陕西横山县瓦窑渠寨山遗址发掘简报

作　者：陕西省考古研究院、榆林市文物保护研究所　李　恭
出　处：《考古与文物》2009 年第 5 期

横山县寨山史前遗址位于陕西省横山县魏家楼乡瓦窑渠村西约 100 米。2004 年为配合高速公路建设，考古人员进行了发掘。

简报分为：一、遗迹，二、遗物，三、结语，共三个部分。有手绘图。

据介绍，遗迹多为窑洞居址，有前、后整体呈倒"凸"字形的复合式建筑，前室为居住活动室，后室为储藏室。部分遗址废弃于一次偶然性的事故，室内遗迹、遗物保存较好，为过去同时期考古发现中所少见。出土遗物有陶器、骨器、石器、玉器及卜骨等。时代简报推断为龙山文化早期。

简报强调，所清理的数座龙山时代保存较好的复合式窑洞居址，在陕北地区很少发现，对研究该类房屋的建筑结构意义重大。特别是 F1 窑洞的废弃，似乎事发突然，室内的遗迹、遗物未遭后期扰动，仍保持原状，十分珍贵。

1292.陕西神木县石峁遗址

作　者：陕西省考古研究院、榆林市文物考古勘探工作队、神木县文体局
　　　　　孙周勇、邵　晶、邵安定、康宁武、屈凤鸣、刘小明等
出　处：《考古》2013 年第 3 期

神木县隶属陕西省榆林市，地处陕西、山西和内蒙古 3 省区交界地带。石峁遗址位于神木县城西南 40 余公里处的市农堡镇。石峁遗址因大量流散于海内外一些文博机构的玉器而闻名。1929 年，时任科隆远东美术馆代表的美籍德国人萨尔蒙尼（A.Salmony）在北京征集到陕西榆林府农民出售的牙璋等玉器 42 件，其中最大的 1 件是长 53.4 厘米的墨玉质刀形端刃器，即经萨氏之手为德国科隆远东美术馆收藏。据称，这批玉器为石峁遗址出土。

1976 年 1 月，陕西省考古研究所戴应新先生根据神木县高家堡社提供的线索调查了石峁遗址，并于同年 9 月进行复查，征集到了一批极具特色的陶器和百余件精美的玉器。所获玉器年代不甚明确，或为新石器时代遗物，或属殷文化。1988 年，他公布了这次调查所获玉器资料，认为石峁玉器和陶器都为龙山时期遗物。1981 年，西安半坡博物馆对石峁遗址进行了考古发掘，发现了房址、石棺葬、瓮棺葬、灰坑等遗迹，出土了一些有确切地层关系的遗物。这是对石峁遗址首次进行科学的考古发掘。1986 年 4 月，陕西省考古研究所吕智荣先生对石峁遗址进行了踏查，征集到石器、陶器、玉器等遗物 40 余件。此后，考古人员多次对遗址进行复查。2009 年 10 月，罗宏才先生对石峁遗址展开考察，公布了多达 20 余件特征明确、造型独特的石雕或石刻人像，均砂岩质地，大部分人，还有一些半身像或全身像，其中不乏头戴尖帽、高鼻深目者。

石峁遗址系中国北方地区 1 处极为重要的新石器时代晚期遗址，其数量庞大的玉器、风格独特的陶器及石雕人像等引起了学术界的高度关注。2011 年 7 ～ 9 月，考古人员对石峁遗址进行了区域系统考古调查。2012 年，在复查了前期调查成果的基础上，重点发掘了石峁遗址外城东门及城内部分遗迹，取得了重要收获。简报分为：一、遗址概况，二、考古调查，三、考古发掘，四、初步认识，共四个部分。有彩照和手绘图。

简报首先肯定石峁遗址为龙山晚期至夏代早期之间的超大型中心聚落。此次调查和发掘发现了石砌城墙以及城门、墩台、角楼、马面等附属建筑。城址由"皇城台"、内城和外城构成，面积超过 400 万平方米，系国内目前已知最大的龙山时期至夏时期城址。外城东门址包含内、外两重瓮城、砌石夯土墩台等，是目前所见我国史前时代最大城址。出土了玉器、壁画、石雕和陶器等龙山晚期至夏时期遗物。石峁遗址对研究中国文明起源有重要意义。

安康市

1293.安康花园柏树岭新石器时代遗址调查试掘记

作　者：陕西省考古研究所、陕西省文物管理委员会　秦　岭、张铭惠
出　处：《考古与文物》1980 年第 2 期

1972 年 4 月，考古人员在安康县西北 15 公里花园公社阳安铁路施工段，发现新石器时代遗址 1 处。简报配以照片、手绘图予以介绍。

据介绍，遗址位于汉水支流月河北岸的柏树岭台地上。南距月河 300 米，东临冉家河（又名"中河坝"）200 米。汉白公路经遗址与月河间东西向穿过。遗址东西长约 200 米，南北宽约 100 米，面积约 2 万平方米。遗迹有灰坑 3 个、柱洞 11 个，遗物有陶器、骨器、蚌器、石器等。初步判断为带有地方特色的仰韶文化遗存。但简报也指出，此遗址的文化内涵比较丰富。由于试掘的面积很小，试掘之处的文化堆积破坏太甚或处在遗址边缘区，地层关系不够典型，要搞清该遗址出土物中的文化内涵及其相互关系，还待进一步工作。

简报称，此遗址的发现，为了解陕南地区新石器时代的原始文化，提供了新的资料。

1294.陕西安康地区新石器时代遗址调查

作　者：李启良
出　处：《考古》1983 年第 6 期

安康地区位于汉水上游，汉江由西向东横贯中部，江南是巴山北坡，江北为秦岭南麓。对于这一地区新石器时代的文化概况的认识，一直比较模糊。1949 年后虽发现过 2 处遗址，但资料仍显得缺乏。1980 ~ 1981 年在文物普查中，发现了 14 处新石器遗址，为研究本地区新石器时代文化提供了一定的依据，简报配以手绘图予以介绍。

据介绍，新发现的遗址有陈家坝、李家那、奠安、中渡台、张家坝、柳家河、柏树岭、王家碥、肖家坝、马家营、阮家坝、杨家坝、麻池、好汉坡等。简报重点介绍了其中比较重要的几处遗址。这些遗址均属新石器时代遗址，但"现象比较复杂"，究竟是哪一种文化的变体，与周围的文化联系如何，尚有待考古发掘。

1295.安康关庙旧石器地点

作　者：王社江、李厚志
出　处：《考古与文物》1992 年第 4 期

1989 年 9～11 月，考古人员在陕西省安康地区进行旧石器考古调查时，在安康城东关庙乡发现一批打制石制品。这是安康地区首次发现的有确切出土层位的旧石器时代文化遗存，为汉水上游地区旧石器考古增添了新的材料。简报分为四个部分予以介绍，有手绘图。

据介绍，关庙地点位于安康市东北汉江左岸（即北岸），距安康市约 10 公里。此次发现的石器，为我们寻找这一地区古代人类活动的足迹，提供了新的线索。

1296.1987～1989 年陕西安康地区新石器时代遗址调查

作　者：安康地区博物馆　刘康利、施昌成
出　处：《考古》1994 年第 6 期

安康地区位于陕西省南端，水接荆襄，界分巴蜀，汉江横贯东西，境内流长约 500 公里。自 20 世纪 60 年代以来，对这一地区的新石器时代文化曾作过数次调查。1987～1989 年在进行文物普查的过程中，考古人员不仅注意了对已知遗址的复查，同时新发现了 10 多处新石器时代遗址。简报分为：一、马岭坝遗址，二、长安坝遗址，三、黎家坪遗址，四、新天铺遗址，五、红号遗址，六、张家庄遗址，七、梨园遗址，八、结语，共八个部分。有拓片、手绘图。

据介绍，近年来新发现的数处李家村类型文化遗址，反映了该文化类型在汉江中上游地区普遍存在的现象。马岭坝遗址和新天铺遗址中李家村类型文化遗物的出土，将这一文化的分布地域沿汉江向东推进了数百公里。更重要的是，在汉江支流的巴山腹地中首次发现其典型遗物，使我们对这一文化有了更进一步的认识。这是 1 处有代表意义的早期新石器时代遗址，反映出一定的地域特色。

红号遗址、张家庄遗址是本地区目前发现的最东端新石器时代遗址，表现出本地区东、西部新石器文化面貌的差异和诸多文化因素交融共处的现象。

简报称，汉水中游地区处于我国黄河、长江两大远古文化体系的过渡地带，良好的地理环境孕育着灿烂的早期文化，同时众多文化因素的接触，形成了该地区新石器时代文化面貌的多重性。遗址的发掘对研究新石器时代南北文化相互影响和发展变化有其重要意义。

1297.2005 年安康郭家湾新石器时代遗址发掘简报

作　者：陕西省考古研究院、安康市汉滨区文管所　孙伟刚、赵　杰、胡望林、
顾亚东

出　处：《考古与文物》2010 年第 5 期

郭家湾遗址位于陕西省安康市汉滨区花园乡郭家湾村南，1989 年发现，2005 年进行了发掘。

简报分为：一、地层堆积，二、遗迹，三、遗物，四、小结，共四个部分。有手绘图。

据介绍，遗迹主要有房址 1 座、灰沟 1 条、灶址 1 处，遗物有陶器、石器。简报称，本次发掘出土遗物不甚丰富，但从出土陶器特征上分析，本次出土的遗物与陕南地区已发掘的何家湾遗址、阮家坝遗址、马家营遗址半坡类型等遗存基本一致，与仰韶文化半坡期遗物无论从类别还是形制特征上都无区别，这说明在仰韶文化半坡期，陕南和关中地区的文化面貌具有较多的一致性。

商洛市

1298.陕西南洛河流域古文化遗址调查简报

作　者：卫迪誉、王宜涛

出　处：《考古与文物》1981 年第 3 期

1979 年秋至 1980 年冬，考古人员对南洛河上游地区作了详细的考古调查，发现古文化遗址 6 处。它们主要分布在南洛河两岸的台地、坡地以及临水的山梁上。

简报分为：一、曹洼遗址，二、薛湾遗址，三、杨河遗址，四、沟滩遗址，五、焦村遗址，六、石坡遗址，共六个部分。有手绘图。

据介绍，遗址的主要遗存为龙山文化，另发现有极少数战国遗存。简报称，南洛河流域这 6 处遗址，特别是沟滩和焦村这 2 处位于陕豫交界的遗址，对于进一步验证仰韶文化半坡类型与庙底沟类型之间的关系以及探明客省庄龙山文化与庙底沟龙山文化之间的关系，可能是具有一定价值的。

1299.陕西洛河上游两种遗址的试掘

作　者：陕西省商洛地区图书馆　雷文汉

出　处：《考古》1983 年第 1 期

1978 年下半年考古人员在洛南县境内，对洛河上游的古文化遗址进行普查。洛河发源于东秦岭南麓洛南县境内的洛源公社，"洛源"即洛水之源。洛河东流至庙湾公社的土家咀，成为河南、陕西两省的自然分界，东流至兰草河口，进入河南境内，汇入黄河。在普查中发现尖角、薛湾、杨湾、白岭、龙头梁和焦村 6 处遗址，并在焦村、龙头梁 2 处遗址进行试掘。

简报分为：一、焦村遗址，二、龙头梁遗址，三、结语，共三个部分。有手绘图。

据介绍，焦村遗址位于洛南县灵口公社洛河北岸，龙头梁位于洛河南岸。简报认为焦村遗址分为三期，分属二里头文化和商代文化；而龙头梁遗址属二里头文化晚期，即早商文化。

简报称，通过这次对洛河上游古遗址的调查与试掘，我们初步了解到洛河上游的古文化与丹江上游的古文化分属两个不同的支系：洛河上游的仰韶文化属河南庙底沟类型，丹江上游的仰韶文化属半坡类型。

1300.陕西山阳县古文化遗址普查简报

作　者：董雍斌

出　处：《考古与文物》1985 年第 2 期

山阳县位于陕西省东南部。1980 年冬，考古人员对山阳县进行了考古调查，发现古文化遗址 10 处。次年冬，在补查时，又发现古文化遗址 1 处。两次共发现古遗址 11 处。简报分为六个部分予以介绍，有手绘图。

简报重点介绍了南宽坪、西原、师范原、阎家湾、陈家窑等 6 处遗址。由于山阳县的古文化遗址受自然和人为的破坏严重，有的已所剩无几了，现存面积最大的也仅有 3 万平方米。这里的古遗址内涵是丰富的，在发现的 11 个遗址内，大都包括老官台、仰韶、龙山等两种以上的原始文化或类型，各遗址之间的文化面貌也存在着一定的差异。

相关记载多见于地方志，今有王浩远先生《陕南明清方志研究》（中国社会科学出版社 2021 年版）一书，可参阅。

1301.陕西洛南河口洞穴遗址的初步调查

作　者：王宜涛

出　处：《考古与文物》1986 年第 4 期

1980 年冬，考古人员在商洛地区洛南县梁头塬公社关帝庙大队河口村附近，发现了 1 处旧石器时代洞穴遗迹。简报配以照片、手绘图予以介绍。

据介绍，洞口坍塌严重，洞内面积约 100 平方米。采集了 300 余件石器，其类型主要有砍砸器、球状器，同时还有少量的石片和石核。简报称，20 世纪 60 年代中期，在秦岭北麓的蓝田公王岭及其附近的地点发现蓝田人化石和旧石器时代文化遗存；后来又在巴山以南的湖北郧县和郧西县两处洞穴堆积中发现远古人类的牙齿化石。既然在秦岭北麓和巴山南麓分别发现有猿人化石及其文化，那么夹在上述这两个地点之间的陕西省商洛地区，则肯定具有远古人类在此活动的遗迹和遗物。所以 1980 年冬所发现的洛南河口洞穴文化遗存就不是偶然的。

1302.1982 年商县紫荆新石器时代遗址的发掘

作　者：王世和、张宏彦

出　处：《文博》1987 年第 3 期

紫荆遗址位于陕西省商县城东南约 7 公里处。该遗址于 1953 年发现，1977～1978 年进行了首次发掘。1982 年 4～7 月，再次进行了发掘。发现的遗迹有房址 2 座、窖穴 60 多个、陶窑 2 座、墓葬 16 座，出土了一批陶器、石器、骨器等。简报分为：一、地层堆积，二、文化遗存，三、结语，共三个部分。有手绘图。

据介绍，该遗址可分为五期。第一期、第二期为仰韶文化半坡类型。第三期为仰韶文化晚期。第四期有较多屈家岭文化因素。第五期又可分早、晚两个阶段。这两个阶段是属于同一种文化早、晚不同阶段呢，还是分别代表了两种不同的文化？由于资料太少，目前还难以确定。

1303.简述丹江上游新石器时代遗址

作　者：周　星、王昌富

出　处：《文博》1992 年第 3 期

丹江西源于秦岭南麓，顺商洛地区商州、丹凤、商南 3 市县出陕境，流经河南省西南边缘，于湖北丹江口入汉江，全长 443 公里。丹江上游在陕西境内长 243 公里，恰占丹江全长的一半。丹江上游及周围地区地处黄河和长江两大水系之间，历史上一直是沟通关中渭水、豫西洛水、陕南及湖北汉水诸地区文化之间相互联系的交会枢纽地带。早自旧石器时代晚期，这里已有人类活动的踪迹。新石器时代遗址更是遍布丹江上游南北两域，主要集中在丹江上游、南洛河及金钱河等支干河川的岸边阶地上。从调查发掘的考古资料分析，丹江上游的新石器时代文化曾几度繁荣，同时又与毗邻地区在文化上发生着千丝万缕的密切联系。理清这一地区的史前文化面貌及其相对的编年序列，对于进一步探讨黄河与长江两大水系之间史前文化的相互关系具有积极的学术意义。简报分为三个部分予以介绍。

据介绍，商洛地区的考古工作，约始于20世纪50年代的全省文物普查，但此后中断了近20年之久，致使这一地区长期以来成为陕西省考古研究的空白区域，1977年才又重新开始。丹江上游新石器时代的村居生活，就始于1977年开始发掘的7000多年之前的老官台文化。在仰韶文化时期，人们发展了以原始农耕为主兼营采集、渔猎的综合性经济，劳动中存在着两性的分工。其主要生活与生产资料都来源于聚落周围的生态环境，村落中有公共墓地、间或有沟壕作为防御或界隔设施，房子有半地穴式等形式。人们自己制陶以满足日常生活中贮存、汲水、饮食、交换乃至生产与审美的需求。人们有了灵魂观念，在死去孩童的瓮棺葬具上凿孔，乃是为使孩子的灵魂出入以便再次注入母体而降生。

1304.陕西商州市庚原遗址调查

作　者： 董雍斌

出　处： 《考古》1995年第10期

庚原遗址是1979年春在陕西省境内丹江流域进行考古调查时发现的，1982年12月被原商县人民政府公布为第一批重点文物保护单位。1987年4月，商洛地区有色金属冶炼厂拟选址在遗址东部，考古人员对该遗址进行了1次较为详细的调查。简报分为：一、地理位置及地貌，二、遗迹，三、遗物，四、结语，共四个部分。有手绘图。

据介绍，遗址位于商州市东10公里、丹江北岸一呈弓形的低山山前台原上，东、西、南3面为断崖，北侧紧接山前缘丘陵，面积约12万平方米。发现灰坑16个、红烧土残迹等遗迹，陶器、陶片等遗物。考古发掘表明，此遗址不仅有仰韶文化的遗存，而且还包含龙山文化及周代等不同时期的文化堆积。其中仰韶文化也至少应包括庙底沟和半坡晚期两个类型。

1305.陕西商洛市东龙山遗址仰韶与龙山时代遗存发掘简报

作　　者：陕西省考古研究院、商洛市博物馆　杨亚长、王昌富等
出　　处：《考古》2009 年第 12 期

商洛市位于陕西省东南部的秦岭南麓，西北距西安市约 100 公里。东龙山村位于商洛市区的东南方向，相距约 2.5 公里，现隶属于商州区大赵峪街道办事处。东龙山遗址是 1978 年在考古调查中首次发现的，当时认为是 1 处仰韶文化与龙山文化遗址。1997～2002 年，考古人员对该遗址进行了正式发掘。

简报分为：一、仰韶时代遗存，二、龙山时代遗存，三、结语，共三个部分。先行介绍其中的仰韶、龙山时代遗存，有照片、手绘图。

据介绍，发掘发现了房址、灰坑、墓葬等遗迹，出土有陶器、石器等遗物。简报认为东龙山遗址仰韶及龙山时代遗存的发现，不仅极大地丰富了丹江上游地区考古学研究的基础资料，同时也为深入探讨该地区与关中地区的文化关系以及进一步了解该地区龙山时代与夏代之间的相互关系等学术问题提供了新线索。

1306.东秦岭山地商洛市和山阳县新发现的两处旧石器地点

作　　者：陕西省考古研究院、中国科学院古脊椎动物与古人类研究所　王社江、
　　　　　刘顺民
出　　处：《考古与文物》2011 年第 1 期

2006 年 7～9 月，在上海—霍尔果斯 312 国道蓝田—商洛段以及福州—银川 211 国道商洛—漫川关段两条高速公路修建过程中，考古人员对沿线文物进行清理时，分别在商洛市杨峪河乡王涧村鱼沟汇入秦川河口地带和山阳县鹃岭铺新发现两处旷野露天旧石器地点。这是自 1995 年以来在商洛山区丹江流域旧石器考古调查中发现石制品较多的 2 处地点。

简报分为：一、商洛市王涧旧石器地点，二、山阳鹃岭旧石器地点，三、小结，共三个部分予以介绍，有手绘图。

据介绍，此 2 处地点：一在商洛市区西南杨峪河镇以东的王涧村村南；一在山阳县城西 12 公里的十里铺乡。时代应不晚于距今 17 万～18 万年左右。

1307.陕西靖边五庄果墚遗址发掘简报

作　者：陕西省考古研究院　孙周勇、史　君、徐雍初、李文海
出　处：《考古与文物》2011 年第 6 期

五庄果墚遗址位于陕西省靖边县黄蒿界乡小界村西北部，距离县城约 30 公里，现为省级文物保护单位。文化内涵以仰韶时代晚期至龙山时代早期遗存为主，还有少量周代墓葬。从地理位置来看，遗址处于明长城外缘，毛乌素沙漠南侵带来的风沙覆盖了遗址大部分面积，地表种植有低矮的沙蒿、沙柳等植被。遗址所在山峁的地表支离破碎，沟壑纵横，陶片随处可见。1996 年夏秋之际，为了配合天然气管道建设进行过小规模试掘，2001 年为配合高速公路建设又进行了发掘，发现仰韶时代晚期至龙山时代早期的房址 21 座、灰坑 88 座、陶窑 2 座以及 3 座周代墓葬，获得陶器、石器、骨器、玉器等各类文物共计数百件。简报分为：一、房址，二、灰坑，三、结语，共三个部分。有手绘图。

据介绍，遗物表明先民过着农业兼牧业的经济生活。遗址年代相当于仰韶文化晚期、龙山文化早期。此次发掘，不仅为研究仰韶时代晚期至龙山时代早期考古学文化特征和发展演变提供了重要资料，而且弥补了陕北地区新石器时代考古学研究的一个缺环。

1308.陕西横山杨界沙遗址发掘简报

作　者：陕西省考古研究院、榆林市文物考古勘探工作队　孙周勇、杨利平、
　　　　康宁武、郝志国
出　处：《考古与文物》2011 年第 6 期

杨界沙遗址位于陕西省榆林市横山县雷龙湾乡沙峁村张油坊组，坐落在村南杨界沙地带头道梁、二道梁两座山峰的西坡之上，海拔 1152 米，面积约 5 万平方米。2010 年为配合水利建设进行了发掘。简报分为：一、地层堆积，二、遗迹，三、遗物，四、结语，共四个部分。有手绘图。

据介绍，遗迹有房址 32 座，平面多呈"凸"字形，个别为前庭后室的"吕"字形。长条形门道，多朝向西南。主室平面有长方形、椭圆形、圆形等多种形状。杨界沙遗址是陕西北部地区继五庄果墚遗址之后第 2 个大面积揭露的仰韶晚期遗址。遗址所见成排分布的房址及丰富的文化遗存，为仰韶晚期陕西地区中小型聚落的研究及文化分期的完善提供了宝贵的材料。

甘肃省

1309.河西走廊史前考古调查报告

作　者：北京大学考古文博学院、南京大学历史系、甘肃省文物考古研究所、
　　　　　李水城、水　涛、王　辉等

出　处：《考古学报》2010 年第 2 期

河西走廊，亦称甘肃走廊，因地处大河（黄河）之西故名。河西走廊的范围东
起于甘肃省中部天祝藏族自治县的乌鞘岭西北坡，西止于敦煌市以西、疏勒河下游
终端哈拉诺尔湖沼地带，与新疆维吾尔自治区的罗布泊相连，全长 1020 公里，宽
50 ~ 60 公里。走廊全境共设 20 个县、市。河西走廊是历史上中国内地通往西域、中亚、
西亚乃至欧洲的必由之路。河西地区的考古工作开始很早，但时断时续，极不正规。
由于河西地理环境较差，史前考古的发现与研究相对薄弱。1986 年，考古人员对河
西走廊全境进行了 1 次大范围的史前考古调查。调查范围涉及走廊境内 19 个县、市。
唯一没能前往的是地理位置偏僻、交通不便且无任何考古线索的阿克塞哈萨克族自
治县。个别县、市由于当地基层文物部门不掌握任何史前遗址和遗物线索，缺乏调
查目标，尽管考察队伍已经到达，却未能实施野外考察（如肃北蒙古族自治县、肃
南裕固族自治县、嘉峪关市和临泽县）。此外，除了实地考察之外，也对河西境内
各县市博物馆、文化馆旧藏的史前文物作了资料收集工作，其中不乏一些长期不为
外界所知的重要文物。1987 年 5 ~ 6 月，挖掘了酒泉干骨崖墓地，并沿丰乐河上游
地区作了认真调查，也有一些重要发现。简报分为：一、前言，二、考古调查与发现，
三、结语，共三个部分。有照片、手绘图，择要介绍调查采集文物。

简报认为，1986、1987 年河西走廊史前考古调查的新材料极大地丰富和充实了
该地区的史前文化。经初步研究可知，分布在河西走廊东部和西部的史前文化存在
一定的地方差异。走廊东部的考古学文化发展序列为：马家窑文化—半山文化—马
厂文化（或"过渡类型"遗存或齐家文化）—董家台文化—辛店文化—沙井文化。
在此序列中，齐家文化与马厂文化和"过渡类型"遗存在年代上交错，也就是说，
它们曾一度并存。走廊西部的考古学文化发展序列为：马家窑文化—马厂文化—"过
渡类型"遗存—齐家文化—四坝文化—骟马文化。目前，对于走廊西部的齐家文化

有 2 种估计：一种可能是有少量齐家文化因素进入走廊西部，并与那里的马厂文化或"过渡类型"遗存并存；另一种可能是即便在走廊西部发现了个别齐家文化的因素，但尚不足以证明齐家文化的居民进入到这一地区，或可将这些齐家文化遗存视为贸易、交换的结果。总之，这个问题还需要深入的探讨。

简报指出，走廊东西部文化发展序列的差异主要显示在偏晚阶段。如东部地区表现为董家台文化和沙井文化，西部地区则为四坝文化和骟马文化。当各支考古学文化的相对时间基本被确立后，尚需在空间上理顺其关系，特别是各个考古学文化的分布范围、文化源流及发展去向。

兰州市

1310.兰州新石器时代的文化遗存

作　者：甘肃省文物管理委员会　张学正、朱耀山、吴柏年、陈贤儒、杨重海、何乐夫等

出　处：《考古学报》1957 年第 1 期

简报分为：一、总说，二、雁儿湾的仰韶灰坑，三、白道沟坪的窑场和墓葬，共三个部分。介绍了兰州新石器时代这 1 处较完整、重要的遗址。

据介绍，雁儿湾遗址位于兰州城黄河南岸桑园乡的雁儿湾台地上，发现的灰坑属仰韶文化，出土陶器、骨器、石器、兽骨等。白道沟坪遗址位于兰州城东黄河北岸，发现有位于徐家坪的制陶窑场及墓葬。

1311.兰州市几处新石器时代遗址调查

作　者：甘肃省文物管理委员会　任步云

出　处：《考古》1959 年第 7 期

1956 年 8 月，考古人员在兰州市附近进行普查工作。从黄河南岸东起东岗镇、西至大柳沟坪的 30 多公里的台地上，调查了遗址和墓葬等 10 余处。简报分为：一、甘肃仰韶文化马家窑期，二、甘肃石器文化马厂期，三、齐家文化遗址，四、牟家坪北部坪沿遗址，五、小结，共五个部分。有照片、手绘图。

据介绍，这些新石器时代遗址中，只有牟家坪北部坪沿遗址既无甘肃仰韶文化特征，又与齐家文化找不出相同之点，其文化属性尚难确定。简报指出，在黄

河上游这一片河谷平原，或许除了甘肃仰韶文化、齐家文化遗存，尚有另一文化遗存。

1312.甘肃兰州西坡呱遗址发掘简报

作　者：甘肃省博物馆　宁笃学
出　处：《考古》1960 年第 9 期

西坡呱遗址位于兰州西果园陆家沟村南约 400 米处，1960 年考古人员进行了发掘。简报分为：一、地层概况，二、建筑遗迹，三、遗物，四、小结，共四个部分。有手绘图。

据介绍，这处遗址灰层堆积最厚达 3 米。发掘中未发现墓葬，陶片、石器都很丰富。遗址东西两面都靠近水源，无论从事农业还是兼营畜牧都是适宜的。遗址中发现有较多的灰坑、窑址和灶址。生产工具有磨制的斧、刀、钺、锛、铲、凿、纺轮等。骨器磨制得精细，数量较多，除针、锥、镞等工具外，并有笄、指环、珠等装饰品。灰陶环和彩陶环也经过精细的磨制或彩绘。遗址中还有一些牛、羊、猪、狗、鸡、鹿等动物的遗骨。简报认为此处应为一仰韶文化遗址。

1313.甘肃兰州青岗岔遗址试掘简报

作　者：甘肃省博物馆　郭德勇
出　处：《考古》1972 年第 3 期

青岗岔遗址位于兰州市黄河南岸，距市区约 15 公里，属于七里河区西果园公社青岗岔大队。遗址在西果园南 1 公里青岗岔村西面的岗家山。这个遗址是 1963 年秋季进行试掘的，自 10 月 24 日开始，至 11 月 15 日结束。共开掘探沟 4 条，揭露面积 80 余平方米。简报配以图片予以介绍。

据介绍，青岗岔遗址半山类型住地的发现，是这次试掘的主要收获。这里不仅有灰层，而且发现了房子和窖穴等遗迹。从齐家文化房子内包含有马家窑类型和半山类型的彩陶片，以及 2 座齐家墓葬打破半山类型的地层堆积和房子墙壁的情况来看，齐家文化不仅晚于马家窑类型，而且在青岗岔遗址又是晚于半山类型的。青岗岔 1 号房子的木炭，测定年代的结果为距今 4030±100 年即公元前 2065±100 年，它比马厂类型的年代则要晚或相接近。

这是我国首次用科学方法确定了半山类型的绝对年代。

1314.兰州曹家咀遗址的试掘

作　者：甘肃省博物馆

出　处：《考古》1973 年第 3 期

曹家咀遗址位于兰州市黄河南岸，遗址面积东西 250 米、南北约 300 米，断崖上灰层、灰坑、残墓暴露很多，遗物丰富。早在 1945 年，夏鼐先生曾进行过调查，并写出报告。1949 年后，考古人员对该遗址又进行了多次的调查和保护工作，于 1963 年公布为省级文物保护单位。1971 年 12 月，考古人员对该遗址进行了 1 次试掘。简报配以照片、手绘图予以介绍。

据介绍，试掘发现了 1 个窑址，窑内有大量陶片，另有少量石器、骨锥等。简报认为这是 1 处单纯的马家窑类型的文化遗址。根据测定的结果，为距今 4540±100 年（公元前 2575±100 年），晚于仰韶文化，而早于马厂和半山类型，为我国新石器时代研究，增加了新的论据。

1315.兰州马家窑和马厂类型墓葬清理简报

作　者：甘肃省博物馆文物工作队

出　处：《文物》1975 年第 6 期

简报分为：一、马家窑类型墓葬，二、马厂类型墓葬，三、结语，共三个部分。有照片、手绘图。

据介绍，1966 年 9 月，在兰州市元代王保保城城址内发现了 1 座马家窑类型墓葬。王保保城位于兰州市黄河北岸，该墓为长方形竖穴土坑墓，为单身仰卧伸肢葬。随葬器物置于头部附近，有夹砂粗陶和细泥彩陶器 12 件及绿松石珠等。1971 年 12 月，兰州铁路局五七干校在兰州西部红古山上发现 2 座马厂类型墓葬，出土有陶器等，以彩陶为主。

简报称，这些发现，证明了马家窑文化（即甘肃仰韶文化）晚于中原地区的仰韶文化。也就是说，在我国境内东西交通线上所发现的一些彩陶文化遗存，都是东边的早，西边的晚，是以河南、陕西间这一中心地带为出发点，经过甘肃西部的河西走廊，再到新疆的。

简报指出，无可争辩的考古资料表明，仰韶文化不仅是我国黄河流域的土著文化。其影响还应超出黄河流域。而马厂类型又与半山类型关系较深，时代相近。

1316.甘肃兰州焦家庄和十里店的半山陶器

作　　者：甘肃省博物馆文物工作队　蒲朝绂

出　　处：《考古》1980 年第 1 期

1976 年 4 月底，兰州市焦家庄和十里店，分别出土了一批半山类型的陶器。前者是平山造田时发现的，后者是在植树造林发现的。文物出土后，考古人员去现场时，原状已被损坏。经调查了解，与陶器同出的还有人骨与石板。由此得知，这 2 处都是半山类型的墓葬。和陶器同出的石板，有可能是用来封堵墓门或者当作石棺用的。在这 2 处先后共征集了半山类型陶器 35 件，其中焦家庄 23 件、十里店 12 件。简报配以照片予以介绍。

据介绍，焦家庄和十里店所出的半山陶器，都十分完整，不仅造型优美，色彩绚丽，更重要的是这批陶器在半山类型的分期上，占有重要地位。之所以这样说，是因为这些陶器均属半山类型第四期，再往前发展，已开始脱离半山类型，成为典型的马厂类型了。

1317.兰州花寨子"半山类型"墓葬

作　　者：甘肃省博物馆、兰州市文化馆、兰州市七里河区文化馆　张朋川、周广济、
　　　　　阎渭清等

出　　处：《考古学报》1980 年第 2 期

1977 年 12 月，兰州市七里河区花寨子公社花寨子大队在农田基本建设中，发现 1 处新石器时代半山类型的遗址。花寨子遗址位于兰州市黄河南岸的皋兰山西南麓的水磨沟中，半山墓葬在水磨沟东岸第二台地上，现距河床约有 70 米。考古人员对该墓区进行发掘，共清理墓葬 49 座。

简报分为：一、墓葬，二、随葬器物，三、几点认识，共三个部分。有照片、手绘图。

据介绍，在这次发掘的 49 座墓中，除墓葬形制不明的以外，其中只有 2 座（M22、M28）无葬具，为土坑墓，其余皆为木棺墓。随葬器物 923 件，其中生产用具 84 件、装饰品 733 件、生活用品 106 件。农业生产工具均出现于男性墓中，纺轮均出于女性和小孩墓中。M23、M26 各有 18 件随葬品，而 M8、M15、M20、M34、M36、M37、M38、M41 则无随葬品。表明男女劳动分工和社会贫富分化已然出现。

简报指出，花寨子遗址属新石器时代文化。花寨子早期陶器接近马家窑类型，晚期向地巴坪式发展，因此花寨子半山墓葬属于半山类型的早期。

1318.兰州土谷台半山—马厂文化墓地

作　者：甘肃省博物馆、兰州市文化馆　魏怀珩等
出　处：《考古学报》1983 年第 2 期

红古区位于兰州市西部，属兰州市管辖的 6 区 3 县之一。土谷台墓地在红古区平安公社西约 2 公里处，东距市中心区 72 公里。1977 年秋季，在农田基本建设中，发现一彩陶器。根据出土的彩陶器和断崖暴露的人骨架，推断这是 1 处新石器时代墓葬群。在发掘前，对墓地普遍进行了钻探，根据钻探提供的线索再开方发掘。发掘工作分 2 次进行。第 1 次于 1977 年 10 月开始至 11 月底结束，发掘墓葬 54 座。第 2 次于 1978 年 5 月初开始至 6 月底结束，发掘墓葬 30 座。2 次共发掘墓葬 84 座。简报分为：一、墓葬概述，二、墓葬分述，三、墓葬分期，四、文化遗物，五、结语，共五个部分。有照片、手绘图。

据介绍，84 座墓包括土洞墓 59 座、木棺墓 14 座、土坑墓 11 座。从葬式看，单人葬 63 座、合葬 19 座（包括 2 人、3 人、5 人合葬）。简报认为这是 1 处重要的新石器时代晚期氏族公共墓地，其中同墓出现半山、马厂文化典型器物的现象，使人对半山、马厂文化的关系，产生新的思考。至于墓主人，简报推测可能是居住于我国西陲的羌人祖先。

1319.甘肃皋兰阳洼窑"马厂"墓葬清理简报

作　者：甘肃省文物考古研究所、皋兰县文化馆　庞耀先
出　处：《中原文物》1986 年第 4 期

皋兰县位于兰州黄河北岸 40 多公里，现属兰州市辖。阳洼窑南距县城 10 多公里。墓地在阳洼窑村西北的庙梁上。1983 年 4 月，农民在庙梁上修建住宅时，挖出了一批马家窑文化马厂类型的墓葬和陶器。考古人员对墓地进行了勘探和清理，并收集了全部出土文物。简报分为：一、墓葬概况，二、出土器物，三、结语，共三个部分。有手绘图。

据介绍，清理的 4 座墓葬只有 M1 保存完整，其他 3 座形制不清。在农民挖出陶器的地方，同时都出有人骨遗骸，当是墓葬无疑。M1 为近正方形的圆角土坑墓，墓穴长 1.07 米、宽 1.02 米，墓地距地表深 1.1 米。各墓所存人骨均为小孩遗骨。

出土器物以陶制的生活器皿为主，另外还出有骨珠。陶器共 31 件，质地以泥质红陶和夹砂红陶为主，灰陶只有 1 件。泥陶质地坚细，多经打磨，器表有光泽，个别的还施有白色陶衣。陶器都是手制。简报认为，此处应为马厂类型晚期遗存。

1320.永登团庄、长阳山出土的一批新石器时代器物

作　者：苏裕民

出　处：《考古与文物》1993 年第 2 期

甘肃省永登县文化馆于 1990 年 5 月收藏了该县大通河流域的河桥镇团庄、长阳出土的一批新石器时代器物，共 292 件。简报配以照片、手绘图，介绍了这批新石器时代器物。

据介绍，1990 年 3 ~ 4 月，青海省乐都县马厂乡农民，在扩修马厂通往河桥鳌塔的道路时，在河桥长阳山发现 1 处新石器时代公共墓地。当时未报告文物主管部门，被擅自挖毁，面积达 1.2 万平方米，出土了一批器物。至 5 月中旬，距长阳山不远的甘肃省省级文保单位团庄遗址也被当地农民乘夜盗掘，破坏面积达 2400 多平方米。永登县人民政府及文物主管部门十分重视，及时组织工作组去现场调查处理，对流散的出土文物进行了征集。

简报称，两处遗址相距不远，先后遭毁，地表"挖掘几遍，狼藉一片"。文物分别流散在永登的河桥镇和乐都的马厂乡农民手中。据了解，两处遗址共出土各类器物不下 500 件。永登县文化馆收藏的 292 件，只是从永登县河桥镇的独山、团庄等村农民手中收缴的，大多出自团庄遗址。这些器物主要是陶石器。陶器有瓮、壶、瓶、罐、盆、钵、碗、豆、纺轮；石器有斧、锛、凿、刀、纺轮、球等。另外还有贝壳、石串珠、绿松石饰片等。遗址遗物丰富，对研究甘青地区原始文化的内涵、序列及其相互关系问题，具有一定的实物资料价值。

1321.兰州市徐家山东大梁马厂类型墓葬

作　者：甘肃省文物考古研究所　蒲朝绂

出　处：《考古与文物》1995 年第 3 期

1987 年 3 月 12 日，兰州量具刃具厂的工人在徐家山东大梁义务劳动植树时，发现了许多马厂类型的陶器。考古人员赶赴现场进行抢救，出土完整和基本成形的陶器共 26 件。据介绍，陶器大部分集中在 3 处，并伴出炭化了的木棺碎片和腐蚀的零星人骨，估计应是 3 座马厂类型的墓葬。

徐家山东大梁位于市中心东北方的黄河北岸，高出河床 150 米左右，属城关区监场乡管辖。这里早在 50 年代初，就发现过新石器时代的遗址和墓葬，是远古人类生息繁衍的好地方。东大梁墓地现为市区绿化区，出现陶器的地方，总共有 300 平方米的面积，全部进行了钻探，又发现 4 座墓葬。其中两座完好，随葬陶器丰富；另两座遭破坏，只剩少量小件器物。因为墓地划为绿化区，山梁表面在两年前就被

铲平。这次植树和清理墓葬时，深挖 30 厘米左右，陶器、墓葬随即出现。

简报分为：一、墓葬，二、陶器，三、余论，共三个部分。有手绘图。

据介绍，马厂类型墓葬的发掘工作共进行过 5 次，分别在 1955 年、1956 年、1973 ~ 1974 年、1974 ~ 1975 年、1977 ~ 1978 年。此次发掘的 1 个重要发现是：墓葬中的随葬器物，早在氏族社会末期，就已出现由实用器转为明器的变化，而不是通常所说的西汉中期。另外，彩陶艺术已逐渐走向衰落。人们的兴趣，开始向青铜器转移。

马厂类型，是介于半山类型与齐家文化之间的一种考古学文化类型。

1322.甘肃海石湾下海石半山、马厂类型遗址调查简报

作　者：甘肃省文物考古研究所　周广济、毛瑞林
出　处：《考古与文物》2004 年第 1 期

1982 年 8 月，在兰州红古区海石湾下海石发现一批陶器，考古人员前往调查。通过调查，确定该地为 1 处新石器时代马厂类型的遗址。

下海石遗址，位于海石湾镇下海石村南 300 米，恰在湟水与大通河两水交汇的第二台地上，与青海省民和的马厂塬遗址隔河相望。在这次调查中，采集到出土遗物 6 件，其中彩陶瓮、红陶罐各 1 件，彩陶壶 2 件，石斧、石凿各 1 件。此外，在该遗址的断崖边还清理了 1 座残墓，出土器物共 12 件，其中彩陶 10 件、夹砂褐陶 2 件。这批陶器保存较完整，对于研究该地区半山、马厂类型具有一定的参考价值。

简报分为：一、墓葬形制，二、出土器物，三、结语，共三个部分。

据介绍，该墓位于遗址东部的一处断崖上，一半已遭毁坏。墓平面呈长方形，为竖穴土坑，人骨已不存在。墓中出土器物和采集的器物共 18 件，其中彩陶壶 8 件、彩陶罐 4 件、彩陶瓮 1 件、红陶罐 1 件、夹砂罐 2 件、石斧 1 件、石凿 1 件。下海石遗址是这次调查新发现的 1 处马厂类型的遗址，在遗址的西部，还有半山类型的墓地。在调查中还得知，这里的半山类型墓葬多用石板葬具。简报推断遗址西部的半山类型墓葬属半山晚期遗存。简报称，下海石遗址的发现，为研究该地区及周边地区同时代考古文化提供了重要线索。

嘉峪关市

金昌市

白银市

1323.甘肃景泰张家台新石器时代的墓葬

作　者：甘肃省博物馆　韩集寿
出　处：《考古》1976年第3期

　　1974年，景泰县芦阳公社城关大队第四生产队在进行农田基本建设时，在张家台地发现1处新石器时代遗址。1975年4～5月，考古人员对该遗址进行了调查和清理发掘。遗址位于县城东南约2公里的第二高台上，该台地俗称"张家台"，南面靠山，北临芦阳河。这次主要对该遗址的墓区进行了发掘。墓葬排列稀疏，很不规整。墓区的中心因掘土大部分被破坏，仅清理了周边的22座。简报分为：一、墓葬形制，二、随葬器物，三、结语，共三个部分。有手绘图。

　　据介绍，在清理的22座墓葬中，有石棺墓11座、木棺墓1座、土坑墓10座、都是单身葬。葬式都为屈肢，多数侧卧，头向不一。骨架一般保存较好。墓主计有未成年小孩7人、成年男性6人、成年女性4人，其余不详。也有个别为二次葬。随葬品以陶器居多，每墓一般3～4件，少则1件，多则6件，有壶、罐、钵等。其中陶器共50件（彩陶23件）。生产工具较少，有的墓有较多的石珠、骨珠一类的装饰品。简报认为这是1处甘肃仰韶文化半山类型遗存。简报称，景泰张家台出现石棺和木棺，葬式也凌乱且无规律，或是说明对原先一定葬向的特殊信念不再遵循，或者反映了当时氏族内部出现的变化，乃至是氏族走向解体的征兆。

天水市

1324.甘肃灰地儿及青岗岔新石器时代遗址的调查

作　者：马承源
出　处：《考古》1961年第7期

　　1959年3～8月，考古人员在灰地儿和青岗岔2处遗址进行了调查。简报分为：一、灰地儿遗址的调查，二、青岗岔遗址的调查，共两个部分。有照片。

　　据介绍，灰地儿遗址属武山县，在甘谷车站的西首约3.5公里许，处于渭河北岸，地属五申庄，遗址在第一台地上。青岗岔遗址在与曹家嘴遥遥相望的一片平台上。简报认为灰地儿遗址属马家窑类型，但又具有仰韶的因素。青岗岔遗址经夏鼐先生调查，认为是马厂遗址类型，但简报认为其是半山类型。

1325.甘肃秦安大地湾新石器时代早期遗存

作　者：甘肃省博物馆　秦安县文化馆、大地湾发掘组
出　处：《文物》1981年第4期

大地湾新石器时代遗址，在甘肃省秦安县五营公社邵店大队，位于清水河与阎家沟两河之交汇处。1978年秋，考古人员开始对该遗址清水河南岸第一台地进行发掘。1979年发掘工作继续进行。2次共发掘仰韶文化房基127座、窑30座、灰坑200多个、墓葬42座。1979年在该遗址发现了早于仰韶文化半坡类型的文化遗存，简报暂称其为"大地湾一期文化"。简报分为一、地层概况，二、遗迹，三、遗物，四、小结，共四个部分。有照片、手绘图。

这次发掘共发现大地湾一期的墓葬11座、灰坑2个。出土器物有陶、石、骨器等，共90余件，此外还有一批陶片、石核和兽骨。

简报指出，大地湾一期H363的木炭标本碳十四测定年代为距今7355±165年（经树轮校正），比北首岭下层的碳十四测定年代要早一些。由于大地湾遗址处于渭河流域上游，它不仅是甘肃省首次发现的新石器时代早期的文化遗存，也是我国目前所发现的最西的新石器时代早期文化遗存，这就扩大了对我国新石器时代早期遗存分布范围的认识。

同刊同期有张朋川、周广济先生《试谈大地湾一期和其他类型文化的关系》一文，文章认为这是1种早于仰韶文化半坡类型的文化遗存，称作"大地湾一期类型"。作者认为大地湾一期只是老官台文化中期偏晚的一个类型，在它以前还有早期的文化遗存。而大地湾一期类型、北首岭下层类型和半坡类型之间，也还有一些缺环，这些问题还有待进一步解决。文章还指出，仰韶文化至少应有两个起源，而不是一个起源。

1326.一九八〇年秦安大地湾一期文化遗存发掘简报

作　者：甘肃省博物馆、秦安县文化馆、大地湾发掘组　阎渭清
出　处：《考古与文物》1982年第2期

1980年6～11月，考古人员对秦安大地湾遗址进行了第3次发掘。1979年在

遗址的下层发现了早于仰韶文化的大地湾一期遗存，并已作了初步的介绍。1980年在前两次发掘区的下层继续进行发掘，在2000多平方米的范围内，发现房基3座、灰坑11个、墓5座，出土陶、石骨器共200余件，其中引人瞩目的是有一些钵形器的内壁上绘有各种不同的彩绘符号。一期文化遗存在二、三、四发掘区都有发现，但主要分布在发掘区的中部。由于受仰韶文化时期的破坏严重，其文化堆积断断续续，遗迹保存不多。截至1980年底，在4000多平方米的分布范围内，先后发现房基3座、灰坑13个、墓葬16座，出土器物共300余件，使我们对其文化内涵和分布概况有了较为充分的了解。简报分为：一、地层堆积，二、遗迹，三、遗物，四、小结，共四个部分。介绍1980年所获，有手绘图。

据介绍，大地湾一期遗存与北首岭下层、老官台、元君庙下层遗存具有共同的文化特征，应归属同一个考古学文化；同磁山、裴李岗文化有交流和影响，但不存在隶属关系，应分属不同的文化系统；同仰韶文化半坡类型存在着一脉相承的渊源关系。

1327.甘肃秦安大地湾第九区发掘简报

作　　者：甘肃省博物馆文物工作队　郎树德、许永杰、水　涛
出　　处：《文物》1983年第11期

1982年，考古人员对秦安大地湾新石器时代遗址进行了第5次即第5个年度的发掘。发掘点选在邵店村东约1公里处、五营河南岸的第二级河谷阶地上，总编号为第九区。历时4个月，共发现房址25座、灶坑8个、灰坑77个、窑址6座，出土陶、石、骨、角、蚌器等1200余件，内涵为单一的仰韶文化晚期遗存。所得科学资料，使我们对大地湾仰韶文化晚期遗存有了较清晰的认识。简报分为：一、地层堆积，二、遗迹，三、遗物，四、结语，共四个部分。有照片、手绘图。

据介绍，遗物中生产工具共440余件，有石、陶、骨、角等质料。其中大型梯形弧刃石斧和两侧带缺口的陶刀数量最多，可视为代表性器物。大多为农业生产工具，用于家庭生产劳动的工具如纺轮、骨锥等数量也不少，狩猎工具仅有少量石球、石弹丸、骨镞，不见捕鱼工具。泥质灰陶上的朱绘、陶祖的发现均十分重要。

1328.秦安大地湾405号新石器时代房屋遗址

作　　者：甘肃省博物馆文物工作队　张朋川、郎树德
出　　处：《文物》1983年第11期

1980年，在甘肃秦安五营大地湾新石器时代遗址第五掘区发现了1座大型房屋

建筑遗迹，编号 F405。F405 建筑结构之复杂、面积之大，在我国仰韶文化遗址房址的发掘中是罕见的。简报分为：一、地层堆积，二、遗址，三、遗物，四、结语，共四个部分。有照片、手绘图。

据介绍，F405 室内面积达 150 平方米，使用木柱达 100 多根。出土陶器以红陶为主，石器极少。有 1 件汉白玉饰物，应是权杖头饰，说明这座建筑在部落或氏族组织中所处的地位：它可能是部落或氏族首领的居处，或者是部落或氏族举行公共活动的场所。

1329.甘肃秦安大地湾遗址 1978 年至 1982 年发掘的主要收获

作　者：甘肃省博物馆文物工作队　张朋川、郎树德
出　处：《文物》1983 年第 11 期

大地湾新石器时代遗址，在甘肃省秦安县五营公社邵店村东。1958 年，甘肃省文管会文物普查时发现该遗址，后公布为省级文物保护单位。自 1978 年秋季开始，到 1982 年相继进行了 5 次发掘。共清理房址 226 座、灰坑 328 个、墓葬 76 座、窑址 33 座、壕沟 6 条，出土遗物 770 余件。通过 5 个年度的发掘，发现大地湾遗址主要有 4 个阶段的文化遗存：新石器时代早期文化即大地湾一期文化、仰韶早期、仰韶中期、仰韶晚期遗存。目前，发掘工作仍在继续，尚未进行全面的整理和系统的分期。

简报分为：一、地层，二、大地湾一期，三、仰韶早期，四、仰韶中期，五、仰韶晚期，六、几点看法和认识，共六个部分。配以照片、手绘图，以各个阶段的陶器和房屋遗迹为主，介绍了 1978 ～ 1982 年发掘的主要收获。

简报指出，大地湾仰韶文化遗存与关中、豫晋陕交界区的仰韶文化颇为相近，但具有鲜明的地方特点，而且随着时间的推移，与关中等地差异日益扩大。

1330.甘肃镇原黑土梁发现的晚期旧石器

作　者：甘肃省博物馆、庆阳地区博物馆　谢骏义、许俊臣
出　处：《考古》1983 年第 2 期

1977 年夏，庆阳地区科委和镇原县科委在土壤普查中，于镇原县平泉公社八山大队北徐生产队叫作"黑土梁"的黑色黏土中，发现脊椎动物化石，并将采集到的马牙 1 枚和犀牛的部分骨骼送交庆阳地区博物馆。于产脊椎动物化石的黑土层中，又发现打制相当好的石球 1 枚和其他石制工具近 10 件。这是陇东高原上发现的又 1

处新的旧石器地点。简报配以手绘图予以介绍。

据介绍，黑土梁发现的 11 件石制材料中，具有第二步加工的石器虽然只有 4 件，但有作为切割和刮削用的凹刃刮削器和盘状刮削器，还有加工甚好、大概作为投掷武器使用的石球。打制石片和加工石器都采用石锤直接打击，加工石器多是由石片的劈裂面（或石块的平坦面）向背面（或石块的凸隆面）加工的。黑土梁地点发现的石制品人工痕迹清楚，地层剖面可靠，是庆阳地区发现的又 1 处旧石器时代晚期的地点。可以推测，在 4 万～5 万年前后的旧石器时代晚期，黄土高原上人类的活动已相当频繁，人们的足迹已深入到遭受流水侵蚀的黄土高原上了。

1331.甘肃天水地区考古调查纪要

作　者：中国社会科学院考古研究所甘肃工作队　谢瑞琚、赵　信
出　处：《考古》1983 年第 12 期

天水地区位于甘肃省的东南部，地处渭河、嘉陵江流域上游，是我国古代文化遗存较为丰富的地区之一，也是古代人们从中原地区通往西北地区的交通要道。自 1947 年裴文中先生开始，直至 20 世纪 70 年代，考古人员均在该地区进行过工作。1981 年 5 月 10 日至 7 月 3 日，考古人员又对天水地区进行了 1 次考古调查。先后调查了天水、秦安、清水、武山、甘谷、西和、礼县、两当、徽县等 10 个县市。除复查已知的部分遗址外，又发现了清水的泰山庙和小塬、天水的石马坪、武山的杜家楞、西和的凤山和栏桥、礼县的高寺头、徽县的甘沟、两当的水沟口 9 处原始文化遗址。

简报分为：一、前言，二、遗址概况，三、小结，共三个部分。有手绘图、照片。

简报重点介绍的遗址包括：清水的泰山庙、小塬，天水县的蔡科顶，天水市的西山坪、石马坪、七里墩，武山的杜家楞，西和的凤山、西峪坪、宁家庄、栏桥，礼县的郑家磨、高寺头，徽县的甘沟，两当的水沟口共 15 处。此外，比较重要的天水市师赵村遗址，因正在发掘中，将另写发掘简报。

简报称，天水地区的古文化类型除众所周知的仰韶文化庙底沟类型与马家窑文化马家窑类型以及齐家文化外，还有大地湾文化（或称为"老官台文化"）、仰韶文化半坡类型、石岭下类型等。可以把甘肃东部地区原始文化不同类型的相对年代排列成以下序列：

大地湾文化—仰韶文化半坡类型—庙底沟类型—马家窑文化石岭下类型—马家窑类型—半山类型—马厂类型—齐家文化。

1332.甘肃秦安王家阴洼仰韶文化遗址的发掘

作　者：甘肃省博物馆大地湾发掘小组　张明川、阎渭清
出　处：《考古与文物》1984 年第 2 期

1981 年 9～10 月，考古人员在秦安县五营公社袁庄大队王家阴洼发现了 1 处仰韶文化的遗址，旋即进行了清理。发掘面积 625 平方米，共发掘清理房基 3 座、墓葬 63 座、灰坑 2 个和灶坑 3 个，出土器物 300 余件。简报分为六个部分，有照片、手绘图。

据介绍，这次发掘的王家阴洼遗址主要为仰韶文化的遗存。仰韶文化的遗存又分为 2 类：第 1 类相当于仰韶早期的半坡类型，第 2 类接近于仰韶文化较晚的宝鸡北首岭上层。王家阴洼遗址由墓葬区和居住区 2 部分组成，这次发掘主要在墓葬区进行。墓葬集中于遗址的东部和北部，墓葬区的北端已接近悬崖。这次发掘的 63 座墓葬都属于仰韶早期。居住区集中于遗址的西南部，居住遗迹既有仰韶早期的，也有仰韶较晚时期的。

简报称，目前发表有正式的考古发掘报告的仰韶文化遗址中，王家阴洼遗址是分布最西的，对于研究陇山两侧的仰韶文化的异同提供了一批珍贵的考古资料。王家阴洼遗存年代分早、晚 2 期，经测定早期为距今 5800～5500 年，晚期为距今 5700～5000 年。

1333.甘肃秦安大地湾 901 号房址发掘简报

作　者：甘肃省文物工作队　郎树德等
出　处：《文物》1986 年第 2 期

1983 年，甘肃秦安大地湾新石器时代遗址的发掘进入第 6 个年度。6 月，在第十发掘区发现了 1 座罕见的仰韶文化晚期大型房址，编号为 F901，经过 2 个年度 150 多个工作日的努力，于 1984 年 8 月基本揭露出来。这座房址规模宏大，保存较好。它的发现为新石器时代考古和建筑史的研究增添了极为珍贵的资料。由于保护工作的需要，房址各部位未作解剖。为了便于对某些遗迹现象进行深入研究，主室居住面上的部分烧土块和正门外东侧路土层之上的黄绵土未清理。简报分为：一、位置，二、地层和堆积，三、布局和结构，四、出土遗物，五、结语，共五个部分。有彩照、手绘图。

据介绍，第十区位于大地湾遗址半山腰一块水平梯田上。石室、东侧室已被部分破坏，出土有陶制生活用具和石制生产用具。此大型房址属大地湾仰韶文化晚期，

距今约5000年。

简报称，F901保存有主室、侧室、后室和房前附属建筑，墙体保存高度近1米，占地面积约420平方米（不计附属建筑，占地290多平方米）。无疑，它是迄今为止我国新石器时代考古发现中规模最大、保存最好的房屋遗址。它以宏伟的规模、复杂的结构、严谨的设计、精湛的技艺向我们展示了5000年前的先民们，在主要以石器作为工具的条件下所取得的令人惊叹的成就。这些成就表明仰韶晚期的生产力已达到相当水平，与此相适应的社会组织可能已超越了母系氏族的阶段。简报认为此房址作为部落首领的居住场所是不方便的，应是部落或部落联盟的活动场所。

简报指出，F901在建筑上的成就也很高，F901平地起建，以室内大柱即顶梁柱、附壁柱、室外柱和架设在这些柱上的梁架组成木构架，墙壁并不承重，仅起隔断和封闭作用。这些特点摆脱了延续数千年的半地穴的窠臼，开创了后世我国木结构建筑的先河。F901在建筑材料和工艺方面，因地制宜，不仅创造性地使用了人造轻骨料，而且造出了经久耐用、近似现代混凝土的居住面，凡目睹者无不为之赞叹。毋庸置疑，这是建筑史上的创举和奇迹。正因为如此，我们对原始建筑的成就必须重新认识和评价。

简报强调，F901的发现对研究原始社会史、自然科学史以及探索阶级社会宫殿建筑的起源有着极为重要的意义。

1334.大地湾遗址仰韶晚期地画的发现

作　者：甘肃省文物工作队
出　处：《文物》1986年第2期

1982年10月，在甘肃省秦安县五营乡大地湾遗址中，发掘到1座距今5000年左右的、绘有地画的房基遗迹，房基编号为F411。简报分为：一、房屋遗迹，二、地画，三、遗物，四、结语，共四个部分。有照片、手绘图。

据介绍，F411位于第五发掘区，背山面河，平地起建。平面呈长方形，东北壁正中有一向外延伸的门道。门道低于居住面约3厘米，门口处有一个小长方形门斗，和房屋的主室构成"吕"字形。房屋的墙壁和东北部居住面已被破坏，其余大部分居住面还保存较好。房址长5.82～5.94米，宽4.65～4.74米。门道宽0.59米，长0.55米。门斗残长1.13米，残宽0.8米。居住面经过复修，形成上下两层。下层居住面先将原地坪铺平夯实，铺一层草泥土，表面再抹一层厚0.2～0.3厘米的料礓石白灰面，四周靠墙壁处向墙壁上抹起2～3厘米。门口处的白灰居住面沿门道延伸至门斗内。上层居住面是在原居住面的基础上铺垫一层厚9～10厘米的干净夯土和草泥土，表面也抹一层白灰面。地画就绘制在这层居住面之上。室内居住面中部正对门口处，有一个突起的圆形灶台。上部已残，残存部分均被火烧成红色，周壁也涂抹一层白灰面。灶台与后壁之间有 2 个圆形柱洞，当为室内中间柱。简报认为应属仰韶文化早期。

简报称，地画绘于 F411 上层居住面正中的上方，没有被人类活动破坏，应属氏族小家庭的一种崇拜现象。地画中的动物暂难辨认。地画正中的人物身躯宽阔，姿态端庄，似为 1 个男子形象；左侧人物则身躯狭长而略有弯曲，细腰，胸部突出，显系女性。他们应是属于 1 个家庭组合体。就地画的布局来看，具有男性特征的人物形象居中，具有女性特征的人物形象居左。从右侧的墨迹情况看，似也有 1 人，可能是 1 个小孩，或是另 1 女性。无论哪种可能，中间具有男性特征的人物形象，是处于主导地位的。这种三位一体的家庭组合表现方式，在大地湾第九发掘区的灰坑 H831 中也曾有发现，是 1 件有人面陶塑的器口。陶塑将 1 件圆形器口分为三等分，分别塑 2 个成年和 1 个小孩的 3 具人面像，应该说，这也是原始社会家庭组合体形式的一种反映。

简报指出，F411 的地画，不仅对考古和历史研究具有重要价值，而且对我国绘画史的研究，也具有重要意义。以往的绘画仅是在彩陶等器物上，F411 如此大面积完美清晰的绘画，在我国新石器时代遗存中是罕见的。此画用笔粗犷古朴，寥寥数笔绘出了一幅生动的画面，不仅刻画出了人物的不同特征，而且对人体结构的比例也掌握得较好。

1335.甘肃省天水市西山坪早期新石器时代遗址发掘简报

作　者：中国社会科学院考古研究所甘肃工作队　王仁湘、王吉怀
出　处：《考古》1988 年第 5 期

西山坪遗址在甘肃省天水市以西 15 公里处的太京乡甸子村葛家新庄。庄子坐落在高约 300 米的土山脚下，庄北为一较宽阔的坪台，称为"西山坪"，遗址绝大部分就分布其上。遗址北面是宽阔的河谷，渭河支流耤河由西向东流过。东面山脚下为一条较小的普岔河，河水向北注入耤河。遗址距河床的高程为 50 ~ 100 米。整个遗址总面积约为 20 万平方米。该遗址系裴文中等先生 1947 年在调查渭河流域古遗址时首先发现，甘肃省文管会在 1956 年底派员再次进行了调查，并发表了简报。甘肃省人民政府 1963 年将它公布为省级文物保护单位。1981 年秋和 1986 年春，考古人员曾两次到西山坪遗址进行考古调查，在地面采集到许多新石器时代的石器和陶片等遗物，在断崖上发现了 4 ~ 5 米厚的文化层堆积。1986 年秋，对遗址进行了首

次发掘，了解到这里的主要文化堆积属马家窑文化和齐家文化。1987 年春季第 2 次进行了发掘，发现了早期新石器文化堆积层，它直接叠压在马家窑文化层之下。所见的早期遗存中，既有大地湾文化遗存，又有北首岭下层类型遗存，并且首次见到了两者的地层叠压关系。简报将这里相当于大地湾文化的遗存称为"西山坪一期"，将相当于北首岭下层类型的遗存称为"西山坪二期"。简报分为：一、地层关系，二、第一期文化遗存，三、第二期文化遗存，四、结语，共四个部分。介绍此次发掘的这两期文化遗存，有手绘图、照片。

据介绍，西山坪遗址的新石器文化遗存内涵丰富，延续年代较长。这次发掘到早期文化遗存，尤其是第一次见到了大地湾文化和北首岭类型的地层叠压关系，为研究渭河流域新石器文化的渊源及发展提供了比较重要的资料。

简报认为，作为渭河流域的早期新石器文化，经过一定规模发掘的大地湾一期、北刘下层、白家村一期和西山坪一期，其文化性质完全相同，将它们命名为同一文化，是很必要的，可以称为"大地湾文化"。至于以北首岭下层为代表的遗存，现在又发掘了天水西山坪二期和师赵村下层两处，后两者的文化面貌比较一致。简报认为可以将这一类遗存作为一个独立的类型，它与大地湾文化更为接近，而与仰韶文化距离较大，不能归入仰韶文化。它是大地湾文化向仰韶文化过渡的 1 个中间环节，可以作为早期文化的第 2 个发展阶段来看待，不必急于命名为某某文化，可仍称为"北首岭类型"，或称为"西山坪二期"。一般认为，大地湾文化在仰韶文化之前，距今约 7800 年。

1336.甘肃天水师赵村史前文化遗址发掘

作　者：中国社会科学院考古研究所甘青工作队　赵　信、时茂林、田富强
出　处：《考古》1990 年第 7 期

师赵村史前文化遗址，位于甘肃省天水市西约 7 公里处的耤河北岸第二级台地上，隶属秦城区太京乡，遗址总面积约 20 万平方米，文化层厚 1 ～ 3 米。

1958 年，普查文物时发现了该遗址，并公布为市级文物保护单位。1981 年，考古人员又进行了复查。为了进一步搞清该遗址文化内涵，1981 年秋开始发掘，至 1989 年止，前后经过了 8 个年度 13 次发掘工作，揭露总面积 5370 平方米。共清理出房址 36 座、窖穴 49 个、墓葬 19 座。出土石、骨、陶等器物 1000 余件。遗址包括了史前文化不同时期的文化遗存。简报分为：一、分区与地层，二、遗迹与遗物，三、结语，共三个部分。有手绘图、彩照。

据简报介绍，甘肃东部地区的史前文化发展序列是：西山坪一期（大地湾一期）

师赵村一期—（北首岭下层）—师赵村二期（半坡类型）—师赵村三期（庙底沟类型）—师赵村四期（石岭下类型）—师赵村五期（马家窑类型）—师赵村六期（半山马厂类型）—师赵村七期（齐家文化）。齐家文化，似已相当于夏、商之时。

1337.甘肃省甘谷县大石乡麻坪村陈家河老村出土珍稀文物——陶铃

作　者：陈守德

出　处：《考古与文物》1994 年第 4 期

甘肃省甘谷县大石乡麻坪村陈家河农民于 1992 年 1 月在田间埋粪时在距地表约 0.5 米处挖出陶铃、陶纺轮、陶角状器各 1 件，现已交县文化馆收藏。简报配以照片予以介绍。

据介绍，其中陶铃尤为珍贵，形状似圆盘，细泥，红陶。手持陶铃摇动，可发出清脆声响，实为罕见。早在 1987 年这里就出土过彩陶片、石斧、单耳尖底砂陶罐，并发现多处灰层、白灰地面。此地距省级文物保护单位礼辛镇遗址仅 5 公里。

从这批文物的陶质、器形、纹饰等特点看，简报推断应属新石器时代遗物。

1338.甘肃武山傅家门史前文化遗址发掘简报

作　者：中国社会科学院考古研究所甘青工作队　赵　信

出　处：《考古》1995 年第 4 期

傅家门史前文化遗址，位于甘肃省武山县西南约 25 公里的榜沙河岸第一级台地上，隶属马力乡傅家门村。遗址高出河床约 10 ~ 30 米，其范围东起榜沙河滩，西到刘家山脚，北至榆林沟，南达七里沟。东西约 500 米，南北约 900 米，总体积 40 余万平方米。1958 年普查文物时发现了该遗址，1963 年公布为省级文物保护单位。1981 年又进行了复查，进一步了解到此处是 1 座以马家窑文化为主要内涵之古遗存。1991 年始正式发掘，截至 1993 年，前后经历了 3 个年度 5 次发掘工作。共清理出房址 11 座、窖穴 14 个、墓葬 2 座、祭祀坑 1 座以及不同文化类型石、骨、陶等器物近 1000 件。简报分为：一、地层关系，二、出土遗物，三、结语，共三个部分。有手绘图。

据介绍，傅家门史前遗址发掘的最大收获，是在长方形祭祀坑中带有刻划符号的卜骨以及带有阴刻符号的陶器的出土，这引起考古界极大的注意。这一发现表明，距今约 5600 年的马家窑文化就出现了占卜习俗。尤其出土的卜骨带有刻划符号，这是绝无仅有的新发现，弥足珍贵，为探讨中华民族文字起源提供了新资料。

1339.甘肃秦安县大地湾遗址仰韶文化早期聚落发掘简报

作　者：甘肃省文物考古研究所　赵建龙
出　处：《考古》2003 年第 6 期

大地湾遗址位于甘肃省秦安县城东北 45 公里处、五营乡邵店村东部及其相邻地带，东距陇城乡 7 公里，西去莲花乡 11 公里。遗址主要分布在渭河二级支流清水河南岸的阶地以及与其相连的缓坡山地上，总面积 110 万平方米。1978 ~ 1984 年，甘肃省文物工作队对其进行了大面积发掘，发现了时间跨度约 3000 年的新石器时代遗存。1995 年，为了搞清仰韶文化早期村落围沟的走向，再次进行补充发掘，发掘总面积达 14752 平方米。先后清理房址 240 座、灰坑和窖穴 325 个、墓葬 71 座、窑址 35 座以及沟渠 12 段，出土陶器 4147 件、石器 1931 件、骨角器和蚌器 2227 件。大地湾遗址于 2000 年被评为"20 世纪中国百项考古大发现"之一。大地湾遗址的发掘简报曾经发表过数篇，主要报道了第一期、第四期及大型房址 F405、F901 的情况，还包括 F411 地面的材料。在大地湾各期遗存中，仰韶文化早期 I 段的聚落布局最为清晰，具有重要的研究价值。简报分为：一、发掘概况，二、地层堆积，三、围沟，四、房址，五、墓葬，六、结语，共六个部分。介绍大地湾仰韶早期 I 段聚落，有手绘图。

通过整理和研究，简报将大地湾遗存分为五期。第一期为前仰韶时期的老官台文化（有的学者称之为"大地湾文化"）。第二、三、四期分别属于仰韶文化的早、中、晚期。第五期为常山下层文化。其中第二期和第四期文化遗存最为丰富。第一期至第五期文化的碳十四测定年代为距今 7800 ~ 4800 年（经树轮校正）。

武威市

1340.甘肃武威郭家庄和磨咀子遗址调查记

作　者：甘肃省博物馆　郭德勇
出　处：《考古》1959 年第 11 期

考古人员在武威县发现了两处新石器时代遗址。简报分为：一、郭家庄遗址，二、磨咀子遗址，三、小结，共三个部分。有手绘图。

据介绍，郭家庄位于武威县城西北 5 公里处，磨咀子位于武威县城城南 15 公里处。遗址出土有细石器、彩陶片、木炭、草绳、赤色颜料、石器等。简报认为郭家庄属于甘肃仰韶文化马家窑期，磨咀子属于甘肃仰韶文化与马家窑期、马厂期。马厂期应早于齐家文化。

1341.甘肃武威皇娘娘台遗址发掘报告

作　　者：甘肃省博物馆　郭德勇等
出　　处：《考古学报》1960 年第 2 期

皇娘娘台遗址西距武威县城 2.5 公里。所谓的"皇娘娘台"，其实就是一座小山丘。1957 年 8 月，武威县文化馆在皇娘娘台发现并收集到一批出土的石器和陶器，即将发现的情况报告甘肃省文物管理委员会。9 月中旬开始正式发掘。工作持续 60 余天。这次的重要收获有铜器 11 件。1959 年夏季，进行第 2 次发掘，发现铜器 9 件外，又新发现了卜骨 30 余片。同年 11 月下旬至 12 月中旬，进行了第 3 次发掘。这次除发现铜器、卜骨以外，还有 1 座 1 男 2 女的合葬墓，证实皇娘娘台是一处内涵丰富的齐家文化遗址。简报配以照片，介绍了这 3 次发掘的成果，分为：一、前言，二、文化堆积，三、文化遗物，四、结语，共四部分。

简报认为齐家文化的上限当是甘肃仰韶文化，而下限当为商末周初。齐家文化之所以有如此漫长的延续和发展历史，是因为商代势力的发展未能达到甘肃地区。当中原地区进入商代以后，甘肃境内尚停滞在新石器时代晚期或铜石并用时代。当周族进入甘肃之后，齐家文化才逐渐衰落以致最后消失了。

简报指出，甘肃境内古文化的类型极其复杂，在同一类型的文化遗存中，往往又具备一定程度的不同性质。这除了反映各类文化区域性的不同特征而外，在时间上还会有早期和晚期的差别。齐家文化的昌盛地区，是在渭河上游、大夏河、洮河流域等地，而河西走廊地区则是齐家文化分布的边远地带，在时间上可能要比较晚一些。

1342.武威皇娘娘台遗址第四次发掘

作　　者：甘肃省博物馆　魏怀珩等
出　　处：《考古学报》1978 年第 4 期

皇娘娘台遗址，现属武威县新鲜公社邱家庄生产队，遗址在村西南面的台地上。皇娘娘台在遗址西南约 500 米处。该遗址曾经 3 次发掘，报告已发表于《考古学报》1960 年第 2 期。为配合农田水利工程，于 1975 年 4 月底至 7 月中旬，进行了第 4 次发掘。共发掘齐家文化墓葬 62 座，房屋遗迹 4 座，窖穴 23 个。出土遗物包括生产工具、生活用具、装饰品以及卜骨和大量的玉璧、石璧等700余件。简报分为：一、地层堆积，二、遗迹，三、墓葬，四、文化遗物，五、结语，共五个部分。有照片、手绘图。

据介绍，皇娘娘台遗址是1处单纯的齐家文化遗址，面积约10万平方米。内涵丰富，说明齐家文化的人们在这里定居生活的时间很久。第四次发掘的面积不大，但仍获得了重要的资料。

从生产方面看，皇娘娘台遗址出土的生产工具以石器为主，还有骨器和铜器。石器多为磨制，特别在选材上已采用了硬度较高的玉料来制作，玉铲、锛、凿等制作精致，通体磨光，器形规整，刃口锋利，说明玉器的制作技术有了很大提高。石斧、石铲和骨铲，是当时主要的农业生产工具。石刀是收割庄稼的工具，出土的数量很多，说明当时的播种面积在不断扩大，收获量有了增加。在农业发展的同时，畜牧业也有了相应的发展。兽骨的遗存相当丰富，猪和羊是当时人们饲养的动物。这次发掘的墓葬，有14座随葬猪下颌骨，少者1具，多者7具，这是显示财富占有多寡的一种标志，说明牲畜已逐渐变成了私有财富。这时的狩猎活动也很频繁。出土各种类型的骨镞，是当时人们的狩猎工具。鹿是当时猎获的主要野生动物。

从墓葬来看，贫人墓与富人墓对比十分明显。如M48，墓制宏大，随葬品达90余件，还随葬白色和绿色的小石子300余颗；而M79的墓主人则葬于废弃的窖穴中，无任何随葬品。这种埋葬的差别，正反映了两者生前贫富的差别和所处社会地位的不同。随葬的玉、石璧，主要集中在男子墓中，说明男性已占主导地位。另外，这次发掘的墓葬，有24座随葬玉璧和石璧，共260余件。璧大小不等，有的很厚重，这种璧似不能作为装饰品。简报认为，它不仅仅是一种装饰品，很可能是作为一种交换手段的货币用来随葬的。

1343.甘肃永昌鸳鸯池新石器时代墓地

作　者：甘肃省博物馆文物工作队、武威地区文物普查队　蒲朝绂、员安志等
出　处：《考古学报》1982年第2期

鸳鸯池墓地，由考古人员于1973、1974年先后进行了两次发掘，共清理墓葬189座。第1次发掘的151座墓中的重点墓和典型器物已作报道，但"对全部资料未经系统整理和分析研究"，年代判断也有误。本简报分为：一、墓葬概况，二、墓葬分期，三、随葬器物，四、结语，共四个部分。配以照片、手绘图，介绍了经整理的鸳鸯池墓葬的全部材料。

据介绍，鸳鸯池墓葬分布相当稠密，排列也较整齐。墓地内有大人和儿童墓葬，交错地埋葬在一起。总地来说，成人墓一般都较深，埋在第二层以下的生土层内；

儿童墓葬比较浅，都埋在第二层中。189座墓葬中，除去武威地区清理的13座外，还有176座，其中单人葬125座、合葬17座、儿童墓34座（其中土坑墓29座、瓮棺葬5座）。墓坑都是长方形竖穴，个别的有先挖竖穴再向侧面掏偏洞作为墓室。单人葬墓坑狭窄，仅容1人。合葬墓的形制多为长方形或不规则的椭圆形。随葬品以陶器为大宗，有生产、生活及装饰品等。石器中石刃骨刀值得注意。年代当在公元前2300年至前2000年之间。出现的小陶杯或为酒杯，表明先民已会酿酒。

简报指出，鸳鸯池的合葬墓，埋葬情况是复杂的。有多人合葬墓、成年男女合葬墓、成年男性和儿童合葬墓，也有成年女性和儿童合葬墓，还有儿童与儿童合葬墓。多人合葬墓，应是父权制下以家庭为特征的反映，也是男子独裁地位确立的结果。成年男女的合葬墓，年龄相若者，无疑为夫妻合葬，它反映了1夫1妻制家庭的出现和父权制的牢固确立。在父权制下，男子对女子拥有绝对的统治权，妻子成为丈夫的奴仆。成年男性和儿童合葬，应是属于子从父的一种葬俗。

1344.古浪县高家滩新石器时代遗址试掘简报

作　者：武威地区博物馆　宁笃学
出　处：《考古与文物》1983年第3期

高家滩古文化遗址在古浪县东部的裴家营公社老城生产队东南约1公里处，南临长林山，西傍马莲沟，东面不远即为齐家台子沟。遗址现作农田，属缓坡状台地，南北长300米，东西宽150米。1980年秋，考古人员对该遗址进行了调查并作了试掘。简报分为：一、地层情况，二、遗迹，三、遗物，共三个部分。有手绘图。

据介绍，遗迹主要为灰坑。坑内堆积物中含有石器、陶器和碎片，骨器较多，还有数量较多的牛、羊、猪、鹿骨以及木炭屑等杂物。由于试掘面积小，未发现其他遗迹。简报认为，高家滩遗址系甘肃仰韶文化马厂类型，同甘肃各地同一类型文化遗存相比，有区域性的特征。如该遗址出土的骨器和兽骨较多，彩陶器在其里面亦常彩绘，壶、罐、杯、盆等多施橙黄或褐色彩等。这些特点为探讨这一文化的内涵提供了新的资料。

1345.甘肃古浪县老城新石器时代遗址试掘简报

作　者：武威地区博物馆　杨　福
出　处：《考古与文物》1983年第3期

老城新石器时代遗址位于古浪县裴家营公社老城大队的南边，东接高家滩，西邻一条古河道，南靠昌灵山，北距长城约 2.5 公里。遗址分布在昌灵山北麓的台地上，其范围相当大，东西长约 1000 米，南北宽约 200 米，总面积达 20 万平方米。1980年 8 月进行了试掘。

简报分为：一、地层堆积，二、遗迹，三、墓葬，四、遗物，五、结语，共五个部分。有手绘图。

据介绍，遗迹有灰坑 1 个、居住面 1 处。墓葬共清理 5 座，均为土坑墓，并在同一地层上，编号 M1～M5。都是单人一次葬，但葬式和方向不一致：M1、M4为仰身直肢，头向西；M2、M3、M5 为仰身屈肢，头向南。仅有 3 座墓有随葬品，共计 11 件，皆为陶器。简报认为，老城遗址属新石器时代甘肃仰韶文化马厂类型，与相距仅 1 公里的高家滩遗址相似，但也有其明显的特点，如：陶器皆为手制，火候不高，陶胎较厚，都是平底，未见圜底和三足器；遗物大都是生活用品，有少量的兽骨；已出现了有意识、有意义的刻划符号等，这些都值得进行进一步的了解和研究。

1346.武威塔儿湾新石器时代遗址及五坝山墓葬发掘简报

作　者：甘肃省文物考古研究所　王　辉、周广济、庞耀先
出　处：《考古与文物》2004 年第 3 期

简报分为"塔儿湾遗址""五坝山墓葬""小结"，共三个部分介绍了相关发掘情况，有手绘图等。

据介绍，塔儿湾遗址位于武威市古城乡塔儿村杂木河东岸的山坡及二级台地上、武威市东南 35 公里处。该遗址发现于 20 世纪 80 年代，因当地农民在遗址范围内取土，遗址屡遭破坏，后又数次遭盗掘。考古人员于 1992 年下半年和 1993 年上半年对该遗址进行了抢救性发掘。这里主要为西夏至元代遗址，但是在山脚下及山坡上的西夏遗址下层发现有少量的新石器时代遗迹和遗物。由于遭晚期遗址的破坏，新石器时代遗迹所存极少且多残破不堪。遗物主要为半山类型、马厂类型。

五坝山位于武威市新华乡。1984 年，对该地的汉魏晋时期的墓葬进行发掘时，发现 1 座被魏晋墓葬打破的马家窑文化的墓葬，编号 M1。该墓人骨已无存，仅存有少量陶器及骨笄、绿松石、骨珠等随葬品。还采集到彩陶壶 1 件、石杵 1 件。

简报称，两处发现的遗迹、遗物不多，但具有独特的地方特征。结合其他地区的发掘，可以看出河西走廊地区的马厂类型具有明显的地方特征。因而河西走廊地区的马家窑文化从早到晚都具有比较明显的地方特征。

张掖市

1347.甘肃山丹四壩滩新石器时代遗址

作　者：中国科学院考古研究所　安志敏
出　处：《考古学报》1959 年第 3 期

1948 年，甘肃省山丹培黎学校在四壩滩农场开水渠时发现了新石器时代文化遗物。1943 年，该校外籍教师写信给夏鼐先生报告了这一情况，考古人员前往调查，征集到陶器 90 件等遗物，未发表报告。1956 年夏，考古人员再次前往调查，简报报告了相关情况，有照片。

简报认为，这是 1 处新石器时代晚期的文化遗址，堆积较厚，范围较大，先民应已过上定居的农业生活。遗址应与后来活动于此的大月氏、乌孙等游牧民族无关。发现的石祖 1 件，或许表明当时是父系氏族社会。

1348.甘肃省民乐县东灰山新石器遗址古农业遗存新发现

作　者：中国科学院遗传研究所、甘肃省张掖地区行署　李　璠、李敬仪、
　　　　卢　晔、白　品、程华芳
出　处：《农业考古》1989 年第 1 期

1985 年 7～9 月，考古人员曾前往甘肃河西走廊进行过 1 次农林生态和农业考古的考察。认定这地区为研究我国栽培植物起源与演变不可缺少的组成部分。简报分为：一、调查经过与遗址概况，二、出土遗存及其新发现，三、讨论，共三个部分。有照片。

据介绍，共采集石器 56 件以及陶器、骨器、炭化谷物及石祖等。此处应是 1 个原始农业村落遗址。经过分析鉴定，在这一原始遗址保存下来的炭化谷粒种类有：大粒型炭化小麦粒，属于普通栽培小麦；中小圆粒型炭化小麦粒，属于密穗小麦；青稞大麦和皮大麦；有粟和黍稷；普通高粱；还有坚果核壳，似是胡桃。在同一文化灰土层带中同时保存着这么多栽培植物的炭化子实遗存，现今黄河流域的主要农作物几乎全都能够在这个遗址中找到它们的"根"。也就是说，我们的先民已经从事农业耕作并选育出许多农作物品种，而这些品种延续至今，仍然是我们赖以为生的。时代经测定约在距今 5000 年。这一发现是有其重大意义的。但是，由于这些炭化粮

食是采集到的，并非发掘品，出土层位不清、年代不明，而碳素测定只是遗址的年代，因此，有的学者表示暂可存疑。

1349.甘肃民乐五坝史前墓地发掘简报

作　者：甘肃省文物考古研究所、张掖市文物保护研究所、民乐县博物馆
　　　　王永安、马智全、韩翀飞
出　处：《考古与文物》2012年第4期

为配合当地道路建设，考古人员在民乐县五坝村清理了史前墓葬53座。简报分为：一、地层堆积，二、半山类型墓葬，三、马厂类型墓葬，四、齐家文化墓葬，五、"过渡类型"墓葬，六、结语，共六个部分予以介绍。有手绘图。

据介绍，此次发掘，将半山类型的西界，又向西推进了。马厂类型遗存最为丰富。齐家文化与所谓"过渡类型"，至少在一段时间内是共存的。这都为我们研究河西走廊各种文化或各种类型间的相互关系，提供了新的资料。

平凉市

1350.甘肃泾川南峪沟与桃山嘴旧石器时代遗址的发现

作　者：陕西省考古研究所、甘肃省博物馆　张映文、谢骏义
出　处：《考古与文物》1981年第2期

南峪沟遗址与桃山嘴遗址是1976年6月发现的。1980年10月，考古人员再次作了复查，采集到一批石器标本和伴生的脊椎动物化石，确定这两处遗址同属旧石器时代晚期。这是在庆阳地区以外，旧石器时代遗址在甘肃境内的新发现。简报分为"遗址位置""文化遗物""小结"等几个部分，有手绘图。

据介绍，此两处遗址同在泾川县飞云公社，相距7公里。采集到石器61件，简报认为应属旧石器时代晚期稍早遗存。简报指出，我国旧石器的发现最早是1920年从甘肃庆阳开始的，1949年后又多有发现。此次发现再次证明，早在几万年前，人类的足迹在泾河上游已是相当广泛。

酒泉市

1351.甘肃安西县发现一处新石器时代遗址

作　者：安西县文化馆　张　淳、李宏炜
出　处：《考古》1987年第1期

1972年，考古人员在甘肃省安西县境内发现1处新石器时代遗址——兔葫芦遗址。

据介绍，该遗址在安西县东部、布隆吉乡双塔村兔葫芦一队西南约5公里的沙丘中，距县城70公里。遗址暴露带东西长约5公里，南北宽约1.5公里，地面属沙丘与风蚀黏土地面相间的丘陵地带。

遗址发现后，考古人员曾3次前往调查，采集到的各类遗物多达数百件（其中包括部分可辨器形的残陶片）。遗址表面大部分为沙丘覆盖，暴露在地表的陶片到处可见，石器也较多，尤其是石磨盘、磨棒在每次的考察中都有发现。部分器物简报配以照片予以介绍。

据介绍，石器有刀、锄、锛、球、网坠、磨盘、磨棒；陶器多为夹砂灰陶或灰褐陶，极少量彩陶片，器型有罐、釜等，多用手制成，以素面为主。

简报称，该遗址规模较大，遗物丰富多样，为了解当地的远古文化，提供了丰富的实物资料。

1352.甘肃安西潘家庄遗址调查试掘

作　者：西北大学考古专业、甘肃省文物考古研究所、安西县博物馆　刘瑞俊、
　　　　赵雪野、丁　岩、李春元等
出　处：《文物》2003年第1期

潘家庄遗址位于河西走廊西部的安西县布隆吉乡潘家庄村西南约3公里，处于南部的祁连山和北部的马鬃山之间的疏勒河流域所形成的安西盆地中部，南侧和西侧被祁连山下游的地表水和地下水所形成的河沟和小型湖泊环绕。这些河沟和小型湖泊现已干涸，被称为"野麻沟"，又称"杨家槽子"。遗址现存地貌为温地干涸后所形成的荒漠草甸。2000年3月，当地村民挖沙时出土了一些陶器。2001年7月，考古人员进行了试掘。简报分为：一、遗迹，二、遗物，三、结语，共三个部分。有彩照、手绘图。

据介绍，遗址发现墓葬 3 座，为圆角长方形竖穴土坑墓，均为单人葬，未见葬具，可确认葬式的两墓均为仰身直肢葬。3 座墓葬内共出土随葬品 10 件、石器 5 件、骨珠饰 28 枚。该墓处于汉代文化层下，未见青铜器，应属马厂类文化时期。简报称，此次发掘，为进一步探讨马厂类型文化与四坝文化的关系以及甘青地区彩陶文化与新疆东部地区彩陶文化的关系，提供了新资料。

1353.甘肃敦煌西土沟遗址调查试掘简报

作　者：西北大学考古系、甘肃省文物考古研究所、敦煌市博物馆　刘瑞俊、王建新、赵雪野、丁　岩

出　处：《考古与文物》2004 年第 3 期

西土沟遗址位于敦煌市南湖林场东南约 3 公里处。2000 年考古人员进行了调查及试掘。简报分为：一、调查经过，二、遗迹，三、遗物，四、结语，共四个部分。有手绘图。

据介绍，发现有石结构遗迹群等 9 座遗迹，采集有陶片等遗物。简报称，本次调查为进一步探讨半山、马厂类型文化与四坝文化的关系提供了新的资料。由于遗址所处的地理位置特殊，结合甘肃安西潘家庄遗址资料，对探讨甘青地区彩陶文化与新疆东部地区彩陶文化的关系提供了重要线索。至于 1 号石结构遗迹，因没有出现人工制品，有关此类遗迹的时代、文化属性尚无法确定，尚待进一步的研究。

庆阳市

1354.陇东镇原常山遗址发掘简报

作　者：中国社会科学院考古研究所泾渭工作队　胡谦盈

出　处：《考古》1981 年第 3 期

1978 年冬，考古人员在陇东庆阳、镇原地区展开考古调查，于 1979 年 5、9 月，两次调查了常山遗址，10～11 月进行了发掘。简报配以照片、手绘图予以介绍。

据介绍，此次发掘的最大收获，是常山下层文化的发现。所谓"常山下层文化"，是仰韶文化之后的一种原始文化遗存。由于这种文化的陶器具有较多的仰韶陶器遗风，二者的关系是极为密切的，前者很可能是后者在陇东及其附近地区的继续与发展。其年代，据测定是公元前 2930±180 年。从遗物看，常山下层文化不仅与关中、甘肃西部诸

原始文化存在联系，而且与活动在我国北方草原地区使用细石器工具的文化，也存在着某种联系。

1355.甘肃环县刘家岔旧石器时代遗址

作　者：甘肃省博物馆　谢骏义等
出　处：《考古学报》1982年第1期

甘肃环县虎洞公社半箇城一带出产"龙骨"已相传多年。1977年7月，考古人员在半箇城大队龚家塬生产队的刘家岔龙骨拐沟，于含脊椎动物化石的同层发现了打制石器。1978年6～7月，考古人员在遗址的南（A区）、北（B区）两端进行了为期40天的试掘，获得一批脊椎动物化石和旧石器。简报分为：一、地貌和地层，二、脊椎动物化石，三、文化遗物，四、结论，共四个部分。有照片、手绘图。

简报指出，刘家岔遗址的文化遗物比较集中，地层剖面清楚，化石证据可靠，石器材料丰富，是目前已知在甘肃境内出土石器数量最多、最重要的1处旧石器时代遗址，也是华北旧石器时代晚期比较重要的遗址之一。

1356.甘肃省宁县阳坬遗址试掘简报

作　者：庆阳地区博物馆　许俊臣、李红雄
出　处：《考古》1983年第10期

阳坬遗址位于甘肃省宁县境内马莲河西侧的一条小支流的北岸称为"阳坬"的漫坡上，西距庆阳地区所在地的西峰镇35公里。遗址南北长300、东西宽150米，整个分布面积约为4500平方米。阳坬遗址于1981年4月发现。由于长期雨水冲刷和平田整地，遗址遭到严重破坏，不少遗迹已露于地表。1981年10月在复查时进行了试掘，总揭露面积390平方米，清理房址12处、陶窑3处、墓葬5座（骨架7具），出土石、骨、陶器50多件。简报分为：一、遗迹，二、遗物，三、结语，共三个部分。有手绘图。

据介绍，遗址发现居址共有33处，主要分布在遗址的中部和南部，其中铺有白灰面的26处，只有火烧硬面而无白灰面的7处。阳坬遗址的居住遗址，其建筑形式均为圆形，未见方形住室。除类窑洞式建筑是其特点外，葫芦形的套间雏形亦是别具风格的。另外，壁炉式灶和屋内窖穴也是这个遗址较普遍的一种建筑形式。阳坬遗址的墓葬分仰身直肢单身葬和侧身屈肢合葬两种葬式，前者为长方形土坑墓，后者为圆形土坑墓。墓坑均较浅，殉猪是其葬俗，一般不随葬陶器。M4 一号骨架上覆盖许多陶片，这也是值得注意的。头向和面向均为东北。该遗址的时代，简报推断大体相当或稍晚于半坡晚期。

1357.甘肃正宁县宫家川新石器时代遗址调查记

作　者：庆阳地区博物馆、正宁县文化馆　许俊臣、刘得祯、王万宝
出　处：《考古与文物》1988 年第 1 期

宫家川遗址，是考古人员 1977 年 8 月进行田野考古调查时发现的。遗址位于正宁县周家乡宫家川村名为"东坪"的合地上，北距乡政府 4 公里，东北距县城 54 公里，面积约 18000 平方米。简报配以手绘图予以介绍。

据调查，1976 年冬，当地在遗址重点区平田整地，致使遗址遭到破坏，不少墓葬、窑址被挖毁，人骨架被抛弃。出土的文物包括陶器、石器、骨器和兽骨等，多被毁坏，地表上散布的彩陶、红陶碎片比比皆是。另有袋状灰坑、窖穴，内含大量陶片、兽骨等。没有作过试掘，从整个情况看，这是 1 处被破坏的文化层相当厚、遗迹遗物十分丰富的新石器时代遗址。对散存在农民手中的文物进行了征集，计共收到各类陶器 52 件，分藏于地区博物馆和县文化馆内。收到的这些陶器全系生活用具。简报初步认为，宫家川遗址应属于中原仰韶文化半坡类型和庙底沟类型两者兼存的或介于两者之间的一种古文化遗存。

1358.甘肃庆阳地区南四县新石器时代文化遗址调查与试掘简报

作　者：李红雄、陈瑞琳、寇正勤
出　处：《考古与文物》1988 年第 3 期

1984 年春，考古人员对正宁、宁县、合水、庆阳 4 县进行了调查，历时两个多月，共发现新石器时代遗址 21 处。简报分为：一、孟桥遗址；二、吴家坡遗址；三、任家沟遗址；四、陈家遗址；共四个部分，先行介绍其中收获较大的 4 处遗址，有手绘图。

据介绍，合水县孟桥遗址、正宁县吴家坡遗址、庆阳县任家沟遗址、宁县陈家遗址，主要遗存为仰韶文化和齐家文化两种。仰韶文化遗存与关中地区同类型遗址大体相当。

定西市

1359.甘肃漳县出土一件双颈红陶壶

作　者：漳县文化馆
出　处：《考古》1983 年第 6 期

1982 年 5 月在漳县新寺公社晋家坪遗址出土 1 件陶壶。简报配以照片予以介绍。

据介绍，陶器陶质为夹砂红陶，手制；双颈，鼓腹，单耳；双颈饰有斜向点纹，肩有三周划纹和两周点纹，一颈口残，口径 4.2 厘米，颈长 5.5 厘米，腹径 12.5 厘米，足径 6.5 厘米，通高 15.5 厘米。同时出土的还有彩陶片、红陶片等。出土点距地表约 30 厘米。简报推断应为马家窑文化的遗物。一般认为，马家窑文化是在仰韶文化之后。

1360.甘肃岷县山那新石器时代遗址调查简报

作　者：杨益民
出　处：《考古与文物》1983 年第 5 期

1976 年发现并调查该遗址，发现完整石器 19 件、骨器 3 件、陶器 5 件。应为仰韶文化马家窑类型早期遗存。

1361.定西地区出土的陶质乐器

作　者：定西地区博物馆　何　钰
出　处：《文物》2001 年第 5 期

定西地区位于甘肃省中部，地处西秦岭余脉与黄土高原的接合部。它东邻平凉地区和天水市，西有洮河北去，南有渭水东流，北与兰州市白银市相毗邻。区内有数以千计的古文化遗址，包括马家窑文化、辛店文化和寺洼文化遗存等。洮渭一带曾出土多件陶质乐器。简报分为：一、陶鼓，二、陶响器，三、结语，共三个部分。有手绘图。

据介绍，陶鼓分为深腹陶鼓和尖底陶鼓两种，非彩绘。陶响器有鼓形陶响器、球形陶响器等。有的似是儿童玩具，有的颇似现代的沙锤，里头原有沙粒，摇动时嚓嚓作响。

简报指出，鼓作为乐器源远流长，《周礼·春官·大师》谈到"八音"，即"金、石、土、革、丝、木、匏、竹"，其中的"革"就是鼓。陶鼓类器物就是《礼记》所载之"土鼓"。明人王圻、王思义编的《三才图绘·器用》（卷三）写道："土鼓，古乐器也，杜子春云：'以瓦为匡，以革为两面，可击也。'"关于土鼓的作用，主要用于逆暑迎寒、祈年祭祀、娱乐田峻以及军旅之中。而新石器时代的陶鼓就是"土鼓"之雏形。

陇南市

1362.甘肃西和县宁家庄发现彩陶权杖头

作　者：王彦俊

出　处：《考古》1995 年第 2 期

1982 年 4 月，甘肃省西和县宁家庄村民宁万顺在村北侧取土时，发现 1 件完整的橙黄色黑彩陶器。简报配以照片、手绘图予以介绍。

据介绍，这件器物发现地点属于甘肃省西和县长道乡宁家庄村，在县城西约 30 公里处，位于盐官河与川口河交汇处的三角地带第一台地上。台地为 1 处古文化遗址。1959 年经甘肃省人民政府公布为西和县文物保护单位。出土的这件陶器系泥质红陶，内空，色橙黄，黑彩，高 7.8 厘米。依陶色、陶质、纹饰，应为新石器时代晚期仰韶文化庙底沟类型遗物。

简报称，此器物极其华丽美观，中空，可穿一木棍。以往少见，应是原始氏族或部落的原始宗教崇拜信仰物（以鸟为图腾），非原始氏族一般成员所能使用的，而是氏族或部落的首领或酋长专用，作为象征权力的遗物。透过这件"权杖头饰"，我们可以窥视到新石器时代仰韶文化庙底沟类型时期社会性质、意识形态以及精神文化的某一侧面。此件器物的发现，为研究这一时期的文化面貌又提供了一个新资料。

1363.西汉水上游新石器时代遗址调查简报

作　者：早期秦文化联合考古队　李永林、梁　云、田有前、游富祥

出　处：《考古与文物》2004 年第 6 期

史载西汉水上游是秦民族早期活动的主要区域之一，故很早就引起了学术界的重

视。1947 年裴文中先生曾在渭河上游作过考古调查，把"陇南（包括渭河上游和西汉水流域）史前文化"分了三期——彩陶文化鼎盛时期、彩陶文化衰落时期、彩陶文化极衰时期，并推断"齐家文化未传布到渭河上游"。1958 年甘肃省博物馆对西汉水流域进行了考古调查，共发现仰韶文化遗址 17 处、齐家文化遗址 12 处、周代遗址 14 处，认为这里的文化类型大致与渭河上游相同，并认为仰韶文化的遗存在这里极为丰富，齐家文化却很不发达。虽未发现寺洼文化的遗存，但周代遗址却很丰富。随着礼县大堡子山秦公墓地的发现，秦文化发祥于这一地区基本已成共识，其重要性愈发凸显出来，因而深入了解该区古文化的发展脉络成为一个十分引人注目的学术课题。2002 年，考古人员对大堡子山秦公墓及其周围遗址进行了调查，历时 45 天，共调查仰韶至齐家文化遗址 16 处、春秋至汉代墓群 16 处、秦代建筑遗址 2 处、汉代建筑遗址 1 处。为了进一步弄清西汉水流域史前文化发展序列和周、秦文化的相关问题，考古人员于 2002 年 3 月 28 日至 4 月 20 日，对西汉水上游干流及其支流漾水河、红河、燕河、永坪河流域，东起天水市天水乡、西至礼县江口乡，长约 60 公里的地域进行了全面的勘查，获得了丰富的资料，共调查汉代以前的古文化遗址 98 处。其中含有仰韶时代文化遗址 61 处，龙山时代文化的遗址 51 处，商周时期 47 处。简报分为：一、有代表性的遗址介绍，二、文化遗物，三、结语，共三个部分。有手绘图。

据介绍，通过这次调查，极大地丰富了对西汉水上游史前考古学文化的认识，初步掌握了这个地区的文化谱系和发展序列，把关中及其以东的庙底沟文化影响的范围向西推进了一大步。另一方面，仰韶时期遗址分布的密集程度和遗存的丰富程度，都远远超过了龙山时期及其以后时期的遗址。这固然与仰韶时代年代跨度较长有关，但也可能在某种程度上反映了人地关系的变迁。如何认识这一问题，也将是需要进一步研究的课题。

简报称，史前时期及以后的历史阶段，陇山两侧以及东方关中地区的众多考古学文化不断地进入西汉水流域的动因何在，是一个耐人寻味的问题。

1364.甘肃礼县高寺头新石器时代遗址发掘报告

作　者：甘肃省文物考古研究所　赵建龙
出　处：《考古与文物》2012 年第 4 期

礼县高寺头遗址，位于礼县县城西南 9 公里处的石桥乡高寺村西南部的小山坡上，原称之为"礼县石桥镇遗址"。1986 年，进行了发掘。同时，对该遗址的各台地进行了考古调查，发现在第二台地多为仰韶文化早、中期的遗存，第三、四级台地则多为仰韶文化晚期的遗存，故设置了上、下 2 个发掘区进行了小规模的清理发掘。共清理出房址 4 座、灰坑 8 个、室内窖穴 3 个，出土陶器、石器、骨蚌器等遗物 765

件，均属于仰韶文化时期的遗存。简报分为：一、发掘区和文化堆积，二、遗迹，三、遗物，四、结语，共四个部分。有手绘图。

据介绍，礼县高寺头遗址面积约 7.5 万平方米，现保存较好的区域仅有 1000 平方米左右，分布有仰韶文化早、中、晚 3 个发展时期的文化遗存。早期遗迹有：F101、F102，属于仰韶文化半坡类型，近似于大地湾二期。中期遗迹有：H101、H102、H103、H104、H105，属于仰韶文化庙底沟类型，近似于大地湾三期。晚期遗迹有：F1、F2、H1、H2、H3、H4、H5、H6，属于仰韶文化晚期的大地湾四期类型。

临夏州

1365.黄河寺沟峡水库新石器时代遗址调查报告

作　者：甘肃省博物馆　宁笃学等
出　处：《考古》1960 年第 3 期

黄河寺沟峡水库，位于临夏市西北约 60 公里处，黄河自西向东流过，河北为青海省民乐县，河南为甘肃省临夏州。1956 年，考古人员在此发现新石器时代遗址 4 处，1959 年 8 月，考古人员又进行了一次调查，又发现了新石器时代遗址 3 处，合计 7 处，其中甘肃仰韶文化遗址 4 处，齐家文化遗址 3 处。简报分为：一、甘肃仰韶文化遗址，二、齐家文化遗址，三、几点说明，共三个部分。有照片、手绘图。

据介绍，甘肃仰韶文化遗址主要集中在大河村、雍家村、开西买村等地。齐家文化遗址主要集中在大河村、韩闪家村、郭家村等地。遗物多系从地表采集，没有发现文化交替现象。

1366.临夏范家村马家窑文化遗址试掘

作　者：黄河水库考古工作队甘肃分队　郑乃武
出　处：《考古》1961 年第 5 期

范家村前属甘肃永靖县的唵集乡，后划归临夏市莲花人民公社。1956 年黄河水库考古队曾在这里作过调查，于村之东南约 600 米的第二台地上，发现了 1 处马家窑文化遗址。1959 年 4 月间，甘肃分队的 1 个小组便在这里进行复查并作了试掘。简报配以照片、拓片予以介绍。

据介绍，遗址都是马家窑文化堆积，出土有石器、骨器和陶片等，陶片能复原的极少，窖穴共发现 3 个，以第 2 号保存最完整，呈圆袋形。从上述的出土遗物看来，这里的彩陶制造精细，都用黑色彩绘，在纹饰上具有马家窑期的特色。再从全部陶器的器型上观察，除了马家窑特有的造型外，也有一些近似于中原仰韶文化的器物，其中以钵、卷沿盆、敛口罐等较为显著。

1367.甘肃临夏马家湾遗址发掘简报

作　　者：黄河水库考古队甘肃分队　谢端琚
出　　处：《考古》1961 年第 11 期

马家湾遗址位于甘肃临夏市马家湾村之东北部，处在黄河东岸的第二台地上。台地的西北面临着黄河，南边靠近大沙沟。1960 年秋，考古人员在此进行了发掘，从 9 月 22 日开始工作，至 11 月 22 日结束。简报分为：一、建筑遗存，二、文化遗物，三、结语，共三个部分。有手绘图。

据介绍，这次发掘的位置是在遗址的西部，计开 5 条探沟、6 个探方，揭露面积为 248 平方米。这里的地层堆积除了农耕土外，一般可分为 2 层：上层为灰褐土，下层为黑灰土（夹有红胶泥）。两层都属于同一时期的马家窑文化马厂期的堆积。发现有房子、窖穴以及石、骨、陶器等遗物。这里发现的方形和圆形两种房屋，都是属于同一时期的。虽然各屋之间的距离不等，但是它们的排列却很整齐，且都集中在遗址的西部。居民的经济生活，从出土的刀、斧、杵等石制农具以及在 1 号房子内发现有谷物朽灰的痕迹看来，当以农业生产为主。

1368.甘肃永靖马家湾新石器时代遗址的发掘

作　　者：中国科学院考古研究所甘肃工作队　谢端琚
出　　处：《考古》1975 年第 2 期

马家湾村属甘肃省永靖县西河公社抚河大队，东距兰州市 500 余公里。背靠护山，面临黄河。马家湾遗址是于 1959 年夏发现的，1960 年秋进行了发掘。对该遗址的发掘工作，曾作过简要介绍，简报分为四个部分，在进一步整理的基础上予以全面报道，有照片、手绘图。

据介绍，马家湾遗址为甘青地区新石器时代马厂类型的村落遗址。这次共发现 7 座房子，保存完好，分布较集中。简报称："值得特别提出的是它的发现以不可争辩的事实，强有力地批驳了安特生提出马厂类型只有葬地的谬论。"

简报指出，居住遗址文化层堆积的厚度以及作为储藏东西窖穴的发现，说明了当时先民是过着定居生活。同时还发现有收割农作物的石刀、石斧等农具，另在第一号房子内还发现有谷物的残迹，足以说明当时的经济生活是以农业为主，谷物是当时人们的主要食物。马家湾遗址出土的彩陶，制造精致，彩绘花纹丰富多彩，画面繁缛瑰丽，彩绘不仅绘在器表面，而且还饰在器内壁，有的内彩比外彩还复杂多样。至于时间，经测定为距今 4300 ～ 4000 年。简报指出："这与过去认为马厂晚于半山的推断恰恰相反，但两者在测定数据上不是相差太多，因此，可以认为马厂类型与半山类型在年代上是比较接近的。"

1369.甘肃永靖秦魏家齐家文化墓地

作　者：中国科学院考古研究所甘肃工作队　谢端琚
出　处：《考古学报》1975 年第 2 期

秦魏家俗名"楼子地"，位于永靖县莲花公社。墓地位于村东一个台地上。1956 年发现，1959、1960 年 2 次发掘。简报分为：一、地层堆积，二、建筑遗存，三、墓葬，四、文化遗物，五、自然遗物，六、结语，共六个部分，有照片。

据介绍，此处应为黄河上游齐家文化 1 处规模最大、保存最好的公共墓地，对研究齐家文化，探讨家庭、私有制与阶级的起源，都很有价值。

1370.广河地巴坪半山类型墓地

作　者：甘肃省博物馆文物工作队　韩集寿等
出　处：《考古学报》1978 年第 2 期

广河县属甘肃临夏回族自治州，南北环山，地域狭长，广通河由西向东横贯其间。在河谷两岸的黄土台地及高坪上，分布着许多不同类型的新石器时代遗址，地巴坪遗址是其中的 1 个。它位于广河县城东南 6 公里，地巴坪村西北、广通河南岸的一个黄土台高坪上，现属黄赵家公社黄赵家大队第十生产队耕地。1973 年，考古人员对地巴坪遗址先后进行 2 次调查发掘。在地巴坪村收集到齐家文化彩陶罐和马厂类型彩陶罐各 1 件。在地巴坪东坪北侧断崖上发现齐家文化居住遗址，同时选定东坪上的半山类型墓进行发掘。简报分为：一、墓地概况，二、墓葬形制，三、出土遗物，四、彩陶花纹，五、结语，共五个部分。有照片、手绘图。

据介绍，遗址共发掘墓葬 66 座，均为土坑墓，出土遗物 756 件，年代为半山文化时期，约为公元前 2500 ～前 2300 年。简报指出，广河地巴坪遗址是 1 处面积较大、保存基本完好、墓葬分布稀疏、出土遗物比较丰富的氏族公共葬地。在甘肃境内，新石器时代半山类型的文化遗址，分布面广，内容丰富，但是大面积的科学发掘这还是第一次。地巴坪墓群是目前已知的半山类型文化中最典型、最丰富的遗存之一。

1371.甘肃永靖张家咀与姬家川遗址的发掘

作　者：中国社会科学院考古研究所甘肃工作队　谢端琚等

出　处：《考古学报》1980 年第 2 期

张家咀与姬家川位于甘肃省永靖县的南部。永靖县政府原驻莲花城，1962 年迁驻刘家峡小川。姬家川离新县城不远，张家咀北距新县城约 20 公里。现在张家咀与姬家川分别由永靖县莲花公社与白塔公社管辖。张家咀与姬家川遗址均包含齐家文化和辛店文化两种不同性质的文化遗存，而且都以辛店文化为主。张家咀辛店文化是 1949 年后在黄河上游新发现的一种文化类型，材料比较重要。张家咀遗址的发掘分为 2 次进行：第 1 次在 1958 年 10 ~ 11 月，第 2 次在 1959 年 4 ~ 7 月。发现齐家文化与张家咀类型的遗迹、遗物等。简报分为"张家咀遗址""姬家川遗址""结语"三个部分。有照片、手绘图。

张家咀遗址是一处保存较好的古代聚落遗址，总面积约 2 万平方米，这次仅揭露遗址的一部分，因此不可能了解遗址的全貌。没有发现房子遗迹，但作为储存东西的窖穴发现很多，分布密集。在不到 1000 平方米的范围内就发现有 165 个窖穴，这表明当时居民相当密集。这里文化层堆积较厚，说明当时居民过着比较长期稳定的定居生活。当时居民的经济生活是以农业为主，兼营畜牧业。这在大量发现的农业工具、动物骨骼中可以得到说明。据统计，石制与骨制的农业生产工具有 100 多种。这里发现的动物骨髓经鉴定有羊、牛、猪、狗、马等，可能是被驯养的动物。鹿是野生动物，是当时人们狩猎的主要对象。狗是人类驯化最早的动物，也是捕猎野生动物的得力助手，这表明狩猎是人们谋生的辅助手段。

姬家川遗址发现的房子是这次比较重要的发现，保存较好。它是一半地穴式的长方形建筑，西边有一出入门道，在居住面中间设一锅形灶，应属于木骨土墙及涂草拌泥的茅屋。这样的房屋在辛店文化遗址中还是首次发现。它与齐家文化相比较，有如下的特点：房子较窄长；未见平整坚实的白灰面；灶坑挖成锅形，与齐家文化的灶址高出居住面的特点不同。姬家川辛店文化的经济仍然以农业为主，畜牧业为辅。这里发现的石刀、石铲与骨铲等生产工具所反映出来的生产力要比张家咀类型的进步，出现的大型宽刃石铲与较厚的宽刃骨铲等为同类型的文化遗址所少见。骨铲中更多用牛、马的下颌骨作为材料，这些工具比较坚固锋利，更能提高劳动生产率。

同时还发现有骨镞和网坠等狩猎捕鱼工具以及羊、牛、猪和鹿等动物骨骼。这些遗物和遗骸的出土表明，狩猎和捕捞是当时人类经济生活的一种辅助手段。

简报给出的甘肃西南部地区这几个古文化类型的相对年代排列序列是：马家窑文化—半山类型—马厂类型—齐家文化—辛店文化张家咀类型—姬家川类型—寺洼文化。

简报探讨了辛店文化与中原殷周文化的关系。从已有的考古资料分析，简报认为姬家川类型与西周文化的关系比较密切，也就是说辛店文化受西周文化的影响较深，可能还直接吸收了西周文化的某些因素。

1372.甘肃康乐县边家林新石器时代墓地清理简报

作　者：临夏回族自治州博物馆　田毓璋、石　龙
出　处：《文物》1992 年第 4 期

1975 年冬，考古人员在康乐县虎关乡关丰村边家林发现 1 处新石器时代墓地，并征集了一批出土彩陶文物。1981 年 4 月发掘，共清理墓葬 17 座、灰坑 1 个。

简报分为：一、墓葬形制，二、出土器物，三、几点认识，共三个部分。有手绘图。

据介绍，墓葬出土陶、石、骨器共 65 件，骨珠、绿松石珠等装饰品 888 件。墓地征集出土陶器 122 件。边家林墓地发现捡骨葬、扰乱葬、侧身屈肢葬 3 种葬式，各类葬式存在不同的器物组合，同类器物在不同的组合中所占比例不同，纹饰也有所变化。这为研究该墓地文化的早晚关系提供了依据。男性随葬器物多且多为生产工具，女性随葬器物少且只有骨针，说明已进入父系社会。简报依据发掘材料，认为当地新石器时代晚期文化发展序列为：马家窑类型—边家林类型—半山类型—马厂类型。

1373.甘肃康乐县张寨出土新石器时代陶器

作　者：石　龙
出　处：《文物》1992 年第 4 期

20 世纪 70 年代，康乐县城南 2 公里处张寨农民平整土地时，挖出陶器等遗物。此处应为 1 处氏族墓地。考古人员前去调查，征集到陶器 47 件。简报配以照片、手绘图予以介绍。

据介绍，这一批陶器颇有特色，与康乐县边家林墓地所出的陶器相似，为研究马家窑文化，提供了新的实物资料。

甘南州

1374.甘肃洮河上游发现的几处新石器时代遗址

作　者：袁樾方
出　处：《考古》1959 年第 9 期

1959 年初，工程人员在卓尼县勘察水利时，发现了几处新石器时代遗址。简报配以照片予以介绍。

据介绍，遗址主要分布在今藏民村落附近，如葛利村、田巴村、叶呼寨村、洛基村、双岔村等（村名为藏语音译），尤其以葛利村遗存最为丰富。出土有陶器、灶址 1 处等。

1375.甘肃迭部县新出土的彩陶壶

作　者：甘南州文化馆　李振翼
出　处：《考古与文物》1982 年第 4 期

1979 年夏，考古人员在甘南迭部县县城西南姜巴沟某建筑工地上，获得了 2 件造型独特的长颈双耳彩陶壶：1 件通高 22 厘米，颈长 5.5 厘米，口径 6.2 厘米，肩径 15 厘米，底径 5.5 厘米；另 1 件，残高 15.5 厘米，残口径 4.5 厘米，肩径 15 厘米，底径 6 厘米。均施黑彩。简报配以照片予以介绍。

据介绍，文物出土现场可惜已被扰乱，更无它获。简报认为，仅此两件壶便可对马家窑文化的视野，从地域上由白龙江中游推进到了它的上游地区，且可看出仰韶文化在白龙江西进的线索。

1376.甘肃临潭县出土鱼嘴彩陶壶

作　者：李振翼
出　处：《考古与文物》1984 年第 4 期

1978 年甘肃省甘南藏族自治州临潭县总寨公社总寨村，出土了 2 件形制相同的彩陶壶（1 件出土时已残）。简报配以照片予以介绍。

据介绍，壶高 20.5 厘米，造型界于仰韶文化半坡类型的鱼嘴细颈彩陶壶、葫芦彩陶瓶和马家窑类型彩陶壶之间，应是仰韶文化半坡类型向马家窑类型过渡时期的产物。

1377.甘肃卓尼苫儿遗址试掘简报

作　者：甘南藏族自治州博物馆　樊维华、方　毅
出　处：《考古》1994 年第 1 期

苫儿遗址位于卓尼县城西南 1 公里的洮河南岸台地上。面积达 12500 平方米。1982 年文物普查时发现，1988 年 7 月进行了复查。

简报分为：一、地层堆积，二、遗迹，三、遗物，四、结语，共四个部分，有手绘图、照片。

据介绍，共发现灰坑两座，出土有陶器、石器、骨角器等，应属寺洼文化，但又具有一些齐家文化的因素。

1378.甘南出土的人头形器口彩陶瓶

作　者：甘南藏族自治州博物馆　李振翼
出　处：《文物》1995 年第 5 期

1989 年 8 月，在甘南藏族自治州卓尼县木耳乡冰崖村附近，出土了 1 件人头形器口彩陶瓶，在同地层中伴出红、灰夹砂陶片。挖出时，不意被打破，复原后仍残留 1 个三角形破孔。简报配以彩照予以介绍。

据介绍，这件彩陶瓶红陶质，绘黑彩；人面采用刻、塑相结合的方法制作；彩陶瓶塑造似为一丰满秀丽的少女，颈下用黑彩绘联弧纹，再下饰 2 组几何叶纹图案，应为仰韶文化遗物。简报称，冰崖遗址人头形器口彩陶瓶的出土，把仰韶文化的分布区，推到了洮河流域的更西部。

1379.甘肃临潭磨沟齐家文化墓地发掘简报

作　者：甘肃省文物考古研究所、西北大学文化遗产与考古学研究中心　毛瑞林、
　　　　　钱耀鹏、谢　焱、朱芸芸、周　静等
出　处：《文物》2009 年第 10 期

磨沟遗址位于甘肃省甘南藏族自治州临潭县陈旗（今王旗）乡磨沟村，在临潭县与岷县交界处的洮河西南岸、磨沟河西岸。2008 年 7 ～ 11 月，为配合九甸峡水库

建设，考古人员对水库淹没区的磨沟遗址进行了抢救性发掘。此次发掘共清理墓葬351座，其中齐家文化时期的墓葬有346座，出土了大量的陶器、石器、骨器、铜器等。

简报分为：一、地理位置与发掘概况，二、墓葬举例，三、随葬器物，四、结语，共四个部分。有照片、手绘图。

据介绍，此次发掘共清理齐家文化时期的墓葬346座，以竖穴偏室墓、竖穴土坑墓为主，偏室墓中又有单偏室、双偏室、多偏室。大多为合葬，少数为单人葬。墓葬分布密集，排列有序，出土了大量的陶器、石器、骨器、铜器等随葬器物。磨沟遗址齐家文化墓地的发掘，揭示了齐家文化墓葬结构的复杂性，人骨推挤与多次埋葬的现象对于认识齐家文化合葬墓及其特征具有重要的意义，为研究史前时期的合葬现象提供了新思路。

同期有《略论磨沟齐家文化墓地的多人多次合葬》一文，认为合葬系家庭合葬。

青海省

1380.青海柴达木盆地诺木洪、巴隆和香日德三处古代文化遗址调查简报

作　者：青海省文物管理委员会　赵生琛、吴汝祚
出　处：《文物》1960 年第 6 期

柴达木盆地在青海省西北部，总面积 34 万余平方公里。1959 年 4～5 月，考古人员在盆地东南地区青藏公路沿线作了重点的调查和复查。

简报分为：一、诺木洪搭里他里哈遗址，二、巴隆搭温他里哈遗址，三、香日德下柴克遗址，四、结语，共四个部分。有照片。

据介绍，在 350 多公里的青藏公路沿线，只发现了 3 处遗址，分布比较稀疏，但似仍属同一文化性质。其共同点是：高耸在平坦的戈壁滩上，多由几个沙包组成，一眼望去，孤立的小山丘，即是遗址的象征。因气候干燥，毛布、毛线绳、木柱等均保存完好。时代简报推断为原始社会较晚期。

西宁市

1381.青海大通县上孙家寨出土的舞蹈纹彩陶盆

作　者：青海省文物管理处考古队
出　处：《文物》1978 年第 3 期

1973 年秋，青海省大通县上孙家寨墓地发掘甲区第 20 号汉墓时，在墓道西侧清理了 1 座被严重破坏的马家窑类型墓葬，编号 M384。在出土陶器中，1 件内壁绘舞蹈花纹的彩陶盆，引起人们极大的兴趣和重视。简报配以照片和手绘图予以介绍。

据介绍，与陶器伴出的还有骨纺轮、海贝、穿孔蚌壳、骨珠和烧焦的人骨残块、木炭、红烧土以及牛蹄、牛尾骨等，其中舞蹈纹的彩陶盆，器形较大，敛口，卷唇，

鼓腹。舞蹈盆的整个画面，人物突出，神态逼真，用实线条表现，笔法流畅划一，重在写实，给人以深刻的印象：先民们劳动之暇，在大树下、小湖边或草地上，正在欢乐地手拉手集体跳舞和唱歌。

简报称，这批文物为研究马家窑文化增加了新的内容，特别是为我国原始社会美术、舞蹈史的研究提供了珍贵的实物例证。该墓出土的海贝、蚌壳、骨珠等都是马家窑类型墓葬中习见的；烧焦的人骨和木炭等也和同一地区发掘的 M375 葬俗基本相似。

海东地区

1382.民和县阳洼坡发现了仰韶文化遗址

作　者：李恒年
出　处：《文物》1959 年第 2 期

1958 年 4 月，考古人员在民和县普查时在马营镇东 5 公里的阳洼坡村东大沟东面，发现了新石器时代仰韶文化遗址 1 处。

简报介绍，遗址高出河面约 40 米，范围东西约 300 米，南北约 200 米。遗址中间有新开的东西向小水渠 1 条，渠的断层上有灰层暴露，厚 30～60 厘米。在地面捡到的遗物有陶盆、钵、碗、环及磨制石斧等。这个遗址的发现，对研究仰韶文化的分布及发展有很大的意义。

另外在遗址附近酒房坪村西 200 米的大路旁也发现了同样的陶片，但未见灰层。

1383.青海互助县发现新石器时代遗址

作　者：陈国显
出　处：《考古》1959 年第 4 期

1958 年 12 月，考古人员在文物普查时发现了古代人类居住遗址 20 多处。简报配以照片，介绍了互助县张卡山遗址。

据介绍，张卡山位于互助县红岩子沟盘路村北，当地农民积肥时发现了一批陶器，还有骨纺轮、骨钗等。简报推断遗址为新石器时代遗址。

1384.青海乐都柳湾原始社会墓葬第一次发掘的初步收获

作　者：青海省文物管理处考古队、北京大学历史系考古专业
出　处：《文物》1976 年第 1 期

柳湾是青海省乐都县高庙公社的一个村庄。北倚土山，南傍湟水。1974 年春，柳湾大队第二生产队于村北旱台上平整土地、挖渠引水时，发现了 1 处墓地，同年 7 月正式发掘。1 年来共发掘半山类型、马厂类型和齐家文化墓葬 300 余座，出土各种生产工具、生活用具和装饰品等文物 5000 余件。简报配以照片、手绘图予以介绍。

简报称，遗址发现半山类型墓葬 25 座，均为长方形土坑墓，木棺，多无随葬陶器或仅有 2 ～ 3 件陶器。马厂类型墓葬 228 座，有人殉，出土 1 件彩陶壶上雕有 1 个男性裸体像，似已进入父系社会。齐家文化墓葬 64 座，贫富分化要更加明显。

1385.青海民和核桃庄马家窑类型第一号墓葬

作　者：青海省考古队　格桑木
出　处：《文物》1979 年第 9 期

1978 年 4 ～ 11 月，考古人员对民和县核桃庄公社核桃庄大队拱北台遗址进行了发掘，在第四和第十探方的低层发现了 1 座新石器时代马家窑类型墓葬。墓西面是湟水支流米拉沟河，附近分布有马家窑、马厂、齐家、辛店等文化的遗迹和遗物。简报分为三部分，有手绘图、照片。

据介绍，该墓为竖穴土坑结构，平面呈圆角方形，坑壁略向外倾，坑口大于坑底。墓室内骨架凌乱不全，四肢骨在中间，脊椎骨等在西南部，无头骨。当属于二次葬。人骨附近撒有较多的石膏末、木炭和灰烬。墓中出土器物 261 件，其中陶器 36 件、骨珠 215 枚、绿松石 10 粒。此外，还殉有羊、猪头和 30 多具鼠骨等。陶器均系手制，有的器表留有指痕。分夹砂粗陶、夹砂彩陶、细泥彩陶、素陶、灰陶数种。简报推断其时代应属马家窑类型中期或稍晚。

简报称，马家窑文化是一个既有住地又有葬地的独立的文化类型。

1386.青海乐都县脑庄发现马家窑类型墓

作　者：青海省文物考古队　李国林
出　处：《考古》1981 年第 6 期

脑庄位于青海省乐都县马营公社，脑庄墓地在水磨沟西岸的第二台地上，现属

马营公社脑庄。墓地南北长约 200 米，东西宽 100 米。1978 年夏季，脑庄大队第三生产队在新建庄院取土时发现 1 座古墓葬，并有陶器出土。考古人员于 1979 年 2 月和 3 月，曾两次去现场调查，并进行清理。简报配以照片、手绘图予以介绍。

据介绍，墓葬已遭到严重破坏，墓室形制、结构不清。据了解，在墓室西侧有人骨架 1 具，头向北，仰身直肢葬。随葬陶器 12 件，有钵、壶、瓮、彩陶钵、彩陶盆和彩陶罐等。简报推断为新石器时代马家窑类型晚期的遗存，似比青海省发掘的民和县核桃庄马家窑类型墓略早。马家窑类型墓葬在乐都地区是首次发现，为研究马家窑文化的内涵及其分布提供了新资料。一般认为，马家窑文化的年代为公元前 3000 年～前 2000 年。

1387.青海民和阳洼坡遗址试掘简报

作　者：青海省文物考古队

出　处：《考古》1984 年第 1 期

青海省民和县阳洼坡遗址，是 1955 年发现的。它是青海省境内唯一的 1 处仰韶文化庙底沟类型的遗址，也是仰韶文化分布的最西端。为了究清这个遗址的内涵，考古人员在 1980 年 4 月组成发掘小组对该遗址进行了试掘。简报分为：一、遗址的情况和文化层，二、遗迹，三、出土遗物，四、结语，共四个部分，有手绘图。

据介绍，阳洼坡遗址位于阳洼坡村东约 1.5 公里、寺滩村西约 0.5 公里，在马营河北岸高出河床约 40 米的第一台地上。通过这次试掘，对阳洼坡遗址的文化内涵有了较清楚的认识。它的曲腹盆、双唇小口尖底瓶与庙底沟类型该类器物相同。敛口鼓腹平底钵、小口直颈尖底瓶、粗陶罐以及用豆荚纹、垂幛纹组成的纹饰则与石岭下类型一致。器物施内彩。以网格纹为充填纹饰又是马家窑文化常见的手法。根据总的情况观察，这个遗址文化内涵有庙底沟类型、马家窑类型和石岭下类型 3 种因素，其中庙底沟和石岭下 2 类的因素多于马家窑类型。遗址属庙底沟类型向马家窑类型过渡的石岭下类型遗址。至于阳洼坡遗址本身所具有的一些特点，如特有的圆形灶、柱础、泥质灰陶罐和数量惊人的陶环等，由于遗址的文化内涵和层位都极为单纯，故还有待进一步研究。

1388.青海民和县阳山墓地发掘简报

作　者：青海省文物考古队　彭　云

出　处：《考古》1984 年第 5 期

青海省民和县新民公社下川大队阳山小队位于县城西南 30 余公里处、在湟水支流的松树沟上游北岸。1979 年，考古人员在调查过程中，了解到当地农民在犁地时曾发现过彩陶器、陶片和人骨的情况。从出土的器物看，这是 1 处新石器时代的墓地。因墓穴较浅，为了避免历史文物遭到进一步破坏，青海省文物考古队组织人员，于 1980 年 8～10 月、1981 年 8～10 月，在此进行了发掘。简报分为三个部分，有照片。

据介绍，遗址共发掘墓葬 230 座。墓葬分布相当密集，排列也较为整齐。由于处于耕地中，大多数墓穴较浅，墓口多已破坏。墓葬一般为圆角长方形，个别近似正方形的竖穴土坑墓，皆无墓道、葬具。葬式较为复杂。可看清葬式的墓葬（几座圆形土坑和有些墓葬因骨架腐朽过甚或遭严重破坏葬式不清）共 110 座，其中俯身直肢葬占 43.5%，俯身屈肢葬占 8%，仰身屈肢葬占 6.15，侧身屈肢葬占 5.3%，二次葬占 6.1%，仰身直肢葬只有 1 座。以俯身葬为主、屈肢葬占一定比例，是阳山墓地葬式最为突出的特点。出土的随葬品有 3600 件，可分为生活用具和生产工具、装饰品。

简报称，这次阳山墓地出土的随葬品也有半山、马厂文化的器物同出一墓的现象，有的器物具有两种文化的因素。阳山墓地的发掘，大大丰富了我们对半山、马厂文化的认识，补充了不少新的资料，为认识和研究当时的社会生活提供了重要的实物依据，有助于探索和研究这一时期文化的发展和过渡。虽然有些现象现在还不能作出合理的解释，但它们的发现具有重要的研究价值却是不容置疑的。

1389.青海民和核桃庄山家头墓地清理简报

作　者：青海省文物管理处　格桑本、陈洪海等
出　处：《文物》1992 年第 11 期

山家头墓地位于青海省民和县核桃庄村东的山家头台地上，北为拉开沟小旱地墓地，南为药水沟拱北台遗址。1980 年 5～7 月，青海省文物管理处考古队在发掘小旱地墓地的同时，清理了山家头墓地的 33 座墓葬。简报分为：一、墓葬形制，二、出土器物，三、结语，共三个部分。配有照片。

据介绍，33 座墓葬均为竖穴土坑基，坑壁不甚平整，一般较竖直，个别底部较大。墓葬形制以长方形竖穴土坑墓为主，也有少量平面圆角长方形和椭圆形竖穴墓。葬式多为单人仰身直肢，个别为俯身、侧身和二次葬。随葬品主要为陶器，另有少量骨器、石器和铜器。陶器多夹砂褐陶，圆腹，圈底，通体饰绳纹。

简报指出，山家头墓地的发掘，使考古人员认识到，这是一批在一定的时间内有一定分布地域和独特器物群的遗存。简报暂将它归入辛店文化，称为"辛店文化山家头类型"。

1390.青海循化苏呼撒墓地

作　　者：青海省考古研究所　李伊萍、许永杰等
出　　处：《考古学报》1994 年第 4 期

苏呼撒村属白庄乡，位于青海省循化撒拉族自治县东南，距县城 25 公里。墓地位于苏呼撒村北 1 座东西长 270 米，南北宽 200 米的椭圆形台地上。当地村民称台地为"苏何坦白何"（撒拉语"黄土包"之意），台地高出现河床 25 米左右。台地原为荒地，近年西部及东南一带陆续为村民建房所破坏，墓地四周界限及整体布局已无法搞清。1982 年 7 月底至 10 月中旬、1983 年 5 月底至 7 月底，对该墓地进行了两次发掘，共发掘墓葬 108 座。另外，在庄院内清理 8 座残墓，总计墓葬 116 座。其中 1982 年发掘的墓葬编号为 M1 ～ M116。116 座墓葬分属不同时代、不同文化，除 29 座时代不清外，有 65 座属新石器时代的半山文化，22 座属青铜时代的卡约文化。简报分为：一、半山文化墓葬，二、卡约文化墓葬，三、结语，共三个部分。有照片、手绘图等。半山文化距今约 6000 年；卡约文化，为公元前 900 ～公元前 600 年，大致相当西周至春秋时期。

简报指出，苏呼撒墓地半山、卡约文化墓葬的发掘，丰富了人们对这一地区新石器时代和青铜时代 2 个时期文化的认识。在土坑竖穴墓中，土坑偏洞墓值得注意。这种形式的墓室，在湟水流域半山墓地中较为常见，出现在苏呼撒墓地，说明两地有着文化间的交流。至于这种交往反映的是人员的流动，还是墓葬形式的模仿，尚难确认。另外，发掘中生产工具发现很少，这或许是死者生前生活的一种反映。

1391.青海民和县胡李家遗址的发掘

作　　者：中国社会科学院考古研究所甘青工作队、青海省文物考古研究所
　　　　　叶茂林、王国道、蔡林海、何克洲
出　　处：《考古》2001 年第 1 期

胡李家遗址是合作开展"民和官亭盆地古遗址群考古研究"课题的第 1 个发掘项目。1999 年 5 ～ 7 月共计发掘 500 平方米，对该遗址及其文化遗存有了比较充分的了解。简报分为：一、地理位置与地层堆积，二、遗迹，三、遗物，四、结语，共四个部分。有手绘图。

简报认为胡李家遗址和阳洼坡遗址还存在一些小的差异，但相同或相类似的特征更多，应是同一个文化系统，但也不宜用仰韶文化庙底沟类型或庙底沟文化来代表，应选择更合适的称谓。简报指出，胡李家遗址和阳洼坡遗址的文化遗存，大体代表

了青海庙底沟时期的文化。

该遗址是迄今所知青海省最早的新石器时代文化遗存，对它的了解仍然不够全面深入，有待今后的进一步工作；比庙底沟时期更早的新石器文化，甚至前仰韶时期的新石器文化等的发现，在青海地区也不是没有希望，这是课题所十分关注的。

1392.青海民和喇家史前遗址的发掘

作　者：中国社会科学院考古研究所、青海省文物考古研究所　叶茂林
出　处：《考古》2002 年第 7 期

青海民和喇家遗址在 1999 年曾进行试掘，2000 年和 2001 年连续进行了较大规模的发掘，目前共揭露面积约 1500 平方米，取得了一些较为重要的成果。

据介绍，喇家遗址位于青海最东的民和县南端的黄河岸边，所处地域是黄河上游的一个河谷小盆地，其间分布着众多古文化遗址。喇家遗址的发掘，是继胡李家遗址之后选定的又一个发掘项目。

简报分为：一、发掘的主要收获，二、喇家遗址的重要学术意义，两个部分。

在广泛调查和钻探的基础上，简报初步认识到喇家遗址是 1 个以典型齐家文化内涵为主的大遗址。喇家遗址目前已发现近 20 座房址、约 30 座灰坑、3 段壕沟、2 座墓葬、1 个小型广场和 1 个奠基坑、1 个杀祭坑、2 个埋藏坑，出土了丰富的陶器、石器、骨器以及数量较多的玉器，发现了地震和洪水等多种灾难遗迹。

简报称，喇家遗址中大多数遗迹都是因突发性灾害而遭破坏并埋藏下来，在很多地方保留了当时生活的原始状态，直观地反映出先民的生活方式和生存状态。

该遗址发现的齐家文化祭坛、干栏式建筑很值得注意。《考古》2004 年第 6 期载有《青海民和喇家遗址发现齐家文化祭坛和干栏式建筑》一文，可参阅。

海北州

黄南州

海南州

1393.青海龙羊峡达玉台遗址的打制石器

作　者：青海省文物考古队　王国顺、刘国宁
出　处：《考古》1984年第7期

1981年10月，为配合青海省龙羊峡水电工程建设，考古人员在水库区进行田野发掘工作时发现了1处古代文化遗址。遗址位于海南州贵南县拉乙亥公社达玉村的达玉台上，遗址中文化遗物丰富，内涵复杂，在青海省古代文化的发展方面具有某些独特性质。

简报分为：一、遗址的地理环境，二、文化遗物，三、结语，共三个部分。有手绘图。

据介绍，达玉台遗址位于黄河的上游、西宁市西南，在龙羊峡水库区范围之内。黄河自西南向东从遗址的前面流过。遗址中石制品数量众多，全为打制，未见新石器时代的磨光石器。石制品以石片石器为主，除细石器外，多使用锤击法及背向加工的修整方法，这是我国旧石器时代石器制作的传统技术。这些特征可能反映了这批打制石器的古老性质。但是遗址所在的地层属于黄河第二级阶地的顶部，文化遗物全采集于地表，且含大量较为原始的石刀，这是采集经济高度发展的重要标志。简报从各方面特征分析，推断其文化水平相当于新石器时代早期。

简报称，遗址中细石器占有一定比例，遗址的性质无疑地属于细石器范围之内。加工精细的细石核类型繁多，在探讨其工艺技术方面具有重要的研究价值。

1394.青海同德县宗日遗址发掘简报

作　者：青海省文物管理处、海南州民族博物馆　陈洪海、王国顺、梅端智、
　　　　索　南
出　处：《考古》1998年第5期

宗日遗址位于青海省同德县城西北约40公里处，北依目杨龙瓦和塔拉龙山，南临黄河。遗址就分布在黄河北岸的第一和第二阶地上。遗址在1982年牧区文物普查试点中被发现，定名为"兔儿滩遗址"，当时试掘确认属于马家窑文化半山类型。1994年至1995年10月，对遗址进行正式发掘，共发掘9800平方米，清理墓葬222座、灰坑18个。

简报分为：一、地层堆积，二、遗迹，三、出土遗物，四、结语，共四个部分。有手绘图、照片。

据介绍，这次发掘，出土了一批珍贵文物。大量特色鲜明的陶器出土，其中的少量具有马家窑类型、半山类型以及齐家文化特征，但最多见的是具有地方特色的新器物。据此，简报认为完全可以命名1个新的考古学文化——宗日文化。简报指出，此次发现了许多很有意义的遗迹现象：宗日遗址的石棺葬具有时代早、数量多的特点；而焚毁棺椁、墓上标志、墓祭等现象，则属于新发现，极具研究价值。一般认为，宗日文化的时间大致为距今 5600 ~ 4000 年。

果洛州

玉树州

海西州

宁夏回族自治区

银川市

1395.水洞沟村的旧石器文化遗址

作　者：汪宇平
出　处：《考古》1962 年第 11 期

水洞沟村位于宁夏回族自治区银川市东约 30 公里，属灵武县管辖。村东北约 200 米处，在河谷的北崖上，有黄土断面。这就是著名的河套旧石器文化遗址之一。1923 年，考古人员曾对此进行发掘，1957 年 5 月，考古人员前来鄂托克旗调查文物，对水洞沟村的旧石器遗址，略加调查。简报配以照片予以介绍。

据介绍，遗址的周围是丘陵地带，往东或往南，在河谷中有大量砾石层，黄土断面显然分为上、下 2 层。在早期黄土层的中间，旧石器和少数动物化石残片，大体上是平铺在黄土层内。有些石器随着土块，落到崖下；有些在断面上露出一角。所得石器有砍伐器 2 件、尖状器 7 件、刮削器 20 余件、燧石小型石器 10 余件、长条形石片。另有骨化石数件。

简报称，虽然有些新石器同这里的旧石器在形制上相近似，但是器型的对比不足以作为变更判断它们所处历史年代结论的根据，因为除地层证据和共生遗物以外，根据形制是难以判断年代的。

1396.1980 年水洞沟遗址发掘报告

作　者：宁夏博物馆、宁夏地质局区域地质调查队
出　处：《考古学报》1987 年第 4 期

水洞沟遗址在宁夏回族自治区首府银川市东南 30 公里、灵武县城以北 46 公里。遗址北依明代长城，长城以北为沙丘连绵起伏的鄂尔多斯台地西缘；南临 1 条与长城平行、东西长 40 公里、最终注入黄河的溪流。水洞沟遗址于 1923 年发现和发掘，

是我国最早进行系统研究的旧石器时代遗址之一。20 世纪 50 和 60 年代，在先后 2 次组织发掘的同时，学者们对这个遗址的文化性质和时代开展讨论，一时未能取得一致看法。1980 年夏，考古人员再次发掘水洞沟遗址，得到了贾兰坡教授的热情支持和指导。1980 年 9 月，为期一个月的发掘付诸实现。简报分为：一、遗址的地质、地理概况，二、文化遗物，三、讨论，共三个部分。有照片、手绘图。

据介绍，遗址发现有石器、陶片，应属石器时代晚期文化，石器中的刀片相当引人注目。简报称，华北旧石器晚期的文化十分复杂，在现阶段还难以弄清水洞沟文化的来龙去脉，这也是水洞沟遗址今后工作的一个重要课题。

石嘴山市

1397.宁夏陶乐县细石器遗址调查

作　者：钟　侃
出　处：《考古》1964 年第 5 期

陶乐县在宁夏回族自治区的最东北。县的西面有黄河纵贯，东面是流动沙丘，与内蒙古自治区伊克昭盟的鄂托克旗为邻。1963 年 6 月 20 日至 7 月 2 日文物调查时，考古人员分别在高仁镇、程家湾、察罕埂发现了 3 处新石器时代遗址。简报分为：一、高仁镇遗址，二、程家湾遗址，三、察罕埂遗址，四、结语，共四个部分。有手绘图。

据介绍，高仁镇在陶乐县城南约 10 公里，遗址在高仁镇东约 2 公里。遗址的东北部是沙丘，南部为黄河冲积成的平地。由于风力作用，遗址的堆积已全部破坏，形成许多大小、深浅不一的沙坑。在这些沙坑的底部，露出的是沙黄土，非常坚硬。在沙坑底部，除了大量破碎的动物骨骼外，还有大量的人工打击的石片、石器、石叶、石核和破碎的陶片。采集的石器有斧、锛、刮削器、镞、钻头、尖状器、磨盘、磨棒、砺石等。石器质料除燧石、玛瑙、蛋白石外，还有石英岩、砂岩、火成岩、矽质石灰岩等。

程家湾遗址在陶乐县城北约 12 公里。遗物分布不集中，自程家湾东约 100 米起，东南至庙庙湖这 3～4 公里的地带，皆有陶片及石器发现。

察罕埂遗址在陶乐县城北约 15 公里、察罕埂东北约 2 公里。察罕埂东约 3 公里的南北是沙丘，遗址即位于沙丘的西部边缘。

简报称，3 处遗址不仅在地理位置上相近，而且文化面貌相同。遗物中细石器都占了很重要的地位。因而简报认为，这 3 处遗址均属细石器文化。

吴忠市

1398.宁夏青铜峡市广武新田北的细石器文化遗址

作　者：宁夏地志博物馆　钟　侃
出　处：《考古》1962 年第 4 期

1959 年夏，中国科学院考古研究所考古人员发现细石器文化遗址 1 处，其后又先后 2 次前往该地进行复查。简报配以手绘图、照片予以介绍。

据介绍，遗址位于青铜峡市广武新田村北约 1 公里处，在一低平固定的沙丘上，地势由西北向东南倾斜。遗址面积约 7 万平方米。因长期被雨水冲刷，不见文化层，遗物散乱于地面。采集遗物中石器较多，陶片甚少。3 次调查所得的文化遗物，都是从地面上采集的。这个遗址距本区中卫县所发现的细石器文化遗址不远。

从所采集的遗物来看，简报推断这个遗址属细石器文化系统。作为细石器文化特征的细石器虽然数量不多，但却非常典型。此外有磨制精巧而器身细小的石斧和磨棒，亦为宁夏地区其他细石器文化中所常见。

固原市

1399.宁夏隆德李世选村发现新石器文化遗物

作　者：董居安
出　处：《考古》1964 年第 9 期

1962 年 7 月，考古人员在隆德县李世选村（胜利队）发现了 1 处新石器时代文化遗址。简报配以照片予以介绍。

据介绍，李世选村位于隆德县西南黄土丘陵间之小河谷地带，属凤岭公社。该村庄即坐落于新石器时代遗址之上。这里的田野上散布有陶片、陶罐和石斧等。该村还出土过对穿孔石斧状器、红陶豆、细泥红陶及灰陶罐、灰陶钵等。这些可能都是新石器时代晚期的遗物，与甘肃仰韶文化的马家窑和马厂期有关。

1400.宁夏隆德县页河子新石器时代遗址发掘简报

作　　者：北京大学考古实习队、宁夏固原博物馆

出　　处：《考古》1990年第4期

该遗址位于隆德县沙塘乡，1984年文物普查时发现，1986年发掘。简报分为：一、地层堆积情况，二、仰韶文化晚期遗存，三、龙山文化遗存，四、结语，共四个部分，有手绘图。

据介绍，遗迹有灰坑等，遗物有陶器、石器、骨器等。其中，龙山文化遗物——颈饰横篮纹的高领折肩罐比较重要。

1401.宁夏固原出土新石器时代鸡首壶

作　　者：马东海

出　　处：《文物》1991年第6期

1986年5月，宁夏固原县程儿山乡水泉村圆峁梁修公路时，发现鸡首壶1件，现藏固原县文物管理所。简报配以照片予以介绍。

据介绍，这件鸡首壶为泥质灰陶，器壁较薄，手制。整体似球形。上部一侧捏塑一个鸡头，张喙，三角眼，中戳一深孔作瞳孔，稍后下方捏塑半月形小耳，脑后隆起似冠，短颈。另一侧设壶口，尖唇，微侈。口外附一扁条形鋬耳，耳上饰条纹。鸡首颈下及壶口下各饰一周戳印纹。壶腹圆鼓，平底。上部素面，下部饰浅篮纹，底饰席纹。

简报称，根据实地调查，这件鸡首壶发现于新石器时代墓地距地表1米以下的地层中。同出的长颈单耳罐、单耳小罐、小口罐、双耳罐等陶器，均为泥质红陶和夹砂红褐陶，器表素面或饰绳纹、附加堆纹等。鸡首壶胎体薄，手制成型，未见慢轮修整痕迹；鸡首塑造随意，颈部、腹下，底部纹饰均有新石器时代陶器纹饰特征。简报推断这件鸡首壶的时代晚于石岭下文化，早于齐家文化。

1402.宁夏固原县红圈子新石器时代墓地调查简报

作　　者：固原县文管所、中国历史博物馆考古部

出　　处：《考古》1993年第2期

红圈子墓地位于宁夏回族自治区固原县七营乡柴梁村墩顶山(海拔1717米)西坡、红圈子沟东峁，南距固原县城70公里。1988年7月13日柴梁村农民在山梁挖甘草

时挖出相当多的陶器，墓区已被严重挖毁，但征集到一批出土器物。1989 年 8 月 20 日考古人员进行了复查，又征集一批出土器物。

简报分为：一、墓葬概况，二、随葬器物，三、结语，共三个部分。有手绘图。

据介绍，墓地处于荒山上，为草地，地表土呈浅黄色，质地细腻纯净，未见文化遗物。调查中了解到墓葬分布较密集，人骨保存较好，多为一次葬，葬式以侧身直肢葬为主，头多向北。各墓随葬器物数量多少不一，少的数件，多的数十件，集中放置于死者的头端、脚端或腹部两侧。骨珠呈串状分布在颈部或腕部，即生前佩戴的部位。征集到的器物共 133 件，根据质料不同，可分石器、骨器、陶器 3 类。红圈子墓地的年代绝大多数相当于马家窑文化的半山类型至马厂类型，个别晚到齐家文化。从陶器的形制上看，凡是口沿下面用泥条加厚、瘦长形腹和折腹的器物年代都较晚。

简报指出，半山类型的彩陶往往红彩、黑彩相间，红彩在图案当中起骨架作用，其他线条都用黑彩。红圈子墓地的彩陶器，都是单色彩，红彩、黑彩不在同一器物上使用，红彩占 93.18%，黑彩只占 6.82%，相差悬殊。这种以红彩为主的新石器时代文化晚期遗存在黄河上游地区尚属首次发现，引人注目。

中卫市

1403.宁夏海源龚弯新石器时代遗址

作　者：宁夏博物馆　李俊德
出　处：《考古》1965 年第 5 期

1964 年 3 月，考古人员在海源龚弯发现 1 处新石器时代文化遗址。简报配以照片、手绘图予以介绍。

据介绍，遗址在县城西南 20 公里，东临后沟，南距龚弯村 0.5 公里。遗址为一西高东低的坡形台地，处于河沟交汇处的三角地带上，高出河床 20 米，现为农耕梯田。遗址范围南北长 200 米，东西宽 100 米。地面上散布有陶片。陶器以夹砂红陶较多，也有少量的泥质红陶。火候较高，质坚硬，皆为手制平底器。器表除素面外，以篮纹最为常见，还有绳纹、划纹以及极少的彩绘陶。器型只见有罐。遗址有可能是墓葬区。

1404.宁夏海原县菜园村遗址、墓地发掘简报

作　者：宁夏文物考古研究所、中国历史博物馆考古部　许　成、李文杰、李进增、
　　　　陈　斌等
出　处：《文物》1988 年第 9 期

六盘山余脉南华山东西横亘海原县境。菜园村位于山脉北麓，东距县城 15 公里。
1985 ～ 1987 年，考古人员在菜园村周围的山坡上全面揭露了切刀把、瓦罐嘴、寨子
梁墓地，部分揭露了林子梁遗址，试掘了马缨子梁遗址。简报分为：一、概况，二、
遗迹，三、结语，共三个部分。有照片、手绘图。

据介绍，在林子梁、马缨子梁等遗址发现有房址、灰坑、窑址、墓葬等遗迹，
出土遗物有石器、骨器、陶器、兽骨、河蚌壳等。房址为简报发表时我国发现最早
的窑洞式房址之一，距今约 4500 年。先民应过着农业与畜牧业并重的生活。

1405.宁夏海原县菜园村遗址切刀把墓地

作　者：宁夏文物考古研究所　许　成、李进增等
出　处：《考古学报》1989 年第 4 期

海源县菜园村遗址，包括已发掘的寨子梁、瓦罐嘴、切刀把、二林子湾墓地和
林子梁、马樱子梁居址。切刀把墓地位于菜园村南 1.5 公里的坡地上。坡地历经雨
水冲刷和风力剥蚀，又屡遭翻耕，破坏较严重，冲沟已切入墓地数十米。墓地中部
有一条现代小路，南北走向，将墓地分为东西两部分。切刀把墓地是 1984 年文物普
查时发现的。1985 年秋进行了试掘，发掘墓葬 17 座。1986 年春夏进行第 2 次发掘，
发掘墓葬 33 座，出土各类遗物 1380 件。简报分为：一、墓葬概述，二、墓葬举例，三、
随葬品，四、结语，共四个部分。限于篇幅，简报重点介绍了 1986 年 M29、M9、
M27、M11、M1、M24、M25、M33 等墓的发掘资料。有照片、手绘图。

据介绍，菜园村遗址切刀把墓地沿用时间较长。简报将墓葬分为早、晚两期。
早期只有竖穴土坑墓；晚期竖穴土坑墓仍在沿用，但新出现竖穴侧龛墓。侧龛墓在
总体中的比例有上升趋势。两期墓葬除墓葬形制外，葬式及随葬品的使用状况基本
相同：都不使用葬具；均为屈肢葬，以侧身屈肢葬为主，少数为仰身或俯身屈肢葬，
死者下肢的蹲屈程度有蹲踞式、跪踞式、屈膝式 3 种，晚期墓葬淘汰了蹲屈特甚的
蹲踞式，其余 2 种仍然并存；随葬陶器陶质、陶色器类等方面的一致性，说明死者
属于同一文化共同体。但是，墓葬形制的变化和器物形制与装饰的局部的、阶段性
的变化，反映出早、晚两期文化面貌的一定差异性。随葬品以陶器最普遍，每墓均有。

生产工具数量少，种类单纯，仅见于 M2 南部。石器分磨制和打制 2 种，前者是 1 件亚腰四棱柱形石线坠，用途似纺轮；后者个体细小，边刃锋利，多是间接打击法的制成品，具有典型的细石器风格。骨器有刀、匕、锥 3 种，均不是典型的农业工具。可以想见，农业在当时的生产中并不占主导地位。简报认为此遗址为一新石器时代土著文化墓地。

1406.宁夏海原曹洼遗址发掘简报

作　者：北京大学考古实习队、固原县博物馆　王　辉、杨　明
出　处：《考古》1990 年第 3 期

曹洼遗址位于宁夏海原县城东南约 40 公里的曹洼乡水冲寺林场，南华山北坡下片冲积扇上。1984 年海原县文物普查时在东侧冲沟的断崖上发现 2 件彩陶罐，同时，在地面上采集到部分彩陶片。为了搞清这一地区的新石器时代的文化面积，1986 年上半年，对该遗址进行了试掘，试掘点位于遗址东部冲沟边上，发掘总面积为 270 平方米。

简报分为：一、地层堆积和遗迹，二、遗物，三、结语，共三个部分。有手绘图。

据介绍，从试掘所获的遗物看，曹洼遗址的文化遗存应属马家窑类型。曹洼遗址的 3 个碳十四数据（未经树轮校正）为：T102 淤土上层，距今 4820±100 年；H107，距今 4640±90 年；H105，4460±100 年（以上数据为北京大学考古系碳十四实验室测定）。

简报称，这次曹洼遗址的发掘为研究宁夏南部马家窑类型遗存的面貌提供了线索，使人们对这个地区马家窑类型遗存的内涵有了一个概括的了解。

1407.海原县西安乡田野调查简报

作　者：宁夏博物馆考古队　许　成、李进增
出　处：《考古与文物》1990 年第 5 期

西安乡位于海原县西北 15 公里处。南华山东西向横亘全境。1986 年春夏之际，宁博考古队在西安乡菜园村新石器时代墓地进行了较大规模考古发掘。工作结束后，全体人员以菜园村为中心，系统、普遍地调查了周围地区，发现新石器时代遗存 5 处。

简报分为：一、林子梁，二、寨子梁，三、石沟，四、马缨子梁的沟儿洼，五、瓦罐咀，六、结语，共六个部分。有手绘图。

据介绍，在方圆十几平方公里范围内，发现较有价值的新石器时代墓地 4 处，

遗址2处,证明本地区新石器时代遗存的分布是比较密集的。先民们曾在此地长期生息繁衍,群体数目和个体数量都相当可观。最引人注目的是林子梁,东坡为遗址,西坡为墓葬。二者以梁脊相隔,巧妙地利用自然地势将两者划分开来,确是与众不同之处。从这几处遗存中采集的标本看得出,它们的文化内涵极为相似。

简报称,这里的地形、地貌和自然景观与黄河上游的黄土高原区相似,遗址分布规律、文化内涵也有很多联系,但区别仍是主要的,很可能这个地区从属于一个新的文化体系。

新疆维吾尔自治区

乌鲁木齐市

1408.新疆柴窝堡湖畔细石器遗存调查报告

作　者：新疆社科院考古所

出　处：《考古与文物》1989 年第 2 期

1984 年考古人员在乌鲁木齐市东南约 50 公里处柴窝堡湖进行调查，发现大量细石器，共采集到标本 600 多件。

克拉玛依市

吐鲁番地区

哈密地区

和田地区

阿克苏地区

喀什地区

1409.新疆疏附县阿克塔拉等新石器时代遗址的调查

作　者：新疆维吾尔自治区博物馆考古队

出　处：《考古》1977 年第 2 期

1972 年 7 月，考古人员在南疆喀什地区进行考古调查时，于疏附县乌帕尔公社乌布拉特大队西约 5 公里的地方，发现了阿克塔拉、温古洛克、库鲁克塔拉和得沃勒克 4 处新石器时代文化遗址。遗址位于葱岭东麓群山环抱的山前地带，自然环境、地理面貌基本一样。除有极少量的骆驼刺和芦苇外，尽是沙石荒漠。由于葱岭雪水冲刷和强风侵袭，到处散布着东南—西北向的一道道沟壑和大大小小的黄土丘阜，有些地方有东南—西北向的小沙梁。石器、陶片等文化遗物大都暴露在这些黄土丘阜之间和沙梁之间的地面上。在遗址范围内，有两条小河，源自葱岭，在乌布拉特大队附近汇合，向东流去。在遗址和大队所在地之间，有一座 80 米左右见方的古城，据测定，是公元 3 世纪前后的建筑。在遗址北面有公路，东通乌帕尔公社，西达克孜勒苏柯尔克孜自治州乌恰县其木干公社。由于遗址风蚀破坏严重，未能试掘，仅在地面上采集到一些标本，简报配以手绘图予以介绍。

据介绍，4 处遗址中以阿克塔拉遗址的文化遗物比较集中丰富，其他 3 个遗址则较少。但从地理环境、文化遗物的相同看，它们应是同一个时代的同一种文化。这种文化，仅从其遗物观察，有如下一些特点：一是石器形体较大，大部是磨制，打制石器极少；二是石刀、石镰所占比例甚大，制作相当精致，且以无孔半月形最具特色；三是陶器质地皆夹砂，无泥质陶，均手制，火候不高，圜底器占多数；四是很多器物在口沿处有一圈小洞或小突钉，其他纹饰很少。根据这些特点和遗址中有红铜小件的情况，简报推断其时代当为新石器时代末期，即铜石并用时代。在这个时代，新疆喀什一带的原始居民已经以农业生产为主，且已有了纺织工艺。

克孜勒苏柯尔克孜自治州

巴音郭楞蒙古自治州

1410.新疆和硕新塔拉遗址发掘简报

作　者：新疆考古所　吕恩国
出　处：《考古》1988 年第 5 期

遗址位于和硕县东南博斯腾湖以北 10 公里处，1979 年部队挖土时发现，考古人员赶往清理，发现是 1 处古代遗址。出土有石器、陶器。年代应略晚于罗布淖尔孔雀湖早期墓葬，但应早于阿拉沟、查布河沟早期墓葬。

1411.新疆罗布泊小河墓地 2003 年发掘简报

作　者：新疆文物考古研究所
出　处：《文物》2007 年第 10 期

小河墓地位于若羌县罗布泊孔雀湖下游，早在 1934 年，瑞典考古学家贝格曼曾在此发掘墓葬 12 座。2002 年底，考古人员开始对小河墓地的调查工作，已发掘墓葬 167 座，出土文物数以千计。

简报指出，小河墓也是新疆史前文化 1 处重要墓地。墓前竖立的男根或女阴立木等，似与原始宗教、原始文化有关。简报重点介绍了 M11、M13、M24、M33、M34 等墓，年代应在公元前 1650 年至前 1450 年间。

昌吉回族自治州

1412.新疆奇台县半截沟新石器时代遗址

作　者：新疆维吾尔自治区博物馆考古队　陈　戈
出　处：《考古》1981 年第 6 期

1974 年 8 月，奇台县半截沟公社中学的 3 位教师，在公社附近采集到一些彩陶片和石器，考古人员前往调查。简报配以手绘图等予以介绍。

据介绍，半截沟公社在奇台县城南 45 公里，地处天山北麓的坡前地带。遗址在公社东南 550 米处的 1 个南北向的土梁上，土梁高 5～6 米。土梁东侧有 1 条小溪，西侧有 1 条河流，常干涸，仅雨季时流量较大。据当地人反映，过去在此处取土烧砖，灰土层曾出有大量的陶片，其中有很多是彩陶，另外还有直肢葬的人骨架和羊骨等。由于常年取土破坏，现在文化层已所剩无几。调查时，仅在一残存处开掘 1 个探方，出土许多陶片，同时采集到一些石器。简报认为半截沟遗址是 1 处新石器时代晚期遗址，当时的居民可能已经过着比较定居的以农业为主的生活。石器均为磨制，以穿孔的锤斧、石锤居多。陶器均为夹砂陶，手制，以素面为主。彩陶占相当大的比重。二排或三排倒三角加网纹是最流行的花纹。

1413.新疆木垒县出土的石制农具

作　者：新疆昌吉州党史地方志办公室　戴良佐
出　处：《农业考古》1989 年第 2 期

木垒哈萨克自治县位于新疆东部、天山北麓古老的木垒河畔。这里幅员辽阔，山川交错，水草丰美，土质肥沃。如今是农牧并举、有哈萨克等 12 个民族聚居的边境县。考古资料表明，早在 3000 年前，这里已居住着原始人。他们采集、狩猎并已过渡到农业经济，过着相对定居的部落生活。迄今在县境内已发现 3 处新石器时代遗址，简报介绍几处：

一、东城乡四道沟遗址，位于木垒县西南约 10 公里。遗址南北狭长，东西南三面为山谷。西边有 1 条干涸的古河床，1 条南北向的水渠从这里通过。1977 年，新疆博物馆考古队进行了试掘。发掘面积共 200 平方米，清理了 4 座墓葬。出土文物除骨器、陶器、彩陶片、青铜器和马、牛、羊、狗等动物骨骼外，有石器 80 余件，大部分为农业生产工具。四道沟遗址出土的石器，其中磨制石器占石器总数的 78%，而农业生产工具又占磨制石器 50% 以上，这说明农业在当时已占有十分重要的地位。

二、61 公里木垒河东岸新石器遗址，距县城 3 公里，为河滩高地，在 1979 年修筑公路时已遭破坏。通过木垒县文化馆几次勘查，采集到石器 13 件。其中有石锄 2 件，另有石环状器 6 件。

三、十四号信箱基建工地，于 1982 年 7 月施工中出土石磨棒 1 件，系青石制成，呈手榴弹形。1984 年又在附近 100 余米处地下 1 米出土单耳圆底彩陶罐 1 件。

四、1982 年 11 月，东城乡原鸡心梁牧业二小队，哈萨克牧民哈不都热克在挖羊圈地基时发现石磨棒和石磨盘各 1 件。前者系黑色砾石制成，呈手榴弹形。

石磨棒和石磨盘，是先民对谷物进行脱粒和加工去壳的工具。石锄、石铲是最早的原始农具。其相对年代简报推断约为新石器时代晚期。是迄今发表的新疆考古资料中罕见的。

简报称，这些石制农具的出土，对于研究新疆原始社会农业的起源，提供了极为珍贵的实物资料。

1414.新疆准噶尔盆地东部两处细石器遗址

作　者：王　博、覃大海、迟文杰
出　处：《考古与文物》1993 年第 5 期

1988 年 8 月，新疆维吾尔自治区文物普查办公室在准噶尔盆地东部的木垒县境调查了 4 处含有典型细石器遗物的石器遗址。新发现的塔克尔巴斯陶遗址和七城子遗址，保存较好，并且采集到较丰富的典型细石器遗物。简报分为：一、塔克尔巴斯陶细石器遗址，二、七城子细石器遗址，三、讨论，共三个部分。有手绘图。

据介绍，遗址位于木垒县城东北约 32 公里的塔克尔巴斯陶，为东城乡鸡心梁村二组戈壁牧业点的居住和牧放区。塔克尔巴斯陶细石器遗址采集的石制品多为硅质岩和硅质粉砂岩质，还有火成岩和泥岩质制品。石制品有石核、石叶、石片石器和非石片性石器，计 41 件。

七城子细石器遗址位于木垒县大石头乡南约 20 公里处。遗址地处准噶尔盆地东部天山山脉北麓的低山带。这里是 1 条南北向长达 5 公里的山谷，较宽。谷地中沉积着黄土，遗址范围内泉眼甚多，故有水草泽地，今为夏牧场。七城子细石器遗址采集的石制品多为硅质岩和硅质粉砂岩，间有石英石、玛瑙和水晶石。石制品有石核、细石叶、宽石叶、石片和石片石器、非石片性石器，计 109 件。

此两处遗址的时代，简报推断为中石器—新石器早期。

博尔塔拉蒙古自治州

伊犁哈萨克自治州

塔城地区

阿勒泰地区

石河子市

阿拉尔市

图木舒克市

五家渠市

香港特别行政区、澳门特别行政区、台湾省

1415.香港元朗下白泥吴家园沙丘遗址的发掘

作　者：香港考古学会　区家发、莫　稚

出　处：《考古》1999 年第 6 期

元朗下白泥吴家园沙丘遗址是在香港古物古迹办事处组织的全港文物普查中，由第一普查工作队于 1997 年 9 月发现的。该遗址经初步勘探，面积不小，南北长360 米，东西宽 40 米，包含有 3 个不同时期的文化层，堆积厚达 2 米余，是 1 处非常重要的古文化遗址。由于时间所限，调查中只能开 1 米 ×2 米的小探沟，对于遗址的文化内涵知之有限。为对这一重要遗址取得更详细的资料，对遗址进行了发掘。发掘自 1997 年 11 月 24 日开始，至 1998 年 1 月 23 日结束，清理面积共计 131.46平方米。

简报分为：一、地理环境，二、地层堆积，三、遗迹，四、出土遗物，五、遗址年代，共五个部分。有手绘图、照片、拓片。

据介绍，下白泥吴家园沙丘遗址发现的夯土房基背山面海，为正东西向。其上有排列有序的 51 个柱洞，可见是 1 座面阔 6 间、进深 2 间、前面出廊的悬山顶式大型房子，面积达 107.5 平方米。这座房屋（F1）有可能是氏族首领的居所或氏族公共活动的场所。它不是单独的建筑，在其西南侧亦发现有夯土房基（F2），说明这是一组建筑群。此遗址的面积达 1 万余平方米，不难推想当时这里是 1 处颇具规模的村落。简报认为值得注意的是，在文物普查中，于遗址的最南部曾开 1 米 ×2米探沟 1 条，发现 1 件残石戈，很可能是陪葬品。如果推测无误，那么极有可能存在墓葬区。

简报称，距今 4000 多年的新石器时代晚期沙丘遗址中夯筑泥沙土房基的出土，是中国南部以及东南亚史前沙丘遗址考古中的首次发现，也是香港回归祖国之后史前考古的重大发现。它最终将改变长期以来人们所认为的香港原始居民"居无定所"、沙丘遗址是原始居民季节性的流动住地以及"南方原始住宅形式是干栏式建筑"等陈旧观念，从而开拓了香港以及中国南部史前沙丘遗址考古的广阔前景，意义重大。

1416.香港马湾岛东湾仔北史前遗址发掘简报

作　者：香港古物古迹办事处、中国社会科学院考古研究所　邹兴华、吴耀利、
　　　　李浪林

出　处：《考古》1999 年第 6 期

1997 年 6 ~ 11 月，考古人员对香港马湾岛东湾仔北遗址进行了大规模抢救性考古发掘。马湾岛是属于香港新界荃湾区管辖的一个小岛，该岛南北长，东西窄，面积不到 1.5 平方公里。东湾仔遗址位于马湾岛东北角一个名叫"东湾仔"的海湾，在现代沙滩的背后，为一长条形的古代滨海沙堤，总面积接近 3000 平方米。为配合新机场公路和铁路建设，1991 年考古人员对大屿山北部和马湾岛进行调查，但并未在东湾仔发现文化遗存。其后，由于马湾岛将进行大型的房地产开发，于 1993 年再次在马湾岛进行全面的考古和历史调查，发现东湾仔沙堤内蕴藏着丰富的古代文化遗存。1994 年 3 ~ 5 月和 10 ~ 11 月，在东湾仔沙堤南部进行抢救发掘，出土了丰富的汉代遗物，发掘报告已于 1995 年出版。

由于东湾仔北将受到开发，考古人员决定对遗址作全面发掘。发掘于 1997 年 6 月 23 日正式开始，于 11 月 18 日结束，揭露面积总计超过 1400 平方米，最重要的收获是清理出 20 座史前时期墓葬。

简报分为：一、发掘方法，二、地层堆积，三、第一期遗存，四、第二期遗存，五、第三期遗存，六、初步认识，共六个部分。有手绘图、拓片。

据介绍，根据东湾仔北遗址发现的清晰地层关系以及所出遗物特征，可以把该遗址的文化遗存分为三期：第一期遗存是遗址最早的文化遗存；第二期遗存以 C42、C9 和 C1007 层内发现的大量遗物和 19 座墓葬为代表；第三期遗存以 C13 层发现的少量遗物和开口于 C1004 层底部的 1 座墓葬为代表。在第一、二期遗存之间，还有一个较长的间歇期。

简报称，东湾仔北遗址的发掘是香港考古的一个重大突破。对它的深入研究，将会为香港乃至整个珠江三角洲地区考古学上的许多学术问题提供一些有价值的资料。

参考文献

一、参考文献分为上编、中编、下编。

二、上编收录本书收录的考古核心刊物（以《北京大学中文核心期刊目录》2011 年版考古学科为准，略加调整）。中编系非核心刊物及以书代刊的连续出版物、某一地区考古成果汇编等举要。下编是面对非考古专业读者的相关书籍。

三、上编依《北京大学中文核心期刊目录》2011 年版给出顺序排列；中编依通行的省市自治区直辖市顺序排列。省市自治区下排列不分先后。

上 编

1.《文物》

创刊于 1950 年，国家文物局主管，文物出版社主办。初名《文物参考资料》，1959 年改为《文物》。1971 年曾停刊一年。现为月刊。

2.《考古》

创刊于 1955 年，由中国社会科学院考古研究所主办。1955～1959 年，用《考古通讯》的刊名，1955～1957 年为双月刊，此后改为月刊，1966 年 6 月至 1971 年 12 月停刊，1972～1982 年为双月刊，1983 年至今为月刊。有《考古（1955～1996 年）》《考古（1997～2003 年）》两张全文检索光盘出版。2007 年 3 月起，实行双向匿名审稿。

3.《考古学报》

创刊于 1936 年 8 月，由国立"中央研究院"历史语言研究所主办，刊名《田野考古报告》，列为专刊之十三。第二册（1947 年 3 月出版）更名为《中国考古学报》，至 1949 年共出版四册。第四册出版于 1949 年 12 月，由中国科学院历史语言研究所主办。1950 年 8 月 1 日，中国社会科学院考古研究所成立（当时为中国科学院所属研究机构），继续主办，于 1950 年 12 月出版第五册。自第六册（1953 年 12 月出版）更名为《考古学报》至今。1954 年变更为半年刊，1956 年变更为季刊，1960 年又变更为半年刊，1978 年起改为季刊，每年 1、4、7、10 月的 30 日出版。2007 年 3 月起，实行双向匿名审稿。

4.《考古与文物》

1980 年创刊，陕西省考古研究所主办，季刊。1982 年改为双月刊。该刊曾编有若干期《考古与文物》辑刊，多为研究性文章；还编有《考古与文物丛刊》，为不定期刊物，有少许发掘报告，但内容较宽泛，古文字学、古人类学等方面文章均收。

5.《中原文物》

河南省博物馆主办，1977 年创刊时名为《河南文博通讯》，1981 年改名《中原文物》，季刊。2000 年改为双月刊。有《〈中原文物〉十五年叙录（1977～1992）》一书。

6.《北方文物》

黑龙江省考古研究所、考古学会主办，1981 年创刊，初名《黑龙江文物丛刊》，季刊。

7.《华夏考古》

河南省考古研究所、河南省文物考古学会主办，创刊于1987年，季刊。

8.《四川文物》

四川省文物局主办。1984年创刊，双月刊。出版有《〈四川文物〉二十年目录索引（1984～2003）》。

9.《江汉考古》

1980年创刊，先以不定期形式共出了五期（至1982年底为止）。从1983年第1期（即总第6期）起改为季刊，向国内外公开发行。1989年第3期起，由湖北省文物考古研究所主办。

10.《农业考古》

1981年创刊，为国内外唯一的专门发表有关农业考古学研究成果的大型学术刊物。原主办单位为江西省博物馆、江西省中国农业考古研究中心。1985年由江西省社会科学院历史研究所和江西省中国农业考古研究中心主办；1994年起由江西省社会科学院和中国农业博物馆联合主办；2003年起由江西省社会科学院主办。双月刊。

11.《文博》

1984年7月创刊，陕西省考古研究所主办；陕西省博物馆、秦始皇陵兵马俑博物馆参办。双月刊。

《文博》虽未列入2011年版《北京大学中文核心期刊目录》，但考虑到该刊的质量及陕西省作为文物大省的地位，此次仍然予以收录。

中 编

1. 北京市

《考古学社社刊》

北京燕京大学考古学社编，1934 年创刊，1937 年停刊。

《考古学集刊》

中国社会科学院考古研究所主办，1981 年创刊，科学出版社出版，年刊。自第 16 期开始以专业论文为主。

《考古学研究》

北京大学考古文博学院、中国考古学研究中心编，16 开平装，科学出版社、北京大学出版社不定期出版。

《北京文物与考古》

1983 年创刊。

《北京文博》

北京市文物事业管理局主办，1995 年创刊，季刊。

《北京考古》

北京市文物研究所编，北京燕山出版社 2008 年始不定期出版。

《三代考古》

中国社会科学院考古研究所夏商周考古研究室编，16 开平装，科学出版社不定期出版。

《中国道教考古》

线装书局不定期出版。

《中国古陶瓷研究》

紫禁城出版社出版的连续出版物。

《石窟寺研究》

中国古迹遗址保护协会石窟专业委员会编，文物出版社不定期出版。

《中国大遗址保护调研》

中国社会科学院考古研究所文化遗产保护研究中心编，科学出版社 2011 年始不定期出版。

《文物研究》

科学出版社连续出版物。

《九州》

商务印书馆连续出版物。

《古脊椎动物学报》

中国科学院古脊椎动物与古人类研究所主办。1957年创刊时为英文版，季刊，1959年创刊中文版。1961年英文、中文版合并，1966年停刊，1973年复刊。

《文物资料丛刊》

《文物》编辑委员会编，文物出版社不定期出版。

《古代文明》

北京大学中国考古学研究中心编，文物出版社不定期出版。

《古代文明研究》

中国社会科学院考古研究所、古代文明研究中心编，文物出版社不定期出版。

《中国盐业考古》

科学出版社不定期出版。

《科技考古》

中国社会科学院考古研究所编，科学出版社不定期出版。

《水下考古》

国家文物局水下文化遗产保护中心编，上海古籍出版社2018年出版第1辑。

《中国国家博物馆馆刊》

创刊于1979年，初名《中国历史博物馆馆刊》。原为半年刊，一年两本。1999年改名《中国历史文物》，2002年改为双月刊，2011年改为《中国国家博物馆馆刊》，并改为月刊。

《首都博物馆丛刊》

首都博物馆主办，北京燕山出版社2007年始不定期出版。

《中国文物报内部通讯》

1991年7月创刊，不定期出版。

《陶瓷考古通讯》

《玉器考古通讯》

《古代文明考古通讯》

以上三种"通讯"，均由北京大学文博学院主办。

《青年考古学家》

北京大学文物爱好者协会会刊，1988年创刊。科学出版社出版。每年一册。

《故宫博物院院刊》

故宫博物院主办，1958年创刊，双月刊。

《中国文物科学研究》

国家文物学会、故宫博物院主办，2006 年创刊。

《中国历史文物》

国家博物馆主办，双月刊。

2．天津市

《天津博物馆集刊》

天津博物馆编，天津人民出版社出版，1998 年第一辑出版。

《天津考古》

天津市文化遗产保护中心编，16 开精装，科学出版社不定期出版。

《天津博物馆论丛》

科学出版社不定期出版。

《天津文博》

天津市文物博物馆学会编，1986 年创刊。

3．河北省

《文物春秋》

河北省文物局主办，创刊于 1989 年，双月刊。

《河北省考古文集》

河北省文物研究所编，科学出版社不定期出版。

4．山西省

《三晋考古》

山西省考古学会、山西省考古研究所主办，1994 年创刊。年刊，现由上海古籍
出版社出版。

《山西博物馆学术文集》

山西人民出版社不定期出版。

《晋中考古》

文物出版社不定期出版。

《运城地区博物馆馆刊》

运城地区博物馆主办。

《北朝研究》

中国魏晋南北朝史学会、大同平城北朝研究会编，16 开平装，科学出版社不定
期出版。

《文物世界》

山西省文物局主管，1987 年创刊，双月刊。

5. 内蒙古自治区

《内蒙古文物考古》

内蒙古文化厅、内蒙古考古博物馆学会主办，1981 年创刊，半年刊。

《草原文物》

内蒙古自治区文化厅、内蒙古考古博物馆学会主办，1984 年创刊，1997 年由年刊改为半年刊。

《鄂尔多斯考古文集》

伊克昭盟文物工作站 1981 年创刊。

《内蒙古包头博物馆馆刊》

内蒙古包头博物馆主办，2000 年创刊。

6. 辽宁省

《辽宁文物》

辽宁省博物馆主办，1980 年创刊。

《辽海文物学刊》

1986 年创刊，辽宁省博物馆、文物考古研究所主办，半月刊。

《辽宁考古文集》

辽宁省文物考古研究所编，16 开平装，科学出版社不定期出版。

《辽宁省博物馆馆刊》

辽海出版社不定期出版。

《沈阳故宫博物院院刊》

沈阳故宫博物院主办，1995 年创刊，半年刊。

《沈阳考古文集》

沈阳市文物考古研究所编，科学出版社 2007 年始不定期出版。

《大连文物》

科学出版社不定期出版。

7. 吉林省

《东北史地》

吉林省社会科学院吉林省高句丽研究中心主办，2004 年 1 月创刊。

《博物馆研究》

吉林省博物馆学会、吉林省考古学会主办，季刊。

《边疆考古研究》

吉林大学连续考古研究中心编，科学出版社不定期出版。

《亚洲考古》

吉林大学边疆考古研究中心编，科学出版社出版。该刊为英文版。

8．黑龙江省

《黑龙江文物丛刊》

1985 年创刊，季刊，现已改名为《北方文物》。

《昂昂溪考古文集》

科学出版社 2013 年版。

9．上海市

《上海博物馆馆刊》

创刊于 1981 年，上海人民出版社出版。后改名《上海博物馆集刊》，年刊。

《上海文博论丛》

上海博物馆主办。2002 年创办，季刊。

《文物保护与考古科学》

上海博物馆主办，1989 年创刊，现为双月刊。

《出土文献》

清华大学出土文献研究与保护中心编，2010 年创办，每年一辑。

10．江苏省

《东南文化》

南京博物院、江苏省考古学会主办，1975 年创刊时名为《文博通讯》，1985 年改为《东南文化》。

《南京博物院集刊》

南京博物院主办，文物出版社出版。

《无锡文博》

1990 年创刊，季刊，原名《无锡博物馆通讯》。

《扬州文博》

扬州市博物馆主办，1990 年创刊，1992 年停刊。

《江淮文化论丛》

扬州市博物馆编，文物出版社不定期出版。

《徐州文物考古文集》

徐州市博物馆编，科学出版社不定期出版。

《苏州文博论丛》

苏州市博物馆编，文物出版社不定期出版。

《文博通讯》

江苏省考古学会编。1975 年创刊，1985 年改名为《东南文化》。

《江阴文博》

江阴市文物管理委员会编，半年刊。

《常州文博》

常州市博物馆编，1993 年创刊，半年刊。

11．浙江省

《东方博物》

浙江省博物馆主管，创刊于 1997 年，季刊。

《杭州文博》

杭州出版社不定期出版。

《浙江省文物考古所学刊》

科学、文物出版社不定期出版。

《宁波文物考古研究文集》

宁波市文物考古研究所、文物保护管理所编，科学出版社不定期出版。

《东方建筑遗产》

宁波报国寺古建筑博物馆编，科学出版社的连续出版物。

《绍兴市考古学会会刊》

绍兴市考古学会编，不定期出版。

12．安徽省

《安徽省考古学会会刊》

安徽省文物考古研究所、考古学会编，16 开平装，1985 年创刊，为科学出版社出版的连续出版物。

《安徽文博》

安徽博物院、安徽省博物馆协会主办，1980 年创刊。年刊。

《徽州文博》

黄山市博物馆协会主办。

《文物研究》

安徽省文物考古研究所编，科学出版社不定期出版。

13．福建省

《福建文博》

福建省博物馆主办，1979 年创刊，半年刊。

《东南考古研究》

厦门大学出版社不定期出版，涉及东南亚国家考古成果。

14. 江西省

《南方文物》

江西省文化厅主办，江西省博物馆、江西省考古研究所编辑出版。原名《江西文物》，1992 年改称《南方文物》，季刊。

《江西省博物馆集刊》

江西省博物馆主办，文物出版社不定期出版。

15. 山东省

《东方考古》

山东大学东方考古研究中心编，16 开平装，为科学出版社推出的连续出版物。

《齐鲁文物》

山东省博物馆编，科学出版社不定期出版。

《海岱考古》

山东省文物考古研究所编，科学出版社不定期出版。

《胶东考古》

《齐鲁文博》

齐鲁书社不定期出版。

《山东省高速公路考古报告集》

科学出版社不定期出版。

《济南考古》

济南市考古研究所编，为科学出版社的连续出版物。

《青岛考古》

青岛市文物保护考古研究所编，为科学出版社出版的连续出版物。

16. 河南省

《河南博物馆馆刊》

1936 年创刊，河南博物馆编辑出版，16 开，计已出版了 11 册。除了考古成果，还收录了动物、植物、矿物等方面的成果。

《中原文物考古研究》

大象出版社不定期出版。

《河洛文化论丛》

北京图书馆出版社不定期出版。

《动物考古》

河南省文物考古研究所编，文物出版社不定期出版。

《文物建筑》

河南省古代建筑保护研究所编,科学出版社不定期出版。

《郑州文物考古与研究》

郑州市文物考古研究院编,科学出版社不定期出版。

《郑州商城考古新发现与研究》

河南省文物考古研究所编,中州古籍出版社出版。

《洛阳考古》

洛阳市文物考古研究院编,中州古籍出版社出版的系列出版物,2017年以来已出版十余册。

《洛阳文物钻探报告》

洛阳市文物钻探管理办公室编,文物出版社不定期出版。

《开封考古发现与研究》

开封市文物工作队编,中州古籍出版社1998年出版。

《开封文博》

开封市博物馆主办,1990年创刊,半年刊。

《殷都学刊》

安阳师范学院主管,1980年创刊,季刊。

17. 湖北省

《楚文化研究论集》

荆楚书社不定期出版。

《荆楚文物》

荆州博物馆编,16开平装,科学出版社2013年始不定期出版。

《襄樊考古文集》

襄樊市文物考古研究所编,科学出版社2007年始不定期出版。

《鄂东北考古报告集》

湖北科学出版社1996年版。

《三峡考古之发现》

湖北科学技术出版社推出的连续出版物。

《湖北库区考古报告集》

国务院三峡工程建设委员会办公室、国家文物局编,科学出版社2003年始不定期出版。

《武汉文博》

武汉市文物管理处研究室编,1988年创刊,季刊。

《清江考古》

湖北省清江隔河岩考古队、湖北省文物考古研究所编，科学出版社 2004 年出版。

《湖北南水北调工程考古报告集》

科学出版社不定期出版。

《葛洲坝工程文物考古成果汇编》

武汉大学出版社出版。

《长江文物考古简讯》

长江流域规划办文物考古队编，1958 年创刊，月刊。

18. 湖南省

《湖南省博物馆馆刊》

岳麓书社不定期出版。

《湖南考古辑刊》

岳麓书社不定期出版。

19. 广东省

《广东文物》

广东省文化厅、广东省文物博物馆学会主办，1996 年创刊，半年刊。

《广东文博》

广东省文物管理委员会主办，1983 年创刊，不定期出版。

《艺术史研究》

中山大学艺术史研究中心编，中山大学出版社出版，每年一本。

《华南考古》

广州市文物考古研究所等编，文物出版社 2004 年始不定期出版。

《羊城考古发现与研究》

广州市文物考古研究所编，文物出版社 2005 年始不定期出版。

《广州文博》

广州市文物局等编，1985 年创刊，文物出版社不定期出版。

《珠海考古发现与研究》

广东人民出版社 1991 年版。

《深圳文博论丛》

深圳博物馆编，文物出版社不定期出版。

20. 广西壮族自治区

《广西考古文集》

广西文物考古研究所编，文物出版社不定期出版。

《广西文物考古报告集》

广西壮族自治区文物工作队编，广西人民出版社 1993 年出版的一册汇集了 1950 ~ 1990 年的考古调查、考古发掘报告等。

21. 海南省

《海南省博物馆研究文集》

科学出版社不定期出版。

《西沙水下考古》

中国国家博物馆水下考古研究中心、海南省文物保护管理办公室编，科学出版社不定期出版。

22. 重庆市

《长江文明》

中国三峡博物馆主办，2008 年创刊，季刊。

《重庆库区考古报告集》

重庆市文物局、重庆市移民局编，科学出版社出版，大体每年一卷。

《大足学刊》

大足石刻研究院编，重庆出版社不定期出版。

23. 四川省

《四川考古报告集》

文物出版社不定期出版。1998 年出版第 1 集。

《南方民族考古》

四川大学博物馆、成都民族文物考古研究所编，1987 年创刊，中间因故停刊，2010 年复刊。科学出版社不定期出版。

《成都文物》

成都文物管理委员会主办，季刊。

《成都考古发现》

成都市文物考古研究所编，科学出版社出版，大体一年一册。据称自 2001 年以来，20 年间发表了 425 篇报告。

《四川古陶瓷研究》

四川省社会科学院主办，不定期出版。

《川南文博》

四川省宜宾市博物馆主办，1985 年创刊。

24. 贵州省

《贵州省博物馆馆刊》

贵州省博物馆主办，1985 年创刊，1988 年停刊，1992 年与《贵州文物》合并，改名《贵州文博》。

《贵州文物》

贵州省文管会主办，1982年创刊，1992年停刊。

25.云南省

《云南文物》

云南省博物馆主办，1973年创刊，1987年停刊。

《云南考古文集》

云南民族出版社出版。

《茶马古道研究集刊》

云南大学出版社不定期出版。

26.西藏自治区

《西藏文物考古研究》

西藏自治区文物保护研究所编著，平装16开，科学出版社2014年始不定期出版。

《西藏考古》

四川大学出版社1994年始不定期出版。

《西藏文物通讯》

西藏自治区文管会主办，1981年创刊。

27.陕西省

《周秦文明论丛》

三秦出版社不定期出版。

《西部考古》

三秦出版社出版的连续出版物。

《史前研究》

陕西省考古研究院、西安半坡博物馆主办，1986年创刊，季刊。

《秦文化论丛》

西北大学出版社出版的连续出版物。

《陕西省历史博物馆馆刊》

西北大学出版社出版的连续出版物。

《陕西博物馆馆刊》

三秦出版社不定期出版。

《宝鸡文博》

1991年创刊，不定期出版。

《秦陵秦俑研究动态》

秦始皇兵马俑博物馆主办，1986 年创刊，季刊。

28．甘肃省

《敦煌研究》

《西北民族研究》

《陇右文博》

甘肃省博物馆主办，1996 年创刊，半年刊。

《简牍学研究》

西北师范大学、甘肃省文物考古研究所编，甘肃人民出版社 1997 年开始出版。

29．青海省

《青海文物》

青海省文化厅主办，1988 年创刊。

《青海考古学会会刊》

青海省文化厅文物处、青海省考古学会主办，1980 年创刊，1985 年停刊。

30．宁夏回族自治区

《宁夏社会科学》

《西夏学》

宁夏大学西夏学研究院主办，半年刊。

31．新疆维吾尔自治区

《新疆文物考古研究所丛刊》

《新疆考古》

新疆社会科学院考古研究所主办，后改为《新疆考古研究资料》，不定期出版。

《新疆文物》

《西域文史》

北京大学中国古代史研究中心、新疆师范大学西域文史研究中心合办，16 开平装，由科学出版社不定期出版。

《吐鲁番学研究》

吐鲁番地区文物局编。

32．香港特别行政区、澳门特别行政区、台湾省

《香港文物》

香港古物古迹办事处出版。

《香港考古学会专刊》

《"国立"台湾大学考古人类学刊》

1953 年创刊，年刊。

《台湾省博物馆季刊》

创刊于 1948 年，现存 4 期，已停刊。

《故宫文物月刊》

台湾"'国立'故宫博物院"出版，1983 年创刊。

下　编

　　欲了解最新的考古成果、考古文献，有两套书是必须知道的：一套是《中国考古学年鉴》，自 1984 年以来每年一册，欲了解上一年度（如 2019 年出版的年鉴，反映的是 2018 年的信息）的考古成果、考古书籍、考古论文等，这是最权威的工具书之一；另一套是《中国重要考古发现系列》，这套书的优点是图文并茂，反映的就是书名所示年度的重要考古发现。如 2013 年出版的《2012 年中国重要考古发现》，说的就是书名所示 2012 年的事情。这两套书，均由文物出版社出版。

　　更深入一些的书籍，有三套书应该提到：

　　第一套是文物出版社出版的《中国文物地图集》，这套书按各省市自治区分册，如重庆分册、河北分册等。优点是将考古发现与地图结合，可以直观地看到某一地区考古发现的多少，但欲进一步了解，仅靠此套书是无法解决的。所以正确的使用方法是：将此书与其他书结合起来阅读。

　　第二套是《中国考古集成》（中州古籍出版社 2006 ~ 2007 年版），此书实际上就是将散见各处的考古文献汇集一处，这对使用者而言当然是极为便利。不过窃以为如改为《中国稀见考古文献集成》，或许更实用一些。

　　第三套是《中国考古学》，此为集中全国专家编写了十余年之久的国家项目，专业性较强。计划分为 9 卷，目前"新石器时代卷""秦汉卷""两周卷""三国两晋南北朝卷""夏商卷"等册已出版。全套书要出齐恐怕尚待时日。《考古》杂志 2011 年第 7 期有相关书评，有兴趣的话可以找来看看。

　　如果没有时间去浏览这些大套书的话，先看一些概述、综述性质的书是一个不错的选择。这里仅介绍国家文物局主编的《中国考古 60 年（1949 ~ 2009）》（文物出版社 2009 年版）一书。这部书是按省市自治区分开叙述的，囊括了 1949 年后几乎全部重大考古发现，有文有图，执笔者多为各省（自治区、直辖市）的考古专家，文简意赅，缺点是没有给出参考文献，无法以此为线索扩大阅读。当然，依照以往的惯例，可以预料日后会有《中国考古 70 年（1949 ~ 2019）》一类的书出版，希望那时会有所改进。文物出版社 2009 年出版的《中国文物事业 60 年》一书，或可视作《中国考古 60 年（1949 ~ 2009）》一书的姐妹篇，也可参阅。书中除了港澳台以外，各省（自治区、直辖市）均列有专节。另外，国家博物馆编、中华书局 2012 年出版的《文物史前史·彩色图文本》等，已出齐 10 册，几可视为中国考古的图片专辑。

　　陈淳先生的《考古学研究入门》（北京大学出版社 2009 年版）、李朝远先生的

《青铜器学步集》（文物出版社2007年版）、刘凤翥先生的《遍访契丹文字话拓碑》（华艺出版社2005年版）等，当为比较专业的"入门"类书。四川文物考古研究院编过一本《少儿考古入门》（文物出版社2013年版），那是明言给中小学生看的。其实，一些大家写的集子，可读性颇强，不妨也当作入门书来读。如严文明先生的《足迹：考古随感录》（文物出版社2011年版）、苏秉琦先生的《中国文明起源新探》（辽宁人民出版社2009年版，三联书店2019年新版）、李零先生的《入门与出塞》（文物出版社2004年版）、赵青芳先生的《赵青芳文集·考古日记卷》（文物出版社2011年版）、罗宗真先生的《考古生涯五十年》（凤凰出版集团2007年版）、石兴邦先生的《叩访远古的村庄》（陕西师范大学出版社2013年版）、杨育彬先生的《考古人生——杨育彬回忆续录》（科学出版社2021年版），等等。一些考古工作者亲力亲为的记载，也十分生动有趣。如王吉怀先生的《禹人絮语——考古随笔记》（中国社会科学出版社2017年版）、罗西章先生的《周原寻宝记》（三秦出版社2005年版），等等。事实上，此类书几乎已成为近几年的一个出版热点。如《了不起的文明现场：跟着一线考古队长穿越历史》（三联书店2020年版）、《我在考古现场：丝绸之路考古十讲》（中华书局2021年版）、《考古中国——15位考古学家说上下五千年》（中信出版集团2022年版）等，均很受欢迎。

这里要特别推荐李伯谦先生《感悟考古——写给青年学者的考古学读本》（上海古籍出版社2015年版）一书，这是考古大家唯一一本明言写给青年学者的考古学入门读本。另外，李学勤先生的《李学勤讲演录》（长春出版社2012年版），也是深入浅出的大家之作。陈洪波先生《中国科学考古学的兴起：1928～1949年历史语言研究所考古史》（广西师范大学出版社2011年版）、《中国文物研究所七十年（1935～2005）》（文物出版社2005年版）、《记忆：北大考古口述史》（北京大学出版社2012年版）、《考古研究所编辑出版书刊目录索引及概要》（四川大学出版社2001年版）等是众多考古机构类书籍中最值得推荐的几本。读此会对中国最高考古机构及最早的考古教育院系有一个基本了解。文物出版社2010年还出版过一本《春华秋实：国家文物局60年纪事》，读一读，对中国大陆最高文物考古行政部门，也会有所了解。学术史、研究史方面的书自也不应忽视。这方面的书籍应提到陈星灿先生的《中国史前考古学史研究：1895～1949》（三联书店1997年版）、《20世纪中国考古学史研究论丛》（文物出版社2009年版）、黄继秋先生的《百年中国考古》（江苏人民出版社2013年版）、李学勤先生的《20世纪中国学术大典·考古学、博物馆学》（福建教育出版社2007年版）等。最新的书籍，当然是王巍先生主编的《中国考古学百年史（1921～2021年）》（中国社会科学出版社2021年版）共12册，据称共有276名专家参加了此书的写作。

有几部书较有特色，但很难归类：一是国家文物局第三次全国文物普查办公室编的《三普人手记：第三次全国文物普查征文选集》（文物出版社 2009 年版），可一见奋战在文物普查一线的文保工作者的酸甜苦辣；二是中国文物保护基金会编的《天职——从"文保市长"到"文保书记"》（文物出版社 2009 年版），可了解地方官员的无奈与奋争；三是何驽先生的《怎探古人何所思：精神文化考古理论与实践探索》（科学出版社 2015 年版），不是讲考古的思想史，而是从考古材料出发研究思想史；四是《梁带村里的墓葬：一份公共考古学报告》（北京大学出版社 2012 年版），它是从一个村庄微观角度，讲述考古学。

最后应介绍文献学及工具书方面的书籍。首先应提到张勋燎、白彬先生编著的《中国考古文献学》（科学出版社 2019 年版）。至于工具书，有《中国考古学文献目录（1949～1966）》（文物出版社 1978 年版）、《中国考古学文献目录（1971～1982）》（文物出版社 1998 年版）、《中国考古学文献目录（1983～1990）》（文物出版社 2001 年版）等，虽说尚未构成一个完整的考古文献"数据库"，但总算有胜于无。期待着国家文物局相关数据库建设早日完善。还有一些小型的更专业的书目，如叶骁军编的《中国墓葬研究文献目录》（甘肃文化出版社 1994 年版），赵朝洪先生的《中国古玉研究文献指南》（科学出版社 2004 年版）。这些书目都很不错，但如不及时修订容易过时。史前方面，还有几部研究史和文献目录应该提到：吕遵谔先生的《中国考古学研究的世纪回顾——旧石器时代考古卷》（科学出版社 2004 年版）、严文明先生的《中国考古学研究的世纪回顾——新石器时代考古卷》（科学出版社 2008 年版），是很好的研究史专著。缪雅娟先生的《中国新石器时代考古文献目录（1923～2006）》（中州古籍出版社 2014 年版），为我们提供了该领域的专业目录。后两书的内容，从时代看有的已进入夏商甚至更晚的时期。

辞典方面，仅介绍三部：一部是上海辞书出版社 2014 年出版的《中国考古学大辞典》，由中国社会科学院考古研究所所长王巍先生主编。条目拟定者多为相关领域专家，历时 7 年编成。正文收有条目 5000 余条，附录中有"中国考古学大事记（1899～2012）"等也都很实用。这部辞典，可以看作是考古学领域的"牛津双解辞典"，颇具权威性。另一部是罗西章、罗芳贤父女二人编著的《古文物称谓图典》（百花文艺出版社 2013 年版）。李学勤先生在序中称此书"别出心裁，与众不同，是一部新颖又有重要应用价值的著作"。共收录各类文物（图）3553 件（组），下分 20 大类，再依时代排列。此书的图片印制等尚有提升空间，期盼第三版时会更臻完善。第三部是文物出版社 2012 年出版的《常见文物生僻字小字典》，很实用。

报纸方面，应提到国家文物局主办的《中国文物报》周报。当然，最快捷的还是互联网。较权威的有中国社会科学院考古研究所的中国考古网（http：//kaogu.

cn）、中国考古网微信（zhongguokaogu/ 中国考古网）、中国考古网新浪微博（http：//e.weiho.com/kaoguwang）。

各地区也有一些不错的考古史及考古丛书等。

如北京市，推荐宋大川先生主编的《北京考古发现与研究（1949 ~ 2009）》一书，科学出版社 2009 年版，上、下两册。如觉此书太厚，可参见同一作者的《北京考古史》（上海古籍出版社 2012 年版）一书。另外，上海古籍出版社 2011 年出版的《北京考古工作报告（2000 ~ 2009）》，计 12 册，可视为北京考古事业的一个大型文献数据库。《北京考古集成》（北京出版社 2005 年版）15 卷也已出齐。

河北省，推荐河北省文物研究所编著的《河北考古重要发现 1949 ~ 2009》（科学出版社 2009 年版）一书。分旧石器时代、新石器时代、夏商周、秦汉、魏晋北朝、隋唐五代、宋辽金元明，共七个部分进行介绍。另有《河北文物考古文献目录》（河北人民出版社 2020 年版）。

山西省，山西是文物大省。相关书籍不少。从非专业人员阅读兴趣考虑，首先推荐《发现山西：考古人手记》（山西博物院、山西省考古研究所编，山西人民出版社 2007 年版）一书。该书 16 开一册，仅 175 页厚，插图 213 幅，记叙了山西省芮城县西侯度、清凉寺，吉县柿子滩、沟堡，绛县横水墓地，曲沃县羊舌墓地，黎城县西周墓地，侯马市西高祭祀遗址，大同市沙岭北魏壁画墓，太原市北齐徐显秀墓的考古发掘始末。读此一书，对山西省比较重要的考古发现，都会有一个初步的印象。《有实有积：纪念山西省考古研究所六十华诞集》（山西人民出版社 2012 年版）也可参考。

内蒙古，有《辽西区青铜时代考古文献选编：回眸药王庙、夏家店遗址发掘六十周年》（科学出版社 2020 年版）一书，把相关的考古发掘报告及研究论文集中于一书，使用起来当然很方便，何况收入的考古发掘报告又做了修订。

黑龙江省，可参阅黑龙江省文物考古研究所编《考古·黑龙江》（文物出版社 2011 年版）。

上海市，张明华先生《考古上海》（上海文化出版社 2010 年版）、上海博物馆编《上海市民考古手册》（北京大学出版社 2014 年版）等均可一阅。

浙江省，可参阅浙江省文物局编《发现历史：浙江新世纪考古新成果》（中国摄影出版社 2011 年版）一书。马黎先生的《考古浙江：历年背后的故事》（浙江古籍出版社 2021 年版），用浅白有趣的文笔，讲述了近十年来浙江省的考古工作，正好可与上一本书在时间上衔接起来。《浙江考古（1979-2019）》（文物出版社 2020 年版）汇集了相关最新成果。

安徽省，可参阅《流金岁月——安徽省文物考古研究所 50 年历程》（安徽省文物考古研究所 2008 年版）。

山东省，山东省文物考古研究所编《山东 20 世纪的考古发现和研究》（科学出版社 2005 年版），可作为了解山东省考古事业的一部入门书，但缺点是缺少近十年来的内容。

河南省，河南省是文物大省。可以推荐的书不少。如文物出版社 2011 年出版的《历程：洛阳市文物工作队三十年》，读来并不枯燥。同类书尚有《岁月如歌——一个甲子的回忆》《岁月记忆：河南省文物考古研究所 60 年历程》，均由大象出版社 2012 年出版。国家图书馆出版社 2009 年出版的《洛阳古墓图说》一书，以图解方式介绍了新石器时代至明代的古墓。《河南文博考古文献叙录（1986～1995）》（中州古籍出版社 1997 年版）、《河南新石器时代田野考古文献举要（1923～1996）》（中州古籍出版社 1997 年版），虽稍显过时，但仍不失为两部有价值的文献目录。

北京图书馆出版社 2005 年始陆续出版的《洛阳考古集成》，为 16 开多卷本，已出版"原始社会卷""夏商周卷""秦汉魏晋南北朝卷""隋唐五代卷"及"补编"等，汇集了近五十年来相关考古资料，可视为考古重镇洛阳的一项大型文献基本建设。

湖北省，楚文化研究会早在 20 世纪 80 年代即编有《楚文化考古大事记》，可作为工具书使用。

湖南省，文物出版社 1999 年出版有《湖南省考古五十年》一书，可参阅。

广东省，广东省文物局编《广东文物考古三十年》（暨南大学 2009 年版）一书，附有"广东省文物考古调查发掘简报、报告目录（1978～2008）"，可以视作广东省考古文献的入门目录之一。文物出版社 1999 年出版的《广东省考古五十年》一书也可参看。

近年来，不少经济大省纷纷推出本省文物、考古的集大成丛书，广东省自然也不例外。科学出版社近年所出《广东文化遗产》，下分"古墓葬卷""塔幢卷""石刻卷""近现代重要史迹卷""古代祠堂卷"等，广东相关文献，几乎全部囊括在内。

广州市文物考古所有《广州考古六十年》（广东人民出版社 2013 年版）一书，可了解广州市考古工作的情况。

重庆市，文物出版社 1999 年出版的《重庆市考古五十年》一书，可作为入门书来看。此后的考古发现，可参阅《重庆文物考古十年》（重庆出版社 2010 年版）。

四川省，比较值得推荐的有《巴蜀埋珍：四川五十年抢救性考古发掘纪事》（天地出版社 2006 年版），此书为四川省文物考古研究院编著，读者阅后对四川省 1949～2005 年间重大考古发现会有一个总体的印象。

贵州省，今有贵州民族出版社 1993 年版《贵州田野考古 40 年》一书，可参阅。

西藏自治区，夏格旺堆先生的《西藏考古工作 40 年》（文物出版社 2013 年版），是了解西藏自治区考古工作的一部综述类著述。

陕西省，陕西省是我国文物大省，从出版角度看，2006年成立的陕西省考古研究院在全国各省市自治区中可以说是做得最好、最有规划的。该院已出版的丛书计有：

——"陕西省考古研究院田野考古报告丛书"，已出版五六十部；

——"陕西省考古研究院学术专题研究丛书"；

——"陕西省考古研究院专家学术研究丛书"；

——"陕西省考古研究院文物精品图录丛书"；

——"陕西省考古研究院译著丛书"。

陕西省考古方面的书籍众多，在此仅介绍《三秦60年重大考古亲历记》（三秦出版社2010年版）一书，此书16开，554页厚，收文71篇，图文并茂，还有一些专业名词解释等小贴士，便于初学者阅读。读后对20世纪50年代的半坡遗址、60年代的蓝田猿人、70年代的秦兵马俑坑和周原遗址、80年代的法门寺地宫、汉唐帝陵和陪葬墓、90年代的汉阳陵陪葬坑、周公庙遗址、梁带村芮国墓地等均会有所了解。文章中不乏考古人员的发掘过程、生活细节、真实想法等，读来颇为生动、形象。陕西省文物局、考古研究院编《留住文明：陕西"十一五"期间基本建设考古重要发现（2006～2010）》（三秦出版社2011年版）当然是更专业的综述了。尹申平、焦南峰先生主编的《薪火永传：纪念陕西省考古研究院50周年（1958～2008）》（三秦出版社2008年版），读后对陕西省考古最高学术机构陕西省考古研究院会有一定了解。罗宏才先生的《陕西考古会史》（陕西师范大学出版社2014年版），也可参阅。

工具书方面，《陕西考古文献目录（1900～1979）》仍有一定使用价值。《陕西文物年鉴》（陕西人民出版社）是少数几个出版有文物年鉴的省、市中最为实用的。

甘肃省、青海、宁夏，有李怀顺、黄兆宏著《甘宁青考古八讲》（甘肃人民出版社2008年版），介绍了甘肃、宁夏、青海从旧石器时代到明代的考古情况。另有《青海考古50年》（青海人民出版社1999年版）一书，也可参阅。

新疆维吾尔自治区，2015年由新疆美术摄影出版社、新疆电子音像出版社、美国克鲁格出版社联合出版《西域文物考古全集》一书，共有"研讨与研究卷""精品文物图鉴卷""不可移动文物卷"三大卷39分册，是新疆维吾尔自治区文物局完成的对近万处文物资料的整理汇编，是以新疆88个县、市的不可移动文物资料为基础，融汇了多年来新疆文物考古取得的主要成果。按照古遗址、古墓葬、古建筑、石窟寺及石刻、近现代重要史迹及代表性建筑、文物等类别的体例依次汇编。这些细致的工作，不仅为新疆不可移动文物保护规划的制定、进一步的考古发掘提供了科学依据，更为西域古代文化的研究提供了全面和系统的资料。

香港特别行政区，商志（香覃）、吴伟鸿先生的《香港考古学叙研》（文物出版社2010年版）在回顾香港考古发现、考古发掘的过程中，不时加入自己的研究观点，可作为了解香港特别行政区考古事业的首选书。

澳门特别行政区，郑炜明先生的《澳门考古史略》（澳门理工学院2013年版）是了解澳门特别行政区考古事业的一部好书，只是在中国内地不太好找。

台湾省，有陈光祖先生主编、臧振华先生编著的《台湾考古发掘报告精选（2006～2016）》。又有李匡悌先生编著的《岛屿群相：台湾考古》（台湾"中央研究院"历史语言研究所2018年版）一书，分章叙述了台湾的考古学史、史前考古、田野考古、环境考古、科技考古、动物考古、历史考古、水下考古等。

中国考古学会有《中国考古学年鉴》，已如前述。河南等地考古机构也有《考古年报》，一年一册。博物馆方面，有《中国国家博物馆年鉴》《中国博物馆年鉴》。

后记

考古发掘报告，包括前期的勘察报告、调查报告、钻探报告、航拍报告、试掘报告，中期的清理报告、发掘报告，后期的实验报告、整理报告、保护报告等，是我国几代考古工作者辛勤劳动的结晶，是我们认识考古学术成果的唯一文字凭证。考古发掘报告，反映的是祖先留下的珍贵遗产，而考古发掘报告本身，也已成为一座取之不尽、用之不竭的学术宝库。这座宝库，应该说不仅仅属于考古学界，甚至应该说不仅仅属于学术界，而应属于全体国民，属于人类文明。

然而，令人遗憾的是，多年以来，国人对考古发掘报告的了解和利用实在是太有限了。考古学"是 20 世纪中国学术界成绩最突出，对人类历史贡献最大的学科之一"。（陈星灿著《考古随笔（二）》，文物出版社 2010 版，第 251 页），历史学号称与考古学的关系"特别密切和重要"（赵光贤著《中国历史研究法》，中国青年出版社 1988 年版，第 29 页），但《中国古代史史料学》（安作璋主编，福建人民出版社 1994 年版，第 91 页）一书，对古代陵墓、建筑遗址、遗迹及相关实物等考古材料不还是以一句"因涉及考古学的专门知识，这里不再作介绍"交代了吗？究其原因，主要在于考古发掘报告专业性强，佶屈聱牙。考古学家俞伟超先生甚至说，他当年对斗鸡台的考古报告都"很难看得懂"，直至 1954 年"在陕西宝鸡发掘时，在当地琢磨才明白的"（曹兵武编著《考古与文化续编》，中华书局 2012 年版，第 330 页）。考古名家尚且如此，遑论其他？唯其如此，如果有一部通俗易懂而又信息量大的集中介绍考古发掘报告的工具书，不是多少能解决点问题吗？我个人以为，这一工具书最好是有提要的，仅仅是一部考古发掘报告的书目、篇名目录，对"数据"的"发掘"程度是不够的。人们需要了解：在哪儿、什么时候、发现或发掘出什么、这些遗迹或遗物有何特别之处、有何重要意义等基本信息。只有通过对这些基本信息的揭示，人们才会对考古发掘报告有一个大体了解，才谈得上去进一步利用。但这么多年了，却未见这样的工具书问世。诚如章培恒先生所言："要踏踏实实地、系统地研究某一门学问，非有这方面的较为完整的目录书指示门径不可。倘若没有呢？那就得自己动手去编。"（《日本现藏稀见元明文集考证与提要·序》，岳麓书社2004年版）这，也正是我们编纂《中国考古发掘报告提要》这一工具书的初衷和目的。如果说，《四库全书总目》囊括了大部分古典文献；那么，《中国考古发掘报告提要》则涉及主要的考古发现与考古发掘，只有既掌握了古典文献的基本内容，又了解了考古发掘的基本事实，才有可能真正融会贯通，将王国维先生的"二重证据法"落到实处。从这一角度看，将《中国考古发掘报告提要》视为"地下的《四库全书总目》提要"似无不可，尽管二者的作者水平与学术地位不可相提并论。

在工作开始之前，征求了多位不同学科、不同专业的专家、学者们的意见。有意思的是，持反对意见的人主要集中在考古圈内，考古圈外的人却大多表示赞同。反对的意见主要出自三点考虑：

一是"网上都有"。的确，不少刊物现已在网上可查全文。但经过逐刊、逐年、逐期的查寻发现，并非"网上都有"，有的刊物网上查不到，有的刊物缺年少期。更重要的是，仅在网上浏览，是无从享受纸本工具书的解说、集中、分类、检索等功能的。从务实的角度说，上网查询，毕竟是要产生费用的，有时一篇文章反复翻阅，既不方便，也不经济。这时恐怕即使是考古圈内的人，也会想要有一部工具书，有个基本了解后再有目的地上网查找相关文献，线上线下，相辅相成，岂不是事半功倍？

二是"大多知道"。这里所说的"大多知道"，是指某一地区的考古人员，对本地区的考古文献是很熟悉的。比如北京市的考古人员，对北京市这一亩三分地都挖出过什么，可以说是如数家珍。即便如此，仍然会让人产生以下推论：一是就算是对本地区的考古文献烂熟于胸，有一部工具书辅助查寻，又有什么坏处呢？二是谁真能保证当地考古人员人人都能对本地区的考古文献十分熟悉呢？三是考古这门学问和别的学科一样，少不了比较，仅仅是熟悉本地考古文献，是做不了什么大学问的。王巍先生不就讲过："考古资料如汗牛充栋，不仅业外人士很难了解其全貌，就连从事考古学研究的学者，对自己研究领域之外的考古成果也往往知之不多。"（《中国考古学大辞典·前言》，上海辞书出版社2014年版）四是考古圈以外的人，当然不可能做到"大多知道"。

三是"量太大了"。认为考古报告成千上万，编起来不胜其烦。其实不正是因为太多太繁，才有必要编纂相关工具书吗？马云讲未来的资本不是土地，不是金融，而是"大数据"。从做学问的角度讲，只有掌握了某一门学科的"大数据"，才有可能做出大学问。

与考古圈内形成鲜明对比的是，考古圈外的人却大多表示赞同，认为有这么一部工具书，对于查找和理解考古发掘报告是颇有益处的。北京大学李零先生早就谈到：考古圈内人"除了'报告语言'就不会说话"，而"圈外人看考古报告又如读天书，不知所云，不但不知道怎样找材料，也不知道怎样读材料和用材料"（《说考古"围城"》，载《读书》1996 年第 12 期）。复旦大学葛兆光先生则说："当外行人读他们的报告时，要么觉得他们的话让人难懂，要么觉得他们是在自言自语。""考古可以不断地挖出新的遗址，发现新的文物，但是无论如何，这只是学科内的事情。"（《槛外人说槛内事》，载《读书》1996 年第 12 期）其实这些学者，还是很关注考古发掘的。例如文献学家周勋初先生，就说他"喜欢看考古发掘方面的介绍"（《艰辛与欢乐相随——周勋初治学经验谈》，凤凰出版社 2016 年版，第 3 页）。但喜欢是一回事，能否真正看懂又是一回事。许宏先生不就讲过："考古学给人以渐渐与世隔绝的感觉。甚至与这个学科关系最为密切的文献史学家，也常抱怨读不懂考古报告，解读无字天书的人又造出了新的天书。"（王巍主编《追迹：考古学人访谈录 II》，上海古籍出版社 2015 年版，第 170 页）如果说，《四库全书总目》提要让人们对那些陌生的古代文献有了一个基本了解；那么，《中国考古发掘报告提要》也不过是想让人们对这些号称"天书"的考古发掘报告有个大致印象，仅此而已。

对于编纂《中国考古发掘报告提要》的看法不同，或许也是因为考古圈内、圈外对于考古发掘报告的关注点不一样：

首先，考古圈内更关注的是相关考古报告何时发表，是否规范。如郑嘉励先生指出："就考古工作者的职业道德而言，积压的考古资料必须适时发表。"（《浙江汉六朝墓报告集·后记》，科学出版社 2012 年版）张文彬先生也谈到："在我看来，客观、完整、及时将重要的考古资料公布于世，让学界鉴赏、研究，这是文物、考古工作者的天职，也是文物考古界的职业道德。恪守这个职业道德，对于我国考古学研究水平的提高乃至整个考古事业的发展，都是十分重要的，切不可等闲视之。"（《鹿邑太清宫长子口墓·序》，中州古籍出版社 2000 年版）而考古圈外更关注的，主要是已出版、发表的考古发掘报告如何利用。

其次，考古圈内更关注史前及夏商周三代考古，现在不少大学还是史前、三代考古各设一个教研室，其后的各朝各代统设一个"汉唐宋元考古教研室"。这是因为中国考古学诞生于 20 世纪 20 年代那个落后、屈辱的时代，"中国考古学一开始的主要工作，就是要寻求中国人类繁衍不息，中国文化源远流长，中国文明连接不断的证明"（王煜主编《文物、文献与文化——历史考古青年论集·序言》第一辑，上海古籍出版社 2017 年版）。以求重建民族自尊心和自信心。加之中国考古学源自欧洲，而欧洲"考古学要解决的主要是人类起源、农业起源、文明起源这三大问题"。（同前引文）不要说中世纪及近现代考古，就是古希腊、古罗马，在很长一段时间都"显然不是欧洲考古学的主要阵地，甚至更多的关注来自艺术史的学者"（同前引文）。这对中国考古学不可能没有影响。所以考古圈内不少人对战国以后的所谓"历史时期考古"兴趣不大。而考古圈外呢，自然更关注与自己搞的那一段所谓"断代史"有关的史料。

这么说，并不是说考古圈内的人都反对这个事，考古圈外的人都赞成这个事——不是这样的。考古圈外有的也颇不以为然，考古圈内的人也有的认为很有必要。如老考古人苏秉琦先生神骧出枥，指出考古学"新趋势的特点是向多学科、大众化发展。考古学的发展需要多学科素养的人来参加，社会上各行各业的人都能从这门学科中找到他们感兴趣的知识或材料，事实上还远远没能做到这一点，这主要是由于我们的工作还有许多薄弱环节"（《苏秉琦文集》（三），文物出版社 2009 年版，第 113 页）。苏秉琦先生这里所说的"我们"，应该是指考古学界。而自说自话、外人难读的考古发掘报告，理应属于"薄弱环节"之一，既然是薄弱环节，当然就有待改进和提高了。否则的话，就如同另一位老考古人张勋燎先生所指出的："如果搞其他学科史的人感到我们的历史时期考古对解决他们的问题完全没有帮助，那我们就是在玩古董，而不是研究考古了。"（《中国历史考古学论文集》下册，科学出版社 2013 年版，第 261 页）

不过，考古圈内和考古圈外在一个问题上的看法却惊人地一致：那就是都认为考古发掘报告花费了这么多的时间、精力和金钱，不好好利用，实在可惜。李伯谦先生曾讲过："我深知一部考古报告的诞生十分不易，从田野调查、发掘到室内资料整理、编写报告，一环扣一环，不知有多少人为此付出了辛劳和汗水。"（《大冶五里界·序》，科学出版社 2006 年版）。郭德维先生也曾谈到："凡整理过报告的人都知道，这是一项极其繁杂、十分琐碎的工作，既费神又费力，且短期难以完成，如果不是有很强的事业心，不下狠心用很长时间坚持做，是绝对做不好的。"（《随州擂鼓墩二号墓·序》，文物出版社 2008 年版）。宋建忠先生则感叹："常言道：巧妇难为无米之炊，但考古工作的现状常常是'好米难遇巧妇'，现在是物欲横流的时代，考古发现层出不穷的时代，人心浮躁不安的时代，现实的情况往往是'发掘抢着做，报告无人理'。因此，即使是一个重要的考古发现，报告的出版也常常是遥遥无期"。（《汾阳东龙观宋金壁画墓·序》，文物出版社 2012 年版）安金槐先生更直言："考古报告的出版是个大问题""编一本考古报告是要费大劲的""所以编考古报告要有点吃亏的精神"（曹兵武编著《考古与文化续编》，中华书局 2012 年版，第 359～360 页）。考古发掘详报时隔一二十年甚至更长时间才得以出版的例子比比皆是。如张忠培先生在《元君庙仰韶墓地》一书封三上写道："一九五九年写成初稿，二十四年后才贡献给读者。"（高蒙河《张忠培先生六十年学术论著要目编纂札记》，载《庆祝张忠培先生八十岁论文集》，科学出版社 2004 年版）王益民先生在《丁村旧石器时代遗址群》一书后记中，开篇即说此书费时 20 年。然而，好不容易有人不计名利将报告写了出来，又费尽千辛万苦申请到了经费，总算幸运地得以出版，命运又如何呢？除了图书馆、博物馆采购一些外，大都流往图书大集，成了打折书。北京大学陈平原先生讲："就拿我来说，明明知道正在削价出售的考古报告很有学术价值，可就是没有勇气把它们抱回家，原因是读不懂。"（《文学史家的考古学视野》，载《读书》1996年第12期）季羡林先生也曾讲道："往往有这种情况，中国考古工作者发掘的某个地方，经过艰苦的劳动和细致的探索，写出了发掘报告，把发掘的情况和发掘出来的实物都加以详尽、准确、科学的描述，有极高的水平，但是往往不把这些发掘结果应用到历史研究上来。结果给外国的历史学家提供了素材。他们利用了这些素材，证之以史籍，写出了很高水平的历史专著。"（转引自张保胜《张懋夫妇合葬墓·序》，科学出版社2017年版）然后国内学界再"出口转内销"。这实在是一件令人深感悲哀的事情。

说完了考古圈内外关于考古发掘报告及《中国考古发掘报告提要》的看法，再来说说考古发掘报告本身。关于这一问题，比较令人感触的有两点：一个是"量"与"质"，一个是"繁"与"简"。

先说"量"与"质"。先说"量"。自20世纪20年代至今，究竟有多少考古发掘报告，谁也说不清楚。不仅考古圈外的人说不清，考古圈内的人也说不清，王巍先生曾谈到，1949～2009年这60年，"公开出版的考古发掘报告已达300余部"（《新中国考古六十年》，载《考古》2009年第9期）。可也有人说如今"每年出版的考古报告多达百册以上"（《新世纪的学术期刊的繁荣发展——纪念〈考古〉创刊50周年笔谈》，载《考古》2005年第12期）。以书的形式出版的考古详报并不算多，都有不同的数字，更不用说以文章形式发表的考古简报了。

《中国考古发掘报告提要》收入的考古发掘报告，从收录标准看是偏宽的，不是仅收狭义的"考古发掘报告"，从篇幅来看，既收动辄几十万字的考古详报，也收几千字上万字的考古简报，还有几百字的所谓"微简报"。之所以连"微简报"也尽量予以收录，有两个原因：一是考古发现（发掘）本身就比较简单：或许只是发现了一件青铜器，或许就是发掘出一处窖藏；二是正是因为考古发掘过程简单，很大可能仅有此一介绍，除此再无音讯。但即使是这种"微简报"，也有可能蕴藏着丰富的信息（如某种文化的"边疆"在哪）。金泥玉屑，不可小视。

《中国考古发掘报告提要》收录了以书的形式出版的考古详报和在核心期刊（以《北大中文核心期刊目录》2011版考古学科为准，略加调整）发表的考古简报、微简报共计13000多种。在非核心期刊和以书代刊的考古文献上发表的考古报告，估计还有四五千种，公正地说，这部分发掘报告的学术价值大多略逊一筹，计划日后以《中国考古发掘报告提要·补编》的形式出版。如此，仅是20世纪20年代末至

2015 年，已出版和发表的考古发掘报告，就几近 20000 种，差不多是《四库全书总目》所收书的一倍了。这个数字看似可观，其实仍只是我们这个五千年文明古国考古成果中的一部分。众所周知，祖先留下的遗迹、遗物，已发现的只是其中的一部分；对这一部分进行了清理、发掘的又只是其中的一部分；已发掘的这一部分中，写有考古发掘报告的又仅是其中的一部分；写有考古发掘报告能正式发表的，又只是其中一部分。不是有学者指出，"十个考古发掘项目中，只有四五个发表了简报或者报告"吗？甚至一些名列"全国十大考古新发现"的考古发掘，也尚未发表考古报告。（张庆捷《考古发掘报告积压的问题》，载 2011 年 9 月 23 日《中国文物报》）所以我们今天能够看到的考古发掘报告，看似珠渊瑶海、宏富之极，其实已是经过层层递减，实在是弥足珍惜。

再看"质"。既然是中国考古发掘报告，自然和别的事情一样，必定会带有中国特色。其表现之一，就是质量参差不齐。不像发达国家，考古报告的整体学术水平相对比较整齐。质量不一的一个重要原因，是时代造成的。张在明先生曾讲过："我们干考古时间长了，也有一种自豪感，我们是文科里边，理工科因素最多，科学性最强、最严谨的一门学科。比起哲学、文学、历史，还是比较自豪的。"（张在明《科学的态度，历史的真实——在全国文物普查培训班上的发言》，载《文博》2008 年第1 期）但从事这一"科学性最强"的人又如何呢？不去提中华人民共和国成立初期留用的盗墓人员（参见《长沙砂子塘西汉墓发掘简报》，载《文物》1963 年第 2 期），也不提"大跃进"时由 8 位刚从中学毕业的姑娘组建的"刘胡兰"考古队（参见《河南南召二郎岗新石器时代遗址》，载《文物》1989 年第 7 期），"文化大革命"后期和改革开放之初的"亦工亦农学员"（参见《河北磁县东魏茹茹公主墓发掘简报》，载《文物》1984 年第 4 期），就是到了 20 世纪 80 年代末 90 年代初文物普查时，张在明先生不还在说，"中国就是这样的现实，大部分普查队员就是这样一个业务水平。当时陕西省上了 1000 多人，省上真正业务好的，懂考古的，上的人并不多"，甚至出现"照出来的胶卷大部分废了"，因为有时"镜头盖没打开，照完了，回来一冲是空的"，以致陕西省"90% 以上文物点都没有照片"（同前引文）。文物大省陕西省尚且如此，别的省区可想而知。近一二十年，考古队伍中的高学历人员多了许多，考古报告的质量有所提升，但仍然存在诸多问题。比如董新林先生谈到的"有意无意加以取舍，不按单位发表资料，使得资料零散"的问题，恐怕就不在少数（"期刊建设与考古学的发展暨纪念《考古》创刊 500 期学术研讨会"纪要，载《考古》2009 年第 5 期），而"资料完整不完整，是评判考古报告的质量高低的第一标准"（李伯谦《郑州大师姑·序》，科学出版社 2004 年版）。看来，的确如张忠培先生所言："中国考古学的成长史，离不开整个社会条件的制约。"（《中国考古学：走近历

史真实之道》，科学出版社 1999 年版，第 43 页）

应该指出，考古发掘报告在近年来有很大的进步，从量来说，取得国家专项资金支持得以出版的考古发掘详报越来越多，当然印量都不高，甚至有的书已出，考古圈内都不太了解（参见《考古》2011 年第 7 期载《中国考古学》一书书评），从质来说，海外学者曾批评："中国大陆在考古研究上不会问问题，即使问，也问得有限。有资料与有问题是两回事，如果只有资料而没有或问不出好的问题，资料也失去意义。"（许倬云《历史分光镜》，上海文艺出版社 1998 年版，第 297 页）而近年来出版的考古发掘报告，应该说已越来越善于问问题了。

再说"繁"与"简"。早在 20 世纪 80 年代，尹达先生就曾提出考古发掘报告"太简化，简化到史学家不能使用的程度"（《尹达同志谈考古学研究》，载《中原文物》1982 年第 2 期）。黄宽重先生则抱怨：考古发掘报告"偏重于墓葬结构、形制、出土陪葬物品的种类式样，如漆器、瓷器、石器等，特别着重于器物、墓室形制的描述，并讨论其意义。报告中虽然也注意到买地券，以及考订墓葬年代等等问题，却多忽略墓志资料"（《宋代的家族与社会》，国家图书馆出版社 2009 年版，第 15 页）。而墓志又恰恰是治史之人最需要的，着实令人恼火。王益人先生也指出已发表的旧石器时代考古发掘详报："可读的信息量实在太少，一个遗址出土几千件标本，读者只能看到十几件甚至一两件石器标本的插图和照片。难道这些标本就能代表这个遗址的所有信息吗？这绝不是我们想要的，也不能再走这样的老路了。"（《丁村旧石器时代遗址群：丁村遗址群 1976 ～ 1980 年发掘报告·代后记》，科学出版社 2014 年版）如此看来考古发掘报告似乎是越全、越厚越好。而当下 80、90后的网友，又大多认为如今的考古发掘报告太过繁琐，不忍卒读。如有一位名叫王悦婧的网友提到初读考古发掘报告的印象："在刚开始阅读时，我深刻体会到了阅读的艰难，很多专业术语一知半解，而且有很多的疑问和不理解。"（王悦婧《阅读考古发掘报告的几点心得体会》，载 http：//www.do-cin.com/D-8333.6897.htm1）似乎考古报告越通俗，越简单为好。

那么，考古发掘报告的量与质的问题、繁与简的矛盾是否能有一个兼顾呢？我个人认为，撰写提要，恰恰就是一个比较好的解决方案。只有通过撰写提要，才能为考古发掘报告算一总账，知道还有哪些重大考古发掘迟迟未出报告，以致国家文物局不得不将其列入"限期整理"名单（参见《长治分水岭东周墓地》文物出版社 2010 年版，第 4 页）；只有通过撰写提要，才能分辨出哪些报告已不堪使用，需要出版修订本、增订本（参见霍东峰、华阳《也谈考古报告的编写》，载《内蒙古文物考古》2007 年第 2 期）；也只有通过撰写提要，才能使"繁"与"简"的矛盾得以平衡，需要更多信息的读者，可以沿着提要的线索去查找更多的资料；需要一般了解的读者，或许阅读几百几千字的提要就得以了解相关信息了。

尽管考古发掘报告尚存在着这样那样的问题，但诚如有学者指出："从某种意义上说，现今研究中国的古代历史和文化，如果离开考古学及其研究成果，是很难进行的。"（张之恒主编《中国考古通论》南京大学出版社 2009 年版，第 38 页）而对考古学成果的利用，抛开考古发掘报告，也是不现实的，同样是很难进行的。《輶轩语》曰："无论何种学问，先须多见多闻，再言心得。"欲了解考古成果、考古材料，一本一本、一篇一篇地去读考古发掘报告，当然是一个办法，但先行阅读考古发掘报告提要，也应不失为一种事半功倍的选择吧？如袁珂先生所言："积累应当说是做学问的基础，没有积累，任何学问也做不起来。"（《袁珂神话论集·代序》，四川大学出版社 1996 年版）《中国考古发掘报告提要》，只能说是考古发掘报告"提要学"的最初一点积累吧。也算是为贯彻习近平总书记提出的"建设中国特色、中国风格、中国气派的考古学"的指示，所做出的一点努力吧。

至于编纂此书的难处，先抛开编者的学术水平等主观因素不说，客观上的困难至少有三：

一是几无借鉴。此书的编纂属于首创，考古发掘报告的提要怎么写，谁也不知道；这么多提要依照什么原则进行编排，谁也没干过。只能是摸着石头过河，摸索着干。王杰先生曾指出："万事开头难，前人没有做过，第一次来做此事，自然就难。"（《楚都纪南城复原研究·序》，文物出版社 1992 年版）确是深知甘苦之言。而只要是首创之举，恐怕都难称完美。这在目录学史上不乏其例。比如《书目答问》，被称作是首部"面向广大读书人的，把书目与读者的密切关系放在首位"的杰作，但"《答问》体例不一，仓促之迹比比皆是"（《增订书目答问补正·前言》，中华书局 2011 年版）。这里要提到张在明先生在谈及考古文物普查图集时曾引用过的一个外国笑话，说是一个火车站火车老晚点，旅客们埋怨说，要列车时刻表有什么用？站长说，没有列车时刻表，你怎么知道列车晚点多少？张先生说："可是我们 50 多年了，连个列车时刻表都没有。文物事业的火车，就是在没有时刻表的情况下，跑了 50 多年。"（同前引文）蠡测其意，张先生意思是说，文物普查图集，也是类似列车时刻表这么一项基本建设。而《中国考古发掘报告提要》，不也应算是一项基本建设吗？何况是出于编者少数人之力，错讹肯定是还要超过文物普查图集，但正如张先生所言，"有了文物图集至少有了靶子，有靶子可打呀，没有文物图集，你连靶子都没有"（同前引文），编者不揣简陋，编纂《中国考古发掘报告提要》，实在是任重才轻，操刀伤锦；也不过是想给学界提供一个"靶子"吧，甚望高明缺者补之，误者正之，日后也有类似《四库全书总目提要补正》《中国丛书综录补正》一类专著问世，使其更趋完善，更便使用。

二是工程浩大。工作量有多大，可有个参照。《〈中原文物〉创刊十五年叙录（1977～1992）》（河南省博物馆1993年6月自印本）一书收录了1500余条25万字，每条都有提要。该书前言称："《中原文物》编辑部的全体同志，在完成自己繁重的本职工作之余，为编写这本书，不辞劳苦，牺牲了业余时间，经过一年的艰苦努力，克服经费上的困难，自筹资金，终于使此书出版发行了。"《中国考古发掘报告提要》所收是《中原文物》提要数倍，且参编人员也均为利用业余时间工作，这么一对比，其工作量之大，即可思过半矣。

原稿堆积如山

三是经费紧张。《中国考古发掘报告提要》是在未及申报任何项目，没有一分钱科研经费的情况下干起来的，经费之紧张自不待言。中国科学院院士叶大年先生常常开导学生们，要记住拿破仑的名言："先投入战斗，然后见分晓。"（日新编著《听大师讲学习方法》，天津社会科学出版社2004年版，第126页）这件事也是"先投入战斗"，困知勉行，干起来再说。

或许正是因为有这些难处，才会留下诸多遗憾：

从"量"来说，未能一步到位，收录的书籍肯定有遗漏，收录的文章更是缺少了非核心期刊和以书代刊这一块。估计还会有几千种。计划仿照《四库全书存目丛书》的先例，以补编形式出版。

从质来说，未能更臻完善。记得曾在《北京晚报》上看到北京大学考古系的同学写的文章，将发掘的先民住宅用今天的"两居室""三居室"来打比方。我们这部提要虽说也尽量往"浅白有趣"努力，但似乎尚无法做到如此直白。另外，不少重要的学术信息，也实在是无暇一一查找对应到位，这都只能是留下遗憾了。

这么一部有着诸多遗憾和不足的资料，为什么仍要野人献曝、布鼓雷门呢？这实在是因为我坚信考古发掘一定会有着学界急需的营养。诚如陈星灿先生所言："考古学是一门让人难堪的学问。它的发展日新月异，足以动摇被世代奉为金科玉律的东西。"（《考古随笔（二）》，文物出版社2010年版，第149页）不要说三星堆、红山、陶寺等足以改写上古史的考古发现，就是中古史，不少考古发现也一样会促使我们重新思考以往的一些"定论"。比如胡宝国先生就注意到："根据传统史料，到处都是豪族，到处都有豪族的影响，但在造像记中，我们又几乎看不到豪族的踪影。"（胡宝国著《将无同：中古史研究论文集》，中华书局 2020 年版，第 383 页）这至少会促使我们重新审读以往的文献记载，以求更加贴近历史真相。

还有几点需要特别说明一下：

一是大的原则是依时间排列。征求了不少人的意见，都愿意从最便利的途径得知某一朝代（如汉代）已发现了多少手工业遗址，已发现了多少皇陵。《中国考古学》系列，倒是依时间排列的，但那是考古学的专业书，圈外人看起来还是费力，何况还未出齐。

二是附录中的"参考文献"，列举的是一些最基本的书刊，注明的也是一些考古界最熟知的事实，算是照顾考古圈外的普通读者吧。

三是总主编刘庆柱先生统筹全局，负责大政方针的把控，已是千钧重负，尽管先生向来虚己以听，闻过则喜，但作为后学，已然兼葭倚玉，何忍再让先生推功揽过，分损谤议。故而收录之遗漏、分卷之可议、校读之疏忽等种种具体问题，理应由本人引咎自责，抉误补阙。

四是本《提要》总索引，待《补编》《续编》《外编》等出齐后，再统一编一个涵盖整个《提要》系列的总索引。

最后想说的是：编纂过程虽然充满艰辛，但好在有许多前辈、朋友的支持和帮助，大家一起来克服困难。要感谢中国社会科学院考古研究所、北京大学文博学院、北京大学图书馆、首都师范大学图书馆、文物出版社、科学出版社、中国大百科全书出版社、中华书局以及河南、山西、陕西等地考古部门的支持与帮助，要感谢傅璇琮前辈的肯定与提携，要感谢中国文史出版社的各位领导，各位编辑、印制、发行老师和项目负责人窦忠如先生，要感谢关心此书出版的范纬女士、卢仁龙先生，还有许多师友，恕不一一列举大名了。没有大家的支持和鼓励，这件事情是不可能做成的。

丁晓山
2016 年 8 月于首都师范大学
2021 年 10 月改定